医疗器械行业发展与管理

李光大　蔡变云　主编

化学工业出版社
·北京·

图书在版编目（CIP）数据

医疗器械行业发展与管理 / 李光大，蔡变云主编. 北京：化学工业出版社，2026. 1. — ISBN 978-7-122-49313-2

Ⅰ. F426.7

中国国家版本馆 CIP 数据核字第 2025BX5962 号

责任编辑：邵桂林　　　　文字编辑：武一帆
责任校对：李　爽　　　　装帧设计：韩　飞

出版发行：化学工业出版社
（北京市东城区青年湖南街 13 号　邮政编码 100011）
印　　装：北京科印技术咨询服务有限公司数码印刷分部
787mm×1092mm　1/16　印张 20¾　字数 535 千字
2026 年 1 月北京第 1 版第 1 次印刷

购书咨询：010-64518888　　　售后服务：010-64518899
网　　址：http：//www.cip.com.cn
凡购买本书，如有缺损质量问题，本社销售中心负责调换。

定　　价：120.00 元

编写人员名单

主　　编　李光大　蔡变云

副 主 编　赵三团

编写人员（按姓氏笔画排序）

李光大　宋卫东　赵三团

雷　昆　蔡变云　蔺利峰

前　言

医疗器械早已成为现代生活中不可或缺的“健康守护者”，无论是家庭常备的体温计、血糖仪，还是医院里精密的血管支架、CT影像设备，它们在预防疾病阶段可提供数据支持，在治疗过程中可充当生命支持系统，在康复阶段则能成为功能恢复的辅助力量。虽然人们在现代给出了医疗器械的具体定义，但我们的祖先早在远古时代就已经利用智慧创造医疗器械与疾病进行抗争，这种创造自古延续至今：从新石器时代的砭石在患者肌肤上划下第一道治疗痕迹，到如今医者使用手术机器人在万里之外同步精准为患者实施手术治疗；从《黄帝内经》记载的九针到智能脑机接口技术使瘫痪患者重新站立。医疗器械的发展史堪称一部人类对抗疾病的科技史诗。

当今，医疗器械从小小的医用耗材到复杂精密的大型医疗设备，从常规的诊断器械到前沿的创新治疗器械，贯穿于医疗体系的每一个环节，深刻影响着现代医学的发展轨迹与人类健康福祉的提升。医疗器械创新已成为科技与医疗深度融合的前沿阵地，其行业实力更成为一个国家健康领域的布局能力和综合国力的重要标志。虽然我们的祖先创造了灿烂的文化，为世界医疗器械的发展贡献了诸如针灸等优秀的智慧瑰宝，但近代医疗器械理论起源于西方发达国家，再加上各种原因，我国医疗器械的发展曾一度非常落后。近年来，随着经济的繁荣和社会的进步，在良好的政策激励下，我国医疗器械行业快速发展，现已成为全球第二大医疗器械市场。从进口替代到行业整合，我国医疗器械正在实现从努力“跟跑”到“并跑”甚至“领跑”的跨越，为我国医疗事业的发展注入了强大动力。

医疗器械与人民健康息息相关，国家采取严格且科学的措施对医疗器械行业进行管理，以保证公众用械安全并引导行业健康发展。优秀的管理能帮助医疗器械行业降低合规风险、加速产品上市、提升市场竞争力；而行业的进步又持续推动了管理机制的优化，使人民群众获得更加优质的医疗器械，提高大众健康水平。二者相辅相成，共同进步。然而，医疗器械行业的高度专业性决定了其管理难度极高。我国通过多年的努力，借鉴国际先进管理经验，结合我国实际国情，建立了覆盖医疗器械全生命周期的监管制度。面对人口老龄化加剧和各种慢性疾病患者增多等挑战，社会对医疗器械的需求升级，催生了多元市场，我国医疗器械行业将迎来新一轮的发展。

日常生活中，每个人都会接触医疗器械，我们了解医疗器械行业及其管理方式，将更有利于适应现代生活，选购安全产品，正确使用器械维护自身健康，并监督社会公共安全。而基于我国社会的发展形势，医疗器械行业人才缺口将持续扩大，系统了解医疗器械行业及其管理将有利于把握职业发展机遇。本书的写作目的就是让更多人了解医疗器械行业，看见科技真正成为守护人类健康的温暖力量；看见医疗器械管理的科学发展过程，并从中得到启发。本书梳理了医疗器械行业的发展历程、现状与趋势，对我国医疗器械在研发、生产、销售、使用和上市后质量监测等各环节的管理要点做了详细介绍。希望本书能为行业从业者提供参考，为拟从业者搭建认知桥梁，为普通公众打开了解医疗器械的窗口。

由于时间有限，加之作者学识尚有不足，书中难免存有疏漏之处，恳请广大读者批评指正。

编者

目录

第一章

医疗器械概述

人们对健康的渴求和医学的不断发展催生了医疗器械。经济和科技的进步使得医疗器械日益壮大，为现代医学突飞猛进的发展提供强有力的技术保障与支撑，而临床医学的快速发展也使得人类越来越依赖于医疗器械。随着我国社会各方面的快速发展，医疗器械行业发展空间巨大，即将或正在成为国民经济的一个重要产业，未来将会吸引更多的社会资源，成为经济发展新的增长点。作为现代医学不可或缺的重要组成部分，医疗器械与人民群众的生命健康密切相关。普通民众了解医疗器械行业与监管的规则，将更有利于适应现代生活，进而更好地利用医疗资源保护自身健康；行业从业者理解医疗器械行业特点和监管规则，将更有利于合规执业。在了解医疗器械的行业发展与监督管理之前，首先应该理解医疗器械的定义，了解医疗器械的发展历程、基本特点及发展趋势等。

1.1 医疗器械的定义

1.1.1 我国医疗器械的定义

随着科技的不断进步和时代的发展，越来越多的新型医疗器械被人们研发出来，其应用范围日益扩大，生产链变得更加延长，种类也愈加多样化，其相应法律概念的界定也变得更加明确。2021 年新颁布的《医疗器械监督管理条例》（中华人民共和国国务院令第 739 号）第八章附则的第一百零三条对医疗器械做了比以往更加确切的定义，具体如下：

医疗器械是指直接或者间接用于人体的仪器、设备、器具、体外诊断试剂及校准物、材料以及其他类似或者相关的物品，包括所需要的计算机软件；其发挥功效的方式主要是通过物理途径获得，而不是通过药理学、免疫学或代谢等途径获得，或者虽然有这些途径的参与，但只起辅助作用；其目的是：

① 对疾病的诊断、预防、监护、治疗或者缓解；

② 对损伤的诊断、监护、治疗、缓解或功能补偿；

③ 对生理结构或生理过程的检验、替代、调节或支持；

④ 对生命的支持或维持；

⑤ 对妊娠的控制；

⑥ 对取自人体的样本进行检验，进而为医疗或诊断目的提供信息。

医疗器械的定义是判断某一产品是否属于医疗器械范畴的基本依据，也是行政管理的一个基本落脚点。从这一定义可以看出，医疗器械涉及生命健康的各个方面，种类繁多。医疗器械产品及其用途范围非常广泛，形式上包罗万象，从日常生活中使用的医用纱布、绷带、体温计、隐形眼镜、血压仪、血糖仪等，到医院使用的复杂医疗设备，如 CT（计算机体层扫描）、核磁共振、B 超和彩超等高端影像监测设备以及心脏起搏器等，都属于医疗器械的范畴。我国将体外诊断试剂也归入了医疗器械管理的范畴。此外，世界卫生组织在医疗器械的定义中还将“医疗器械消毒”作为特殊的一个目的列出[1]。

1.1.2 国外医疗器械的定义

（1）美国对医疗器械的定义　美国对医疗器械的定义出自《食品、药品和化妆品法》（Food，Drug and Cosmetic Act，FDCA）第 201（h）节，其中提到医疗器械指的是仪器、设备、器具、机器、用具、植入物、体外用试剂或校准器，或其他相似或相关物品，包含零部件或配件。这些物品需要满足以下条件：

① 集中记载于正式的《国家处方集》，或记载于《美国药典》，或记载于其附录；

② 以诊断、监护、缓解、治疗或预防疾病为目的，作用于人类或其他动物；

③ 不是通过在人体或动物体内的化学作用或依靠产生代谢变化来达到既定的预期目的，而是旨在影响人体或其他动物身体的结构或功能。

术语“设备”不包含根据 FDCA 第 520（o）条排除的非医疗用途的软件。

美国的医疗器械定义强调了产品的预期用途和对人体的影响。同时，美国医疗器械定义中包含了用于动物的医疗器械。

（2）欧盟对医疗器械的定义　欧盟对医疗器械的定义同样关注产品的安全性和有效性，根据《医疗器械法规》（Medical Device Regulation，MDR）（EU）2017/745，医疗器械是指制造商打算单独或组合用于人类，用于以下一个或多个特定医疗目的的任何仪器、装置、器具、软件、植入物、试剂、材料或其他物品，常见的医疗目的有：

① 疾病的诊断、预防、监测、预测、预后、治疗或缓解；

② 对损伤或残疾的诊断、监测、治疗、缓解或补偿；

③ 解剖结构或生理、病理过程或状态的检查、替换或修正；

④ 对来自人体的样本（包括器官、血液和组织供体）进行体外检查，进而提供信息。

并且，这些医疗器械在人体内或人体上并非通过药理、免疫学或代谢等手段达到其主要预期效果，但其功能可以通过这些手段得到辅助。

此外，用于控制或支持受孕的设备，以及专门用于清洁、消毒或灭菌医疗器械的设备，也被视为医疗器械。

（3）日本对医疗器械的定义　日本根据《确保药品、医疗器械等的质量、有效性和安全性的法律》，将医疗器械定义为用于诊断、治疗或预防人类或其他动物疾病，或影响人类或其他动物身体结构或功能的器具和设备。再生医疗等制品不在定义范围内。

1.1.3 国内外医疗器械定义的对比

中国、美国、欧盟和日本在医疗器械的监管定义上存在共性与差异[2]。在属性方面，日本将医疗器械归为“机械器具”，定义相对狭窄，强调其物理属性；中国、美国、欧盟的定义则更广泛，涵盖“仪器、器具、试剂、物品或制品”，包括化学和生物类产品（如试剂），更符合现代医疗器械多样化的趋势。在作用对象方面，中国和欧盟仅限用于人体（含人体样本检查)；美国和日本则扩展至人或其他动物，覆盖兽用医疗器械，反映了更广泛的应用场景。在核心用途方面，中国、美国、欧盟和日本均明确器械用于疾病的诊断、治疗、预防，且能影响对象的结构或功能；中国和欧盟则额外包含对损伤的作用、人体样本检测(如血糖试纸)；此外，中国还存在独特之处，即明确纳入生命支持/维持(如呼吸机)和妊娠控制(如避孕器械)，用途定义更细致。在作用机制方面，中、美、欧均排除通过药理学、免疫学或代谢途径起效的产品(此类通常归为药品)；而日本未明确排除上述机制，可能与其将部分药械组合产品归类为医疗器械有关(如含药支架)。

1.1.4　医疗器械与药品、保健食品和保健类器材的区别

医疗器械与药品、保健食品以及保健类器材有着明显的区别。

《中华人民共和国药品管理法》中提到，药品指的是用以预防、治疗和诊断人类疾病，有目的地调节人类生理机能，并明确规定有适应证或功能主治、用法及用量的物质，包含中药、化学药和生物制品。可见，医疗器械虽然和药品一样，都是用于治病救人，但两者有本质区别：①药品主要是中药、化学药品和生物制品，而医疗器械的种类很广，包括仪器、设备、器具、体外诊断试剂及校准物、材料和计算机软件等；②药品在体内或体表主要通过药理、免疫、代谢等途径发挥功效，医疗器械则主要通过物理的方式发挥功效，虽然有时也可能借助药理、免疫和代谢等其他方式(某些与药物结合的医疗器械，如药物支架等)发挥作用，但这些方式只起辅助作用，而非主要作用；③药品一般要通过一定的给药途径直接介入人体或与人体接触，而医疗器械起作用不一定必须与人体接触。

《食品安全国家标准　保健食品》(GB 16740—2014)中，对保健食品的定义是："声称并具有保健功能或者以补充维生素、矿物质为目的的食品。即适宜于特定人群食用，具有调节机体功能，不以治疗疾病为目的，并且对人体不产生任何急性、亚急性或慢性危害的食品"。可见，医疗器械和保健食品都是用于人体的，但是：①保健食品是食品，主要以口服的方式进入人体，而医疗器械不是食品，种类和形式广泛，可以接触或不接触人体，主要以物理的方式起作用；②保健食品不以治疗疾病为目的，主要用于补充营养或增强免疫力，而医疗器械是以治疗疾病等医疗用途为目的，其监管方式与保健食品不同。

保健类器材虽然通常是以物理方式起作用，但是其设计主要是用于日常保健和康复，帮助预防和缓解健康问题，不直接用于治疗疾病。人们一般可以自主操作保健类器材，风险很低，以促进人体健康，例如，跑步机用于体育锻炼增强体质，按摩器(非治疗型)用于放松肌肉等。而医疗器械是明确的六个方面的医疗目的，接受更加严格的监管。

1.2　医疗器械的产品特点

从医疗器械的定义可以看出，医疗器械横跨几十个工业门类而自成体系，涉及多个高精尖学科，如医学、生物、材料、机械、电子、超声、光学、核科学和计算机等。医疗器械行业作为整合多领域技术的高新技术行业，兼具智力密集与资本密集的双重属性。该行业的成熟度与创新能力，直接映射出一个国家在高端制造与生命健康领域的战略布局能力，成为衡量其经济与科技综合实力的重要指标之一。医疗器械产品具有以下特征。

(1) 科技含量高、附加值高　现代新型医疗器械作为技术密集型产品，深度融合了计算机科学、精密制造、激光技术、放射诊疗、核医学、磁共振成像、智能传感、生化分析、生物工程及数字化信息等尖端科技领域，是现代高新技术的结晶。医疗器械产品具有较高的科

技含量和附加值，拥有自主品牌和知识产权，具有更强的竞争力。

(2) 门类多、功能较单一　医疗器械行业涉及多学科、跨领域，学科间的交叉与融合决定了其多样性与复杂性的行业特征。人体的健康问题复杂而多变，相应地，以治病救人为目的的医疗器械产品数量也非常庞大，种类繁多。同时，由于医疗器械常常是针对某个专门的健康问题而设计，所以医疗器械的功能相对较单一。

(3) 产品迭代相对较快　一般而言，新药品的研发都需要 8～10 年左右的周期。相比之下，医疗器械产品的研发周期较短，通常需要 3～5 年，但有少量植入类的医疗器械除外，其需要长达十几年的研发周期。虽然医疗器械产品迭代较快，但是原创技术更迭较慢，主要以改进型创新为主，更关注对成熟技术的工程化和医学化应用。

(4) 安全有效是首要、监管严格要求高　医疗器械作为专门用于人体的特殊类商品，是保障公众健康的重要物质基础。其最关键的方面在于安全性，以及其是否真的能够如说明书所述，实现有效的诊疗和预防疾病的功能。所有医疗器械上市销售之前都要经过安全性、有效性等方面的严格评估，通过国家监管机构的严格检验和认证，以确保其符合国家和国际的医疗标准。因为医疗器械具有公益性质，在制订政策时要在其商品性和公益性之间权衡，以保证人民群众的公共利益。

1.3 医疗器械的历史与发展趋势

人类自诞生之日起，就不断地尝试通过智慧和努力来提高自身的健康水平。最早医疗器械的出现要早于任何文字记载或历史事件。考古学表明，医学和医疗器械几乎同时出现，医疗器械的发展历史与医学科学的进步紧密相连。在人类漫长的发展历史中，随着医疗技术的发展，各种医疗器械不断被开发出来，世界各地的人们都为医疗器械的发展贡献着智慧。随着近代科学的兴起，医疗器械快速发展，迅速成为医疗行为中不可或缺的构成部分，为保障人类健康发挥着重要作用。

1.3.1 国外医疗器械发展简史

据考古发现，公元前 5000 年古人就曾用人工牙来修复失牙。公元前 3500 年前，古埃及人曾使用马鬃作为手术缝线，墨西哥印第安人曾使用木片修复受伤的颅骨。公元前 2500 年前，古埃及和中国人都曾用黄金修复缺损的牙齿。古埃及的医学记载中已经提到使用一些外科手术器械，如缝合的针和线、灼烧的器具、外伤用的夹板及绷带等。

在公元前 1000 多年的古埃及，为了防止疾病和感染，人们开始使用山羊、猪等动物的膀胱、盲肠或鱼鳔来制作保险套。十六世纪中叶，意大利解剖学教授加力瓦·法卢拜为了防止梅毒传播，发明了由亚麻制成的保险套，被用作避孕套。17 世纪晚期，英国的一位医师约瑟夫·康德姆发明了由小羊的盲肠制作而成的避孕套，并以自己的名字“Condom”来命名。橡胶技术的发展为避孕套提供了新的技术支撑。1855 年，人类生产出第一个橡胶避孕套，由此避孕套的材质由橡胶取代亚麻布和动物肠子，开始进行大量生产[3]。

注射器的原理最早于 15 世纪由意大利人卡内蒂尔提出。17 世纪，根据卡内蒂尔的假说，美国人雷恩曾使用羽毛管做穿刺针，使用狗的膀胱做药液容器，容器装进药液后，雷恩通过挤压狗膀胱的方式将药液注入人体内。但由于使用不便，它没有得到广泛应用。1853 年，法国人普拉瓦兹（Praraz）发明了活塞式皮下注射器，该注射器用白银制作，容量仅 1mL。随后，英国人弗格森改用玻璃材质的注射器，不仅透明度更好，而且更便于煮沸消毒。现在的注射器管基本上都是塑料制品，而且都是一次性使用[4]。

显微镜的发明是医学上的一个重大突破，它使人类观察细小的肉眼看不见的病原微生物成为可能。光学显微镜的发明可追溯至16世纪末，荷兰眼镜商汉斯·詹森和他的儿子扎卡莱亚斯·詹森在1590年首次利用两片透镜构建了早期显微镜的雏形。17世纪初，意大利科学家伽利略与德国科学家开普勒在改进望远镜的过程中，通过调整物镜与目镜间距优化了显微镜的光路设计，促进了显微镜的发展。随后，英国科学家罗伯特·胡克与荷兰科学家安东尼·列文虎克分别通过显微镜开启了微生物学研究的新纪元，胡克更在1665年研制出与现代实验室设备相近的光学显微镜。进入19世纪后，玻璃磨制技术的革新显著提升了透镜质量，而光学理论的突破进一步完善了显微镜的构造设计。20世纪以来，随着物理学、数学及材料科学的飞速进步，显微镜技术迎来质的飞跃，涌现出多种高性能新型显微镜。

世界上第一支温度计于1592年由伽利略发明。1612年，意大利帕多瓦大学医学教授桑克托留斯以伽利略的发明为基础，进一步发明了蛇形气体温度计。该仪器是世界上最早的体温计，将顶端玻璃泡放入患者口腔，通过观测下方液柱变化来观察体温变化。大约在1865年，英国的阿尔伯特（Albert）发明了医学界普遍采用的一种更精确的水银温度计。

法国医生雷奈克（Rene Laennec）于1816年发明了听诊器，并于1817年率先使用听诊器来诊断各种胸部疾病。听诊器的出现大大提升了听诊的清晰度，使医生们有机会分辨出各种疾病下身体声音的细微变化。直到现在，听诊器依然是经久不衰的诊断工具，它和白大褂一样都是我们心目中最具医生特色的标志之一。

1895年，伦琴发现了X射线，并拍摄下第一张人手骨骼的照片，从此把人类引进了一个完全陌生的微观国度，宣告原子医学时代的到来。

1903年，荷兰科学家威廉·埃因托芬进一步改进了用来记录心脏跳动时心电变化状态的心电图仪，使之成为临床诊断心脏疾病的有力工具。之后又经多人改进，心电图仪得到广泛应用。1929年，伯格尔（Berger）发明脑电图仪，可以记录脑电流活动的情况，从而为癫痫和脑损伤定位等提供了有效的检查方法。大约同时期，肌电图仪问世。到了20世纪40年代，肌电图已真正用于诊断肌肉损伤[5]。

进入20世纪中期后，人类的医疗器械飞速发展，无数“第一台”医疗器械被发明出来。1943年，第一台直线加速器问世，用于放射治疗；1945年，首台血液透析仪问世；1953年，首台人工心肺仪用于手术；1958年，第一台心脏起搏器得以应用；1972年，首台CT机诞生；1976年，首台商业化的正电子发射断层扫描仪（PET）问世；1977年，诞生了第一台核磁共振仪（MRI）；1968年，首台血糖仪问世；1985年，心脏除颤器通过了美国食品药品监督管理局（FDA）的审批；2000年，生产出了第一台商品化的PET/CT成像装置；2003年，用于动脉封堵的药物洗脱支架获美国FDA批准；2004年，64层计算机扫描仪通过美国FDA批准；2008年，首款商用PET/MRI成像装置得以生产。

1.3.2　中国医疗器械发展历史

中国是历史悠久的文明古国。医疗器械的发展经历了由少到多、由简到繁的漫长历史。最初，我们的祖先仅能使用石头、骨头、陶土等材料制作医疗器械，而后通过不断探索，逐步掌握了使用铜、金、银、铁等金属原料的制备方法，促进了医疗器械的发展。特别是通过数千年的技术沉淀，中国古代医学家创造了针灸疗法，衍生出一整套具有中华文化特色的医疗器械体系，为世界医学贡献了独特的东方智慧。但由于近代闭关锁国和遭受外国欺凌，我国的医疗器械发展一度非常落后于西方发达国家。而近年来，随着我国经济逐渐繁荣、社会加速发展，良好的政策激励了我国医疗器械的快速发展，从进口替代到行业整合，中国医疗器械正在迎头追赶，少数器械达到了世界先进水平。

(1) 中国古代医疗器械的发展　考古资料显示，我国古人早在石器时代就已经开始使用打磨锋利的砭石针或砭石薄片来治病。这些砭石的治疗方式包括刺激体表的特定部位，如刺破浅表血管放血、切开脓包排脓等，堪称针灸术的雏形，被认为是最早使用的医疗器械。在青铜器时代（公元前 16—11 世纪）的商朝，随着金属冶炼技术的进步，金属针慢慢代替了石针。在传说中，主要的针灸工具——九针是在伏羲时期制成的。战国时期（公元前 4—2 世纪），多种针刺技法被较系统地记载于《黄帝内经·灵枢》中[6]。

汉朝时期（公元前 2—2 世纪），我国医疗器械有了新的发展。东汉时期，张仲景在所著的中国第一部临床治疗学巨著《伤寒杂病论》里记载了诸如吹粉、导引、熏洗、灌肠、通便等多种使用医疗器械来治病的方法。晋代（公元 3—4 世纪），葛洪所著的《肘后备急方》中介绍了各种简易的医疗器具，如火罐等。在南北朝（公元 4—5 世纪）时期就有了关于镊子的记载。唐代（公元 6—9 世纪），人们也在使用镊子，有著名诗人贾岛的诗句“白发无心镊，青山去意多”为证。医用“镰”，一种类似箭头的钩子，长而有薄棱，发明于宋代（公元 9—12 世纪）。宋朝王惟一创铸了铜人，上面雕刻了经络穴位，用以指导传统医疗器械“一针二灸三火罐”的临床应用，同时他著有《铜人腧穴针灸图经》[6]。

元代（公元 13—14 世纪），伴随着制造工艺的发展，越来越多复杂的医疗器械被制造出来，当时就有类似于近代外科手术器械的医用刀、剪、锥、凿、烙等器械。明清时期（公元 14—16 世纪），我国的医疗器械更是不断发展，外科手术和器械的使用逐渐规范化，尤其是在处理创伤、疮疡和脓肿等方面涉及了银篦、磁锋、通脓管、喉针、舌压、钩针、治管等器械，以及药布、药棉、药巾、药带、药袋、药包等卫生材料和敷、贴、吸、灌、熨等治疗器具的使用方法[6]。

(2) 中国近现代医疗器械的发展　晚清民国初年（19 世纪末—20 世纪初），随着西方医疗技术传入中国，西医的医疗器械也开始以较快的速度进入中国。新中国成立前，由于长期闭关锁国和受各国列强的欺凌，我国医疗器械发展严重滞后，技术水平低，产品种类极为有限。新中国成立之初，我国医疗器械生产行业仅有 70 余家企业，且这些企业规模普遍较小，主要以维修厂和手工工坊为主，全行业职工总数约 1800 人，年工业总产值（含维修收入）仅 200 万元左右。这些企业只能进行包括刀、剪、钳、镊等普通外科手术器械以及医用车、病床、简单手术台等简单机械产品的生产，而对于在医院里所使用的医疗器械，从高级装备到常规器械，绝大多数都依靠进口[7]。

新中国成立后的前 30 年，医疗器械行业几经波折，不断前进，医疗器械行业的产业结构不断完善。国家对私营企业进行了社会主义改造，整顿和重组了企业，使医疗器械生产资源得到了优化配置和利用，降低了产品成本，并提高了质量，医疗器械行业的发展突飞猛进。到 1956 年，行业产值突破 3850 万元，但随后由于粗放式扩张引发供需失衡，出现了产品库存积压和技术倒退的现象。1961 年国民经济调整政策实施后，产业回归理性发展，1965 年产值攀升到了 1.24 亿元。国家主管部门先后直接投资并建设了一批不同门类产品的生产企业。到 1978 年，全国医疗器械工业企业发展到 430 家，培育出具备一定生产能力和技术水平的骨干企业 20～30 家，从业人员超过 9 万人，年产值达到了 7 亿元。我国医疗器械产业初步完成了由无到有的体系构建，逐步形成了具有自主特色的专业领域，并培育出具备持续稳定发展能力的产业梯队。经过不断的努力，我国医疗器械的产品结构也发生了质的飞跃，中小型 X 射线设备、单导心电图机、同位素扫描仪、超声波诊断仪、人工球形机械心脏瓣膜等产品已实现了规模化制造，初步形成了覆盖基础医疗设备的完整供应链体系，能够满足县级及以下医院的配置需求。这一发展时期被视作我国医疗器械产业的奠基阶段。值得注意的是，同期全球医疗器械产业已经进入高科技发展期，而我国医疗器械产业仍处于以传统机电产品为主导的初级发展阶段，整体竞争力与国际先进水平存在显著代际差距[7]。

改革开放 30 年来，医疗器械行业迎来大发展。基于过去 30 年的积淀，通过引进吸收国外先进技术，依托改革开放的红利政策，借力大众观念革新的思想浪潮，医疗器械行业迈入百花齐放、竞争激烈的全新发展阶段，开启了行业变革的新纪元。根据医疗器械监管老专家的回顾[7]，1978 年是我国医疗器械发展的一个转折点，在专家学者的一致呼吁下，国家科委正式在这年确立了生物医学工程这一学科。两年后，相继成立了北京生物医学工程学会和中国生物医学工程学会，随后与医疗仪器设备相关的技术学会又相继成立了医疗器械分会。在全国范围内，学术共同体的形成，构建了科技人才队伍，他们将医工结合，既具备理论基础又具有实战经验，同时还调动了广大技术人才投身医疗器械研发的热情。不仅如此，临床医院、科研单位、高等院校、工业企业等单位之间的沟通交流与协作也得到了进一步加强。1985 年，在中央决策的推动下，全国医疗器械行业规划领导小组正式成立，成员单位涵盖航空工业部、核工业部、电子工业部、航天工业部、兵器工业部、中国科学院、卫生部、国家经贸委以及国家计划生育委员会等。次年，由国家经贸委牵头，联合航空工业部、核工业部、电子工业部、航天工业部、中国科学院、卫生部、国家机械委、中国船舶工业总公司和国家计划生育委员会等部门领导机构，成立了全国医疗器械协调联席会议，彻底改变了以往由单一生产企业主导研发的格局。医疗器械行业已经从一个全社会都很重视的行业，提升为直接参与整个社会发展的行业。1985 年全国共有 356 家医疗设备生产企业，医疗器械合资公司则从 1986 年开始出现。国家加大了资金投入，用于中国医疗器械产业的研究和开发。在涉及医疗器械的课题中，诸如 863 计划、国家重点专项、产业化专项、中小企业创新基金等众多类型的科研或开发资助项目被列入国家有关部门立项，增加幅度较大。2002—2004 年的三年期间，国家通过设立专项国债资金，累计实施 35 个医疗器械重点项目，投入总额达 3 亿元。2006—2008 年期间，863 计划和国家科技支撑计划共同发力，累计投入 2.7 亿元专项资金用于医疗器械领域。在此后 30 年的时间里，在人才、资金、工程技术协作等客观环境的有力支撑下，以及人们对医疗保健服务市场需求迅猛增长的催动下，中国医疗器械产业的面貌产生了巨大改变。至 2007 年底，全国范围内按照独立核算纳入国家统计的医疗器械生产企业共有 810 家，从业人员规模达到 16 万人，全行业年产值达到 582 亿元[7]。

医疗器械行业从 2008 年起进入了一个高速发展的时期。在前 70 年发展的积累之下，伴随着我国经济的高速发展、居民生活品质的提升以及健康保健意识的增强，国内对医疗器械的需求不断上涨。2008 年后，我国医药卫生体制不断改革，医保覆盖面更加广泛，居民支付能力提升，以及不断出台的医疗器械行业扶持政策，刺激着我国医疗器械行业整体步入高速发展阶段。2010—2016 年间，国内医疗器械的市场规模由 1260 亿元（2010 年）增加至 3700 亿元（2016 年），年复合增长率达到 20%，远高于全球增长率。我国医疗器械在全球的占有率一直在上升，2012 年我国医疗器械在全球的占有率仅为 9.54%，而到了 2017 年，我国医疗器械市场规模的占比已经超过了 19%，增幅接近两倍。我国医疗器械市场规模在 2018 年持续增长，一跃成为全球第二大医疗器械市场，我国医疗器械进入“黄金”发展期。随着越来越多中国第一台医疗器械的出现，我国在医疗器械的许多领域已经实现了国产化，并且个别医疗器械达到了世界先进水平。尽管目前我国医疗器械总体上仍属于中低端水平，但是我国医疗器械行业始终以研发创新、智能制造普及为己任，在产业结构调整方面更是不断取得新进展，未来前景可期。

1.3.3 现代医疗器械的发展趋势

医疗器械经过漫长的发展历程，从粗陋到精密，从低级到高级，从简单到复杂，从组织层次到细胞和分子层次，逐步更科学、更先进、更智能。随着科技的进步与临床医学的发展，根据人们对健康要求的不断提高，各种各样新型的医疗器械被开发出来。现代医疗器械的研发呈现如下趋势。

(1) 医疗器械种类更加丰富多样、创新速度更快　随着人口老龄化的问题日益突出，人们对健康的需求在各个层面提高，医疗器械的种类将更加丰富。同时，由于科技的发展，各种新型科学技术被开发出来，随之，医疗器械的创新发展速度也显著加快。各类新型医疗器械，如药械组合类医疗器械、AI 医疗器械、可吸收医疗器械等层出不穷，让人眼前一亮。医疗器械比药品迭代速度更快，研发周期相对更短，更注重成熟技术的工程化、医学化应用。

(2) 医疗器械更加精细化、集成化、复合化　随着材料和制造等科学的发展，医疗器械的制造材质和制造过程也更加精细化，制备工艺更加复杂，功能也更加集成化。如各项性能优异的新型纳米材料用于医疗器械的制造，可降解材料制造的新一代全吸收式生物血管支架在植入人体后 2～3 年时间将逐步降解。同时，医疗器械产品的开发使得生物医学领域与工程学领域的融合更加紧密，产品集成化也更加明显，呈现出复合趋势。例如，各种影像技术都存在着各自的优缺点，因而将两种有互补作用的影像技术融为一体的设备应运而生，如 PET-CT、PET-MRI 等。

(3) 医疗器械更加数字化、自动化、智能化　快速发展的计算机科学使得数字化医疗器械所占的比重日趋加大，在医疗器械行业发展中，数字化已经成为一大趋势。在医疗资源下沉、无接触诊治等情况下，通信技术的发展有利于实现远程医疗，潜力巨大，呈现出井喷式发展趋势。硬件医疗设备更智能，设备和系统内部的功能可能更复杂，但外部的操作方式却更加单一化。这些发展使得医疗服务在机会上更加均等化和普惠化，真正实现了便捷操作。人工智能（AI）技术的发展，将会带动医疗设备领域智能化应用服务快速增长。尤其是出现重大疫情后，面对庞大的疾病数据，在数据分析、生物标记筛选和全自动化运作等领域，AI 影像、AI 药物筛选、医疗机器人等医疗器械将呈现出巨大的应用前景，在中长期公共卫生体系建设中也将进一步激发智慧医疗技术的应用活力。

(4) 医疗器械更人性化、个性化、家用化　医疗器械开发的最终目的是提高人体健康水平，医疗器械的设计将更加人性化，更加符合人体工程学，让人在使用的时候更加舒适，比如可穿戴医疗器械等的设计和开发，需要更加无创化，减少治疗痛苦。随着微创介入医疗器械技术的发展，创伤型（侵入型）手术逐渐转向微创型手术，本来要住院进行的外科手术越来越多地被门诊手术替代，创伤更小、安全性更高、出血更少、并发症更少、术后恢复更快，手术的操作难度和手术费用也大大降低，患者的痛苦得以减轻。由于人的个体差异明显，医疗器械越来越向着个性化定制方向发展，比如在 3D 打印领域，骨伤科器械类的 3D 打印产品已初步投入使用，由于其具有个性化、小批量和高精度的特点，在 3D 膝关节、3D 髋关节、3D 椎骨等产品中体现出了明显的优越性。而具有一般小型家电消费属性且技术壁垒相对较低的家用医疗器械，基于人口老龄化日趋严峻，以及居民健康管理需求和慢病防治意识日益增强的形势背景，将迎来发展良机。

1.4 医疗器械的全生命周期

为了更科学合理地管理、更好地降低成本、提高使用效率、减少故障、保障安全，实现更好的经济效益和社会效益，提出了医疗器械全生命周期的概念。由产品生命周期（product life cycle，PLC）这一较宽泛的概念所引出的医疗器械全生命周期的概念，主要是指产品从概念到生产制造、销售再到最终用户使用至生命周期结束为止的过程，即医疗器械从“摇篮”到“坟墓”的整个过程，具体包括设计、研发、临床试验、生产、销售、运输、安装、验收、使用、维修、报废等流程[8]。

对生产企业而言，医疗器械产品的全生命周期乃至市场推动的流程，从起始的产品构思至研发试验，再到批量生产，接着进入市场投入应用，直至产品淘汰被新品取代，每个环节均关乎产品的规格、效能、成本及利润。

对大量使用医疗器械的医疗机构而言，医疗器械的管理是复杂而艰巨的。医疗机构内部管理仅仅是其中的一个环节，它是以发展需求为起点，以采购论证、效益预评估、拟定采购方案、商务谈判采购为起步阶段，以安装验收、人员培训、应用考核管理、预防维护管理为应用阶段，以设备调拨和报废管理为后期管理阶段[9]。

从政府监督管理的角度来讲，医疗器械风险是普遍存在的，风险管理始终贯穿于医疗器械的整个生命周期。监管部门应制订严格而科学的监管策略，强化对医疗器械各个环节的管理，构建全生命周期的长效管理机制，有效适应种类繁多、复杂度高以及科技先进的医疗器械研发及应用等工作，保障医疗器械的安全性和有效性，为人民的健康安全护航，指引行业健康发展。

人们对医疗服务的需求伴随着社会的发展而逐步提升，这使得临床对医疗器械的依赖性显著增强，所以加强对医疗器械的监督管理就显得更加迫切。在传统的监管模式下，各个生命阶段的医疗器械管理都是相对独立的，人员工作量大，管理效率不高。在信息化时代背景下，医疗器械的全生命周期管理基于互联网和物联网技术的新型、高级管理工具的有效使用，在未来将是不可逆转的趋势。

参考文献

[1] 世界卫生组织.《世界卫生组织医疗器械技术系列：医疗器械监管》[M]. 高关心，张强，郑焜，译.北京：人民卫生出版社，2018：13.

[2] 陈雪莹，李杨玲，杨雪曼，等.国际医疗器械监管模式的对比分析与启示 [J]. 中国医药工业杂志，2023，54（3）：446-454.

[3] 孙祖越，周莉.药物生殖与发育毒理学发展史 [M]. 上海：上海科学技术出版社，2018：2.

[4] 郭之东.注射器的故事 [J]. 首都食品与医药，2016，(23)：58.

[5] 李全林.新医药开发与研究 [M]. 北京：中国医药科技出版社，2008：791-795.

[6] 杨鸣春，刘雪莲，金醒昉.消毒供应中心历史发展进程与常用操作质控指引 [M]. 沈阳：辽宁科学技术出版社，2018：25-27.

[7] 卜绮成.向高科技产业挺进的中国医疗器械工业——中国医疗器械工业 60 年回顾 [J]. 中国医疗器械信息，2010，16（1）：5-11.

[8] 高关心，张强，郑焜，译.世界卫生组织医疗器械技术系列：医疗设备维护管理概论 [M]. 北京：人民卫生出版社，2021：5-7.

[9] 李俊志.医疗器械全生命周期的设备管理 [J]. 中国保健营养，2018，28（3）：12.

第二章

医疗器械行业现状

近年来，快速发展的经济必将整体增加人们对健康服务的需求。作为关系到人类生命健康的新兴产业，医疗器械广受全球各国、各地产业市场的关注。医疗器械的发展水平一方面取决于人口数量和人口结构；另一方面，由于它也是高新技术得以迅速体现的产业，其发展水平也直接取决于经济和科学技术的发展水平。医疗器械将会朝着核心技术日益先进、产品质量和性能日益提升、功能不断多样化、市场容量日益扩大的方向发展。日新月异的科技变化、不断提高的居民生活水平以及不断增强的医疗保健意识，使得医疗器械行业的发展不断增添新的可能。近年来，我国医疗器械行业快速增长，进入了“黄金十年”的发展期。

2.1 医疗器械的市场发展

相较于全球医疗器械市场，中国医疗器械行业的发展历程和现状展示了其从起步晚、规模小到成为全球重要市场的显著转变。纵观我国医疗器械行业整体发展历程，大致可分为以下几个阶段：第一阶段为起步阶段，如前所述，新中国成立初期，全国的医疗器械年产值仅约 200 万元，最初主要是简单的医疗设备，1952 年我国诞生了第一台 X 射线机，标志着医疗器械作为大健康领域分支的确立，实现了从无到有；第二阶段为发展阶段，从 1978 年至 2000 年间，即改革开放到进入世界贸易组织前这段时期，医疗器械行业进入高速发展阶段，到 1990 年，全国医疗器械工业年产值已达到 30 亿元人民币，并开始向多个国家和地区出口，此后，医疗器械工业总产值持续增长，到 1999 年已达到 133 亿元人民币，中国开始追赶国际先进水平；第三阶段为成熟阶段，即 2010 年至 2012 年这段时间，中国医疗器械行业从仿制发展到自主创新，逐步实现技术突破和产业升级，在国际市场上也占据了举足轻重的地位；第四阶段为 2013 年至今，随着创新政策的鼓励，我国的医疗器械产业进入高质量发展阶段，正朝着国产化、高端化、品牌化、国际化方向发展[1]。

进入 21 世纪后，中国医疗器械行业继续保持快速增长。自 2001 年以来，中国医疗器械市场规模的年复合增长率接近 22%，远远高于全球 3%～5%的增长率。这表明中国医疗器械行业具有强劲的增长动力和巨大的市场潜力。2005 年我国医疗器械工业总产值为 352.5 亿元，2007 年达到 510 亿元，到 2010 年底，中国医疗器械总产值首次突破 1000 亿元大关，跃升为继美国和日本之后的第三大医疗器械市场。此后，医疗器械市场规模持续增长，2018 年已达到 5304 亿元，中国超越日本，成为全球第二大医疗器械市场，仅次于美国[1]。近年来，我国医疗器械的渗透率远低于发达国家，很多设备依赖于海外进口。随着全球疫情和国际形势的变化，我国对医疗器械的国产采购和进口替代的关注度越来越高。这促进了国内医疗器械企业的技术创新和产业升级，提高了国产医疗器械的市场竞争力。2020年，我国对疫情防控相关医疗器械产品的需求激增，行业市场规模进一步扩大。2020年，我国医疗器械市场规模约为7721亿元，同比增长21.76%，远超世界平均水平和我国GDP增速。这进一步推动了中国医疗器械行业的发展，并促进了国内医疗器械企业的技术创新和产业升级。目前，国家发展改革委在《战略性新兴产品重点产品和服务指导目录》文件中，已将医疗器械、用品和服务列入。同时，"十四五"规划等国家政策也不断加大对医疗器械行业的支持力度，推动医疗装备的研发、制造和应用水平不断提升。2023年，我国医疗器械行业发展速度有所放缓，但据《中国医疗器械供应链发展报告（2023）》，2023年我国医疗器械市场规模亦达1.18万亿元，同比增长10.28%。而据《中国医学装备发展状况与趋势（2024）》蓝皮书，我国的医疗器械市场在2024年已经突破1.3万亿元，同比增长6%。预计到2030年，中国医疗器械市场的规模或将突破1.8万亿元，2025—2030年复合增长率达到7.53%，展现出强劲的增长势头和良好的发展前景。未来，随着技术创新和市场需求的不断增长，中国医疗器械市场将迎来更大的发展空间。

从医疗器械细分市场方面看，根据《中国医疗器械蓝皮书》（2021版），医疗器械通常分为高值医用耗材、低值医用耗材、医疗设备和体外诊断试剂四大类。在医疗器械细分领域的市场分析中，2020年的数据为我们提供了一个清晰的行业画像。作为中国医疗器械产业中最大的细分市场，医疗设备市场占比高达59.01%，这表明医疗设备在医疗器械行业中占据着举足轻重的地位，医疗设备既包括医用医疗设备，也包括家用医疗设备。医用耗材市场占据医疗器械市场总量的29.47%，其中高值医用耗材市场占比约16.9%，位居第二，这主要得益于居民经济水平日益提高，健康需求不断增加；低值医用耗材占比约12.56%，主要由于2020年口罩、防护服等应急防控用低值医用耗材需求暴增，之后，我国低值医用耗材市场规模增速虽有所回落，但仍然保持增长态势。体外诊断试剂（IVD）市场的份额约为11.53%，病毒检测市场迅速扩大，大规模核酸检测需求强劲，一度成为拉动IVD行业市场规模的重要增长点。得益于临床需求日益增加、创新标志物不断被发现、新型诊断技术不断更新迭代等利好因素，IVD市场有望进一步持续稳步发展。根据《中国医疗器械蓝皮书》（2024版）统计数据，2023年，医疗设备行业依然是中国医疗器械产业规模占比最大的细分领域，产业规模达到6302亿元，占比61.02%。其次是高值医用耗材、低值医用耗材和体外诊断试剂，产业规模分别为1561亿元、1280亿元和1185亿元，分别占整体医疗器械产业的18.0%、15.2%和11.5%。随着医疗需求的多样化，医疗器械市场将进一步细分。例如，IVD试剂原材料企业可以在分子诊断、免疫诊断、生化诊断等不同技术路径上寻找差异化竞争优势。随着基因组学、蛋白质组学等技术的快速发展，IVD试剂在疾病早期筛查、个性化治疗和预后监测中的作用日益凸显。这将推动企业在特定疾病领域（如肿瘤、心血管疾病、传染病等）开发更加精准的诊断产品。根据统计数据，2024年我国医疗器械细分领域占比依次为，高值医用耗材38.6%；医疗设备32.4%；体外诊断产品21.5%；其他7.5%。特别是在智能化和数字化技术发展加快的背景下，AI类医疗器械市场规模扩大，已超过85亿元，增幅超200%。一些高端医疗器械首次获批，如重离子治疗系统、心脏内超声成像系统和多款手术机器人等，表明我国的医疗器械自主创新能力迈上了新台阶。未来，中国医疗器械市场将迎来更多发展机遇，其发展趋势必将朝着更加专业化和细分化的方向迈进。随着医疗技术的不断进步和市场需求的变化，医疗器械行业将更加注重精准医疗和个性化治疗，推动企业在特定领域深耕细作。

2.2 医疗器械行业的特点与影响因素

2.2.1 医疗器械行业的特点

我国医疗器械行业虽然起步较晚，但得益于庞大的市场需求、快速发展的经济以及政策的扶持，近年来取得了长足的发展。然而，与欧美发达国家相比，我国医疗器械行业仍存在一些差距和挑战。目前我国医疗器械行业存在以下一些特点。

（1）行业集中度低，企业规模偏小，但增速迅猛，发展潜力巨大　我国医疗器械企业数量庞大，但大多为中小型企业，市场集中度偏低，缺乏具有全球竞争力的龙头企业，行业整体呈现“散、小、乱”的局面。据统计，超过90%的医疗器械生产企业为中小型企业，其主营收入年平均值远低于国内制药企业，显示出明显的规模差距。尽管存在这样的差距，但中国医疗器械行业的增速却十分迅猛。与海外市场相比，虽然我国的医疗器械公司在实力上尚不能与欧美大型医疗器械公司相媲美，但国内市场需求庞大，推动了行业的快速发展。根据《医疗器械蓝皮书：中国医疗器械行业发展报告（2024）》的统计数据，2018年至2024年全国境内医疗器械生产企业整体呈增长趋势，除2023年稍有下降外，其余年份均有不同程度的增长。截至2024年底，全国医疗器械生产企业数量已达到34894家，同比增长6.23%。这些数据显示出，医疗器械生产企业数量正在稳步增长。截至2023年底，全国医疗器械经营企业总数为1375709家，比上一年度增加166010家。这可能是由于上一年医疗器械库存增加、产品积压所致，同时也反映了医疗器械市场需求的持续增长。可见近年来，我国医疗器械生产企业和经营企业的数量都在持续增长，表明医疗器械行业在国内市场具有广阔的发展前景和巨大的市场潜力。同时，高新技术企业和科技型中小企业的数量也在不断增加，为行业注入了新的活力。值得注意的是，近年来国内涌现出了一批具有影响力的医疗器械企业，如迈瑞医疗、新华医疗、鱼跃医疗等。这些企业在销售量和产品链方面逐步完成了布局，不仅提升了自身的市场竞争力，也为整个行业的发展注入了新的动力。然而，国内医疗器械行业市场集中度偏低的状况依旧明显。这主要缘于国内企业在细分赛道的产品种类相对单一，未能构建起显著的规模优势和综合实力。某些特定领域的产品种类与生产厂家数量较多，使得行业集中度呈现松散的状态。为了提升行业集中度，企业需要加强技术创新和产品研发，提升产品质量和附加值，同时加强市场整合和品牌建设，以形成更具竞争力的产业集群。

（2）高端产品发展不足，行业研发投入低，但创新能力开始增强　我国医疗器械市场仍面临以中低端产品为主、高端产品的市场份额相对较小的局面。尤其是高端医疗器械领域（如影像设备、心脏起搏器、人工关节等），主要依赖进口，国内企业在技术和品牌上与国际巨头（如GE、西门子、飞利浦等）仍有较大差距。截至2024年，在影像设备方面，外资企业如GE、西门子、飞利浦等，在中国市场占据70%～80%的份额，尤其在高端CT、MRI等领域优势明显；在心脏起搏器领域，外资企业如美敦力、雅培、波士顿科学等，占据约90%的市场份额，国内企业虽在追赶，但技术差距仍存；在人工关节领域，外资企业如强生、施乐辉、捷迈邦美等，占据60%～70%的市场份额，国内企业近年来有所突破，但高端市场仍以外资为主，这导致医院面临高端进口医疗设备技术垄断、使用成本高、维修难等问题。此外，国内医疗器械企业的研发投入相对较低，普遍低于国际领先企业。国际巨头的研发投入通常占营收的10%以上，而国内企业大多在5%以下。研发投入不足导致创新能力受限，难以在高端领域实现突破。同时，过低的研发投入也加剧了企业间的同质化恶性竞争。

尽管存在上述挑战，但可喜的是近年来我国医疗器械行业的创新能力开始逐渐增强。一方面，国家出台了《“健康中国2030”规划纲要》、“十四五”规划等一系列政策鼓励创新和国产替代，逐步加大对医疗器械行业的支持力度，推动了行业的技术创新和产业升级。另一方面，企业也开始意识到研发创新的重要性，加大了研发投入力度。这体现在专利授权数量的增长和创新医疗器械获批产品的增加上。2020年，86家A股上市医疗器械公司有关统计数据显示研发投入总计129.88亿元，比2019年增加31.2亿元，增幅为31.6%。但是从研发总投入占营业收入比例来看，只有5.98%，与跨国医疗器械公司相比，仍然存在很大的差距[2]。研发投入比例的增加也使我国医疗器械行业的创新性开始逐渐加强。2023年，我国医疗器械研发投入比重增加。据全国117家A股上市医疗器械公司披露的数据，当年研发投入经费总额为225.18亿元，总营收为2504.17亿元，研发总投入占营业收入总额的比例达到8.99%，比2022年的6.56%有了较大提高。2023年我国117家A股上市医疗器械公司中研发投入最多的前5家公司分别是：迈瑞医疗34.33亿元，联影医疗17.29亿元，华大智造9.10亿元，乐普医疗8.79亿元，安图生物6.56亿元。2024年12月，国务院办公厅印发《关于全面深化药品医疗器械监管改革促进医药产业高质量发展的意见》，提出加大对医疗器械研发创新的支持力度，提高医疗器械审评审批质效。2020年，全国医疗器械企业专利授权数量共计65403件，同比2019年的59035件，增长10.79%，对比2012年的16093件，增加了3倍[2]。2024年，我国医疗器械领域发明专利授权量达到50882件，近5年年均复合增长率为22.96%。《2024年度医疗器械注册工作报告》显示，2019—2024年间，国家药品监督管理局批准创新医疗器械数量实现“六连涨”，分别为19件、26件、35件、55件、61件、65件，创新产品累计突破300件。这表明我国医疗器械领域的创新活力持续增强，专利授权数量逐年显著提升，展现了行业蓬勃的发展态势[3]。

(3) 产业布局分布不均　我国医疗器械产业分布不均。目前，长三角、粤港澳大湾区和京津冀是我国三大医疗器械产业聚集区。三大区的生产企业数量、产品数量、产值规模均占全国的70%以上。特别是粤港澳大湾区医疗器械产业的发展非常亮眼，据2020年发布的《粤港澳大湾区创新生态白皮书》，2019年，该地区的医疗器械总产值超过1250亿元，占全国的16.67%，位居全国第一。而根据国家药品监督管理局发布的《药品监督管理统计年度数据（2022年）》，截至2022年底，医疗器械生产企业共3.26万家，医疗器械经营企业共120.97万家。其中，医疗器械生产企业数量最多的五个省份为广东省、江苏省、山东省、浙江省和河北省，经营企业数量最多的五个省份为广东省、山东省、四川省、河南省和浙江省。综合来看，广东、江苏、山东等省份的企业集聚度和产品数量位居全国前列。

有研究指出，医疗器械产业分布不均是由于产业本身有差异：长三角和珠三角地区产业供应链完善、国际化程度高、科研资源密集，高端产品的研发能力较强，所以处于行业的发展前端；京津冀地区科研实力强，创新转化率高，但是产业规模不如长三角和珠三角地区；中西部地区经济基础比较薄弱，主要依靠政策扶持和成本优势，重点在中低端医疗器械制造和局部特色器械领域，高端技术创新和成果转化水平相对较低。但值得注意的是，近来中西部地区日趋重视发展医疗器械产业，2024年中西部地区的医疗器械产业增速显著，同比增长达18.7%，高于全国平均水平（据数商云2025年中国医疗器械行业市场趋势与政策环境深度分析报告）。随着政策的引导和产业梯度的转移，中西部地区的医疗器械行业发展将迎来新的机遇，显现出强劲的增长后劲。

2.2.2 医疗器械行业的影响因素

医疗器械行业的发展规模受国家政策、经济水平、科技发展等各方面因素的影响，我国医疗器械行业的发展存在一些有利因素，同时也面临一些挑战。

2.2.2.1 有利因素

(1) 国家政策支持推动我国医疗器械行业健康发展　国家高度重视医疗器械产业发展，出台了一系列扶持政策，为行业发展提供了良好的政策环境。在习近平新时代中国特色社会主义思想指引下，党中央、国务院高度重视医疗器械产业发展，从国家规划的宏观层面，以纲领性政策，鼓励支持医疗器械行业发展。从《"十三五"国家科技创新规划》到《"十四五"国家科技创新规划》，国家持续将高端医疗器械列为重点发展领域，明确"国产化"替代目标，推动行业从依赖进口向自主创新转型。《中国制造 2025》将生物医药及高性能医疗器械纳入十大重点领域，要求提升产业链现代化水平，打破国外技术垄断。《"健康中国 2030"规划纲要》提出"全方位全周期健康服务"，通过深化流通体制改革、强化安全监管、推进国产化，构建自主可控的医疗器械供应链体系。2035 年远景目标强调医疗资源均衡布局与高端设备发展，助力分级诊疗和公立医院改革。在国家宏观纲领文件的指引下，我国不断深化有关改革措施，相继出台各类规划、指导措施等一系列扶持政策，进一步为医疗器械行业创造良好的发展环境。2016—2020 年期间，中央及地方共发布 1311 项医疗相关政策（国家 374 项占比 28.5%；地方 937 项占比 71.5%），文件数量逐年激增（2016 年为 135 项，2020 年达 493 项），药械政策占比从 100∶15 升至 100∶49，显示了专项支持力度增强。2023 年是"十四五"规划承上启下的关键年，医药行业也迎来了新的发展机遇和挑战，产业结构调整加速。2023 年全年政策文件达 2724 项（国家 214 项，占比 7.9%；地方 2510 项，占比 92.1%），其中 763 项直接涉及医疗器械，地方政策占比超 90%，反映基层执行力度显著加强。从这些数据可以看出，从中央到地方各级政府对医疗器械行业的重视程度越来越高，这有利于行业健康发展。在不断出台的利好政策激励下，医疗器械行业研发投入年均增长超 15%，创新医疗器械申报数量年均增长超 30%，国产高端设备（如 CT、MRI）逐步突破技术壁垒。部分细分领域［如监护仪、DR 设备（数字 X 射线成像设备）］的国产化率已从不足 30%提升至 60%以上。

(2) 经济环境为医疗器械行业提供"需求拉动＋政策助推"双轮驱动　近年来，居民可支配收入增长直接提升了医疗支付能力，推动高端医疗器械（如影像设备、智能监测设备）需求增长。中产阶级扩容催生个性化医疗需求，例如可穿戴设备、远程诊疗工具等家用健康监测设备市场潜力巨大。许多地方政府颁布税费减免、创新奖励等扶持政策，助力医疗器械产业的发展，降低企业成本，加速技术转化。例如，部分地区对首次注册的二类医疗器械给予数百万元奖励，直接推动企业研发积极性。2016 年城乡居民医保人均补助标准为 420 元，2021 年增至 580 元，随着医保覆盖面扩大及报销比例的提升，释放了基层医疗的需求，带动低端市场设备更新。当前经济环境为医疗器械行业提供了"需求拉动＋政策助推"的双轮驱动，未来随着老龄化加速、"健康中国"战略深化，行业有望从"规模扩张"转向"价值提升"，在国产替代与全球竞争中实现高质量发展。

(3) 强劲的市场需求为医疗器械行业提供核心动能　依托 14 多亿人口基数和世界第二大经济体的消费能力，中国医疗器械市场已形成"需求—供给—创新"的正向循环。20%的复合增长率较全球平均水平高出 15 个百分点，这种超高速扩张既源于存量市场的国产替代加速，更得益于增量市场的持续扩容。随着我国老龄化持续纵深发展，65 岁以上人口占比突破 14%，催生心脑血管监测、康复器械等银发经济细分市场，仅家用血压计的年需求量就超过 2 亿台。同时，糖尿病、心血管等慢性病年轻化趋势推动便携式血糖仪、可穿戴心电监测设备需求激增，相关市场规模年增速超过 25%。随着二胎、三胎人口政策的叠加，辅助生殖技术的普及，妇产科设备、新生儿监护仪等细分领域增长，预计相关市场三年复合增长率将突破 30%。中国医疗器械市场正站在从“跟跑”到“并跑”的关键节点，强劲的市场需求与制度红利共振，叠加技术创新突破，有望催生万亿级产业集群，为重塑全球医疗器械产业格局贡献中国力量。

2.2.2.2　面临的挑战

（1）缺乏完整产业链，竞争能力较弱　我国医疗器械产业链存在不完整及关键环节薄弱的问题，影响了整个行业的竞争力和发展潜力。与国外企业相比，我国医疗器械行业缺乏从上游材料研发到下游产业化应用的完整产业链。首先，在机械、材料、电子等关键领域，我国的技术水平和供应能力与国际先进水平存在差距，很多高端材料依赖进口，增加了生产成本和企业的运营风险。这导致我国医疗器械行业在高端产品的研发和生产上受到制约，难以与国际品牌竞争。其次，中下游协同不足，从产品设计、研发到生产、销售，各个环节之间的协同作用不够强，导致资源浪费和效率低下。在高端医疗器械领域，我国企业的设计能力和研发水平相对较弱，难以推出具有竞争力的新产品。在分销渠道和品牌建设方面，我国企业也面临挑战，难以与国际品牌在全球市场上竞争。

（2）研发创新能力欠缺　国内医疗器械企业长期依赖“逆向工程”模式，通过不断地模仿、跟踪、仿制国外成熟产品快速占领市场。这种模式虽能短期获利，但导致企业形成“技术惰性”，缺乏底层技术突破的动力，关键技术（如高端影像设备的探测器、植入式器械的生物材料）长期被外企垄断。另外，我国医疗器械企业缺乏长远的目光，企业平均研发投入占比 5%～7%，远低于跨国医械巨头 15%以上的水平。并且有限的经费资源多投向短期见效的改良型产品，而非高风险、长周期的原创性技术（如脑机接口、纳米机器人）。此外，医疗器械行业作为多学科交叉的高技术领域，其研发和创新高度依赖于掌握多学科知识的高端人才。然而，当前中国在该领域的人才结构存在明显不足，主要体现在以下几个方面：①国内医疗器械行业的人才主要集中在销售、维修和注册等环节，而研发型人才和精密仪器制造人员的数量和质量与发达国家相比存在较大差距。这种结构性问题直接制约了行业的创新能力；②高端人才，如医疗器械设计、医用电子工程师、结构工程师和高分子材料研发人员等的匮乏，直接制约了医疗器械产业国际竞争力的切实提高；③医疗器械的研发涉及机械、光学、电子、信息、材料等多个学科，同时还要求具备生物学评价、动物试验、临床试验等医学研究能力。这种高门槛使得培养符合要求的高端人才变得尤为困难。

（3）国际贸易摩擦　随着我国医疗器械行业的发展，更多的医疗器械走出国门、走向世界，我国医疗器械在国际市场上的地位逐渐提高。但是近年来，少数国家的贸易保护主义抬头，他们为了保护本国产业，采取贸易保护主义措施，如提高关税、设置技术壁垒等，给我国医疗器械出口带来压力。某些发达国家针对中国进行贸易打压，可能改变中国对美国的医疗器械出口市场结构，影响我国医疗器械行业的国际市场份额。在新的国际环境里，我国医疗器械如何立足本国、增强创新能力、拓展国际市场，是目前面临的巨大挑战。

（4）政策调整挑战　近年来，国家经济的发展和社会的进步为医疗改革提供了坚实的基础。为了降低医疗费用、提高医疗服务质量、保障人民健康，国家推出了一系列医疗改革措施。其中，集中带量采购政策是医改的重要组成部分，旨在通过大规模采购来降低医疗器械和高值耗材的价格，减轻患者负担。但是集中带量采购往往意味着价格的大幅下降，对于医疗器械企业来说，这直接压缩了他们的利润空间，使得原本就竞争激烈的市场更加严峻。随着集中带量采购政策的逐步实施，市场洗牌加速，弱小企业由于无法承受价格压力和市场竞争，可能面临淘汰，强大企业则需要通过技术创新、成本控制、市场拓展等方式来增强自身竞争力，方能在市场中立足，优胜劣汰将成为必然趋势。

尽管面临诸多挑战，但业界对我国医疗器械行业仍然充满信心，认为未来我国医疗器械行业面临的机遇大于挑战，市场将进一步扩大，创新将不断涌现。我国医疗器械行业仍处于“黄金发展期”，将保持高速发展，前景广阔。

2.3 医疗器械行业的发展趋势

未来，中国医疗器械行业的发展将受到市场需求和技术创新的双重推动，呈现出以下几个主要趋势。

(1) 市场需求扩大，推动产值持续上升　伴随中国人口老龄化程度加剧、健康观念的提升以及医疗科技的持续革新，医疗器械的市场需求将持续扩大。近年来，我国慢性病、急性病等各类健康问题不断增多，医疗器械在诊断、治疗、康复等各个环节中的作用日益凸显。特别是在基层医疗和家庭医疗领域，对高性价比、便携式医疗器械的需求将显著增长。社会对医疗需求的持续扩大，直接带动了医疗器械行业的快速发展。此外，国家也在不断出台各种利好政策支持医疗器械行业的发展，如“健康中国 2030”规划的推进，也将进一步促进医疗器械市场的繁荣。国务院于 2024 年 7 月通过《全链条支持创新药发展实施方案》，又于 2024 年 12 月印发《关于全面深化药品医疗器械监管改革促进医药产业高质量发展的意见》，从多方面合力促进医疗器械创新突破良性发展，提升产业的国际竞争力。可见，我国医疗器械市场将在社会需求持续增加和政策红利不断加码的双重驱动下，保持稳健增长。

(2) 技术创新增强，驱动产业健康成长　技术创新将成为医疗器械行业发展的核心驱动力。随着科技的持续发展，新材料、新技术、新工艺的运用将不断促进医疗器械的迭代升级。随着人工智能、大数据、物联网、3D 打印等前沿技术的快速推进，医疗器械的智能化、精准化和个性定制化水平将显著提升。例如，智能诊断设备、远程医疗设备、可穿戴医疗设备等新兴产品正成为行业发展的重点方向。技术创新不仅会提高产品的竞争力，还将推动整个行业向高端化、智能化方向发展。近年来，我国在医疗器械领域的自主研发能力正在逐步增强，2024 年在该领域获授权的发明专利数量已达到 50882 件，近五年的年均复合增长率为 22.96%。据国家药品监督管理局的《2024 年度医疗器械注册工作报告》，2024 年我国新获批的创新医疗器械产品数量达到了 65 件，数量再创新高[3]。更多自主研发的具有强创新性的产品一经上市，必将进一步带动我国医疗器械从低端模仿到高端创新的转变，驱动产业更加健康成长。

(3) 整合并购活跃，产业集中度不断提高　随着市场竞争的加剧，行业内的整合并购活动将更加频繁。大型医疗器械企业将通过并购、重组等方式，进一步扩大市场份额，提高行业集中度。通过整合并购，企业可以实现资源共享、优势互补，提高市场竞争力。同时，中小企业也将通过技术创新和差异化竞争，寻找细分市场的机会。整合并购将有助于优化资源配置，提升行业整体竞争力，推动产业向规模化、集约化方向发展。

中国医疗器械行业的企业数量众多，但规模较小，市场集中度较低。相比之下，美国的

40家大型医疗器械企业占据了全球市场的20%，而中国的1.4万家企业仅占10%。未来，通过并购整合，中国医疗器械行业的集中度有望提高，从而增强市场竞争力。由于医疗器械行业的多样化和高技术壁垒，企业通过内生性增长难以快速扩大规模。因此，并购整合成为企业扩张的主要手段。通过并购，企业可以打破技术壁垒，实现经营和财务的协同效应，加速成长。同时，国家政策和产业规划也在引导提高医疗器械行业集中度，国家政策如“带量采购”“两票制”“营改增”等，正在推动行业整合，提高行业集中度。这些政策不仅规范了市场，还促进了企业的规模化、集约化经营。随着行业整合的推进，龙头企业如迈瑞医疗、威高集团等通过合资、并购等方式实现了多元化发展，成为行业的领跑者。这些企业的崛起加速了产品和技术创新，推动了行业的高质量发展。根据国家药品监督管理局的数据，2022年，国家药品监督管理局批准了55件创新医疗器械，同比增长57%。这些革新成果不仅契合了民众对健康的实际需求，也推动了产业的升级和国产化进程。部分企业开始进行海外并购，走国际化、多元化道路。通过借助外资引入与上市筹集资金，企业加快了并购重组的进程，行业的集约化程度得到了提高。2022年，中国医疗器械规模以上生产企业的营收占行业比重超60%，上市企业数量达到163家，比三年前翻了一番。龙头企业的出现加速了技术和产品的创新，推动了产业的高质量发展。

(4) 监督管理更科学，促进产业规范发展　随着医疗器械行业的快速发展，其监管政策将更加科学化和规范化。国家将进一步完善医疗器械的监管体系，加强对医疗器械行业的监管力度，加强对产品质量、安全性和有效性的监督，推动行业标准化和规范化发展。同时，监管机构将加大对创新产品的支持力度，加快审批流程，鼓励企业进行技术创新和产品升级。科学监管将促进医疗器械行业的规范发展，为行业的长期健康发展提供有力保障。

过去，医疗器械的监管职责分散在多个部门，导致监管效率低下。近年来，我国逐步将监管职责集中到一个大部门，形成了更加统一和高效的监管体系。这种集中化的管理模式不仅降低了部门之间的协调成本，还提升了监管的响应速度和执行力度。同时，我国在医疗器械监管方面的法律法规不断完善。2014年颁布的《医疗器械监督管理条例》是医疗器械监管的重要里程碑，标志着我国医疗器械监管进入了新阶段。随后，国务院于2017年对该条例进行了修订，进一步优化了监管框架。2021年，国家又颁布了新版《医疗器械监督管理条例》，特别强调了医疗器械在应对突发公共卫生事件中的作用，并对医疗器械的创新开发提出了引导性规定。近年来，国家药品监督管理部门深入贯彻落实党中央决策部署，提出了“四个最严”要求，即最严谨的标准、最严格的监管、最严厉的处罚、最严肃的问责。这一要求旨在确保医疗器械的安全性、有效性和质量可控性，推动行业整体水平的提升。在“保安全底线，推质量高线”的目标下，国家不仅注重医疗器械的安全性，还大力推动行业的质量提升和技术创新。通过优化审评审批流程，鼓励企业进行技术创新，推动高端医疗器械的研发和产业化。同时，国家也在不断加强医疗器械的标准体系建设，推动行业与国际接轨。随着监管的日益严格和科学化，不规范的企业逐渐被淘汰，行业市场环境得到了显著改善。未来，我国医疗器械监管将继续围绕“创新、质量、效率、体系、能力”五大主题，深入推进审评审批制度改革，强化全生命周期监管，完善法规标准体系。同时，随着我国医疗器械行业的快速发展，监管体系也将更加注重科学化和国际化，推动行业健康、可持续发展。

党的十九大提出的“中国经济已由高速增长阶段转向高质量发展阶段”这一论断，给中国经济未来的发展明确了方向。在这一背景下，医疗器械产业作为技术密集型和资金密集型产业的代表，迎来了新的发展机遇。新医改的实施以及产业扶持政策的提出为中国医疗器械企业的创新和发展提供了良好的大环境。我国的医疗器械行业将会进一步蓬勃发展。

参考文献

[1] 芦超．从萌芽到赶超：中国医疗器械产业发展的三大阶段［EB/OL］．（2019-10-08）．http：//www.sdhcia.org.cn/sdyycms/yyjk/lyzt/ylqx/n1084.html.

[2] 郑珂，关巧贤，许佳锐．2020全国医疗器械产业数据盘点［J］．中国食品药品监管，2021（02）：96-104.

[3] 陈慧君．2024年我国医疗器械产业发展现状［J］．医药经济报，2025（8）．

第三章

医疗器械监管组织机构体系

医疗器械由于和人民的健康息息相关，国家层面给予非常严格的监管。我国从事医疗器械行业的从业者，无论是研发，还是生产、经营或使用，都会不可避免地与政府的监管组织机构产生联系，受到管理机构的监管与约束。对我国医疗器械监督管理机构的基本组织框架和运行机制进行必要的了解，是医疗器械行业从业者的基本功课。本章将就我国医疗器械监督管理组织机构的历史沿革及现行框架进行讲解。

3.1 医疗器械监管的行政机构历史沿革

作为一类关乎生死救治的特殊商品，医疗器械的安全性、有效性直接关系到用械群众的身体健康和生命安全。为确保消费者安全用械，全球各个国家和地区都在努力构建科学、高效、完善的医疗器械监管机构组织体系。经过多年的发展，我国也在结合自身实际，不断向西方发达国家学习，进行了多次机构改革，努力建立适合我国的、科学而高效的医疗器械行政监管机构体系。目前，我国医疗器械行政监管机构的发展大致可以分为以下几个阶段。

（1）部门管理时期　从新中国成立后到改革开放前（1949—1978 年）是我国医疗器械的“部门管理时期”[1]。这个时期，我国医疗器械工业基础很薄弱，产业很落后，缺乏自主创新能力，主要依赖于仿制研发。该阶段我国实行的是计划经济体制，医疗器械企业均为国有或集体所有制，产品的生产和分配完全由国家计划控制，企业没有自主经营权，产品品种和数量由国家行政部门统一分配，产品由国营商业部门统一收购并经营销售。这一时期，我国能生产的医疗器械产品新品种非常有限，无法生产具有一定风险性的新技术品种，且由于缺乏系统的监管体系和专业的管理经验，医疗器械的监管活动较为松散，导致当时对现代医疗器械的潜在危害或风险性认知存在明显不足。在我国计划经济体制和单一公有制的历史背景下，国家对经济的管理采取了高度集中的方式，其中工业部门的管理模式是这一体制的重要组成部分。

对于医疗器械产品而言，由于其特殊性并未得到充分的认识和重视，因此它们被纳入一般性工业产品的管理范畴。不同类型的医疗器械产品归由不同的部门进行管理。随着国家经济政策的调整和机构改革的深入，各主管部门经历了多次调整和变更[2]。

1949 年 10 月，卫生部负责我国医疗器械的生产、供应和质量监管。由于当时医疗器械工业基础薄弱，产品种类较少，卫生部主要负责协调医疗器械的生产和分配，确保医疗机构的设备供应。1953 年 7 月，医疗器械的管理权从卫生部移交至轻工业部。这一调整反映了当时国家对医疗器械行业的定位，将其视为轻工业的一部分。轻工业部负责协调医疗器械的生产和分配，但由于医疗器械的特殊性，轻工业部的管理经验相对有限。1956 年，医疗器械的管理权再次转移，这次由第一机械工业部（简称“一机部”）的仪表局接管。一机部主要负责机械工业的管理，医疗器械被归类为仪表类产品进行管理。这一阶段的调整反映了国家对医疗器械行业的重新定位，试图通过机械工业的管理模式来推动医疗器械的生产和技术进步。1960 年，医疗器械的管理权再次回到卫生部，并成立了专门的医疗器械局来实施管理。这一调整表明国家意识到医疗器械行业的特殊性，需要更加专业和系统的管理。医疗器械局的成立标志着国家对医疗器械行业的重视程度有所提升，但由于当时技术水平和工业基础限制，医疗器械的生产和监管仍然处于较为初级的阶段。尽管这一时期的医疗器械管理存在诸多不足，但为后续的行业监管和体制改革积累了宝贵的经验[1]。

（2）行业管理与监督管理探索期　改革开放后的 20 年（1978—1998 年）是中国医疗器械行业管理与监督管理的探索期。这一时期，我国医疗器械产业迅速发展，产品种类逐步丰富，特别是高风险植入性器械数量增加，推动众多国内外高风险医疗器械涌入国内市场。国家对此类医疗器械产品的风险意识增强，行业管理与监督管理同步推进，我国医疗器械监管开始逐步步入正轨。

1978—1984 年，我国初步实现对医疗器械的统一管理。1978 年 6 月，国务院批准了卫生部《关于建议成立国家医药管理总局的报告》，将医药行业的管理职能从化工部、商业部、卫生部分离出来，成立国家医药管理总局，专门负责医药行业的管理。此时的国家医药管理总局由卫生部代管，旨在改善中国缺医少药的状况。1979 年，中国医疗器械工业公司重建，各省、自治区、直辖市也相继成立医药管理局或医药总公司，地市级医药管理机构也逐步建立。1982 年，国家医药管理总局更名为国家医药管理局，改由国家经济委员会领导，实现了全国医药事业的统一管理体制[3]。

1984—1987 年，我国对医疗器械实行大行业管理。大行业管理开始于 1984 年，电子、化工、机械、核工业、国防科工委及中国科学院等部委陆续进入医疗器械领域，打破了原有的狭隘观念和封闭式管理格局，推动了行业规模的快速扩张。1986 年，医疗器械行业开始实施全行业的统一归口管理，显著提升了行业监管效率。

1987—1993 年，我国医疗器械行业进入系统化规划发展阶段。1988 年，国家医药管理局调整为国务院直属机构。1994 年，该局再次调整为由国家经济贸易委员会管理的直属单位。同年，经国家编制办批准，国家医药局拟设立医疗器械行政监督机构，正式行使对全国医疗器械产品的监督管理职能[3]。该机构成立后，主要工作之一是加快推行医疗器械生产企业质量体系认证制度，加强生产环节的监管力度[1]。这一阶段通过管理体制的持续优化，实现了医疗器械从分散管理向集中监管的过渡。

1978—1998 年，是我国医疗器械监管的“奠基二十年”。这一阶段，国家成立了专门的药品和医疗器械管理机构，虽然这些机构仍隶属于工业管理部门，但已经开始从部门管理向行业管理过渡，为后续的专业化和法治化管理奠定了基础[2]。这一时期的探索和实践，为中国医疗器械行业的规范化和现代化发展提供了重要支持。

（3）规范化、法治化监管　1998—2008 年，是中国医疗器械监管体系规范化、法治化的重要阶段。这一时期的改革和调整，标志着中国医疗器械监管从分散管理逐步走向集中统一，监管职能逐渐明确，法律法规逐步完善。

1998 年，中国进行了新一轮的国家机构改革，撤销了一大批工业管理部门，国家医药管理局与卫生部的药政局合并，组建了国家药品监督管理局（SDA）。这一改革将药品和医疗器械的生产、流通、使用等环节的监管职能统一到一个部门，避免了以往政出多门、监管不力的问题。SDA的成立标志着医药行业的管理职能从产业发展总指挥策划向行业“监督管理”转变[2]，将行业发展和行业监管职能相剥离，有效规避了部门内部行业庇护现象。SDA成为国务院直属的行政执法机构，负责药品和医疗器械的全过程监管，特别是医疗器械的监管职能从产业发展策划部门转型为产品监督管理机构。

2000年，国务院批转了《药品监督管理体制改革方案》，正式启动省级以下药品监管机构垂直管理模式。这一改革旨在加强药品监管的独立性和权威性，减少地方保护主义对监管工作的干扰。同年，国家颁布了《医疗器械监督管理条例》，这是我国第一部专门针对医疗器械行业的行政法规，标志着医疗器械监管走上了法治化的道路。该条例对医疗器械的生产、经营、使用等环节作出了明确规定，为监管工作提供了法律依据。2003年，国家药品监督管理局（SDA）升格为国家食品药品监督管理局（SFDA），将食品、保健食品、化妆品的安全管理职能纳入其中。SFDA仍然作为国务院直属机构，继续实行省级以下药品监管系统的垂直管理[4]。SFDA设立了医疗器械司，专门负责医疗器械产品的研制、注册等环节的监管，而医疗器械的经营、使用环节以及违法违规行为的查处工作仍由药品市场监督管理司负责。同时，全国各地省级监管部门也相继成立了医疗器械处，市、县级监管部门也逐步设立了医疗器械监管科室，形成了早期的医疗器械监管力量[5]。

在这一阶段，行业管理和政府管理逐渐分离，监管职能整合到单一部门，确保了其相对的独立性。医疗器械市场监管制度逐渐系统化、规范化，监管力度得到加强。2000年颁布的《医疗器械监督管理条例》为医疗器械监管提供了法律依据，标志着中国医疗器械监管走上了法治化的道路。然而，尽管监管体系逐步完善，但仍然暴露出一些问题，比如众所周知的药监局腐败案，以及几个药品安全大案，发生地不是农村，不是假药加工点，而是通过质量认证的国有生产厂家，这些案件暴露出监管体系中的漏洞和不足，因此国家即将启动新一轮的机构改革。

(4) 专业化、系统化监管　2008—2018年，中国在医疗器械监管领域进行了专业化、系统化的改革，逐步建立起一套具有中国特色的监管体系。2008年，国务院再次进行新一轮机构改革，旨在转变政府职能和理顺部门职责关系，探索大部门体制。2008年3月15日，第十一届全国人民代表大会第一次会议审议通过了《国务院机构改革方案》，SFDA由国务院直属机构改为卫生部管理，省级及以下食品药品监督管理机构也相应调整为由同级卫生部门管理。国家食品药品监督管理局将“医疗器械司”更名为“医疗器械监管司”，并将医疗器械产品上市后的监管职能从药品监管中独立出来，交由“医疗器械监管司”专门负责。同时，国家成立了稽查局，配合医疗器械监管司加大违法行为的监督检查力度；还成立了专门的稽查处（科）室，负责对违法行为查处[5]。在此轮机构改革中，医疗器械的技术审评工作被移交给事业单位，标志着医疗器械监管的行政许可和技术审评的分离，进一步提升了医疗器械产品上市前评价的专业化水平。

2013年3月22日，国家食品药品监督管理局（State Food and Drug Administration，SFDA）更名为国家食品药品监督管理总局（Chinese Food and Drug Administration，CFDA），并从卫生部脱离，再次回归国务院直属管理。CFDA的成立标志着食品药品监管机构的独立性和权威性进一步提升，能够更好地统筹全国食品药品监管工作。在国家层面，CFDA成立了医疗器械注册管理司、监管司，以及科技和标准司，分别负责医疗器械的注册管理、生产、经营和使用环节的监管，以及标准管理。这些部门的设立使得监管职能更加明确，增强了监管效果。

2014年，新版《医疗器械监督管理条例》发布实施，进一步推动了医疗器械监管体制的改革。在省级层面，成立了医疗器械注册管理处和监管处，分别负责注册审批和日常监管工作，并指导市县级监管部门的工作；在市级层面，部分市级食品药品监管部门与工商部门、质检部门合并，组建市场监督管理局，设立医疗器械科（处）室，负责医疗器械监管事务。部分地区开始实施行政审批分离，成立统一的审批局，将医疗器械审批职能从食品药品监管系统中划离，进一步优化了审批流程。至此，通过一系列改革，国家逐步建立起国家、省、市、县四级医疗器械监管体系，并分别承担相应职权范围内的监督工作，使得医疗器械监管工作更加系统化、规范化，形成了有力的监督管理体系。通过机构改革和职能调整，医疗器械监管法律法规得到了更好的落实，促进了医疗器械市场的健康运行[5]。

（5）科学化、国际化监管　自 2018 年以来，中国的市场监管体系经历了重大改革，旨在实现科学化、国际化的监管模式。这一改革的核心是整合多个部门的职责，形成统一的市场监管机构，以应对日益复杂的经济和社会环境。2018 年，国务院将国家工商行政管理总局、国家质量监督检验检疫总局、国家食品药品监督管理总局、国家发展和改革委员会的价格监督检查与反垄断执法职责，以及商务部的经营者集中反垄断执法职责等整合，组建了国家市场监督管理总局（State Administration for Market Regulation，SAMR）。该机构作为国务院直属机构，负责市场综合监督管理、反垄断执法、质量强国战略实施、食品安全监管、特种设备安全监管等工作。由于考虑到药品监管的特殊性，国家虽然撤销了食品药品监督管理总局，但单独组建了国家药品监督管理局（National Medical Products Administration，NMPA），负责药品、医疗器械和化妆品的监督管理，由国家市场监督管理总局管理。市场监管实行国家、省、市、县四级管理。国家市场监督管理总局负责全国范围内的市场监管工作，省级及以下的市场监管部门负责本地区的市场监管工作。药品监管机构只设到省一级，省级药品监督管理局负责药品、医疗器械和化妆品的生产监管，而市、县级市场监管部门则负责药品经营、销售等行为的监管。至此，我国医疗器械的监管进一步放权，形成了国家级管研究和审批，省级管生产，市、县级管流通和使用的分层侧重监管方式。总之，2018 年以来的市场监管改革标志着中国在科学化、国际化的监管道路上迈出了重要一步，为建立统一开放、竞争有序的现代市场体系奠定了坚实基础。

3.2 医疗器械监管的现行行政机构体系

自 2018 年机构调整后，我国已经形成了新的医疗器械监管机构体系，本节将根据政府机构门户网站上公布的职能，对我国现行的医疗器械监管行政机构体系进行介绍。

3.2.1 国家市场监督管理总局

3.2.1.1 国家市场监督管理总局的职责

国家市场监督管理总局（简称“市场监管总局”）是国务院直属的正部级机构，负责全国市场综合监督管理和行政执法工作。根据市场监管总局官网，其主要职责如下：

① 负责市场综合监督管理：起草相关法律法规，制定规章、政策和标准，推动质量强国、食品安全和标准化战略，维护市场秩序，营造诚实守信、公平竞争的市场环境。

② 负责市场主体登记注册：负责企业、农民专业合作社、个体工商户等市场主体的登记注册，建立信息公示和共享机制，推动信用体系建设。

③ 负责市场监管综合执法工作：指导地方市场监管执法队伍，查处重大违法案件，规范行政执法行为。

④ 负责反垄断统一执法：统筹竞争政策，实施公平竞争审查，负责经营者集中、垄断

协议、滥用市场支配地位等反垄断执法工作，指导企业在国外的反垄断应诉。

⑤ 负责监督管理市场秩序：监管市场交易、网络商品交易及相关服务，查处价格违法、不正当竞争、传销、侵犯知识产权等行为，管理广告活动，指导消费者权益保护。

⑥ 负责宏观质量管理：制定质量发展政策，统筹国家质量基础设施建设，组织重大质量事故调查，实施缺陷产品召回制度。

⑦ 负责产品质量安全监督管理：管理产品质量安全风险监控、国家监督抽查工作，建立并组织实施质量分级制度、质量安全追溯制度，指导工业产品生产科学管理，负责纤维质量监督工作。

⑧ 负责特种设备安全监督管理：综合管理特种设备安全监察，监督高耗能特种设备的节能和环保标准执行情况。

⑨ 负责食品安全监督管理综合协调：制定并组织实施食品安全政策，负责应急体系建设，组织重大食品安全事件处置，承担国务院食品安全委员会日常工作。

⑩ 负责食品安全监督管理：建立覆盖食品生产、流通、消费全过程的监督检查机制，推动食品安全追溯体系建设，组织开展食品安全监督抽检和风险监测，组织实施特殊食品注册、备案和监督管理。

⑪ 负责统一管理计量工作：推行法定计量单位和国家计量制度，管理计量器具及量值传递和比对工作，规范、监督商品量和市场计量行为。

⑫ 负责统一管理标准化工作：负责强制性国家标准的立项、编号和发布，制定推荐性国家标准，协调行业、地方和团体标准，参与国际标准化工作。

⑬ 负责统一管理检验检测工作：推进检验检测机构改革，规范检验检测市场，完善检验检测体系。

⑭ 负责统一管理、监督和综合协调全国认证认可工作：建立并实施国家统一的认证认可和合格评定监督管理制度。

⑮ 负责科技与信息化建设工作：负责市场监督管理科技和信息化建设、新闻宣传、国际交流与合作，承担技术性贸易措施相关工作。

⑯ 管理下属机构：管理国家药品监督管理局和国家知识产权局。

⑰ 其他任务：完成党中央、国务院交办的其他任务。

通过这些职责，国家市场监督管理总局旨在维护市场秩序，保障消费者权益，促进公平竞争，推动经济高质量发展。

3.2.1.2　国家市场监督管理总局的机构设置

根据市场监管总局网站，国家市场监督管理总局的机构设置和各自职责如下：

① 办公厅：负责机关日常运转，承担信息、安全、保密、信访、政务公开等工作。组织协调市场监督管理方面重大事故的应急处置和调查处理工作。

② 规划和财务司：承担协调推进市场监督管理方面的深化改革工作，组织开展相关政策研究和综合分析，拟订市场监督管理中长期规划并组织实施，承担重要综合性文件、文稿的起草工作，承担并指导市场监督管理统计工作，承担机关和直属单位预决算、财务审计、国有资产、基本建设和各类资金、专用基金及制装管理工作，指导市场监督管理系统装备配备工作。

③ 法规司：组织起草市场监督管理相关法律法规草案和规章，审查规范性文件及国际合作协定、协议和议定书草案的合法性，设计执法程序，规范自由裁量权，监督行政执法，参与行政复议、行政应诉和行政赔偿工作，开展法治宣传教育。

④ 执法稽查局：拟订市场监管综合执法及稽查办案的制度措施，指导查处市场主体准入、生产、经营、交易中的违法行为，组织查办、督查督办全国性或跨省（自治区、直辖市）的大案要案工作，指导地方市场监管综合执法工作。

⑤ 登记注册局（小微企业个体工商户专业市场党建工作办公室）：拟订市场主体统一登记注册和营业执照核发的制度措施，指导登记注册全程电子化，分析公开登记注册信息，指导市场监督管理方面的行政许可，扶持个体私营经济发展，指导小微企业、个体工商户、专业市场的党建工作。

⑥ 信用监督管理司：拟订信用监督管理制度，组织指导对市场主体登记注册行为的监督检查，指导信用分类管理和信息公示，管理国家企业信用信息公示系统，建立经营异常名录和“黑名单”，协调联系市场主体监督管理信息和公示信息的归集共享、联合惩戒。

⑦ 竞争政策协调司：统筹推进竞争政策实施，协调反垄断工作，拟订反垄断制度措施和指南，组织实施公平竞争审查制度，指导各部门和地方开展公平竞争审查，负责滥用行政权力排除、限制竞争的反垄断执法工作，承担反垄断案件内部法制审核，开展竞争政策和反垄断国际合作与交流，承办国务院反垄断委员会日常工作。

⑧ 反垄断执法一司：负责垄断协议、滥用市场支配地位及滥用知识产权排除、限制竞争等反垄断执法工作，组织实施数字经济领域的反垄断协议，指导地方查处相关案件，协调跨省垄断协议、滥用市场支配地位案件的查处工作。

⑨ 反垄断执法二司：负责经营者集中行为的反垄断审查，查处违法实施的经营者集中案件，监督执行经营者集中附加限制性条件，指导企业在国外的反垄断应诉和合规工作。

⑩ 价格监督检查和反不正当竞争局（规范直销与打击传销办公室）：拟订价格收费监督检查、反不正当竞争的制度措施，组织实施商品价格、服务价格及国家机关、事业性收费的监督检查，查处价格收费违法违规行为和不正当竞争行为，监督管理直销企业、直销员及其直销活动，打击传销。

⑪ 网络交易监督管理司：拟订网络商品交易及有关服务监督管理的制度措施，组织指导协调网络市场行政执法工作，规范网络交易平台和网络经营主体，实施网络市场监测，监督管理合同、拍卖行为，指导消费环境建设。

⑫ 广告监督管理司：拟订广告业发展规划、政策，组织实施广告监督管理，指导药品、保健食品、医疗器械、特殊医学用途配方食品广告审查，监测各类媒介广告发布情况，查处虚假广告等违法行为，指导广告审查机构和广告行业组织的工作。

⑬ 质量发展局：拟订推进质量强国战略的政策措施，统筹国家质量基础设施协同服务及应用，完善质量激励制度，拟订实施产品和服务质量提升、产品质量安全事故强制报告、缺陷产品召回等制度，组织实施重大工程设备质量监理和产品防伪工作，开展服务质量监督监测，组织重大质量事故调查。

⑭ 产品质量安全监督管理司：拟订国家重点监督的产品目录，组织实施产品质量国家监督抽查、风险监控和分类监督管理，指导协调产品质量的行业、地方和专业性监督，承担工业产品生产许可管理和食品相关产品质量安全监督管理工作，监督棉花等纤维质量。

⑮ 食品安全协调司：拟订推进食品安全战略的重大政策措施，统筹协调食品全过程监管中的重大问题，推动健全食品安全跨地区跨部门协调联动机制，承办国务院食品安全委员会日常工作。

⑯ 食品生产经营安全监督管理司：分析掌握生产、流通领域食品安全形势，拟订食品生产、流通监督管理和食品生产经营者落实主体责任的制度措施，组织实施并指导开展监督检查工作；组织食盐生产经营质量安全监督管理工作，组织查处相关重大违法行为，指导企

业建立健全食品安全可追溯体系。

⑰ 餐饮食品安全监督管理司：分析掌握餐饮服务领域食品安全形势，拟订餐饮服务、市场销售食用农产品监督管理和餐饮服务、市场销售食用农产品经营者落实主体责任的制度措施，组织实施并指导开展监督检查工作；组织实施餐饮质量安全提升行动，指导重大活动食品安全保障工作，组织查处相关重大违法行为。

⑱ 特殊食品安全监督管理司：分析掌握保健食品、特殊医学用途配方食品和婴幼儿配方乳粉等特殊食品领域安全形势，拟订特殊食品注册、备案和监督管理的制度措施，组织查处相关重大违法行为。

⑲ 食品安全抽检监测司：拟订全国食品安全监督抽检计划，组织实施并定期公布相关信息，督促指导不合格食品核查、处置、召回，开展食品安全评价性抽检、风险预警和风险交流，参与制定食品安全标准、食品安全风险监测计划，承担风险监测工作，组织排查风险隐患。

⑳ 特种设备安全监察局：拟订特种设备目录和安全技术规范，监督检查特种设备的生产、经营、使用、检验检测和进出口，监督高耗能特种设备节能标准、锅炉环境保护标准的执行情况，组织调查处理特种设备事故并进行统计分析，查处相关重大违法行为，监督管理特种设备检验检测机构和人员，推动特种设备安全科技研究并推广应用。

㉑ 计量司：管理国家计量基准、计量标准、计量标准物质和计量器具，组织量值传递溯源和计量比对工作，建立国家计量技术规范体系并组织实施，监督管理商品量、市场计量行为、计量仲裁检定和计量技术机构及人员，规范计量数据使用。

㉒ 标准技术管理司：拟订标准化战略、规划、政策和管理制度，承担强制性国家标准、推荐性国家标准（含标准样品）和国际对标采标相关工作，协助查处违反强制性国家标准的重大违法行为，管理全国专业标准化技术委员会。

㉓ 标准创新管理司：承担行业标准、地方标准、团体标准、企业标准和组织参与制定国际标准相关工作，管理全国法人和其他组织，统一社会信用代码，管理商品条码，组织参与国际标准化组织、国际电工委员会和其他国际或区域性标准化组织活动。

㉔ 认证监督管理司：拟订实施认证和合格评定监督管理制度，规划指导认证行业发展并协助查处认证违法行为，组织参与认证和合格评定国际或区域性组织活动。

㉕ 认可与检验检测监督管理司：拟订实施认可与检验检测监督管理制度，组织协调检验检测资源整合和改革工作，规划指导检验检测行业发展并协助查处认可与检验检测违法行为，组织参与认可与检验检测国际或区域性组织活动。

㉖ 新闻宣传司：拟订市场监督管理信息公布制度，承担新闻宣传、新闻发布管理工作，组织市场监督管理舆情监测、分析和协调处置工作，协调组织重大宣传活动。

㉗ 科技和信息化司：拟订实施相关科技发展规划和技术机构建设规划，提出国家质量基础设施等重大科技需求，承担相关科研攻关、技术引进、成果应用工作，承担信息化工作。

㉘ 人事司：承担机关和直属单位的干部人事、机构编制、劳动工资和教育工作，指导相关人才队伍建设和基层规范化建设工作。

㉙ 国际合作司（港澳台办公室）：承担市场监督管理方面的国际交流与合作工作，涉及港澳台的交流与合作事务，签署和执行国际合作协定、协议、议定书，承担技术性贸易措施有关工作，管理机关和直属单位外事工作。

市场监管总局通过上述机构设置，全面履行市场监督管理职责，维护市场秩序，保障消费者权益，推动质量强国建设。

3.2.2 国家药品监督管理局

2018 年 7 月施行的《国家药品监督管理局职能配置、内设机构和人员编制规定》明确了国家药品监督管理局（NMPA，简称为国家药监局）的职责和定位。NMPA 作为国家市场监督管理总局管理的副部级单位，主要负责全国医疗器械的监督管理工作，确保医疗器械的安全性和有效性。国务院其他相关部门在各自职责范围内协助 NMPA 进行与医疗器械相关的监督管理工作，形成多部门协同监管的格局。NMPA 在履行职责过程中，坚持和加强党对药品监督管理工作的集中统一领导，确保药品监管工作与党中央的方针政策和决策部署保持一致。与国家食品药品监督管理总局（CFDA）相比，NMPA 的职能更加聚焦于药品、医疗器械和化妆品领域的法规制定和监管工作，剥离了部分与食品相关的监管职责，进一步提升了专业化水平。

3.2.2.1 国家药品监督管理局的主要职责

根据官网公布，NMPA 在医疗器械监管方面的主要职责如下：

① 负责医疗器械安全监督管理：拟订医疗器械监督管理的政策规划，组织起草相关法律法规草案，制定部门规章，并监督实施；研究拟订鼓励医疗器械新技术、新产品的管理与服务政策，推动行业创新发展。

② 负责医疗器械标准管理：组织制定、公布医疗器械标准，确保医疗器械的安全有效性；组织制定医疗器械分类管理制度，并监督实施。

③ 负责医疗器械注册管理：制定医疗器械注册管理制度，严格上市前的审评审批流程；完善并组织实施评审审批服务便利化措施，确保医疗器械的注册过程高效、透明。

④ 负责医疗器械质量管理：制定并监督实施医疗器械研制、生产、经营、使用等环节的质量管理规范，确保医疗器械在全生命周期内的质量可控。

⑤ 负责医疗器械上市后风险管理：组织开展医疗器械不良事件的监测、评价和处置工作，确保医疗器械上市后的安全性；依法承担医疗器械安全应急管理工作，及时应对和处理突发事件。

⑥ 负责医疗器械监督检查：制定医疗器械监督检查制度，依法查处医疗器械注册、生产等环节的违法行为；组织指导各级药品监督管理部门开展监督检查工作。

⑦ 负责对外交流与合作：负责医疗器械监督管理领域的对外交流与合作，参与国际监管规则和标准的制定，提升我国医疗器械监管的国际影响力。

⑧ 指导地方药品监督管理部门工作：负责指导省、自治区、直辖市药品监督管理部门的工作，确保全国范围内医疗器械监管的统一性和协调性。

通过履行这些职责，国家药品监督管理局确保医疗器械的安全性、有效性和质量可控，保障公众健康和安全。

3.2.2.2 国家药品监督管理局的职能转变

NMPA 在职能转变方面，特别是在医疗器械监管领域，进行了多项重要调整，旨在提高监管效率、优化服务并确保公众用药用械的安全性和有效性。以下是具体的职能转变措施：

① 深入推进简政放权：国家药品监督管理局逐步减少具体的行政审批事项，特别是医疗器械广告、药物临床试验机构等审批事项，逐步取消或将其改为备案制。这一举措旨在简化流程，减轻企业的行政负担，激发市场活力。同时，通过简政放权，药品和医疗器械的审

批流程更加高效，企业能够更快地将创新产品推向市场。

② 强化事中事后监管：国家药品监督管理局完善了医疗器械全生命周期管理制度，从产品研发、生产、流通到使用和报废，实施全过程、全生命周期的质量安全风险管理。创新监管方式，通过“双随机、一公开”（随机抽取检查对象、随机选派检查人员，公开检查结果）和“互联网＋监管”等新型监管方式，提升监管的透明度和效率。同时，加强信用监管，建立企业信用档案，推动企业自律，确保其在生产经营过程中遵守相关法规。

③ 有效提升服务水平：为了鼓励创新，国家药品监督管理局加快了创新医疗器械的审评审批速度，特别是对具有重大临床价值的创新产品，提供优先审评审批通道。通过建立上市许可持有人制度，明确了药品和医疗器械上市许可持有人的责任，推动企业更加注重产品质量和安全。推进电子化审评审批，优化流程，提高审批效率，降低企业的时间成本。及时发布药品注册申请信息，引导申请人有序研发和申报，提高市场透明度。

④ 全面落实监管责任：国家药品监督管理局按照“最严谨的标准、最严格的监管、最严厉的处罚、最严肃的问责”的要求，完善医疗器械的审评、检查、检验、监测等体系，确保监管的严肃性和有效性。通过加强监管队伍的专业化培训，提升监管人员的职业素养和技术能力，确保监管工作的科学性和权威性。通过推进药品和医疗器械的追溯体系建设，确保产品从生产到使用的全过程可追溯，防范系统性、区域性风险。通过强化企业的主体责任，要求企业在生产经营过程中严格遵守相关法规，确保产品质量和安全。

国家药品监督管理局的职能转变主要体现在以上四个方面，这些转变旨在提高监管效率，优化市场环境，鼓励创新，同时确保药品和医疗器械的安全性和有效性，满足公众的健康需求。通过这些措施，国家药品监督管理局在新时代背景下，更好地履行了其监管职责，推动了医药行业的健康发展。

3.2.2.3 国家药品监督管理局有关职责分工

医疗器械的监管是一个复杂且专业的过程，涉及多个部门的协同合作。NMPA 作为主要负责机构，与卫生主管部门等相关部门在医疗器械的监管中有着明确的分工和协作机制。以下是其在医疗器械监管中的主要职责分工和协作内容。

（1）与国家卫生主管部门的分工　医疗器械与医疗行为息息相关，工作中许多时候需要与国家卫生管理部门协同进行。2018 年发布的《国家药品监督管理局职能配置、内设机构和人员编制规定》和 2021 年实施的《医疗器械监督管理条例》中，对国家药品监督管理局与国家卫生主管部门的职责进行了非常明确的分工。

① 在医疗器械不良事件监测与召回方面

国家药品监督管理局与国家卫生健康委员会共同负责医疗器械不良事件的监测与召回工作。NMPA 负责组织国家药典委员会并制定国家药典，建立重大药品不良反应和医疗器械不良事件的相互通报机制和联合处置机制。2021 年发布实施的《医疗器械监督管理条例》（以下简称为《条例》）中规定：医疗器械不良事件监测技术机构在必要时需向药品监督管理部门和卫生主管部门报告，并提出处理建议（第六十三条）；医疗器械注册人、备案人、生产经营企业、使用单位应配合药品监督管理部门和卫生主管部门开展的医疗器械不良事件调查（第六十五条）；医疗器械的召回和处理情况需向药品监督管理部门和卫生主管部门报告（第六十七条）。

② 在应对公共突发事件方面

在突发公共卫生事件或其他严重威胁公众健康的紧急情况下，国务院卫生主管部门根据预防和控制事件的需要，提出紧急使用医疗器械的建议，经国务院药品监督管理部门组织论证同意后，可以在一定范围和期限内紧急使用（《条例》第十九条）；医疗卫生机构为应对突发公共卫生事件而研制的医疗器械的管理办法，由国务院药品监督管理部门会同国务院卫生主管部门制定（《条例》第一百零五条）。

③ 在医疗器械研发方面

在医疗器械的研发过程中，药品监督管理部门和卫生主管部门在临床试验、新产品研发等方面有明确的协作机制。在临床试验环节，接受临床试验备案的药品监督管理部门应将备案情况通报临床试验机构所在地的同级药品监督管理部门和卫生主管部门（《条例》第二十六条）；对国内尚无同品种产品上市的体外诊断试剂，符合条件的医疗机构可根据本单位的临床需要自行研制，并在执业医师指导下在本单位内使用，具体管理办法由国务院药品监督管理部门会同国务院卫生主管部门制定（《条例》第五十三条）；卫生主管部门应对医疗机构的医疗器械使用行为加强监督检查，并可进入医疗机构查阅、复制有关档案、记录等资料（《条例》第七十一条）。

④ 在医疗器械使用方面

在医疗器械的使用环节，特别是大型医疗设备的配置和使用监管方面，卫生管理部门扮演着重要角色。大型医用设备配置管理办法由国务院卫生主管部门会同有关部门制定。医疗器械使用单位配置大型医用设备应符合国务院卫生主管部门制定的配置规划，并经省级以上人民政府卫生主管部门批准（《条例》第四十八条）；药品监督管理部门和卫生主管部门依据各自职责，分别对使用环节的医疗器械质量和医疗器械使用行为进行监督管理（《条例》第五十四条）；医疗器械使用单位对重复使用的医疗器械，应按照国务院卫生主管部门制定的消毒和管理规定进行处理（《条例》第四十九条）。

⑤ 在非营利避孕医疗器械的管理方面

国务院药品监督管理部门会同国务院卫生主管部门制定非营利避孕医疗器械的存储、调拨和供应管理办法（《条例》第一百零五条）。

⑥ 在中医医疗器械的技术指导原则方面

国务院药品监督管理部门会同国务院卫生主管部门制定中医医疗器械的技术指导原则（《条例》第一百零五条）。

国家药品监督管理局与卫生主管部门在医疗器械监管中的分工明确，涵盖了从研发、生产、使用到不良事件监测与召回的全过程。两者通过紧密协作，确保医疗器械的安全性和有效性，保障公众健康。特别是在应对突发公共卫生事件时，两者的协同作用尤为重要，能够迅速响应并采取有效措施，确保医疗器械的合理使用和监管。

(2) 其他有关职责分工　根据 2018 年发布的《国家药品监督管理局职能配置、内设机构和人员编制规定》，国家药品监督管理局与其他相关部门在职责分工上进行了明确划分，具体如下：

① 与国家市场监督管理总局的有关职责分工

国家药品监督管理局负责制定药品、医疗器械和化妆品的监管制度，并负责药品、医疗器械和化妆品在研制环节的许可、检查和处罚。省级药品监督管理部门负责药品、医疗器械和化妆品在生产环节的许可、检查和处罚，以及负责药品批发许可、零售连锁总部许可、互联网销售第三方平台备案及检查和处罚。市、县两级市场监管部门负责药品零售、医疗器械经营的许可、检查和处罚，并负责化妆品经营和药品、医疗器械使用环节的质量检查和处罚。

② 与商务部的有关职责分工

商务部负责拟订药品流通发展规划和政策。国家药品监督管理局在药品监督管理工作中，配合执行药品流通发展规划和政策。商务部在发放药品类易制毒化学品进口许可前，应当征得国家药品监督管理局的同意。

③ 与公安部的有关职责分工

公安部负责组织指导药品、医疗器械和化妆品犯罪案件侦查工作。国家药品监督管理局与公安部建立行政执法和刑事司法工作衔接机制。药品监督管理部门发现违法行为涉嫌犯罪的，按照有关规定及时移送公安机关，公安机关应当迅速进行审查，并依法作出立案或者不予立案的决定。公安机关依法提请药品监督管理部门作出检验、鉴定、认定等协助的，药品监督管理部门应当予以协助。

④ 与其他相关部门的职责分工

除了上述部门，国家药品监督管理局还与其他部门在特定领域有职责分工。例如，其与国家卫生健康委员会在药品、医疗器械的使用和不良反应监测方面进行协作；与科技部在药品、医疗器械的科研和创新政策方面进行协调；与海关总署在药品、医疗器械和化妆品的进出口监管方面进行合作。

这种职责分工的目的是确保药品、医疗器械和化妆品在研发、生产、流通、使用等各个环节的监管无缝衔接，避免出现监管空白或多头管理的情况。同时，通过明确各部门的职责，能够提高监管效率，确保公众用药安全。

3.2.2.4 国家药品监督管理局内设医疗器械监管机构

NMPA 内设多个专门机构，负责医疗器械的监管工作。以下是这些机构的详细职责和处室设置：

(1) 政策法规司

① 机构职责

研究与药品、医疗器械和化妆品监督管理相关的重大政策；组织起草法律法规及部门规章草案；承担规范性文件的合法性审查工作；承担执法监督、行政复议、行政应诉、重大案件法制的审核工作；承担行政执法与刑事司法衔接的管理工作；承担普法宣传和涉及世界贸易组织的相关工作；承担全面深化改革的有关协调工作；承担疫苗质量管理体系（QMS）办公室的日常工作。

② 处室设置及工作分工

综合处：负责司内综合事务，组织开展行政审批制度改革，承担普法宣传工作。

政策研究处：组织开展监管政策和法律制度研究，承担全面深化改革的有关协调工作，承担疫苗质量管理体系（QMS）办公室的日常工作。

法规处：组织起草监管法律法规及部门规章草案，承担规范性文件的合法性审查工作。

执法监督处：承担执法监督、行政复议、行政应诉、重大案件法制审核工作，承担行政执法与刑事司法衔接管理工作。

(2) 医疗器械注册管理司

① 机构职责

组织拟订并监督实施医疗器械标准、分类规则、命名规则和编码规则；拟订并实施医疗器械注册管理制度；承担相关医疗器械注册、临床试验审批工作；拟订并监督实施医疗器械临床试验质量管理规范、技术指导原则；承担组织检查研制现场、查处违法行为工作。

② 处室设置及工作分工

综合处：负责司内综合事务，协调推进医疗器械审评审批制度改革工作。

注册一处：组织拟订医疗器械注册管理制度并监督实施，承担有源医疗器械、体外诊断试剂注册、高风险有源医疗器械临床试验审批工作，组织开展相关产品研制现场检查，组织查处相关违法行为。

注册二处：组织拟订医疗器械临床试验管理制度、质量管理规范并监督实施，承担无源医疗器械注册、高风险无源医疗器械临床试验审批工作，组织开展相关产品研制现场检查，组织查处相关违法行为。

注册研究处：组织拟订医疗器械标准、分类规则、命名规则和编码规则并监督实施。

（3）医疗器械监督管理司

① 机构职责

组织拟订并依职责监督实施医疗器械生产质量管理规范；组织拟订并指导实施医疗器械经营、使用质量管理规范；承担组织指导生产现场检查、组织查处重大违法行为工作；组织质量抽查检验，定期发布质量公告；组织开展不良事件监测并依法处置。

② 处室设置及工作分工

综合处：负责司内综合事务，开展医疗器械监管制度研究。

监管一处：组织拟订并依职责监督实施有源医疗器械、无源医疗器械生产监管制度和生产质量管理规范，组织指导其生产的现场检查，组织查处其生产环节重大违法行为。

监管二处：组织拟订并依职责监督实施体外诊断试剂及临床检验器械的生产监管制度和生产质量管理规范，组织指导其生产的现场检查，组织查处其生产环节重大违法行为，组织拟订并指导实施医疗器械经营、使用质量管理规范。

监测抽验处：拟订医疗器械不良事件监测管理制度，组织开展不良事件监测并依法处置，组织质量抽查检验，定期发布质量公告，组织开展医疗器械再评价工作。

（4）科技和国际合作司（港澳台办公室）

① 机构职责

组织研究实施药品、医疗器械和化妆品审评、检查、检验的科学工具和方法；研究拟订鼓励新技术、新产品的管理与服务政策；拟订并监督实施实验室建设标准和管理规范、检验检测机构资质认定条件和检验规范；组织实施重大科技项目；组织开展国际交流与合作，以及与港澳台地区的交流与合作；协调参与国际监管规则和标准的制定。

② 处室设置及工作分工

综合处（港澳台处）：负责司内综合事务，承担外事管理和护照签证管理，承担与港澳台地区的交流与合作，指导开展非官方交流与合作，协助开展境外检查。

科技处：组织研究实施审评、检查、检验评价的科学工具和方法，以及补充检验方法等，拟订并监督实施实验室建设标准和管理规范、检验检测机构资质认定条件和检验规范，组织实施重大科技项目和国际合作项目。

国际组织处：承担与国际组织和机构间的交流与合作，协调参与国际监管规则和标准的制定。

双边合作处：组织开展政府间的双边交流与合作，承担相关合作协议的拟订和实施等工作，组织开展监管法规外文文本的审定工作。

这些机构共同协作，确保医疗器械的安全性、有效性和质量可控性，保障公众健康。

表 3-1 展示了我国医疗器械监管主管机构的变迁及其管理时间段。从表中可以看出，我国医疗器械监管机构经历了多次调整，逐步从分散管理向集中化、专业化方向发展。与以前的监管机构相比，新的国家药品监督管理局更加注重职能的专业化，强调与其他部门的职责分工，注重科研创新和国际合作，提升服务水平。监管模式从单纯的行政管理向管理服务型转变，体现了我国医疗器械监管体系的不断完善和进步。

表 3-1 我国医疗器械监管主管机构及管理时间段一览表

管理时间段	医疗器械监管主管机构
1952—1956	轻工部医药工业管理局
1956.6—1956.11	化工部医药工业管理局
1956—1960	一机部仪器仪表工业局
1961—1966	卫生部医疗器械工业局
1966—1978	卫生部医药器械管理局、中国医疗器械工业公司
1978—1993	国家医药管理局(卫生部代管,司局级)
1993—1998	国家医药管理局(国家经济贸易委员会管理,司局级)
1998—2003	国家药品监督管理局(国务院直属,副部级)
2003—2008	国家食品药品监督管理局(国务院直属,副部级)
2003—2013	国家食品药品监督管理局(卫生部管理,副部级)
2013—2018	国家食品药品监督管理总局(国务院直属机构,正部级)
2018—今	国家药品监督管理局(国家市场监督管理总局管理,副部级)

3.2.3 省级药品监督管理局

省级药品监督管理局（通常为省/自治区/直辖市药品监督管理局）是负责药品、化妆品和医疗器械监管的副局级机构，隶属于省/自治区/直辖市市场监督管理局。其主要职责包括贯彻落实党中央和国家关于药品、化妆品和医疗器械监管的方针政策，确保这些产品在生产、流通和使用环节的安全性和有效性。

3.2.3.1 省/自治区/直辖市药品监督管理局的主要职责

在医疗器械方面，各省/自治区/直辖市可能会根据自身的特点，进行各自的药品监督管理局职责的设定。从各省/自治区/直辖市药品监督管理局的网站公布的内容可以看出，其主要职责为：

① 医疗器械安全监督管理：贯彻落实国家关于医疗器械监督管理的法律法规、规章和政策；拟订相关地方性法规草案、政府规章草案并组织实施；研究拟订鼓励医疗器械新技术、新产品的管理与服务政策。

② 监督实施医疗器械标准和分类管理制度：确保医疗器械的生产、经营和使用符合国家标准和分类管理要求。

③ 医疗器械注册管理：制定注册管理制度，严格上市审评审批；完善审评审批服务便利化措施，并组织实施，以确保医疗器械的安全性和有效性。

④ 医疗器械生产许可和质量管理：负责医疗器械生产许可、药品批发许可、零售连锁总部许可、互联网销售第三方平台备案及监督管理；监督实施生产、经营和使用质量管理规范；负责医疗器械广告的审批及监督管理。

⑤ 医疗器械和化妆品上市后风险管理：组织开展医疗器械不良事件监测、评价和处置工作；依法承担医疗器械安全应急管理工作，以确保上市后产品的风险可控。

⑥ 组织实施医疗器械监督检查制度：依法查处医疗器械生产环节、药品批发企业、零售连锁总部和互联网销售第三方平台的违法行为；组织指导查处医疗器械经营环节和使用环节的违法行为；组织医疗器械质量抽查检验，定期发布质量公告；监督实施问题产品召回和处置。

⑦ 政策法规宣传和信息发布：负责医疗器械监督管理领域的政策法规宣传、信息发布、对外交流与合作；推进诚信体系建设，提升行业自律水平。

⑧ 科技发展规划和信息化建设：负责拟订全省/自治区/直辖市医疗器械安全科技发展

规划并组织实施；推动检验检测能力建设和信息化建设，提升监管效能。

⑨ 指导市县市场监管部门：负责指导市、县市场监督管理部门承担医疗器械经营和使用环节的监督管理工作，确保监管工作上下联动、无缝衔接。

省级药品监督管理局在医疗器械监管方面的职责涵盖了从注册、生产、经营到使用全生命周期的监管，确保医疗器械的安全性、有效性和质量可控性。同时，该机构还负责推动相关政策的落实、科技发展和信息化建设，并指导市、县市场监管部门的工作，形成上下联动的监管体系。

3.2.3.2 省/自治区/直辖市药品监督管理局的职能转变

根据《国家药品监督管理局职能配置、内设机构和人员编制规定》，职能转变体现在以下方面：

① 深入推进简政放权：减少行政审批事项，逐步取消或简化医疗器械广告、药物临床试验机构等审批事项，将其改为备案制，减少行政干预，提高市场活力；通过简化审批流程，缩短审批时间，减轻企业负担，促进药品和医疗器械行业的创新发展。

② 强化事中事后监管：完善医疗器械从研发、生产、流通到使用的全生命周期管理制度，确保每个环节的质量安全；强化全过程质量安全风险管理，及时发现并处理潜在风险，确保公众用药用械安全；创新监管方式，加强信用监管，推行“双随机、一公开”和“互联网＋监管”模式，提高监管的透明度和效率。

③ 有效提升服务水平：加快创新医疗器械的审评审批速度，推进上市许可持有人制度，鼓励创新；推进电子化审评审批，优化流程，提高效率，减少企业等待时间；及时发布药品注册申请信息，引导企业有序研发和申报，增强市场透明度。

④ 全面落实监管责任：严格按照“最严谨的标准、最严格的监管、最严厉的处罚、最严肃的问责”要求，完善医疗器械和化妆品的审评、检查、检验、监测等体系；提升监管队伍职业化水平，加强监管队伍的职业化建设，提升监管人员的专业素质和执法能力；科学界定事权，明确省、市、县三级监管部门的事权划分，落实市县政府对医疗器械安全的属地管理责任；加大信息公开力度，强化社会共治，推进追溯体系建设，落实企业主体责任，防范系统性、区域性风险，确保医疗器械的安全性和有效性。

省/自治区/直辖市药品监督管理局的职能转变，旨在通过简政放权、强化监管、提升服务和落实责任，构建一个更加高效、透明、安全的药品和医疗器械监管体系。这不仅有助于推动行业创新和发展，还能更好地保障公众的健康和安全。

3.2.3.3 省/自治区/直辖市药品监督管理局的有关职责分工

根据《国家药品监督管理局职能配置、内设机构和人员编制规定》，省/自治区/直辖市药品监督管理局在医疗器械监管方面的职责分工涉及多个部门，具体如下：

① 与省/自治区/直辖市市场监管局的有关职责分工。

省/自治区/直辖市药品监督管理局负责医疗器械生产环节的许可、检查和处罚；负责医疗器械批发许可、零售连锁总部许可、互联网销售第三方平台备案及检查和处罚。省/自治区/直辖市市场监督管理部门负责医疗器械经营的许可、检查和处罚，以及医疗器械使用环节质量的检查和处罚。

② 与省/自治区/直辖市卫生健康委的有关职责分工。

省/自治区/直辖市药品监督管理局会同省/自治区/直辖市卫生健康委建立重大药品不良反应和医疗器械不良事件相互通报和联合处置机制。省/自治区/直辖市卫生健康委员会会同省/自治区/直辖市药品监督管理局等部门，加强对药品、医疗器械临床试验伦理审查工作的监督管理。

③ 与省/自治区/直辖市商务局的有关职责分工。

市商务局负责拟订药品流通发展规划和政策。药监局在药品监督管理工作中，配合执行药品流通发展规划和政策。

④ 与省/自治区公安厅、直辖市公安局的有关职责分工。

省/自治区公安厅、直辖市公安局负责组织指导本地药品、医疗器械和化妆品犯罪案件的侦查工作。省/自治区/直辖市药品监督管理局与省/自治区公安厅、直辖市公安局建立行政执法和刑事司法工作衔接机制；发现违法行为涉嫌犯罪的，按照有关规定及时移送公安机关；公安机关依法提请药品监督管理部门作出检验、鉴定、认定等协助的，药品监督管理部门应当予以协助；公安机关发现涉嫌行政违法案件移送药品监督管理部门查处的，药品监督管理部门应当登记接收，并在作出决定后及时反馈行政处理结果。

⑤ 与其他部门的有关职责分工。

其他部门按照确定的职责分工，承担相关的药品监督管理工作。

这些职责分工确保了医疗器械监管工作的全面性和协调性，各部门各司其职，共同保障医疗器械的安全性和有效性。

3.2.3.4　省/自治区/直辖市药品监督管理局内设医疗器械监管机构

省/自治区/直辖市药品监督管理局在医疗器械监管方面的内设机构通常包括以下几个主要部门，根据各官网的职责公布内容，每个部门负责不同的职能和任务。

① 政策法规处：负责研究医疗器械监管的重大政策，起草地方性法规、规章草案，审核规范性文件和行政处罚案件，承担行政执法监督、行政复议、行政应诉等工作，并负责普法宣传教育。

② 医疗器械注册管理处：监督实施医疗器械分类管理和注册管理制度，监督医疗器械标准、临床试验质量管理规范、技术指导原则的执行，组织检查医疗器械研制现场，并依法办理医疗器械产品注册相关事项。

③ 医疗器械监督管理处：组织开展医疗器械检查、安全风险监测和处置，拟订并实施监督管理制度措施，负责产品注册和生产许可，指导并监督实施质量管理规范，组织质量抽检，开展不良事件监测和再评价，组织对医疗器械互联网销售第三方平台的现场检查，查处违法违规行为，并指导医疗器械经营、使用环节的监督检查工作，承担医疗器械广告审批任务。

④ 规划财务与科技处（交流合作处）：拟订并组织实施发展规划和专项建设规划，指导监督审评、检查、检验、监测能力建设，组织实施科技项目，贯彻实施医疗器械创新政策和产业政策，组织开展药品监督管理交流与合作。

⑤ 执法监督处：拟订并组织实施医疗器械稽查执法的办法和措施，拟订并组织实施医疗器械监督抽验计划，发布质量公告和监督抽验结果，负责医疗器械风险分析研判，管理问题医疗器械召回，指导市、县查处无证生产（销售）医疗器械等危害公众安全事项，督查督办跨区域或重大违法案件，推动完善行政执法和刑事司法工作衔接机制，负责省级查处举报案件奖励工作，指导市、县医疗器械经营使用环节案件查办工作，推进信用体系建设。

当然，不同省/自治区/直辖市的药品监督管理局可能会根据当地的实际情况和产业特点，对内设机构进行调整。例如，有些地方可能会将医疗器械生产和经营的许可审批与药品、化妆品的许可审批合并，划归为行政许可处，而不再单独设立医疗器械注册管理处。然而，几乎所有的省/自治区/直辖市的药品监督管理局都会设有“医疗器械监督管理处”这一职能部门，以确保医疗器械的安全和有效监管。

3.2.4 市级市场监督管理部门

药品监督管理局只设置到省一级，所以在省级以下的市县一级，主要是市场监督管理部门负责药品、医疗器械和化妆品的监管工作。市级市场监督管理部门在医疗器械监管方面的职责和内设机构设置，旨在确保医疗器械的安全性、有效性，维护市场秩序，保护消费者权益。以下是根据各官网公布的内容，市级市场监督管理局在医疗器械监管方面的常见主要职责和内设机构的详细说明。

3.2.4.1 市级市场监督管理局的主要职责（医疗器械监管方面）

① 行政审批：负责医疗器械相关的行政审批工作，包括医疗器械生产、经营许可等。

② 监督管理：负责医疗器械的全面监督管理，监督实施医疗器械的质量管理规范；监督实施国家和地方的医疗器械标准、技术规范和分类管理制度；组织实施国家鼓励医疗器械新技术、新产品的管理和服务政策；推进专业化、职业化检查员队伍建设；指导医疗器械行业生产经营企业做好生态环境保护和污染防治工作。

③ 上市后风险管理：组织实施医疗器械上市后的风险管理工作；组织开展医疗器械不良反应（事件）的监测、评价和处置工作；组织开展医疗器械质量抽查检验，监督实施产品召回制度；依法承担医疗器械的安全应急管理工作；推进全市医疗器械安全信用体系和技术支撑体系建设；指导监督检验检测、审评和监测机构的业务工作；配合有关部门督促医疗器械行业生产经营单位做好安全生产工作。

3.2.4.2 市级市场监督管理局内设机构（医疗器械监管方面）

（1）医疗器械监督管理处（科）　负责分析掌握辖区内医疗器械安全形势、存在问题，并提出完善制度机制和改进工作的建议；制定辖区内医疗器械监管措施、计划并组织实施；发布质量公告和公布监督抽验结果；监督实施医疗器械的法定标准和产品分类管理目录及产品技术要求；组织实施医疗器械经营和使用质量的日常监管工作；监督实施医疗器械经营质量管理规范和使用质量监督管理办法；指导辖区内医疗器械监管工作；指导辖区内医疗器械检验机构的业务工作；组织实施医疗器械不良事件监测工作；开展医疗器械风险管理工作。

（2）广告监管部门　负责监管各类媒介广告发布情况，特别是医疗器械广告；组织指导查处医疗器械虚假广告等违法行为。

市级市场监督管理局在医疗器械监管方面承担着重要的职责，通过行政审批、监督管理、风险管理等手段，确保医疗器械的安全性和有效性。内设机构如医疗器械监督管理处（科）和广告监管部门，分工明确，各司其职，共同维护市场秩序，保护消费者权益。通过不断完善制度机制和提升监管能力，市级市场监督管理局在医疗器械监管方面发挥着不可替代的作用。

3.2.5 县/区级市场监督管理部门

县/区级市场监督管理部门在医疗器械监督管理中扮演着至关重要的角色，是医疗器械监管的基层单位，承担着保障医疗器械安全有效的重要职责。根据 2021 年《医疗器械监督管理条例》，县级以上地方人民政府负责药品监督管理的部门负责本行政区域的医疗器械监督管理工作。县级的市场监督管理局作为具体的执行机构，其主要职责如下：

① 贯彻执行法律法规：县/区级市场监督管理部门负责贯彻执行国家关于医疗器械安全监督管理的法律、法规和规章，确保医疗器械的流通和使用符合国家标准和要求。

② 分析安全形势：掌握并分析医疗器械流通安全形势，及时发现存在的问题，并提出完善制度机制和改进工作的建议。

③ 拟定并监督实施工作计划：根据上级部门的指导，拟定辖区内的医疗器械监督管理工作计划，并监督实施，确保各项工作有序进行。

④ 监督和指导质量管理规范：监督和指导医疗器械经营企业实施质量管理规范，确保医疗器械在流通和使用环节中的质量安全。

⑤ 组织实施监督检查：负责组织实施医疗器械经营及使用环节的监督检查工作，以确保医疗器械的安全性和有效性。

⑥ 配合召回工作：配合上级部门实施医疗器械的监督召回工作，确保存在安全隐患的医疗器械能够及时退出市场。

⑦ 不良事件监测与处置：组织开展辖区内医疗器械不良事件的监测、评价和处置工作，确保医疗器械使用过程中出现的问题能够及时得到解决。

⑧ 参与事故调查：参与辖区内药品、医疗器械安全事故的调查，查明事故原因，提出改进措施，防止类似事故再次发生。

⑨ 执法与处罚：县/区级市场监督管理部门具有对相关违法行为的处罚权力，能够对违反医疗器械监督管理法律法规的行为进行查处，确保法律的严肃性和权威性。

图 3-1 为我国医疗器械主要行政监管机构的层级图。其中虚线是业务上的指导或互相协调，实线是人、财、物上的实质领导。行政的分级管理和专业指导的垂直管理相结合，权责更加分明，医疗器械监管更加专业化，正在走向国际化。

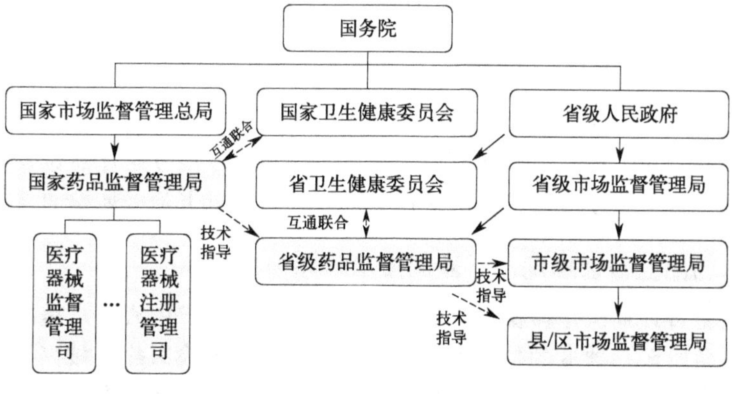

图 3-1　我国医疗器械监管机构

在计划经济时代，国家药械监管部门的主要职责是行业管理，而非监管。随着市场经济的发展，国家药品监督管理局的成立标志着政企分离、管办分离，行业得到了蓬勃发展。2018 年的机构改革进一步整合了市场监管职能，体现了“大市场、大监管”的理念，旨在完善市场监管体制，推动质量强国战略，营造公平竞争的市场环境。有专家指出，“大市场—专药品”模式确实抓住了当前食品药品安全治理的两大关键问题：食品安全的协调性与综合性，以及药品和医疗器械监管的特殊性与专业性[6]。这一模式在现有市场监管综合执法的框架下，通过相对较小的调整，力求实现监管的统一性和效率提升，同时确保专业性不被削弱。然而，如何在综合执法的大背景下保障监管的专业性，是这一模式面临的最大挑战。为此，单独组建国家药品监督管理局是一个重要举措，确保专业的事由专业的人来做，避免因综合执法而弱化专业监管能力。另外，中央和地方机构的职能和权责需要合理界定，避免“权责同构”问题。药品监管机构只设到省一级，带有一定的垂直管理性质，有助于在保持地方灵活性的同时，确保全国范围内的监管标准统一。这种设置与市场监管的分级管理相区别，突出了药品监管的特殊性[6]。随着社会的进步和医疗器械行业的快速发展，监管方式必须不断创新，职能也需要不断调整。未来的监管机构将更加注重简约高效、公正透明的行业准营规则，推动“宽进严管”的监管模式。随着全球化进程的加快，我国药械监管机构需要进一步与国际接轨，借鉴国际先进经验，提升监管水平。未来，我国医疗器械监管机构将进一步优化权力配置，建立简约高效、公正透明的行业准营规则，推动监管与国际接轨，提升监管的国际化水平。

3.3 医疗器械的监管技术支持机构体系

医疗器械作为高科技产品，涉及多个学科的交叉融合，技术含量高，监管难度大。因此，建立强大的技术支持体系是实现有效监管的关键。随着我国医疗器械产业的快速发展，技术支撑体系从无到有、从弱到强，逐步形成了完善的专业机构网络，为医疗器械的监管提供了坚实的技术保障。目前，我国已经建立了一系列国家级医疗器械技术支持机构，主要包括国家药品监督管理局医疗器械技术审评中心、中国食品药品检定研究院、国家药品不良反应监测中心、十大检测中心、国家标准化管理委员会等一系列国家级技术机构。此外，各省、自治区、直辖市也建立了相应的技术支持机构，承接国家级机构的任务，形成了覆盖全国的技术支持网络。这些机构共同构成了我国医疗器械监管体系的重要组成部分，发挥着不可替代的作用。

3.3.1 医疗器械技术审评机构体系

医疗器械技术审评机构体系是确保医疗器械安全性和有效性的重要组成部分。我国已经建立了由国家药品监督管理局医疗器械技术审评中心和省级地方医疗器械技术审评中心组成的技术审评体系，负责医疗器械的上市前技术审评工作。以下是该体系的详细说明：

3.3.1.1 国家药品监督管理局医疗器械技术审评中心

国家药品监督管理局医疗器械技术审评中心（以下简称“中心”）是国家药品监督管理局的直属单位，负责医疗器械的技术审评工作。中心在高风险医疗器械审批、新型医疗器械研发、地方医疗器械监管技术指导、国际医疗器械监管技术交流等方面发挥着重要作用。其主要职责如下：

① 注册审评：负责国产第三类医疗器械和进口医疗器械的注册申请受理和技术审评，以及进口第一类医疗器械的备案工作。

② 法规制定：参与拟订医疗器械注册管理相关法律法规和规范性文件，组织拟订医疗器械技术审评规范和技术指导原则。

③ 新兴技术审评：承担再生医学与组织工程等新兴医疗产品涉及医疗器械的技术审评。

④ 协调检查：协调医疗器械审评相关的检查工作。

⑤ 研究与交流：开展医疗器械审评相关的理论、技术、发展趋势以及法律问题研究，

组织相关业务咨询服务和学术交流，开展国际（地区）交流与合作。

⑥ 地方指导：负责对地方医疗器械技术审评工作进行业务指导和技术支持。

⑦ 组织开展相关业务咨询服务及学术交流，开展医疗器械审评相关的国际（地区）交流与合作。

⑧ 承办国家局交办的其他事项。

中心下设多个部门对医疗器械进行技术评审：

① 质量管理部：负责建立和维护审评质量管理体系，制定审评工作制度，监督实施，指导地方审评机构的质量管理体系建设。承办中心交办的其他事项。

② 综合业务部（合规部）：负责审评报告的制发，管理审评咨询专家库，组织创新和优先审批申请的审查，开展政策研究、学术交流和科研活动，协调地方审评机构的业务指导和技术支持。承办中心交办的其他事项。

③ 项目管理部：负责医疗器械注册申请的受理和资料管理，组织实施立卷审查、项目管理和团队审评制度，督导审评进度，组织与行政相对人的沟通交流。承办中心交办的其他事项。

④ 审评一部至六部：分别负责有源医疗器械（如医用X射线设备、超声设备等）和无源医疗器械（如心血管植入器械、骨科器械、体外诊断试剂等）的技术审评，组织拟定相关技术指导原则。承办中心交办的其他事项。

⑤ 临床与生物统计一部、二部：负责医疗器械和体外诊断试剂注册临床评价资料的审评，提供统计学、流行病学、临床医学等专业支持，组织拟定相关临床评价技术指导原则。承办中心交办的其他事项。

根据我国医疗器械产业分布不均、经济发展差异较大的特点，国家药品监督管理局在医疗器械产业密集、经济活跃的地区设立了医疗器械技术审评分中心，以推动医疗器械产业的高质量发展，提升国际竞争力，并实现区域性监管能力现代化。目前，已在广东省深圳市和上海市分别成立了医疗器械技术审评检查大湾区分中心和长三角分中心，未来还计划在中部地区设立新的分中心。目前，已成立的分中心及其主要职责如下：

① 大湾区分中心（深圳）

主要负责协助国家药品监督管理局医疗器械技术审评中心开展所涉区域内医疗器械审评的事前事中沟通、指导及相关检查等工作；协助开展区域内国产第三类医疗器械和进口医疗器械的技术审评工作；协助开展粤港澳所涉区域内的医疗器械临床试验监督抽查工作；参与拟订医疗器械注册管理相关法律法规、技术审评规范、技术指导原则等并组织实施；开展医疗器械技术审评检查相关的理论研究、技术发展、政策法律问题研究；开展医疗器械审评检查相关的业务咨询、学术交流及国际交流与合作；承办国家药品监督管理局及其下属机构交办的其他事项。

② 长三角分中心（上海）

职责与粤港澳大湾区分中心类似，主要负责长三角地区的医疗器械审评和检查工作。

此外，根据中共中央、国务院发布的《关于新时代推动中部地区高质量发展的意见》，中部六省（山西、安徽、江西、河南、湖北、湖南）在条件成熟时也将设立药品、医疗器械审评分中心，以加快创新药品和医疗器械的审评进程。这意味着未来在中部地区将会有新的医疗器械技术审评分中心成立，进一步推动全国医疗器械产业的均衡发展和创新。

3.3.1.2 省级医疗器械技术审评中心

省级医疗器械技术审评中心在医疗器械监管体系中扮演着重要角色，主要负责地方层面的医疗器械技术审评和相关认证工作。这些中心通常隶属于省级药品监督管理局，负责确保医疗器械的安全性、有效性和质量可控性。

省级医疗器械技术审评中心的主要职责包括：

① 技术审评：负责医疗器械产品的技术审评工作，包括产品技术要求、注册登记等。

② 现场核查：对医疗器械生产企业进行现场核查，确保其符合《医疗器械生产质量管理规范》的要求。

③ 质量体系核查：对医疗器械生产企业的质量管理体系进行技术审查，并组织现场检查。

④ 跟踪检查：对已通过质量体系核查的企业进行跟踪检查和专项检查，确保其持续符合规范要求。

⑤ 技术审查：负责新改扩建医疗器械生产企业建设项目的技术审查工作。

⑥ 标准编写与辅导：负责医疗器械产品标准的编写和技术辅导，为相关企业提供技术支持。

⑦ 技术指导与服务：为医疗器械的研制、生产、经营、使用单位提供技术指导和服务。

省级医疗器械技术审评中心通常设有专门的科室，如“医疗器械审评认证科”，负责具体的审评和认证工作。例如，广东省作为中国医疗器械产业发达的地区之一，早在2000年就成立了广东省食品药品监督管理局审评认证中心，负责医疗器械的技术审评和认证工作。同时，在一些医疗器械产业发达的地区，省级审评中心还会设立地方分支机构，以便更好地服务当地企业。例如，为进一步服务深圳地区的医疗器械企业，广东省于2017年又在深圳设立了专门的医疗器械审评认证中心。这一举措不仅提高了审评效率，还促进了深圳地区医疗器械产业的快速发展。

省级医疗器械技术审评中心的存在，不仅有助于分担国家层面的审评压力，还能更好地服务地方企业，促进医疗器械产业的健康发展。通过严格的技术审评和认证，确保医疗器械产品的安全性和有效性，保障公众健康。随着医疗器械产业的不断发展，省级医疗器械技术审评中心的作用将更加重要。未来，这些中心可能会进一步优化审评流程，提升审评效率，同时加强与国家层面审评机构的协作，共同推动医疗器械行业的规范化和高质量发展。

3.3.2 医疗器械检验技术支持机构体系

我国医疗器械检验技术支持机构体系经过多年的发展，已经形成了以国家医疗器械检测中心为核心、省级医疗器械检测机构为补充的多层次、全覆盖的检验网络。这一体系的建立和完善，为保障医疗器械的安全性和有效性提供了坚实的技术支持。其中，国家医疗器械检测中心承担着全国范围内医疗器械的监督检验、技术研究和标准制定等任务。这些中心通常具备较高的技术水平和检验能力，能够应对复杂的医疗器械检验需求。省级医疗器械检测机构则主要负责本地区的医疗器械检验工作，作为国家中心的补充，确保检验工作能够覆盖到全国各个地区。这些机构通常具备一定的检验能力，能够处理常规的医疗器械检验任务。

随着2003年《医疗器械检验机构资格认可办法（试行）》的实行，全国共有53家医疗器械检验机构通过了国家药品监督管理局及国家认证认可监督管理委员会的资格认可和资质认定[7]。这些机构分布在全国23个省、5个自治区和4个直辖市，确保了检验工作的广泛覆盖。其中，38家机构隶属于药品监督管理部门，6家为具有医疗器械检验资质的省、市级药品检验所。此外，还有10家机构被授予“国家药品监督管理局医疗器械质量监督检验中心”的称号，包括药品监督管理部门直属检验机构 9 家，非药品监督管理部门直属检验机构 1 家[7]，进一步提升了这些机构的技术能力和权威性。

随着医疗器械产业的快速发展，检验机构体系也需要不断升级和完善。未来，国家将继续加大对医疗器械检验机构的投入，提升其技术能力和检验水平，特别是在新兴技术领域（如人工智能医疗器械、纳米材料医疗器械等）的检验能力。同时，国家还将加强与国际医疗器械检验机构的合作，推动我国检验标准的国际化，提升我国医疗器械在全球市场的竞争力。

（1）中国食品药品检定研究院　中国食品药品检定研究院（以下简称“中检院”）是中国在食品、药品、医疗器械和化妆品等领域的重要技术支撑机构，承担着国家层面的检验检测、标准制定、技术研究等多项职能。以下是中检院的主要职责和与医疗器械监管密切相关的部门介绍。

根据中检院的官网介绍，其职责涵盖了食品、药品、医疗器械、化妆品及相关产品的检验检测、标准制定、技术研究等多个方面，具体包括：

① 检验检测：承担食品、药品、医疗器械、化妆品及相关产品的检验检测工作，组织开展抽验、质量分析和复验、技术仲裁等工作。

② 标准制定：负责药品、医疗器械、化妆品的质量标准、技术规范、检验检测方法的制定、修订及技术复核。

③ 技术研究：开展检验检测新技术、新方法、新标准的研究，承担相关产品严重不良反应、不良事件的实验研究。

④ 医疗器械标准管理：负责医疗器械标准的制定、修订和管理工作。

⑤ 生物制品批签发：承担生物制品的批签发工作。

⑥ 化妆品安全评价：开展化妆品安全技术评价工作。

⑦ 标准物质管理：负责国家标准物质的规划、研究、制备、标定、分发和管理。

⑧ 实验动物管理：承担实验动物的饲育、保种、供应及相关产品的质量检测。

⑨ 国际交流与合作：开展食品药品检验检测的国际交流与合作。

⑩ 教育培训：负责研究生教育培养工作，组织开展相关单位的技术培训和指导。

可见其很大一部分职能与医疗器械监管密切相关。中检院下设多个部门，其中与医疗器械行业监管密切相关的部门包括：

① 综合业务处：负责全院检验检测业务的协调工作；承担检验样品管理、检验标准、技术服务等综合管理；组织协调全国药品检验检测机构的快检技术工作。

② 检验机构能力评价研究中心（质量管理中心）：负责院质量管理体系的日常管理；承担食品药品检验检测机构能力考核评价方法和指标体系的研究；组织开展实验室间比对、能力验证、考核与评价等技术工作。

③ 技术监督中心：拟订药品、医疗器械、化妆品的国家级监督抽验方案并组织实施；汇总、分析和上报监督抽验数据，拟订医疗器械质量公告草案；开展监督抽验相关产品的质量分析、风险评估及信息共享应用。

④ 医疗器械检定所：承担医疗器械（不含体外诊断试剂）的检验检测工作；组织开展医疗器械安全监管所需的复验和技术仲裁；承担医疗器械质量标准、产品技术要求的制定、修订及技术复核；开展医疗器械检验检测、质量控制及相关新技术研究。

⑤ 体外诊断试剂检定所：承担体外诊断试剂的检验检测和批签发工作；组织开展体外诊断试剂安全监管所需的复验和技术仲裁；承担体外诊断试剂质量标准及产品技术要求的技术复核；开展体外诊断试剂标准物质研究和标定工作。

⑥ 医疗器械标准管理研究所：承担国家药品监督管理局医疗器械标准管理中心的日常工作；组织开展医疗器械标准体系研究，提出标准工作政策及规划建议；承担医疗器械命名、编码和分类技术研究；负责全国医疗器械标准相关机构的业务指导。

⑦ 标准物质和标准化管理中心：负责药品、医疗器械、化妆品及相关包装材料与容器的标准物质管理；组织开展标准物质的研究、制备、标定、审核、分发和质量监测。

⑧ 安全评价研究所：开展食品药品相关药理毒理安全性试验研究；承担药品、化妆品严重不良反应及医疗器械严重不良事件的非临床试验研究；负责对非临床安全评价检验检测机构的业务指导和技术人员培训。

中检院在医疗器械监管中扮演着至关重要的角色，具体体现在以下几个方面：

① 标准制定与修订：中检院负责医疗器械国家标准的制定和修订，确保医疗器械的质量和安全。

② 检验检测与监督抽验：通过国家级监督抽验和质量分析，中检院为医疗器械的上市后监管提供技术支持。

③ 技术仲裁与复验：在医疗器械质量争议中，中检院承担技术仲裁和复验工作，确保监管的公正性和权威性。

④ 新技术研究：中检院积极开展医疗器械检验检测新技术、新方法的研究，推动行业技术进步。

⑤ 国际交流与合作：通过与国际相关机构的合作，中检院不断提升我国医疗器械监管的国际影响力。

中国食品药品检定研究院作为国家药品监督管理局的重要技术支撑机构，在食品、药品、医疗器械和化妆品等领域发挥着不可替代的作用。特别是在医疗器械监管方面，中检院通过标准制定、检验检测、技术研究等工作，确保了医疗器械的安全性、有效性和质量可控性，为我国医疗器械行业的健康发展提供了坚实保障。

(2) 国家十大医疗器械监督检验中心　国家设立的十大医疗器械监督检验中心在医疗器械监管中扮演着至关重要的角色（表 3-2）。这些检验中心不仅技术实力雄厚，还各自具备独特的技术专长，负责对应区域的医疗器械检测任务，确保医疗器械的安全性、有效性和质量可控性。同时，这些检验中心不仅在国内发挥着重要作用，还通过国际合作与交流，推动我国医疗器械监管水平的不断提升，为公众健康和行业发展提供了坚实保障。

表 3-2　国家药品监督管理局十大医疗器械质量监督检验中心

中心名称	所在地
中国食品药品检定研究院医疗器械检验所	北京市大兴区生物医药产业基地华佗路 29 号院(东区)或 31 号院(西区);北京市天坛西里 2 号
北京医疗器械质量监督检验中心(北京市医疗器械检验研究院)	北京市中关村科技园通州园光机电一体化产业基地兴光二街 7 号
广州医疗器械质量监督检验中心(广东省医疗器械质量监督检验所)	广州市黄埔区科学城光谱西路 1 号
杭州医疗器械质量监督检验中心(浙江省医疗器械检验研究院)	杭州市下沙经济技术开发区 25 号大街 379 号
武汉医疗超声波仪器质量监督检测中心(湖北省医疗器械质量监督检验研究院)	武汉市东湖新技术开发区高新大道 507 号
天津医疗器械质量监督检验中心(天津市医疗器械质量监督检验中心)	天津市西青区海泰华科大街 5 号
沈阳医疗器械质量监督检验中心(辽宁省医疗器械检验检测院)	沈阳市浑南区麦子屯 600-1

续表

中心名称	所在地
上海医疗器械质量监督检验中心(上海市医疗器械检验研究院)	上海市宜山路728号
济南医疗器械质量监督检验中心(山东省医疗器械和药品包装检验研究院)	济南市高新区世纪大道15166号
北京大学口腔医学院口腔医疗器械检验研究院	北京市海淀区中关村南大街22号

表3-3为我国十大检验中心的基础设施建设状况。这些国家级的检测中心，基础设施都比较完备。

表3-3 十大检验中心基础设施建设情况[7]

序号	机构名称	基础设施						
		实验室面积/m^2	试验仪器/台套	实验仪器总值/万元	有无二级生物安全实验室	是否开展电磁兼容实验室	3m电波暗室/个	10m电波暗室/个
1	中国食品药品检定研究院医疗器械检验所	15000	988	9837	有	是	1	1
2	北京市医疗器械检验研究院	13726	1645	18677	有	是	1	1
3	广东省医疗器械质量监督检验所	30450	2227	15485	有	是	1	1
4	上海市医疗器械检验研究院	22500	1315	10803	有	是	1	1
5	辽宁省医疗器械检验检测院	17911	1108	9105	有	是	1	1
6	山东省医疗器械和药品包装检验研究院	26000	1600	16000	有	是	1	0
7	天津市医疗器械质量监督检验中心	15000	1220	12519	有	是	0	1
8	湖北省医疗器械质量监督检验研究院	18273	1459	5587	有	是	0	1
9	浙江省医疗器械检验研究院	16332	1100	7627	有	是	1	1
10	北京大学口腔医学院口腔医疗器械检验研究院	3200	800	8500	有	是	0	0
合计		178392	13462	114140	—	—	7	8
平均		17839	1346	11414	—	—	—	—

(3) 省市级医疗器械监督检验机构 从“十一五”到“十二五”期间，全国各省市级医疗器械监督检验机构在人员、装备、设施和业务量等方面取得了显著进步。特别是多个省级独立挂牌的医疗器械检验机构，承担了区域内医疗器械的监督检验工作。然而，这些省级机构在检验能力、基础设施和业务规模方面仍存在较大差距。省级独立挂牌医疗器械检验机构的认证项目数量明显少于全国十大医疗器械检验中心。这些省级机构的年均检验批次仅为十大中心年均检验批次的38%，显示出业务量上的显著差距。

江苏省医疗器械检验所是一个例外，2019年承检了7358批次，无论是认证项目能力还是检验量，都可以与十大中心相媲美。表3-4为省级独立挂牌医疗器械检验机构及基础设施建设情况。通过比较表3-3和表3-4的数据可以看出，在实验室面积、实验仪器和专业实验室建设方面，省级独立挂牌机构与十大中心存在较大差距。江苏省医疗器械检验所、陕西省医疗器械质量监督检验院、河南省医疗器械检验所等机构在基础设施建设方面表现较好，属于省级机构中的领先者[7]。然而，全国各省份的医疗器械产业发展水平差异较大，导致检验机构的基础建设和能力建设也呈现出不均衡的态势。医疗器械检验机构的发展与当地医疗器械产业的发展密切相关，二者呈现出相辅相成的关系。产业发达的地区，检验机构的能力和规模也相对较强。未来，省级检验机构尚需要通过加强基础设施建设、提升检验能力以及促进区域均衡发展，进一步推动医疗器械检验机构的全面发展，为医疗器械产业的健康发展提供有力支撑。

表 3-4 省级独立挂牌医疗器械检验机构及基础设施建设情况[7]

序号	机构名称	基础设施						
		实验室面积/m^2	试验仪器/台套	实验仪器总值/万元	有无二级生物安全实验室	是否开展电磁兼容实验室	3m 电波暗室/个	10m 电波暗室/个
1	陕西省医疗器械质量监督检验院	21526	600	3500	有	是	1	0
2	河南省医疗器械检验所	12012	822	7299	有	是	1	0
3	云南省医疗器械检验研究院	10202	693	5790	有	否	0	0
4	河北省医疗器械与药品包装材料检验研究院	6000	693	6765	有	是	1	0
5	江苏省医疗器械检验所	22000	1299	6790	有	是	1	1
6	江西省医疗器械检测中心	5300	1350	3988	无	分包	0	0
7	湖南省医疗器械检验检测所	4150	357	2037	租用	是	1	0
8	山西省医疗器械检测中心	6070	380	2650	有	否	0	0
9	吉林省医疗器械检验所	3700	776	3664	有	否	0	0
10	甘肃省医疗器械检验检测所	5347	560	2535	无	否	0	0
11	重庆医疗器械质量检验中心	3100	751	3428	无	分包	0	0
12	贵州省医疗器械检测中心	1920	418	3179	无	否	0	0
13	福建省医疗器械与药品包装材料检验所	1600	269	1396	无	否	0	0
14	内蒙古自治区食品药品检验所（医疗器械检测中心）	1085	287	1500		否	0	0
合计		104012	9255	54521			5	1
平均		7429	661	3894				

注：实验室面积及专业实验室数据为 2020 年调研数据；实验仪器数据及总值为 2017 年调研数据。

（4）国家药品监督管理局重点创新平台　随着科技的进步，医疗器械行业不断涌现出新技术和新产品，这对监管技术提出了更高的要求。为了确保医疗器械的安全性和有效性，必须加强检验和评价能力。2018 年国务院机构改革后，国家对医疗器械行业的监管和科研能力提出了新的要求，重点实验室的设立是这一改革的重要组成部分。这些实验室不仅服务于国家的监管需求，还为医疗器械产业的创新发展提供技术支持，推动行业的高质量发展。2019 年 6 月，国家药品监督管理局公布了第一批 8 个医疗器械重点实验室名单。这些实验室分布在有实力的医疗器械检验机构、高校和科研院所，涵盖了医疗器械的多个领域。2021 年，国家药监局公布了第二批 20 个重点实验室名单，进一步扩大了实验室的覆盖范围和研究领域（见表 3-5）。随着医疗器械监管新形势的发展，重点实验室亦可能再度调整，形成新的综合创新平台。

表 3-5 国家医疗器械领域国家重点实验室

实验室名称	依托单位	批准年份
医用电气设备重点实验室	上海市医疗器械检测所	2019
体外循环器械重点实验室	广东省医疗器械质量监督检验所	2019
医疗器械质量研究与评价重点实验室	中国食品药品检定研究院	2019
呼吸麻醉设备重点实验室	上海市医疗器械检测所	2019

续表

实验室名称	依托单位	批准年份
生物医学光学仪器重点实验室	浙江省医疗器械检验研究院	2019
生物材料安全评价重点实验室	山东省医疗器械产品质量检验中心	2019
医用电气设备重点实验室	北京大学	2019
体外循环器械重点实验室	辽宁省医疗器械检验检测院	2019
智能化医疗器械研究与评价重点实验室	中国信息通信研究院	2019
创新生物材料医疗器械研究与评价重点实验室	华南理工大学	2021
体外诊断试剂质量研究与评价重点实验室	中国食品药品检定研究院	2021
医用增材制造器械研究与评价重点实验室	西安交通大学	2021
人工智能医疗器械研究与评价重点实验室	中国人民解放军总医院	2021
医用卫生材料及生物防护器械质量评价重点实验室	山东省医疗器械产品质量检验中心	2021
体外诊断试剂质量控制重点实验室	河南省医疗器械检验所	2021
体外诊断试剂质量控制重点实验室	首都医科大学附属北京天坛医院	2021
组织再生生物材料质量研究与控制重点实验室	四川大学	2021
体外诊断试剂质量评价重点实验室	北京市医疗器械检验所	2021
超声手术设备质量评价重点实验室	湖北省医疗器械质量监督检验研究院	2021
医用生物防护及植入器械质量评价重点实验室	河南省医疗器械检验所	2021
无源植入器械质量评价重点实验室	天津市医疗器械质量监督检验中心	2021
医学成像设备质量评价重点实验室	北京大学	2021
放疗设备监测与评价重点实验室	北京市医疗器械检验所	2021
超声手术设备质量评价重点实验室	江苏省医疗器械检验所	2021
体外快速诊断试剂技术转化与控制重点实验室	中国检验检疫科学研究院	2021
纳米技术产品研究与评价重点实验室	国家纳米科学中心	2021
眼科疾病医疗器械和药物临床研究与评价重点实验室	温州医科大学附属眼视光医院	2021
全军药品和医疗器械质量控制重点实验室	联勤保障部队药品仪器监督检验总站	2021

（5）第三方检验机构　医疗器械第三方检验机构的发展是近年来医疗器械监管体制改革的重要成果之一。随着 2021 版《医疗器械监督管理条例》的修订，医疗器械注册检验的规定被取消，企业可以选择自行检验或委托有资质的第三方检验机构进行检验。这一改革不仅赋予了委托检验报告和自检报告法律效力，还为第三方检验机构的发展提供了广阔的空间。第三方检验机构是指独立于医疗器械生产企业（检验申请人）和监管部门的专业机构，“第三方”是相对于检验申请人和监管部门而言的。其主要职责是根据相关标准和技术要求，对医疗器械的安全性和有效性进行技术评价。由于其独立性，第三方检验机构能够提供客观、公正的检验结果，确保产品质量符合法规要求。

为了确保第三方检验机构的专业性和公信力，国家对其资质认证提出了严格要求。2015 年，国家食品药品监管总局发布了《医疗器械检验机构资质认定条件》，明确规定了检验机构在人员、设备、管理体系等方面的要求。只有通过国家认证的机构才能开展医疗器械检验业务。在改革之前，医疗器械的注册检验主要由药监系统和质检系统下属的检验机构垄断，第三方检验机构的发展空间有限。随着注册检验的取消，第三方检验机构获得了更多的市场机会，能够通过市场竞争提升自身的服务能力和技术水平。这一改革不仅有助于打破原有的垄断格局，还能推动医疗器械检验服务的市场化进程。

随着改革的深入推进，医疗器械检验服务将逐步走向市场化。市场上将涌现出更多专业化的第三方检验机构，形成“检验申请人—第三方检验机构—监管部门”的稳定三角格局。医疗器械第三方检验机构的发展是医疗器械监管体制改革的重要组成部分。通过市场化运作，第三方检验机构不仅能够提升自身的服务水平和竞争力，还能推动整个医疗器械行业的技术创新和产业进步。未来，随着市场的进一步开放和专业化分工的深化，第三方检验机构将在医疗器械质量控制和技术评价中发挥越来越重要的作用。

3.3.3 医疗器械技术标准组织机构体系

医疗器械标准是医疗器械研发、生产、经营、使用及监管的技术规范，对医疗器械监管和产业发展至关重要。国家药监局高度重视医疗器械标准工作，设有国家药品监督管理局医疗器械标准管理中心（挂靠在中国食品药品检定研究院），负责医疗器械标准的日常管理工作，包括标准的制定、修订、宣贯和实施监督。医疗器械标准的技术性强、涉及面广，国家药品监督管理局根据医疗器械标准工作的需要，经批准依法组建医疗器械标准化技术委员会，该委员会归国家药品监督管理局医疗器械标准管理中心管理，并接受国家市场监督管理总局下属的国家标准化管理委员会（简称国家标准委）的指导。

医疗器械标准化技术委员会（简称医疗器械标委会）的组成、委员资格、秘书处承担单位等条件必须按照《全国专业标准化技术委员会管理规定》进行。各技术委员会成员涵盖检验机构、企业、高校、标准主管机构及认证组织等，但具体构成比例各有差异。秘书处依托主任委员和秘书长协同管理，承担委员会的日常事务运作。当现有标准化技术委员会无法覆盖某些领域时，国家药监局可根据监管需要设立归口单位，参照标准化技术委员会的职责，开展相应领域的标准工作。通过这种多层次、多方面的标准化管理体系，确保医疗器械标准的科学性、规范性和适用性，从而保障医疗器械的安全性和有效性。

自1980年第一个医疗器械标委会成立以来，直至2020年，标委会（技术归口单位）数量已增长到33个，包括13个总标委会（TC）、13个分标委会（SC）和7个技术归口单位。随着技术进步，新的标准化技术委员会和挂靠单位不断成立，以应对新兴医疗器械和交叉学科的需求。根据国家公布的2021年、2022年、2023年和2024年《中国医疗器械标准管理年报》，2021年，国家药监局又先后批准成立了全国医疗器械临床评价、医用高通量测序这两个标准化技术归口单位。截至2021年12月31日，医疗器械标准化（分）技术委员会或技术归口单位数量已增长到35个，包括13个总标委会（TC）、13个分标委会（SC）和9个技术归口单位。2022年，首个与其他行业主管部门联合申请的全国医疗装备产业与应用标准化工作组正式获批成立，中医器械标准化技术归口单位也正式获批成立。截至2022年12月31日，医疗器械标准技术组织已达37个，包括13个总标委会（TC）、13个分标委会（SC）、1个标准工作组和10个技术归口单位。2023年，国家标准委成立全国医用防护器械标准化工作组，批准筹建医疗器械包装标准化技术归口单位。截至2023年12月31日，医疗器械标准技术组织共计38个，包括13个总标委会（TC）、13个分标委会（SC）、2个标准化工作组和10个技术归口单位。2024年，国家药监局批准成立医疗器械包装标准化技术归口单位（SMD/TU 011），医疗器械标准技术组织达到39个，包括13个总标委会（TC）、13个分标委会（SC）、2个标准化工作组（SWG）和11个技术归口单位（TU），医疗器械标准化技术组织覆盖领域更加全面。国家药品监督管理局定期发布中国医疗器械标准管理年报，向社会公布年度医疗器械标准相关进展情况。

2021年，国家药监局和国家标准化管理委员会发布《关于进一步促进医疗器械标准化工作高质量发展的意见》，强调科学化、法治化、国际化、现代化的发展方向，推动医疗器械标准体系完善。特别是医疗器械标准组织体系，要进行进一步完善。一方面要“加强组织体系建设”，成立深化医疗器械标准化工作改革领导小组，优化标准化组织布局，加快筹建急需的标准化技术委员会，解决行业交叉问题，建立跨领域联合工作机制。另一方面要“强化管理”，优化委员构成，加强核心人员管理，建立考核评价体系，实施激励和退出机制，确保标准化组织高效运作。2024 年，国家出台了一系列政策文件，如《医疗器械标准管理办法》修订版，进一步明确了标准制定、实施和监督的流程，强化了标准的法律效力。政府加大了对医疗器械标准体系建设的资金投入，支持重点领域，特别是高端医疗器械、人工智能医疗器械等新兴领域的标准研究和制定。国家鼓励国内标准化机构参与国际标准的制定，推动中国标准与国际标准接轨，提升我国在国际医疗器械标准领域的话语权。未来几年，我国将继续完善医疗器械标准体系，重点推进高端医疗器械、智能医疗器械、医用机器人等领域的标准制定，确保标准的先进性和适用性。通过参与国际标准化组织（如 ISO、IEC）的工作，推动中国标准走向国际，提升我国医疗器械产品的国际竞争力。随着标准的不断完善和国际合作的深化，我国医疗器械行业将在全球市场中占据更加重要的地位。

3.3.4 医疗器械不良反应监测机构体系

在医疗器械上市后，不良反应监测是确保其安全性和有效性的重要环节。通过监测不良事件，监管机构能够及时发现问题并采取相应措施，减少或避免同类事件的重复发生，降低使用风险，保障公众健康。同时，监测结果还能推动医疗器械性能的改进，促进企业研发新产品，推动行业健康发展。我国已建立了较为完善的国家级医疗器械不良事件监测机构体系。

（1）国家药品不良反应监测中心　国家药品不良反应监测中心（同时也是国家药品监督管理局药品评价中心）是国家药品监督管理局直属的公益一类事业单位，保留正局级。根据其官网公布，主要职责为：

① 制定技术标准和规范：组织制定和修订药品不良反应、医疗器械不良事件、化妆品不良反应监测与上市后安全性评价以及药物滥用监测的技术标准和规范。

② 组织监测工作：组织开展药品不良反应、医疗器械不良事件、化妆品不良反应及药物滥用的监测工作。

③ 上市后安全性评价：开展药品、医疗器械、化妆品的上市后安全性评价工作。

④ 指导地方工作：指导地方相关监测与上市后安全性评价工作；组织开展相关监测与评价的方法研究、技术咨询和国际（地区）交流合作。

⑤ 参与目录调整：参与拟订和调整国家基本药物以及非处方药的目录。

⑥ 承办其他事项：承办国家局交办的其他事项。

国家药品不良反应监测中心下设两个专门部门，负责医疗器械不良事件的监测与评价工作：

① 医疗器械监测和评价一部：负责有源类医疗器械和体外诊断类医疗器械的不良事件监测与上市后安全性评价。

② 医疗器械监测和评价二部：负责无源类医疗器械的不良事件监测与上市后安全性评价。

（2）地方级医疗器械不良事件监测机构　除了国家级监测中心，各省、市、自治区也设有相应的医疗器械不良事件监测机构，负责本地区的医疗器械不良事件监测工作。根据各地方机构的官网公布，其主要职责包括：

① 收集和上报不良事件：收集本地区医疗器械使用过程中发生的不良事件，并及时上报至国家药品不良反应监测中心。

② 开展区域性监测：根据国家要求，组织开展本地区的医疗器械不良事件监测工作。

③ 协助调查和处理：协助国家级机构对重大不良事件进行调查和处理。

④ 宣传和培训：开展医疗器械不良事件监测的宣传和培训工作，提高医疗机构和企业对不良事件监测的重视程度。

(3) 医疗机构和企业的不良事件报告责任

① 医疗机构：医疗机构是医疗器械使用的主要场所，承担着不良事件报告的责任。医务人员在使用医疗器械过程中发现不良事件时，应及时向所在医疗机构报告，并由医疗机构上报至地方或国家级监测机构。

② 医疗器械生产企业：生产企业是医疗器械安全性的第一责任人，应建立完善的不良事件监测体系，及时收集、分析和上报产品的不良事件信息。

同时，国家药品不良反应监测中心积极参与国际医疗器械不良事件监测的合作与交流，学习借鉴国际先进经验，推动我国医疗器械不良事件监测体系不断完善。通过与国际组织（如世界卫生组织、国际医疗器械监管机构论坛等）的合作，提升我国在全球医疗器械安全监管中的影响力。通过国家级和地方级监测机构的协同工作，我国医疗器械不良事件监测体系不断完善，为保障公众用械安全、推动医疗器械行业健康发展提供了有力支持。

3.4 医疗器械行业自律组织

在我国医疗器械行业，除了国家的行政监管机构和技术支撑机构外，还有一些医疗器械行业的自律机构，其中中国医疗器械行业协会（CAMDI）是直接相关自律机构。作为我国医疗器械行业的主要自律组织，CAMDI 成立于 1991 年，是由中国境内从事医疗器械研发、生产、经营、使用等活动的企事业单位、社会团体和个人自愿组成的全国性、行业性、非营利性社会组织。其宗旨是服务会员、行业和政府，推动医疗器械行业健康发展。以下是该协会的主要职能概述：

① 维护会员权益：协会代表会员单位向政府和社会各界反映合理要求，维护会员的合法权益，消除影响行业发展的障碍；开展调查研究，向国家药品监督管理局等政府部门提供政策建议，推动行业相关法律法规的完善。

② 行业规范与自律：协会组织制定并监督执行行业政策，规范企业行为，推动行业诚信体系建设，促进公平竞争；参与国家标准、行业标准及质量规范的制定和修改，推动行业标准化进程。

③ 技术交流与合作：组织国内外经济技术交流与合作，协调国内企业参与国际市场竞争，提升行业整体竞争力；组织科技成果鉴定与推广，协助会员企业申请专利，争取科研支持和项目资金。

④ 行业服务与支持：为会员企业提供三类产品及进口产品的注册咨询及代理服务，协助企业完成相关认证工作；根据授权进行行业统计，提供行业咨询，组织法规、质量、技术及职业培训。

⑤ 信息发布与宣传：通过创办刊物、收集和分析行业信息，及时向会员单位和社会发布行业动态；组织国内外展览会、研讨会，促进行业内的交流与合作。

⑥ 公益与社会责任：积极参与行业和社会公益事业，推动行业与社会和谐发展；参与国内外政府采购及医疗器械的招投标工作，维护公平竞争的市场秩序。

⑦ 其他职能：接受政府委托，参与制定行业规划，对重大技术改造、技术引进、投资与开发项目进行前期论证；协助会员企业依法申请专利，保护知识产权。

除了中国医疗器械行业协会，我国还有一些地方性和专业性的医疗器械自律组织，如：广东省医疗器械管理学会（GDMDMA）专注于广东省医疗器械行业的管理与发展；成都市医疗器械行业协会（CDAMEI）服务于成都地区医疗器械企业的自律组织；中关村医疗器械产业技术创新联盟（ZMDS）致力于推动医疗器械产业技术创新和成果转化。

中国医疗器械行业协会及相关自律组织在推动行业自律、规范市场秩序、促进技术创新和国际合作方面发挥了重要作用。通过这些组织的努力，我国医疗器械行业得以在规范中健康发展，逐步提升国际竞争力。

参考文献

[1] 程建．我国医疗器械政府全程监管问题研究［D］．昆明：云南财经大学，2013.

[2] 卜绮成．向高科技产业挺进的中国医疗器械工业——中国医疗器械工业 60 年回顾［J］．中国医疗器械信息，2010，16（1）：5-11.

[3] 丁宁宁．我国医疗器械监管机制研究［D］．南京：东南大学，2011.

[4] 夏晓斌．医疗器械生产监管现状和变革研究——以邗江地区为例［D］．南京：南京理工大学，2010.

[5] 王峰．风险视角下地市级医疗器械行政监管对策研究——以 H 省 X 市为例［D］．长沙：国防科学技术大学，2017.

[6] 胡颖廉．中国药品监管体制改革 25 年回顾［J］．中国食品药品监管，2023，（3）：4-15，124-125.

[7] 朱睿，韩阳，乔海峰．医疗器械检验机构的发展现状与发展不均衡原因［J］．医疗装备，2021，34（9）：47-50.

第四章

医疗器械监管法规体系

医疗器械作为保障人民健康的重要工具，其监管法规体系的完善对于确保产品质量、推动行业健康发展至关重要。近年来，随着科技的进步和医疗需求的多样化，医疗器械的种类和复杂性不断增加，这对监管的科学性和规范性提出了更高的要求。为了应对这些挑战，国家陆续出台了一系列政策文件，并进行了大规模的法规修订工作，逐步建立起符合国情的医疗器械监管新体系。本章将主要介绍我国医疗器械监管的法规体系的历史沿革、现行结构、特点及发展趋势等。

4.1 法律基本知识

医疗器械法规体系是我国法律法规体系的一个部分，要学习我国的医疗器械监管法规体系，首先要学习我国法律的本质、特征、立法过程、层级等基本知识。

4.1.1 法的本质和特征

（1）法的本质　法是由国家制定或认可，并由国家强制力保证实施的行为规范体系。它反映了特定物质生活条件下统治阶级的意志，以权利和义务为内容，旨在确认、保护和发展统治阶级所期望的社会关系和社会秩序。法律有广义和狭义之分，广义的法律是指所有具有法律效力的规范性文件。狭义的法律仅指全国人民代表大会及其常务委员会制定的规范性文件[1]。本文如无特别说明，通常采用广义。

（2）法的特征

① 规范性

法是调整人们行为或社会关系的规范，具有规范性。它为人们提供了行为模式，指引人们可以怎样行为、必须怎样行为或不得怎样行为。法律通过规定权利和义务，明确了人们在社会中的行为准则。

② 国家意志性

法是由国家制定或认可的，体现国家的意志。国家制定法律是指国家立法机关根据其职权创制新的法律；国家认可法律是指国家立法机关赋予社会上已经存在的某些行为规则以法律效力。因此，法律常常被称为“国法”。

③ 国家强制性

法是以国家强制力为后盾的规范体系，具有国家强制性。国家强制力主要包括军队、警察、法庭、监狱等。法律依靠国家强制力来保障实施，既表现为对违法行为的否定和制裁，也表现为对合法行为的肯定和保护。国家强制力确保了法律的权威性和执行力。

④ 普遍性

法在国家权力管辖范围内普遍有效，具有普遍性。法律与其他社会规范的重要区别在于，法律具有普遍的约束力，即在本国主权范围内，所有国家机关、社会组织和公民都必须遵守法律。法律面前人人平等，一旦触犯法律，便会受到相应的惩罚。而其他社会规范（如公司规章、宗教规范等）的适用范围有限，不具有真正的普遍性。

这些特征共同构成了法律的基本属性，使其成为维护社会秩序、调整社会关系的重要工具。

(3) 法律的规范作用 法律的规范作用是指法律通过其规定和机制，对社会成员的行为进行引导、约束和调整，以实现社会秩序和公正。以下是法律规范作用的几个主要方面：

指引作用：法律为人们提供了明确的行为模式，告诉人们哪些行为是被允许的、哪些是被禁止的，以及哪些是必须履行的义务。通过这种指引，法律帮助个人和组织在复杂的社会关系中做出符合规范的选择。例如，交通法规规定了驾驶者应当如何行车，违反这些规定将面临处罚，从而引导驾驶者遵守交通规则。

评价作用：法律作为一种社会规范，可以用来判断和衡量他人行为的合法性或有效性。通过法律的标准，社会可以对个人或组织的行为进行评价，判断其是否符合法律要求。例如，法院在审理案件时，会根据法律条文对当事人的行为进行评价，判断其是否违法。

教育作用：法律的实施不仅对当前的行为产生影响，还会对人们未来的行为产生诱导作用。通过法律的宣传、执行和司法实践，社会成员可以学习到什么是合法的、什么是不合法的，从而在未来的行为中自觉遵守法律。例如，通过公开审理和宣传典型案例，法律可以教育公众，增强他们的法律意识。

预测作用：法律规范使人们能够预测到某种行为的法律后果，从而在行动前进行合理的安排和决策。这种预测作用有助于减少社会不确定性，促进社会关系的稳定。例如，民法规定了合同双方的权利和义务，当事人可以根据法律规定预测到违约的法律后果，从而在签订合同时更加谨慎。

强制作用：法律的强制作用体现在国家通过强制力对违法行为进行制裁和惩罚，确保法律的权威性和有效性。强制作用是法律规范作用的重要保障，没有强制力，法律的其他作用将难以实现。例如，刑法对犯罪行为规定了严厉的惩罚措施，通过这种强制力，法律威慑潜在的犯罪者，维护社会秩序。

总的来说，法律的规范作用通过指引、评价、教育、预测和强制等多种方式，确保社会成员的行为符合法律的要求，从而维护社会的稳定与公正。

4.1.2 我国法律的层级及效力

我国法律的层级及效力是一个复杂的体系，涉及多个层次的法律文件及其相互关系。以下是对我国法律层级及效力的详细解析。

(1) 法的效力范围与层次 通常，法律文件分为规范性法律文件与非规范性法律文件。规范性法律文件：具有普遍约束力，适用于不特定多数人，且可以反复适用；主要包括宪法、法律、行政法规、地方性法规、自治条例、单行条例、部门规章、地方政府规章、特别行政区法、国际条约等。非规范性法律文件：仅对特定的人或事具有约束力，通常是国家机关在适用法律过程中发布的个别文件，如判决书、裁定书、逮捕证、营业执照等。因此，规范性法律文件具有普遍意义；非规范性法律文件针对特定的人，是适用法律的结果。

法律效力的范围包括：①对人的效力，指法律对哪些人有效，如有的法律适用于全国公民，有的仅适用于特定群体。②对事的效力，指法律对哪些行为或事项有效，法律通过规定哪些行为应当做、不应当做或可以做，来调整社会关系。③空间效力，指法律在哪些地域内有效，如全国性法律在全国范围内有效，地方性法规仅在其行政区域内有效。④时间效力，指法律何时生效、何时失效，以及是否具有溯及力[2]。

（2）法律效力的层次　法律效力的层次是指不同规范性法律文件之间的效力等级关系。根据《中华人民共和国立法法》的相关规定，我国法律的效力层次可以概括为以下几个方面。

① 上位法优于下位法

上位法的效力高于下位法，即规范性法律文件的效力层次取决于其制定主体的法律地位。具体表现为：

宪法：宪法是我国的根本法，具有最高的法律地位和效力，由全国人民代表大会制定。所有其他法律、法规、规章都不得与宪法相抵触。

法律：法律是由全国人民代表大会或其常务委员会制定的规范性文件，其法律地位和效力仅次于宪法。

行政法规：行政法规由国务院制定，其法律地位和效力次于宪法和法律。

行政规章：行政规章包括两类，一是国务院各部委根据法律和国务院的行政法规、决定、命令制定的规章；二是省、自治区、直辖市以及较大的市的人民政府制定的规章。

地方性法规：地方性法规是由地方国家权力机关（如省、市人民代表大会及其常务委员会）根据本行政区域的具体情况和实际需要制定的，在本行政区域内具有法律效力的规范性文件[3]。

② 特别法优于一般法

在同一法律位阶的法律之间，特别法的效力优于一般法。即当同一事项在两种法律中都有规定时，特别法的规定优先适用于一般法的规定。例如，《中华人民共和国公司法》作为特别法，优于《中华人民共和国民法典》合同编的相关规定。

③ 新法优于旧法

在同一法律位阶的法律之间，新法的效力优于旧法。即当同一事项在新旧法律中都有规定时，新法的规定优先适用于旧法的规定。这一原则体现了法律的时效性，确保法律能够与时俱进，适应社会发展的需要。

这些原则共同构成了我国法律效力的层次体系，确保了法律体系的统一性和协调性。

（3）法的效力的裁决　在我国，当法律法规之间对同一事项的规定不一致时，通常会按照以下原则进行裁决[2]：

①对于法律之间的冲突，当新的一般法律与旧的特别法律对同一事项的规定不一致，且无法确定如何适用时，由全国人民代表大会常务委员会裁决。②对于行政法规之间的冲突，当新的行政法规与旧的特别行政法规对同一事项的规定不一致，且无法确定如何适用时，由国务院裁决。③对于地方性法规、规章之间的冲突，当同一机关制定的新的一般规定与旧的特别规定不一致时由制定机关裁决；当地方性法规与部门规章之间对同一事项的规定不一致时由国务院提出裁决建议；当部门规章之间、部门规章与地方政府规章之间对同一事项的规定不一致时由国务院裁决。④对于授权制定的法规与法律之间的冲突，当部门或地方根据授权制定的法规与法律规定不一致，且无法确定如何适用时，由全国人民代表大会常务委员会裁决。

这些原则确保了在法律适用过程中，不同层级的法律规范之间的冲突能够得到有效解决，维护了法律体系的统一性和权威性。

4.2　医疗器械监管法规体系建设

我国医疗器械监管法规体系的建立和完善，经历了从无到有、从粗放到精细的过程。我国通过吸收国际先进经验，结合我国国情，逐步形成了覆盖医疗器械全生命周期的监管体系。这一体系不仅保障了医疗器械产品的安全性和有效性，还推动了行业的规范化发展，为保障广大患者的生命安全发挥了重要作用。

4.2.1　医疗器械监管法规发展沿革

我国医疗器械监管法规的发展历程可以概括为以下几个阶段：

(1) 1991—1999 年：起步萌芽，探索方向　这一时期的重点是探索方向并逐步建立与国际接轨的监管框架。在计划经济体制下，医疗器械没有统一的定义和分类，且未对其风险性形成充分认识。医疗器械被作为普通工业产品，由不同的工业部门分别管理。随着改革开放的深入，高风险医疗器械逐渐增多，国家开始意识到医疗器械作为特殊商品的风险性，需要专门的监管措施。20 世纪 90 年代初，中国开始研究发达国家的医疗器械监管制度和法规，派出考察组到美国和欧洲主要国家调研，学习其先进经验。这些调研为中国建立现代化的医疗器械监管体系奠定了基础，推动了中国与国际接轨的进程。1991 年，国家医药管理局颁布了《医疗器械管理暂行办法》，这是中国第一个关于医疗器械的政府规章，标志着中国医疗器械监管的起步。1995 年，国家工商行政管理局和国家医药管理局联合发布了《医疗器械广告审查标准》和《医疗器械广告审查办法》，规范了医疗器械广告的发布和审查。1996 年，国家医药管理局发布了《医疗器械产品注册管理办法》，首次以部门规章的形式构建了中国的医疗器械市场准入制度。该办法采用了与国际接轨的医疗器械定义和分类管理制度，奠定了中国医疗器械法规体系的基础[4]。1991—1999 年是中国医疗器械监管体系的起步阶段，通过学习和借鉴国际经验，中国逐步建立起初步的法规体系。这一时期的探索为后续医疗器械监管的完善和发展提供了重要的基础，推动了中国医疗器械行业走向规范化和国际化。

(2) 2000—2005 年：缓步前行，蛰伏待变　这一时期，中国从计划经济向市场经济转型，政府机构改革和社会法治化管理不断推进。尽管 1985 年颁布的《中华人民共和国药品管理法》已对药品进行了监管，但医疗器械行业的法治化监管相对滞后。2000 年，国务院颁布了《医疗器械监督管理条例》，这是中国医疗器械监管史上的重要里程碑，标志着中国医疗器械监管从依赖部门规章转向依据国务院法规，进入了依法、规范化监管的新阶段[4]。为了更好地实施《条例》，国家陆续发布了一系列配套政策文件，逐步构建起医疗器械监管法规体系框架。这些政策文件涵盖了医疗器械的生产、研发、注册、经营等多个环节。

在产品生产与研发规范方面：2000—2004 年，陆续发布了《医疗器械分类规则》(2000 年 4 月)、《医疗器械生产企业质量体系考核办法》(2000 年 5 月)、《医疗器械标准管理办法（试行）》(2002 年 1 月)、《医疗器械临床试验规定》(2004 年 1 月)、《医疗器械生产监督管理办法》和《医疗器械说明书、标签和包装标识管理规定》(2004 年 6 月) 等配套政策文件。此外，还发布了多个生产实施细则，如《一次性使用无菌医疗器械产品（注、输器具）生产实施细则》(2001 年修订)、《外科植入物生产实施细则》(2001 年 12 月) 和《一次性使用麻醉穿刺包生产实施细则》（2002 年 12 月）等。

在产品注册管理方面：2000 年 4 月，国家食品药品监督管理局发布了首部《医疗器械注册管理办法》，规范了医疗器械的注册流程。2004 年 8 月，根据《中华人民共和国行政许可法》的要求和国际经验，对 2000 年的《医疗器械注册管理办法》进行了修订，进一步完善了注册管理制度。

在产品经营流通环节：2000 年 4 月，国家食品药品监督管理局颁布了《医疗器械经营企业监督管理办法》，规范了医疗器械的经营行为。2004 年 6 月，颁布了《医疗器械经营许可证管理办法》，取代了之前的《医疗器械经营企业监督管理办法》，进一步强化了经营环节的监管。

总体而言，2000—2005 年是中国医疗器械监管体系逐步完善的时期，通过一系列法规和政策的出台，中国医疗器械行业逐步走向规范化、法治化的轨道，为后续的快速发展奠定了基础。

（3）2006—2013 年：转变升级，健全体制　这一阶段，中国医疗器械行业不仅经历了高速增长，也暴露出了一些问题，促使政府加强监管和法规建设，逐步与国际接轨。

专项整治与法规升级：2006 年 8 月～2007 年 12 月期间，中国开展了有史以来规模最大的医疗器械专项整治行动，旨在整顿市场秩序，打击假冒伪劣产品，提升行业整体质量水平。2005—2014 年，国家食品药品监督管理总局（CFDA）启动了《医疗器械监督管理条例》的修订工作。修订过程中，两次向社会公开征求意见，最终于 2014 年公布新版《条例》。此次修订内容变化较大，进一步强化了医疗器械的全生命周期监管，明确了上市前审批和上市后监管并重的原则。

体外诊断试剂的监管：为了与国际管理模式接轨，2007 年国家食品药品监督管理局发布了《体外诊断试剂注册管理办法》《体外诊断试剂生产实施细则》和《体外诊断试剂临床指导原则》等一系列规范性文件。这些文件将除少数用于血源筛查的试剂以外的体外诊断试剂全部纳入医疗器械管理范畴，进一步规范了体外诊断试剂的生产、注册和使用。

加强产品上市后的监管：2008 年 12 月，卫生部和国家食品药品监督管理局联合颁布了《医疗器械不良事件监测和再评价管理办法（试行）》，标志着中国开始加强对医疗器械上市后的不良事件监测和再评价工作。2009 年，国家工商行政管理总局和卫生部联合发布了新的《医疗器械广告审查发布标准》和《医疗器械广告审查办法》，进一步规范了医疗器械广告的发布和审查。2010 年 1 月，卫生部出台了《医疗器械临床使用安全管理规范（试行）》，明确了医疗器械在临床使用中的安全管理要求。2011 年，国家食品药品监督管理局发布了《医疗器械召回管理办法（试行）》，建立了医疗器械召回制度，确保在发现产品存在安全隐患时能够及时召回。

生产环节的监管：2009 年，为了与国际通行的 ISO 13485 标准——《医疗器械质量管理体系 用于法规的要求》接轨，国家颁布了《医疗器械生产质量管理规范（试行）》《无菌医疗器械生产质量管理规范生产实施细则及检查评定标准》和《植入性医疗器械生产质量管理规范生产实施细则及检查评定标准》。这些文件替代了原来的三项生产实施细则，进一步提升了医疗器械生产环节的质量管理要求。

国际化与标准化：这一时期，中国医疗器械行业逐步与国际接轨，不仅在法规上向国际标准靠拢，还在监管模式上逐步从注重上市前审批转向上市前审批与上市后监管并重。这种转变有助于提升医疗器械的安全性和有效性，保障公众健康。

2006—2013 年是中国医疗器械行业从快速发展向规范化、国际化转型的关键时期。通过大规模的专项整治、法规的升级完善以及与国际标准的接轨，中国医疗器械行业的监管体系逐步健全，行业整体水平得到了显著提升。这一阶段的改革为后续行业的持续健康发展奠定了坚实基础。

（4）2014—2020 年：国际接轨，深入改革　2014 年以来，中国医疗器械市场的复合年增长率达到 20%左右，远超全球市场的增速。这一增长得益于国内医疗需求的增加、政策的支持以及行业技术的进步。2014 年，国家食品药品监督管理总局颁布了全面修订的《医疗器械监督管理条例》，标志着中国医疗器械监管体系向国际化迈出了重要一步。该条例被认为是医疗器械行业的“母法”，自 2005 年开始修订，经过多年的运行经验总结和国际经验的吸收，最终于 2014 年 6 月正式实施。新修订的《条例》体现了风险管理、全程治理、社会共治、责任治理和效能治理的基本原则，完善了分类管理、注册备案、使用环节监管、上市后管理等制度，并健全了有奖举报、信息公开和部门协同等机制。同年，国家还对包括《医疗器械注册管理办法》《体外诊断试剂注册管理办法》《医疗器械说明书和标签管理规定》《医疗器械生产监督管理办法》和《医疗器械经营监督管理办法》在内的五部重要部门规章进行了修订[4]，这些修订进一步细化了医疗器械的监管要求。由于行业发展迅速，2017 年，国家又对《条例》进行了部分修改，并对相应的部门规章进行了调整。2015 年，国家食品药品监督管理总局发布了《药品医疗器械飞行检查办法》，引入了不预先告知的“飞行检查”监督检查机制，增强了监管的威慑力，有效打击了违法违规行为。

在加强上市后的监管方面：2015 年 10 月 21 日，中国出台了《医疗器械使用质量监督管理办法》，这是第一部专门针对医疗器械使用环节质量管理的规章，标志着中国医疗器械法规体系初步形成了以全程管理为核心的理念。2017 年 5 月，新版《医疗器械召回管理办法》开始实施，进一步强化了医疗器械上市后全生命周期的监管。

在完善产品上市前的监管方面：2015 年，修订了《医疗器械分类规则》，进一步细化了医疗器械的分类判定，并于 2016 年实施。2015 年 12 月，出台了《医疗器械通用名称命名规则》，解决了医疗器械名称混乱的问题，借鉴了发达国家和地区的命名经验。2016 年 6 月，实施了《医疗器械临床试验质量管理规范》，强化了临床试验过程中的风险控制。2017 年 4 月，发布了《医疗器械标准管理办法》，理顺了医疗器械标准体系，明确了标准制定、修订的程序，并建立了标准复审制度。

经过这一阶段，中国医疗器械行业在监管法规、市场准入、上市后监管等方面取得了显著进展，逐步与国际接轨。这一阶段的改革不仅提升了行业的规范化水平，也为行业的持续健康发展奠定了坚实的基础。

（5）2021—今：科学创新，精细监管　自 2021 年以来，中国在医疗器械领域的科学创新和精细监管方面取得了显著进展。2021 年 6 月，新修订的《医疗器械监督管理条例》正式实施。该条例在“四个最严”原则下，总结了以往监管经验，进一步巩固了改革成果，促进了行业创新。2021 年 10 月 1 日，国家市场监督管理总局发布的《医疗器械注册与备案管理办法》和《体外诊断试剂注册与备案管理办法》正式施行，进一步规范了医疗器械的注册与备案流程。同时，国家药监局发布了一系列配套文件，如《医疗器械注册自检管理规定》《体外诊断试剂分类规则》《医疗器械应急审批程序》等，进一步细化了医疗器械的监管要求。2021 年 1 月 12 日，国家卫生健康委员会颁布了《医疗器械临床使用管理办法》，加强医疗器械临床使用管理，保障医疗器械临床使用安全、有效。这些文件的发布标志着国家监管从宏观政策向执行和细化管理的过渡，确保医疗器械的安全有效。

网络销售与不良事件监测方面：2018 年 3 月 1 日，《医疗器械网络销售监督管理办法》正式实施，规范了医疗器械的网络销售行为。2019 年 1 月 1 日，《医疗器械不良事件监测和再评价管理办法》施行，加强了对医疗器械不良事件的监测和再评价。2025 年 4 月 8 日，国家药监局又发布了《医疗器械网络销售质量管理规范》，进一步应对医疗器械网络销售中的问题，加强医疗器械网络销售监督管理，规范医疗器械网络销售质量管理，确保医疗器械的安全使用。

检验工作与广告审查方面：2019 年 8 月，国家药监局发布《医疗器械检验工作规范》，提升了医疗器械检验机构的检验能力、管理水平和工作效率。2020 年 3 月 1 日，《药品、医疗器械、保健食品、特殊医学用途配方食品广告审查管理暂行办法》施行，规范了相关产品的广告审查管理。

定制式医疗器械监管方面：2020 年 1 月 1 日，《定制式医疗器械监督管理规定（试行）》施行，规范了为满足患者个性化需求而设计的定制式医疗器械的注册监督管理，保障了这类新时代出现的医疗器械的安全性和有效性。

值得注意的是，随着我国医疗器械行业的发展和监管经验的积累，我国已将医疗器械监管从行政法规层面提升到法律层面。2023 年 9 月《十四届全国人大常委会立法规划》将医疗器械管理法列入立法规划。2024 年 8 月 28 日，国家药品监督管理局（以下简称“药监局”）以现行《医疗器械监督管理条例》为基础发布了《中华人民共和国医疗器械管理法（草案征求意见稿）》。我国医疗器械行业的监管法规将更加科学和完善。

4.2.2 医疗器械监管相关法律法规

医疗器械监管法规是确保医疗器械安全性和有效性的重要法律框架。随着我国医疗器械行业的快速发展，市场规模不断扩大，产值和产能持续提升，新型医疗器械不断涌现，行业法规也在不断完善，逐渐形成了多层次、全方位的监管体系。当前，我国的医疗器械监管体系主要基于《医疗器械监督管理条例》（以下简称《条例》），并在此基础上构建了以行政法规、部门规章、规范性文件以及指导性文件为基础的四大层次的法规体系，贯穿于医疗器械全生命周期监管的各个环节。

4.2.2.1 与医疗器械监管密切相关的法律

当前，我国虽然还没有制定出台专门的医疗器械监督管理方面的法律，但是与医疗器械监管密切相关的法律有很多。这些法律的级别高于医疗器械行政法规，在具体的医疗器械执法过程中，许多执法机构会以这些法律的相关条款为依据进行执法。

（1）行政处罚法　行政处罚是行政机关依法对违反行政管理秩序但尚未构成犯罪的公民、法人或其他组织进行惩戒的行为。其核心特征如下。①实施主体：行政处罚由行政机关或法律法规授权的组织执行；②对象：针对违反行政法律规范的公民、法人或其他组织；③性质：行政处罚是一种具有制裁性的具体行政行为，旨在惩戒违法行为。在医疗器械监管中，行政相对人可能涉及多种违法行为，药品监管部门有责任对其进行纠正。常见的行政处罚手段包括警告、罚款、没收违法所得、没收非法财物、责令停产停业等。这些手段旨在纠正违法行为，维护行政管理秩序，保障公共利益。

（2）行政许可法　行政许可是指行政机关根据公民、法人或其他组织的申请，依法审查并准予其从事特定活动的行为。其主要特征如下。①管理性行政行为：行政机关通过行政许可实施管理；②外部管理行为：针对社会的管理，而非内部事务；③依申请产生：无申请则无许可；④准予特定活动：获得许可表明申请人符合法定条件，可依法从事相关活动。

《中华人民共和国行政许可法》是医疗器械监管的又一重要法律依据，主要涉及医疗器械企业的市场准入和医疗器械产品的上市许可两个方面。前者主要是指医疗器械监管机构对生产企业和经营企业的成立进行审批，发放相关许可证书的行为；后者是指对拟生产和销售的医疗器械产品进行注册审批，发放产品注册证书的行为。同时，《中华人民共和国行政许可法》作为上位法，直接约束和指导医疗器械监管的部门规章制定，规章的许多规定是对《中华人民共和国行政许可法》内容的具体执行[5]。《中华人民共和国行政许可法》在医疗器械监管中起着关键作用，通过市场准入和产品注册审批，确保企业和产品符合法定条件，保障监管活动的合法性和规范性。

(3) 行政复议法　行政复议是公民、法人或其他组织在认为行政机关的具体行政行为或部分抽象行政行为侵犯其合法权益时，依法向上级行政机关或法律、法规规定的其他机关提出申请，由受理机关对行政行为进行审查并作出处理决定的活动。这一制度的核心在于为行政相对人提供一种法律救济途径，确保行政机关的行为合法、合理。行政复议的特征如下。①主体特定：提出行政复议的主体必须是认为行政机关的行为侵犯其合法权益的公民、法人或其他组织；②事后救济：行政复议只能在行政机关已经作出具体行政行为之后提出，若行政行为尚未作出，则不存在复议问题；③法定程序：当事人对行政机关的决定不服，必须依法向有行政复议权的行政机关申请复议，不能随意选择复议机关；④全面审查：行政复议不仅审查行政行为的合法性，还审查其合理性，这与行政诉讼不同，行政诉讼中法院仅审查行政行为的合法性，而不涉及合理性。

在医疗器械监督管理领域，监管相对人（如医疗器械生产企业、经营企业等）如果认为监管机构的具体行政行为（如行政处罚、行政许可等）侵犯了其合法权益，可以依法提起行政复议。监管部门在受理复议申请后，必须严格按照《中华人民共和国行政复议法》的规定进行审查，确保行政行为的合法性和合理性。

(4) 产品质量法　《中华人民共和国产品质量法》是规范产品质量监督管理及产品质量责任的重要法律，适用于包括医疗器械在内的各类产品。医疗器械作为与人体健康直接相关的特殊产品，其安全性和有效性是质量监管的核心要求。医疗器械不仅要确保对患者的安全，还要保证对医务人员、操作者及周围环境的安全。医疗器械的质量监管不仅关乎产品质量，更关乎公众健康和安全，因此必须严格遵守《中华人民共和国产品质量法》及相关法规，确保医疗器械的安全性和有效性。

4.2.2.2　医疗器械行政法规

行政法规是国务院根据宪法和法律，为执行法律和管理国家行政事务而制定的规范性文件。它们通常以“条例”“办法”“规定”等形式出现，并以“国务院令”的形式发布。行政法规的制定程序遵循《行政法规制定程序条例》，确保其合法性和规范性。《医疗器械监督管理条例》是我国医疗器械监管体系的核心法规，由国务院制定和颁布，旨在规范医疗器械的研制、生产、注册、经营和使用等环节，确保人民群众用械安全。该条例于 2000 年首次颁布，标志着我国医疗器械监管从单一的产品注册许可管理向产品注册许可和生产经营许可的双许可管理转变，从此医疗器械监管进入行政法规层次监管阶段。之后该条例经历了多次修订，得到逐步完善。2014 年，根据行业发展和社会形势的变化，该条例进行了第一次全面修订，进一步细化了监管要求。2017 年进行了第二次修订，继续优化监管措施，强化对医疗器械全生命周期的管理。2020 年又进行了第三次修订，并于 2021 年 6 月 1 日正式实施。

新版《条例》共 8 章 107 条，新增了许多制度、机制和方式，进一步简化了审评审批程序，强化了医疗器械质量安全的责任。与之前的版本相比，新版的《条例》具有以下主要特点：

① 鼓励创新，促进行业高质量发展。鼓励和支持医疗器械创新，优化审批和备案程序。对临床试验实行默示许可，缩短审查期限，实行告知性备案。对在医疗器械研究与创新中做出突出贡献的个人和单位给予褒奖。

② 科学监管，推进监管体系和监管能力现代化。提出“风险管理、全程管控、科学监管、社会共治”的原则。加强对医疗器械全生命周期的监管，按照风险程度匹配监管力量。要求注册人、备案人建立并有效运行质量管理体系，加强产品上市后管理，建立产品追溯和召回制度。加强监管队伍建设，建立职业化、专业化的检查员制度，丰富监管手段，明确部门职责分工。

③ 提高违法成本，严惩违法行为。明确责任主体的义务，增加了违法单位的法定代表人、主要负责人、直接负责的主管人员和其他责任人员的法律责任。通过提高罚款额度和处罚措施强度，提高违法成本，落实“处罚到人”的要求。

《医疗器械监督管理条例》是医疗器械监管学习的核心内容，理解和掌握该条例的内容和要求，对于从事医疗器械研制、生产、经营、使用和监管的人员至关重要。它不仅为医疗器械行业提供了明确的法律依据，也为公众健康和安全提供了坚实的制度保障。随着条件的成熟，《医疗器械监督管理条例》很快就会由行政法规上升至法律层面的立法。

4.2.2.3 医疗器械部门规章

部门规章是国务院有关部门根据法律和行政法规，按照规定的程序制定并发布的行政规范性文件。这些规章通常以“办法”“规定”等名称出现，并以“局令”的形式发布。部门规章在法律体系中处于较低层级，但其针对性强、可操作性强，数量众多，且仅在本部门的权限范围内有效。在医疗器械监管领域，部门规章起到了至关重要的作用。它们对医疗器械的全过程、全生命周期监管的各个环节作出了详细规定，是对《医疗器械监督管理条例》（以下简称《条例》）内容的细化和优化，构成了医疗器械法规体系的主要内容。这些规章主要由原国家食品药品监督管理局和现国家市场监督管理总局颁布，涵盖了医疗器械上市前、上市后，以及相关机构的监管。

上市前的监管是确保医疗器械安全性和有效性的关键环节。国家在医疗器械的研发、注册和生产等环节颁布了多部专门的部门规章，以规范管理。例如，《医疗器械注册与备案管理办法》规定了医疗器械的注册和备案程序，确保医疗器械在上市前经过严格的审查和评估；《体外诊断试剂注册与备案管理办法》专门针对体外诊断试剂的注册和备案进行规范；《医疗器械分类规则》明确了医疗器械的分类标准，便于监管和审批；《医疗器械通用名称命名规则》规范了医疗器械的命名，避免混淆和误导；《医疗器械说明书、标签和包装标识管理规定》确保医疗器械的说明书、标签和包装标识符合要求，提供准确的信息；《医疗器械临床试验质量管理规范》规范了医疗器械临床试验的质量管理，确保试验数据的可靠性和科学性；《医疗器械生产监督管理办法》对医疗器械生产过程进行监督，确保生产环节符合规范；《一次性使用无菌医疗器械监督管理办法》专门针对一次性使用无菌医疗器械的生产和使用进行监管；《医疗器械标准管理办法》规定了医疗器械的标准制定和实施，以确保产品质量和安全。

医疗器械上市后的监管是确保其在使用过程中安全有效的重要手段。国家通过抽检、飞行检查、不良事件监测、召回等方式进行监管。相关的部门规章包括：《医疗器械经营监督管理办法》规范医疗器械的经营行为，确保流通环节的安全；《医疗器械网络销售监督管理办法》针对医疗器械的网络销售进行监管，防止非法销售行为；《医疗器械使用质量监督管理办法》确保医疗器械在使用过程中的质量安全；《医疗器械不良事件监测和再评价管理办法》对医疗器械的不良事件进行监测和再评价，及时发现和处理安全隐患；《药品、医疗器械、保健食品、特殊医学用途配方食品广告审查管理暂行办法》规范医疗器械广告的审查和管理，防止虚假宣传；《医疗器械召回管理办法》规定了医疗器械召回的程序和要求，确保问题产品及时退出市场。

部门规章在医疗器械监管中起到了细化法律和行政法规的作用，具有较强的针对性和可操作性。它们不仅对医疗器械的研发、注册、生产、经营、使用等环节进行了详细规定，还通过上市前、后的监管措施，确保医疗器械的安全性和有效性。这些规章构成了我国医疗器械法规体系的主要内容，是医疗器械监管学习中的重要内容。

4.2.2.4 医疗器械规范性文件

规范性文件在医疗器械监管体系中扮演着至关重要的角色。它们不仅为法律法规的实施提供了具体的操作指南，还通过灵活的形式及时响应行业需求，推动政策落地。以下是医疗器械规范性文件的主要特点和作用：

① 普遍约束力：规范性文件在监管部门的管理范围内具有普遍约束力，适用于所有相关企业和机构。尽管它们不具备法律效力，但其约束性仍然对行业行为产生重要影响。

② 反复适用性：规范性文件通常在一定时间内相对稳定，能够反复适用于类似情况，确保监管的一致性和可预测性。

③ 政策落实与创新推动：规范性文件通常对法律法规中的原则性规定进行细化，提供具体的操作步骤和标准，适应新业态。例如，《医疗器械注册自检管理规定》为新政策下的注册自检提供了详细的操作指南；又如，《创新医疗器械特别审批程序（试行）》通过规范性文件的形式，明确了创新医疗器械的界定和审批流程，推动了行业的技术创新。

④ 形式多样：规范性文件的形式多样，包括公告、通告、通知、复函等，常见的名称有“规范”“规则”“原则”“决定”“指南”等。这种多样性使得规范性文件能够灵活应对不同的监管需求。

⑤ 对上位法的补充：规范性文件对法规、部门规章等上位法的实施起到了重要的补充作用。它们通过细化上位法的规定，增强了法律法规的可操作性和实施效果。

⑥ 行业影响：规范性文件对医疗器械行业的生产、经营、研发等环节产生了直接影响。企业需要密切关注相关规范性文件的发布和更新，以确保合规运营。

⑦ 政策灵活性：与法律法规相比，规范性文件更具灵活性，能够快速响应行业变化和政策需求。例如，在医疗器械临床试验新制度实施过程中，监管部门通过发布《第三类高风险医疗器械临床试验审批服务指南》和《医疗器械临床试验设计指导原则》等文件，及时为行业提供了明确的指导。

医疗器械生产经营企业应高度重视规范性文件的变化，及时调整内部流程和策略，确保合规运营。同时，企业可以通过参与规范性文件的制定过程，表达行业诉求，推动政策的优化。

总之，医疗器械规范性文件是医疗器械法规体系中的重要组成部分，对行业的规范化、标准化发展起到了关键作用。企业应密切关注相关文件的发布和更新，以确保合规运营并抓住政策带来的发展机遇。

4.2.2.5 地方性医疗器械监管法规、规章和规范性文件

在全国医疗器械监管体系中，法律、行政法规、部门规章和规范性文件共同构成了一个多层次、多维度的法规框架。这一体系的核心是行政法规，主体是部门规章，而规范性文件

则作为重要补充。此外，由于我国地域广阔，各地经济发展水平和医疗资源分布不均，地方政府根据实际情况制定了地方性法规和规章，以更好地适应本地区的监管需求。例如，广东省人大常委会颁布的《广东省医疗器械管理条例》和广州市人民政府发布的《广州市医疗器械经营和使用监督管理办法》（广州市人民政府令第139号）等地方性法规和规章，都是根据国家层面的法律法规，结合地方实际情况制定的。这些地方性法规在地方的医疗器械监管中起到了重要作用，进一步细化和补充了国家层面的法规体系。随着我国医疗器械行业的快速发展，监管的科学化和精细化要求也在不断提高。未来，预计会有更多的部门规章、规范性文件以及地方性法规和规章出台，以应对行业的新变化和新挑战。这些新出台的法规将进一步丰富和完善我国的医疗器械监管体系，确保医疗器械的安全性和有效性，保障公众健康。

总的来说，我国的医疗器械监管体系是一个动态发展的体系，既有国家层面的统一规范，也有地方层面的灵活调整。这种多层次、多维度的法规体系，能够更好地适应不同地区的实际情况，确保医疗器械行业的健康发展。

4.3 医疗器械监管法规体系特点与发展趋势

4.3.1 医疗器械监管法规体系特点

中国的医疗器械监管模式借鉴了美国和欧盟的经验，并结合了本国的实际情况，形成了具有中国特色的监管体系。以下是对中国医疗器械监管模式特点的进一步分析和总结：

（1）全周期、全过程、全方位监管　在产品全生命周期里，医疗器械始终存在风险，对其监管必须实现在所有环节中全程无缝衔接。我国的医疗器械监管法规多层次，从宏观的政策指导，到数量众多的、可操作性强的具体操作规范，从医疗器械上市前到上市后，对各个环节都进行了监管。目前，从医疗器械的研发、临床试验、生产、流通、使用到报废，每个环节都有相应的法规和规范性文件进行监管，确保医疗器械在整个生命周期中的安全性和有效性。特别是对新出现的一些医疗器械品种，比如定制式医疗器械，亦会专门出台相应的规范性文件对产品的风险进行管控。同时对于从事医疗器械监管的督查行为、医疗器械检验的第三方机构、医疗器械临床试验机构的资质等，也设立了专门要求。可见，目前的医疗器械监管法规体系已经比较完善，从宏观政策到具体操作规范，形成了多层次的法规体系，确保监管的全面性和可操作性。随着信息技术的发展，国家和地方政府正在积极探索建立数字化、智能化监管平台，以提升监管效率和精准度。

（2）控制风险、鼓励创新、社会共治　为了节省人力和物力，我国医疗器械的监管借鉴国际上的先进经验，将医疗器械按照风险等级进行分类管理，高风险医疗器械由国家药品监督管理局进行严格审批，低风险医疗器械则下放到地方，实现“放管结合、宽严有别”。在严格控制风险的同时，我国的医疗器械法规体系也开始鼓励创新，在现行的新版《条例》中对这一点进行了专门强调。例如，通过《创新医疗器械特别审批程序》等规范性文件，鼓励科研院所、高等院校、医疗机构等研发新型医疗器械，推动产业高质量发展。医疗器械行业作为多学科交叉的高科技领域，其监管工作具有高度的科学性和技术性。为了确保医疗器械的安全性和有效性，单靠国家行政监管部门的力量显然是不够的。因此，社会共治的理念在医疗器械监管中得到了广泛的应用和推广。比如在医疗器械技术规范的制订过程中，大量吸收了来自高等院校、科研院所、医疗机构的专家学者的意见。国家药品监督管理局新设立的国家医疗器械监督管理实验室，也设在医疗机构、高等院校、科研院所中。同时，《医疗器械检验机构资质认定条件》为第三方检验机构参与医疗器械检验工作提供了法律依据，允许符合规定的社会机构参与到医疗器械的监督检验中。《医疗器械经营监督管理办法》允许第三方物流企业参与医疗器械贮存与配送服务，有效吸引社会优质资源进入医疗器械产业。

(3) 严格责任、严厉查处、严肃纪律　医疗器械的安全性和有效性直接关系到人民群众的生命健康，因此国家提出了“四个最严”的要求，即“最严谨的标准、最严格的监管、最严厉的处罚、最严肃的问责”，以确保医疗器械的安全使用。随着我国医疗器械监管法律体系的不断完善，监管力度也在逐步加强。在医疗器械的整个生命周期中，从研发、生产、经营到使用，各个环节的责任主体都被明确界定。无论是生产企业、经营企业，还是使用单位，都必须承担相应的责任。特别是法定代表人、主要负责人、直接负责的主管人员和其他责任人员，责任被严格落实到个人，防止出现责任真空。监管不仅限于生产和经营环节，还涵盖了医疗器械的临床研发试验、检验机构、技术评审机构、不良事件监测机构等多个方面。这种全链条的监管模式确保医疗器械从研发到使用的每一个环节都受到严格的监督和控制。同时，细化处罚情形，加大处罚力度，通过“双随机”抽查等方式严厉打击违法违规行为，维护市场秩序。随着我国医疗器械监管法律体系的不断完善，监管力度的不断加强，医疗器械行业将更加规范，人民群众的用械安全也将得到更好的保障。

4.3.2　医疗器械监管法规体系发展趋势

我国医疗器械监管法规体系的发展趋势反映了行业快速发展和科技进步的需求，同时也体现了国家对医疗器械质量和安全的重视，具体呈现以下发展趋势：

(1) 更加注重自主创新　国家通过立法和政策支持，鼓励医疗器械企业进行创新。例如，《医疗器械监督管理条例》明确将创新写入法律，并推出《创新医疗器械特别审批程序》，为创新产品提供快速审批通道。随着高端医疗器械国产化的推进，本土企业逐渐从模仿转向自主创新，国家通过政策引导和资金支持，推动企业提升研发能力。为了进一步激活医疗器械创新活力，开始实施医疗器械注册人制度，企业可以更灵活地进行产品研发和上市工作。

(2) 更加全面化和精细化　我国医疗器械法规体系近年来不断完善，逐步形成了从顶层设计到具体操作层面的多层次、多维度的监管框架。这一体系不仅涵盖了医疗器械的研发、生产、流通、使用等全生命周期，还针对新兴业态和特殊需求制定了专门的法规和指导原则，确保监管的全面性和精细化。例如，针对医疗器械网上销售行为专门制定了部门规章《医疗器械网络销售监督管理办法》，明确了网络销售的主体责任、平台义务、监管要求等，规范了医疗器械的网络销售行为，防止不合规产品流入市场。针对定制式医疗器械的特殊性，制定了《定制式医疗器械监督管理规定（试行）》，提出了个性化的监管要求，确保这类产品的安全性和有效性，同时满足患者的个性化需求。作为医疗器械研发环节的规范性文件，《医疗器械动物试验研究注册审查指导原则》明确了动物试验的要求和审查标准，确保医疗器械在进入临床试验前具有充分的科学依据，保障患者安全。对于治疗罕见病、严重危及生命且尚无有效治疗手段的疾病，以及应对公共卫生事件等急需的医疗器械，国家允许附条件批准，加快产品上市。随着科技进步和市场需求的变化，医疗器械监管法规体系将继续完善，未来可能会出现更多针对新兴技术（如人工智能、3D 打印等）的专门法规，填补现有监管体系的空白。同时，随着国际化进程的加快，我国医疗器械法规体系也将逐步与国际接轨，推动国内医疗器械行业的全球化发展。

(3) 更加注重提升效率，增强服务能力　中国在医疗器械监管领域的改革和信息化建设方面取得了显著进展，尤其是在法规体系的完善和行政效率的提升上。过去，我国医疗器械的评审时间较长，涉及的部门和环节较多，导致管理效率低下。国家通过多次修订《条例》，使审批程序得到了简化，审批时间大幅缩短，企业可以更快地将产品推向市场。2021年新版的《条例》进一步优化了审批流程，缩短了注册、生产等环节的审批时间，减少了审批材料，从而提高了行政效率。随着信息化技术的发展，医疗器械监管的信息化基础建设也在积极推进，通过引入互联网和信息技术，提高了监管效率，增强了政务在线服务水平，提升了监管的透明度和公正性。同时，监管部门不仅注重监管，还注重为企业提供更好的服务，帮助企业更好地理解和遵守法规。

(4) 更加国际化、科学化、严格化　社会形势的快速发展对医疗器械监管提出了新的挑战，尤其是在技术创新、市场需求和公众健康安全的多重压力下。为了应对这些挑战，我国医疗器械监管体系正在逐步改革，借鉴欧美等发达国家的先进经验，并结合我国的实际情况，推动监管方式的创新与科学化。例如，国家逐步推行医疗器械唯一标识（UDI）制度，提升产品的可追溯性。为了净化市场环境，保障公众用械安全，法规对医疗器械从业人员责任落实的要求更加严格。为了增强法律的威慑力，现行法规对违法违规行为的处罚措施都更加严厉。通过加大处罚力度，能够有效遏制违法行为，维护医疗器械行业的良性发展。

参考文献

[1] 李玲，吴坤埔．新编法律基础［M］．北京：北京理工大学出版社，2015：2.

[2] 王东升．市政工程安全生产法律法规［M］．青岛：中国海洋大学出版社，2016：8-9.

[3] 上海国际金融中心研究会，上海市职业能力考试院．金融理财实务与规范［M］．上海：上海人民出版社，2011：108.

[4] 蒋海洪．我国医疗器械监管法规体系建设研究［C］//王宝亭，耿鸿武，于清明，等．中国医疗器械行业发展报告(2017)．北京：社会科学文献出版社，2017，100-113.

[5] 蒋洪海．医疗器械监管法规［M］．上海：上海财经大学出版社，2015：37-40.

第五章

医疗器械研发监督管理

近年来，随着国民健康意识的不断提升和医疗卫生基础设施的持续完善，我国医疗器械市场呈现出蓬勃发展的态势。在经济增长、产业升级和政策红利的共同驱动下，医疗器械行业迎来了前所未有的发展机遇。然而，与国际先进水平相比，我国医疗器械产业仍面临研发基础薄弱、创新投入不足、核心技术缺失等发展瓶颈。当前，全球都在进行着激烈的科技竞争，创新是企业保持竞争优势的首要因素。针对医疗器械领域存在的原始创新能力不足、关键部件依赖进口等问题，国家和行业层面已达成共识，将创新研发置于战略高度。“十四五”规划明确提出要把创新作为行业发展的第一动力，新修订的《医疗器械监督管理条例》（以下简称《条例》）更是将创新置于重要位置。《条例》第八条明确规定，国家制定医疗器械产业规划和政策，将医疗器械创新纳入发展重点，对创新医疗器械予以优先审评审批，支持创新医疗器械临床推广和使用，推动医疗器械产业高质量发展。国务院药品监督管理部门应当配合国务院有关部门，贯彻实施国家医疗器械产业规划和引导政策。第九条进一步强调，国家完善医疗器械创新体系，支持医疗器械的基础研究和应用研究，促进医疗器械新技术的推广和应用，在科技立项、融资、信贷、招标采购、医疗保险等方面予以支持；支持企业设立或者联合组建研制机构，鼓励企业与高等学校、科研院所、医疗机构等合作开展医疗器械的研究与创新，加强医疗器械知识产权保护，提高医疗器械自主创新能力。第十二条还规定，对在医疗器械的研究与创新方面做出突出贡献的单位和个人，按照国家有关规定给予表彰奖励。

鉴于医疗器械产品的特殊性和重要性，我国对其研制环节实施了严格的监管。在我国境内从事医疗器械产品研制实验活动，必须严格遵守相关法律法规和强制性标准。最新的《医疗器械注册与备案管理办法》专门增加了第三章第一节“产品研制”，对风险管理原则、非临床研究等关键内容进行了明确：医疗器械研制应当遵循风险管理原则，考虑现有公认技术水平，确保产品所有已知和可预见的风险以及非预期影响最小化并可接受，保证产品在正常使用中收益大于风险。目前，我国已建立起涵盖技术标准、临床试验、检验和产品注册等环节的完整监管体系。本章将详细介绍我国在医疗器械研发阶段的监督管理措施。

5.1 医疗器械研发过程与特点

医疗器械作为现代医疗体系的核心组成部分，是国家公共卫生基础设施建设的重要支柱。推动医疗器械的自主创新与国产化进程，不仅关乎国民健康保障体系的完善，更是维护国家生物安全的关键战略。我国医疗卫生事业必须建立在自主可控的产业基础之上，14多亿人口的全民健康保障体系更需要本土医疗器械产业的强力支撑，国产医疗器械自主研发具有迫切性和战略性[1]。

5.1.1 医疗器械的研发过程

通常情况下，医疗器械的研发过程涵盖了从初始研制直至成功获取注册许可（或完成备案）的完整链条，这一流程构成了医疗器械进入市场的首要关卡与准入门槛。具体而言，一个医疗器械产品的研发过程可细分为以下几个关键阶段：策划阶段、设计输入阶段、设计输出阶段，随后依次是设计与开发的评审、验证、确认环节，必要时还包括设计与开发的更改步骤，最终迈向注册阶段。以下为参考常用医疗器械研发过程[2] 总结的步骤。

（1）策划阶段　医疗器械产品的策划指一个产品从具有初步想法到研发出成品的一个总的策划，这个过程需要一定的周期。策划包括对产品的市场调研、项目论证、技术调研、研发时间周期，以及对每个阶段确定相适应的评审、验证、确认等活动。产品的市场调研的目的是探究项目的可行性，对比分析同类产品，找出优势和创新；撰写项目建议书、立项报告等；项目论证是要确保产品有市场，病患有需求；技术调研是将想法变成现实的有效保障；研发时间周期是提高效率的必要手段，要对主要任务、阶段任务的安排控制在研发周期里，对于不同小组之间的交流和对接方式要做好安排。根据以上标准设计撰写任务书、计划书，对产品设计的具体实施计划的可行性进行分析。

（2）设计输入阶段　产品的设计输入是其后期设计、生产的依据。设计输入阶段通常是对产品的预期用途、性能、分类、组成结构、材质、标签、灭菌、包装和有效期等进行完整清晰的描述，同时，还需要对各个阶段的输入输出、各个阶段的工作内容与目标、资源需求、满足客户和法律法规的要求进行描述。在此基础上，制定全面且细致的风险管理计划，并切实加以实施，同时对实施过程进行严格评审，及时识别并化解潜在风险。设计输入记录应涵盖多方面内容，不仅包括在合同评审阶段或设计验证阶段所确定的关键信息，还应包含针对设计活动中出现的任何不完整、不清晰或相互矛盾的要求所制定的解决方案，以确保设计要求的完整性与一致性。此外，有时还需纳入目标市场的分析、成本与售价的合理建议等，为产品的市场定位与商业决策提供有力支持。鉴于设计输入阶段文件的重要性，设计输入阶段的文件在进行评审、更改后要及时更新，确保文件内容的准确性与时效性，为产品的顺利开发提供可靠保障。

（3）设计输出阶段　设计输出阶段通常包括产品的图纸设计结果、设计标准，以及产品所需具备的各项指标、各项检验要求等。设计输出阶段本质上是设计输入阶段的成果结晶，它犹如建造大厦的主体结构，必须严格契合设计输入阶段所提出的各项要求，确保产品从概念设计到具体实现的完整性与一致性。当完成设计输入的各项规划与筹备后，便正式进入了设计与开发的实施阶段。在这一充满挑战与创新的实施过程中，各种输出成果如雨后春笋般不断涌现。翔实仔细地记录实施过程所形成的文件或记录就是输出文件或记录，其科学性、合理性会对研发效率和研发质量、研发成本产生重大的影响。与此同时，还需要对产品所需满足的质量标准、原材料清单、工艺流程图、原理图等进行评审考察，设计输出提供对后续产品实现过程的指导性文件、图纸、规范等。在发放前应由部门负责人批准，以确保满足设计输入的要求。

（4）设计与开发评审　医疗器械设计与开发评审是一项系统且严谨的活动，旨在全方位、深层次地确保设计与开发输出结果在适宜性、充分性和有效性上精准达成预期目标，为医疗器械的安全性与有效性筑牢坚实防线。设计与开发评审的核心目的，在于以专业、客观的视角对各个阶段所取得的成果进行全面评估，精准衡量其满足既定要求的能力。通过这一过程，能够敏锐识别出潜藏的问题与风险，及时将各种不合格因素扼杀在萌芽状态，从而保障产品研发沿着正确的轨道稳步前行。医疗器械设计与开发评审应考虑输入是否完成设计和开发的任务、材料和部件是否具有兼容性、设计实施计划技术是否可行、产品在使用中的潜在危害和故障等。对设计输入和设计输出环节开展评审，能借助评审发现输入环节的缺陷、错误和矛盾，从而进行优化与改进，让医疗器械产品在上市前能严格按照既定流程推进，确保其上市后的安全性和有效性。评审本质上是一个对比的过程，因此必须确立明确的标准，缺乏标准则难以判断事物是否达标。

（5）设计与开发验证　为了确保设计和开发的输出满足输入的要求，医疗器械需要进行设计与开发验证。验证方法有：变换方法进行计算，用不同的计算方法都能得到同一结果，验证计算方法是可信的；将新的设计结果和已证实的结果进行比较；进行试验和演示或模拟仿真试验；按设计输出的资料去加工、装配、调试，最后使性能达到设计输入的要求；在验证阶段进行少量样品生产，对样品的功能、基本性能以及重要性能进行测试，研究批量生产的产品能否满足该产品的预期用途；是否符合生产标准、符合法规的各项要求。通过对测试结果进行分析，对其不足进行更改完善，在工艺、原材料等方面进行优化。

（6）设计与开发确认　设计和开发确认是指借助客观、确凿的证据，对产品是否切实满足特定的预期使用或应用要求进行的权威认定，以此来确保产品在实际使用场景中能够稳定、可靠地实现预期功能。依据国家法规的严格要求，组织对产品开展医疗器械临床评价与性能评价，是设计与开发确认过程中不可或缺的关键环节。确认所使用的条件或方法可以是实际的或模拟的，但对于医疗器械的确认最直接的方法就是在医院进行临床试用。但临床试用的医院的条件、医师资格、检查部位、病例数、持续使用的时间，都应满足法规中的一些规定后才能进行临床试用和确认。产品确认有着严谨的先后顺序，必须建立在成功完成验证的基础之上，未通过验证的医疗器械产品，严禁进入临床试用环节，以免给患者带来潜在的安全风险。

（7）设计与开发更改　产品研制过程中会进行无数次的更改，在研发初期会对产品的设计图纸、设计方案、原材料等进行多次更改。即使在产品已经进入批量生产后，研发者也仍然会因为种种原因，对产品进行一些更改。研发过程中的更改往往是大改，使产品符合研发标准，满足使用需求等；而在研发后，已经投入生产时再进行的一些改进，往往是为了提高产品的性能，在实际应用中发现问题，然后进行改进。

（8）注册　当设计确认圆满收官，医疗器械便正式踏上了迈向市场的关键征程——开启注册筹备工作。注册资料的整理工作需要以设计与开发过程中积累的试验资料、试验数据等为基础，对这些繁杂的信息进行系统梳理、精准筛选和科学整合。产品注册过程必须严格按照注册管理办法的要求，一丝不苟地提交相应的资料。在这个过程中，要参照一系列权威法规文件，如《医疗器械监督管理条例》《医疗器械注册与备案管理办法》以及医疗器械注册申报资料要求和批准证明文件等。这些法规文件为注册工作提供了清晰明确的指引。值得注意的是，不同类别的医疗器械在注册环节，其注册路径和要求存在显著差异。这就要求研发人员和管理者充分了解各类产品的特点，精准把握相应的注册流程和要求，确保产品能够顺利通过注册审核。为了帮助读者更清晰、深入地理解医疗器械研发过程中的这一关键环节，在本书中，我们特别将研发过程的最后阶段——注册阶段，作为独立的一章进行详细讲解。

5.1.2 医疗器械研发的特点

医疗器械产品具有显著的特殊性，与普通工业产品相比，其直接作用于人体，关乎生命健康安全。这一特性决定了医疗器械研发过程面临诸多独特的行业挑战。医疗器械企业不仅需要应对产品上市周期、技术创新、成本控制和市场竞争等常规问题，更肩负着保障患者安全的重任，同时必须严格遵守极其严苛的法规监管要求。

① 现代医疗器械研发呈现出显著的跨学科特征。作为知识密集型产业，医疗器械研发已突破单一学科界限，融合了医学、机械工程、计算机科学、生物材料、信息学乃至核技术、超导技术等多领域前沿科技。以三类医疗器械心脏起搏器为例，这种植入式电子治疗装置的研发不仅涉及脉冲发生和电极传导技术，还需综合考虑材料的生物相容性、设备续航能力等关键因素，充分体现了多学科协同创新的必要性。

② 医疗器械研发还具有周期长、投入大的显著特点。一个创新医疗器械从市场调研、方案设计、样机试制到动物试验、临床转化，直至最终完成注册审批，整个流程通常需要两年以上时间。以我国自主研发的全磁悬浮人工心脏“中国心”为例，该产品从立项到研发成功历时十余年，充分体现了医疗器械研发的长期性和资源密集性。值得注意的是，由于涉及多学科交叉和多元视角，企业、医疗机构和监管部门对产品的理解和要求往往存在差异，这也进一步增加了研发的复杂性。

③ 质量要求和监管标准严苛是医疗器械研发的另一重要特征。鉴于医疗器械直接关系患者生命安全，其质量稳定性和使用安全性受到极其严格的监管。我国对医疗器械研发全过程，特别是涉及人体接触的临床试验环节，从申办单位资质、研究人员要求、试验方案设计到评审机构标准等，都建立了完善的法规体系。医疗器械生产企业不仅需要满足特殊的准入条件和许可资质，其生产经营活动还受到比其他行业更为严格的持续监管。

综上所述，医疗器械研发具有技术门槛高、多学科交叉、周期长、投入大、质量要求严、监管标准高等突出特点。基于行业的高投入、高风险、长周期特性，医疗器械创新发展需要构建以企业为主体，政府、科研机构、检测机构和临床医院共同参与的协同创新体系。研发成效在很大程度上取决于产业生态系统的完整性和成熟度。

5.2 医疗器械分类监管

医疗器械种类多、跨度大，小到压舌板、口罩等日常医疗用品，大到心脏起搏器、磁共振等高端复杂的诊疗设备。不同医疗器械产品的风险差异显著：有的与患者生命安全直接相关，如植入性器械；有的对身体健康无直接影响，仅起辅助作用，如医疗辅助器具。为实现对医疗器械更加科学、高效的监管，有效整合资源、节约人力物力，以最低的成本达成最优的管理效果，我国借鉴了发达国家的监管方法，既将所有的医疗器械按照临床应用属性划分为多个属性类别，同时又将这些器械按照风险程度划分为 3 个类别，采取不同级别的监管措施，从而切实保障医疗器械的安全性与有效性。不同风险等级的医疗器械，在其全生命周期的研发、生产、流通和使用各个环节，均适用差异化的监管要求。因此，在开展医疗器械研制前，首先需明确目标产品的管理类别，并严格遵循相应类别的技术要求和监管标准。本节将重点介绍非诊断试剂类医疗器械的分类规则及管理要求。

5.2.1 医疗器械风险分类规则

我国实行医疗器械分类规则指导下的分类目录制，具体产品的类别判定以《医疗器械分类目录》（以下简称《分类目录》）为优先依据。作为分类体系的指导性文件，《医疗器械分类规则》（以下简称《分类规则》）主要用于规范分类界定标准，并指导《分类目录》的制定与动态调整。2000 年 4 月，国家药品监督管理局首次颁布《分类规则》（国家药品监督管理局令第 15 号，现已废止），初步建立分类管理框架。2015 年 7 月，国家食品药品监督管理总局发布修订版《分类规则》（国家食品药品监督管理总局令第 15 号），于 2016 年 1 月 1 日起正式施行。该版本《分类规则》在指导《分类目录》编制和新产品分类界定中发挥了重要作用。近年来，随着医疗器械领域新技术、新业态的快速发展，现有分类体系面临新的挑战。为进一步优化分类管理，支撑产业高质量发展，国家药监局启动了《分类规则》的修订工作，形成《医疗器械分类规则（修订草案征求意见稿）》，并于 2025 年 4 月 7 日至 5 月 7 日向社会公开征求意见。该修订草案在体例上延续了 2015 版《分类规则》框架（含正文 10 条及 1 个附件），在语言表述方面进行了调整，在技术内容上进行了细化。

5.2.1.1 医疗器械风险分类判定依据

根据《条例》和《分类规则》，我国医疗器械按照风险程度由低到高，将管理类别依次分为第一类、第二类和第三类。医疗器械风险程度是指其使用过程中导致人体受伤害的危险发生的可能性大小及伤害的严重程度。医疗器械风险程度评价应当根据医疗器械的预期目的，通过结构特征、使用形式、使用状态、是否接触人体等因素综合判定。

依据影响医疗器械风险程度的因素，医疗器械可以分为以下几种情形：

① 根据结构特征的不同，分为无源医疗器械和有源医疗器械。

② 根据是否接触人体，分为接触人体器械和非接触人体器械。

③ 根据不同的结构特征和是否接触人体，医疗器械的使用形式包括：

a. 无源接触人体器械：液体输送器械、改变血液体液器械、医用敷料、侵入器械、重复使用手术器械、植入器械、辅助生殖和避孕器械（不包含重复使用手术器械）以及其他无源接触人体器械。

b. 无源非接触人体器械：非接触式护理器械、医疗器械清洗消毒器械以及其他无源非接触人体器械。

c. 有源接触人体器械：能量治疗器械、诊断监护器械、液体输送器械、电离辐射器械、植入器械以及其他有源接触人体器械。

d. 有源非接触人体器械：临床检验器械、独立软件、医疗器械消毒灭菌设备以及其他有源非接触人体器械。

④ 根据不同的结构特征、是否接触人体以及使用形式，医疗器械的使用状态或者其产生的影响包括以下情形：

a. 无源接触人体器械：根据使用时限分为暂时使用、短期使用、长期使用；接触人体的部位分为皮肤或腔道（口）、创伤或组织、血液循环系统或中枢神经系统。

b. 无源非接触人体器械：根据对医疗效果的影响程度分为基本不影响、轻微影响、重要影响。

c. 有源接触人体器械：根据失控后可能造成的损伤程度分为轻微损伤、中度损伤、严重损伤。

d. 有源非接触人体器械：根据对医疗效果的影响程度分为基本不影响、轻微影响、重要影响。

5.2.1.2 医疗器械分类判定原则

根据《分类规则》第六条，医疗器械的分类应当根据医疗器械分类判定表（见表5-1和表5-2）进行分类判定。有以下情形的，还应当结合下述原则进行分类：

表5-1 医疗器械分类判定表（接触人体器械）

接触人体器械											
	使用形式		暂时使用			短期使用			长期使用		
			皮肤/腔道（口）	创伤/组织	血液循环/中枢	皮肤/腔道（口）	创伤/组织	血液循环/中枢	皮肤/腔道（口）	创伤/组织	血液循环/中枢
无源医疗器械	1	液体输送器械	Ⅱ	Ⅱ	Ⅲ	Ⅱ	Ⅱ	Ⅲ	Ⅱ	Ⅲ	Ⅲ
	2	改变血液体液器械	—	—	Ⅲ	—	—	Ⅲ	—	—	Ⅲ
	3	医用敷料	Ⅰ	Ⅱ	Ⅱ	Ⅰ	Ⅱ	Ⅱ	—	Ⅲ	Ⅲ
	4	侵入器械	Ⅰ	Ⅱ	Ⅲ	Ⅱ	Ⅱ	Ⅲ	—	—	—
	5	重复使用手术器械	Ⅰ	Ⅰ	Ⅱ	—	—	—	—	—	—
	6	植入器械	—	—	—	—	—	—	Ⅲ	Ⅲ	Ⅲ
	7	辅助生殖和避孕器械（不包括重复使用手术器械）	Ⅱ	Ⅱ	Ⅲ	Ⅱ	Ⅲ	Ⅲ	Ⅲ	Ⅲ	Ⅲ
	8	其他无源器械	Ⅰ	Ⅱ	Ⅲ	Ⅱ	Ⅱ	Ⅲ	Ⅱ	Ⅲ	Ⅲ
有源医疗器械	使用形式		轻微损伤			中度损伤			严重损伤		
	1	能量治疗器械	Ⅱ			Ⅱ			Ⅲ		
	2	诊断监护器械	Ⅱ			Ⅱ			Ⅲ		
	3	液体输送器械	Ⅱ			Ⅱ			Ⅲ		
	4	电离辐射器械	Ⅱ			Ⅱ			Ⅲ		
	5	植入器械	Ⅲ			Ⅲ			Ⅲ		
	6	其他有源器械	Ⅱ			Ⅱ			Ⅲ		

注：表中“Ⅰ”“Ⅱ”“Ⅲ”分别代表第一类、第二类、第三类医疗器械；本表中“—”代表不存在这种情形。

表5-2 医疗器械分类判定表（非接触人体器械）

非接触人体器械					
	使用形式		基本不影响	轻微影响	重要影响
无源医疗器械	1	非接触式护理器械	Ⅰ	Ⅱ	—
	2	医疗器械清洗消毒器械	—	Ⅱ	Ⅲ
	3	其他无源器械	Ⅰ	Ⅱ	Ⅲ
	使用形式		基本不影响	轻微影响	重要影响
有源医疗器械	1	临床检验器械	Ⅰ	Ⅱ	Ⅲ
	2	独立软件	—	Ⅱ	Ⅲ
	3	医疗器械消毒灭菌设备	—	Ⅱ	Ⅲ
	4	其他有源器械	Ⅰ	Ⅱ	Ⅲ

注：表中“Ⅰ”“Ⅱ”“Ⅲ”分别代表第一类、第二类、第三类医疗器械；本表中“—”代表不存在这种情形。

① 如果同一医疗器械适用两个或者两个以上的分类，应当采取其中风险程度最高的分类；由多个医疗器械组成的医疗器械包，其分类应当与包内风险程度最高的医疗器械一致。按第一类医疗器械管理的组合包中不得含有任何形式的非医疗器械产品。

② 可单独作为医疗器械管理的医疗器械附件，其分类应当综合考虑该附件对配套主体医疗器械安全性、有效性的影响；如果附件对配套主体医疗器械有重要影响，附件的分类应不低于配套主体医疗器械的分类。

③ 监控或者影响医疗器械主要功能的医疗器械，其分类应当与被监控、影响的医疗器械的分类一致。

④ 以医疗器械作用为主的药械组合产品，按照第三类医疗器械管理。

⑤ 可被人体吸收的医疗器械（不包括医用敷料），按照第三类医疗器械管理。

⑥ 医用敷料如果有以下情形，按照第三类医疗器械管理，包括：预期具有防组织或器官粘连功能，或用于体内创面，或用于慢性创面；或为隔离敷料、生物敷料、含银非液体（非凝胶）敷料、动物源胶原贴敷料。

⑦ 对医疗效果有重要影响的接触人体器械，按照第三类医疗器械管理。

⑧ 由一种或几种物质组成并通过口服进入胃或下消化道实现其预期目的，且不再取出的无源接触人体器械（胃肠道造影显像剂、胃肠超声助显剂除外），按照第三类医疗器械管理。

⑨ 以无菌形式提供的医疗器械；或宣称以非无菌形式提供，经环氧乙烷消毒、辐射消毒的医疗器械，其分类应不低于第二类。

⑩ 通过牵拉、撑开、扭转、压握、弯曲等作用方式，主动施加持续作用力于人体、可动态调整肢体固定位置的矫形器械（不包括仅具有固定、支撑作用的医疗器械，也不包括配合外科手术中进行临时矫形的医疗器械或者外科手术后或其他治疗中进行四肢矫形的医疗器械），其分类应不低于第二类。

⑪ 具有测量功能的医疗器械，其分类应不低于第二类。

⑫ 如果医疗器械的预期目的是明确用于某种疾病的治疗，其分类应不低于第二类。

⑬ 按医疗器械管理的医用阴道凝胶（栓、液体），其分类应不低于第二类。

⑭ 按医疗器械管理的重组胶原蛋白类、透明质酸钠类产品，其分类应不低于第二类。

⑮ 按医疗器械管理的含有人源或者动物源物质（包括含有其非活性衍生物质）的接触人体的产品，其分类应不低于第二类。

⑯ 用于在内窥镜下完成夹取、切割组织或者取石等手术操作的无源重复使用手术器械，按照第二类医疗器械管理。

⑰ 仅通过在口腔溃疡表面形成保护层，物理遮蔽创口的口腔溃疡辅助材料，按第二类医疗器械管理。

5.2.1.3 医疗器械分类规则有关用语的含义

预期目的：产品说明书、标签或者宣传资料载明的，使用医疗器械预期达到的作用。

无源医疗器械：不依靠电能或者其他能源，但是可以通过由人体或者重力产生的能量，发挥其功能的医疗器械。

有源医疗器械：任何依靠电能或其他能源，而不是直接由人体或重力产生的能量，发挥其功能的医疗器械。

侵入器械：全部或者部分通过体表侵入人体，接触体内组织、血液循环系统、中枢神经系统等部位的医疗器械，包括介入手术中使用的器材、一次性使用无菌手术器械和暂时或短期留在人体内的器械等。本规则中的侵入器械不包括重复使用手术器械。

重复使用手术器械：用于手术中进行切、割、钻、锯、抓、刮、钳、抽、夹等过程，暂时接触人体，不连接任何有源医疗器械，通过一定的处理可以重新使用的无源医疗器械。

植入器械：借助手术全部或部分进入人体内或腔道中，或者用于替代人体上皮表面或眼表面，并且在手术过程结束后留在人体 30 日（含）以上或被人体吸收的医疗器械。

注：本规则中的“日”均为自然日。

接触人体器械：直接或间接接触人体或者能够进入人体内的医疗器械。例如，通过能量间接接触人体的医疗器械；通过液路或气路接触人体的医疗器械，但不包括收集废弃体液的远端收集装置，如负压引流装置外接的人体废液收集器、引流袋。

使用时限：

① 连续使用时间：医疗器械按预期目的、不间断的实际作用时间；

② 暂时：医疗器械预期的连续使用时间在 24 小时以内；

③ 短期：医疗器械预期的连续使用时间在 24 小时（含）以上、30 日以内；

④ 长期：医疗器械预期的连续使用时间在 30 日（含）以上。

皮肤：完好皮肤表面。

腔道（口）：口腔、鼻腔、食管、外耳道、直肠、阴道、尿道等人体自然腔道和永久性人造开口。不包括胃，也不包括除直肠以外的肠道。

创伤：各种致伤因素作用于人体所造成的组织结构完整性破坏或者功能障碍。

组织：人体的体内组织，包括骨、牙髓、牙本质、眼表，不包括血液循环系统和中枢神经系统。

血液循环系统：由血管（毛细血管除外）、心脏及血液组成的封闭管道系统。

中枢神经系统：由脑和脊髓组成的神经系统核心部分。

独立软件：具有一个或者多个医疗目的，无须医疗器械硬件即可实现预期目的，运行于通用计算平台的软件。

具有测量功能的医疗器械：用于测定生理、病理、解剖参数，或者定量测定进出人体的能量或物质的医疗器械，其测量结果需要精确定量，并且该结果的准确性会对患者的健康和安全产生明显影响。

慢性创面：各种原因形成的长期不愈合创面，包括静脉性溃疡、动脉性溃疡、糖尿病性溃疡、创伤性溃疡、压力性溃疡等。

体表创面：位于皮肤或腔道（口）表面的创面（包括拔牙后形成的创面），不包括眼球表面的损伤/创伤/创面。

吸收：某一非内源性（外部的）材料或物质，或其分解产物逐步通过细胞和/或组织或被细胞和/或组织同化的作用。

医疗器械附件：与医疗器械一起使用的附加部分，其目的是使该医疗器械达到预期目的；或符合一些特定用途；或便于使用；或性能增强；或启动某些功能，以便于与其他设备的某些功能集成。

5.2.2 医疗器械分类目录

5.2.2.1 医疗器械分类目录概况

2002 年 8 月 28 日，国家药品监督管理局发布了《医疗器械分类目录》（以下简称 2002 年版《分类目录》），按照医疗器械产品的临床应用属性，划分了 43 个一级产品类别和 260 个二级产品类别。

随着医疗器械产业的快速发展，不断涌现出新技术和新产品，2002 年版《分类目录》已经不能满足新形势下产业发展和监管工作的需求。一，分类不够精细，整体框架和层级划分难以契合产业态势及监管实际要求；二，缺少关于产品描述和预期用途等关键信息，不利于开展统一和规范的注册审批；三，不能覆盖新产品、新类别，动态调整机制的缺乏致使不能及时更新目录内容，产品分类不够科学合理[3]。2017 年 9 月 4 日，国家食品药品监督管理总局正式发布了新修订的《医疗器械分类目录》（以下简称 2017 年版《分类目录》），自

2018 年 8 月 1 日起正式施行。2017 年版《分类目录》按照医疗器械技术专业和临床使用特点分为 22 个子目录，子目录由一级产品类别、二级产品类别、产品描述、预期用途、品名举例和管理类别组成。2017 年版《分类目录》参考《欧盟公告机构用框架目录》的结构，将 2002 年版《分类目录》中的 43 个子目录整合精简为 22 个子目录；将 260 个产品类别细化调整为 206 个一级产品类别和 1157 个二级产品类别，形成三级目录层级结构；同时，增加 2000 余项产品预期用途和产品描述；在原 1008 个产品名称举例的基础上，扩充到 6609 个典型产品名称举例[3]。

总体而言，2017 年版《分类目录》具有如下主要特点：①架构更具科学性，更契合临床实际；②覆盖面更广泛，更具指导性和操作性；③合理调整产品管理类别，增强了产业现状与监管实际的适应性，为优化监管资源配置提供了依据[3]。

5.2.2.2 医疗器械分类目录划分情况

2017 年版《分类目录》中 22 个子目录设置情况如表 5-3 所示。

表 5-3 医疗器械分类子目录

一级产品类别		
01 有源手术器械	超声手术设备及附件	冲击波手术设备
	激光手术设备及附件	手术导航、控制系统
	高频/射频手术设备及附件	手术照明设备
	微波手术设备	内窥镜下用有源手术设备及器械
	冷冻手术设备及附件	其他手术设备
02 无源手术器械	手术器械-刀	手术器械-刮匙
	手术器械-凿	手术器械-剥离器
	手术器械-剪	手术器械-牵开器
	手术器械-钳	手术器械-穿刺导引器
	手术器械-镊	手术器械-吻(缝)合器械及材料
	手术器械-夹	手术器械-冲吸器
	手术器械-针	手术器械-其他器械
	手术器械-钩	—
03 神经和心血管手术器械	神经和心血管手术器械-刀	神经和心血管手术器械-刮匙
	神经和心血管手术器械-剪	神经和心血管手术器械-剥离器
	神经和心血管手术器械-钳	神经和心血管手术器械-牵开器
	神经和心血管手术器械-镊	神经和心血管手术器械-穿刺导引器
	神经和心血管手术器械-夹	神经和心血管手术器械-冲吸器
	神经和心血管手术器械-针	神经和心血管手术器械-心血管介入器械
	神经和心血管手术器械-钩	神经和心血管手术器械-其他器械
04 骨科手术器械	骨科用刀	骨科用凿
	骨科用剪	骨科用锉、铲
	骨科用钳	骨科用有源器械
	骨科用钩	外固定及牵引器械
	骨科用针	基础通用辅助器械
	骨科用刮	创伤外科辅助器械
	骨科用锥	关节外科辅助器械
	骨科用钻	脊柱外科辅助器械
	骨科用锯	骨科其他手术器械
05 放射治疗器械	放射治疗设备	放射治疗准直装置
	放射治疗模拟及图像引导设备	放射治疗配套器械

续表

一级产品类别		
06 医用成像器械	诊断 X 射线机	磁共振辅助设备
	X 射线计算机体层摄影设备(CT)	放射性核素成像设备
	X 射线发生装置	放射性核素成像辅助设备
	X 射线影像接收处理装置	光学成像诊断设备
	X 射线附属及辅助设备	医用内窥镜
	医用射线防护设备	内窥镜功能供给设备
	超声影像诊断设备	内窥镜辅助用品
	超声影像诊断附属设备	组合功能融合成像器械
	磁共振成像设备(MRI)	图像输出及打印设备
07 医用诊察和监护器械	诊察辅助器械	放射性核素诊断设备
	呼吸功能及气体分析测定装置	超声测量、分析设备
	生理参数分析测量设备	遥测和中央监护设备
	监护设备	其他测量、分析设备
	电声学测量、分析设备	附件、耗材
08 呼吸、麻醉和急救器械	呼吸设备	呼吸、麻醉、急救设备辅助装置
	麻醉器械	呼吸、麻醉用管路、面罩
	急救设备	医用供气排气相关设备
	医用制氧设备	—
09 物理治疗器械	电疗设备/器具	磁疗设备/器具
	温热(冷)治疗设备/器具	超声治疗设备
	光治疗设备	高频治疗设备
	力疗设备/器具	其他物理治疗设备
10 输血、透析和体外循环器械	血液分离、处理、贮存设备	心肺转流设备
	血液分离、处理、贮存器具	心肺转流器具
	血液净化及腹膜透析设备	其他
	血液净化及腹膜透析器具	—
11 医疗器械消毒灭菌器械	湿热消毒灭菌设备	紫外线消毒设备
	干热消毒灭菌设备	清洗消毒设备
	化学消毒灭菌设备	—
12 有源植入器械	心脏节律管理设备	听觉辅助设备
	神经调控管理设备	其他
13 无源植入器械	骨结合植入物	心血管植入物
	运动损伤软组织修复重建及置换植入物	耳鼻喉植入物
	脊柱植入物	整形及普通外科植入物
	关节置换植入物	组织工程支架材料
	骨科填充和修复材料	其他
	神经内/外科植入物	—
14 注输、护理和防护器械	注射、穿刺器械	不可吸收外科敷料
	血管内输液器械	创面敷料
	非血管内输液器械	包扎敷料
	止血器具	造口、疤痕护理用品
	非血管内导(插)管	手术室感染控制用品
	与非血管内导管配套用体外器械	医护人员生物防护用品
	清洗、灌洗、吸引、给药器械	病人护理防护用品
	可吸收外科敷料(材料)	其他
15 患者承载器械	手术台	患者位置固定辅助器械
	诊疗台	患者转运器械
	医用病床	防褥疮垫

续表

一级产品类别		
16 眼科器械	眼科无源手术器械	眼科治疗和手术设备、辅助器具
	眼科无源辅助手术器械	眼科矫治和防护器具
	视光设备和器具	眼科植入物及辅助器械
	眼科测量诊断设备和器具	—
17 口腔科器械	口腔诊察设备	口腔义齿制作材料
	口腔诊察器具	口腔正畸材料及制品
	口腔治疗设备	口腔植入及组织重建材料
	口腔治疗器具	口腔治疗辅助材料
	口腔充填修复材料	其他口腔材料
18 妇产科、生殖和避孕器械	妇产科手术器械	妇产科承载器械
	妇产科测量、监护设备	妊娠控制器械
	妇产科诊断器械	辅助生殖器械
	妇产科治疗器械	—
19 医用康复器械	言语视听认知障碍康复设备	助行器械
	运动康复训练器械	固定矫形器械
20 中医器械	中医诊断设备	中医器具
	中医治疗设备	—
21 医用软件	治疗计划软件	决策支持软件
	影像处理软件	体外诊断类软件
	数据处理软件	其他
22 临床检验器械	血液学分析设备	尿液及其他体液分析设备
	生化分析设备	其他医用分析设备
	电介质及血气分析设备	采样设备和器具
	免疫分析设备	形态学分析前样本处理设备
	分子生物学分析设备	样本分离设备
	微生物分析设备	培养与孵育设备
	扫描影像系统	检验及其他辅助设备
	放射性核素标本测定装置	医用生物防护设备

5.2.2.3　医疗器械分类目录动态调整

为了进一步加强医疗器械分类管理，规范《分类目录》动态调整工作，2021 年 5 月 8 日，国家药品监督管理局根据新修订《条例》和《分类规则》要求，组织制定了《医疗器械分类目录动态调整工作程序》(国家药监局公告 2021 年第 60 号)，对医疗器械分类目录的动态调整工作程序和技术要求作出明确规定。该工作程序公告中指出，今后将根据医疗器械风险变化情况，参考国际经验，在遵循符合最新科学认知、立足监管实际、鼓励创新、推动产业高质量发展的原则下，可以由相关企业及机构提议，不定期进行动态调整。

该工作程序公告明确《分类目录》动态调整包括如下情形：①调整子目录；②调整一级产品类别、二级产品类别和/或管理类别；③增补有代表性的创新医疗器械产品；④删除不再作为医疗器械管理的产品；⑤修订产品描述、预期用途和品名举例等内容。

随后，根据新修订《条例》和《医疗器械分类目录动态调整工作程序》相关要求，国家药监局对 2017 年版《分类目录》进行了如下四次调整：

① 2020 年 12 月 31 日，《国家药监局关于调整〈医疗器械分类目录〉部分内容的公告》(2020 年第 147 号)，是自 2017 年版《分类目录》实行以来的首次调整。此次共调整了 28 种医疗器械的分类内容，其中，将 X 射线机类、内窥镜等 7 种三级医疗器械直接降级为二级管理，将口腔类、检测分析类等 8 种器械设备由二级管理降为一级管理。另外对高频手术器械、X 射线机等 13 种分类的医疗器械的产品描述、预期用途等内容进行了调整和完善。

② 2022年3月24日，《国家药监局关于调整〈医疗器械分类目录〉部分内容的公告》（2022年第25号），对2017年版《分类目录》进行了第二次调整。此次对02-15-14夹子装置等10种医疗器械产品涉及2017年版《分类目录》的内容进行了调整。其中对夹子装置、导管消毒连接器等7种产品的管理级别由Ⅲ类调整为Ⅱ类；对骨科植入、创面敷料等3种产品的产品描述、预期用途、品名举例进行调整（其中14-10-08下的原Ⅰ、Ⅱ两种管理级别调整为统一的Ⅱ类管理）。

③ 2022年3月30日，《国家药监局关于调整〈医疗器械分类目录〉部分内容的公告》（2022年第30号）对2017年版《分类目录》进行了第三次调整。本次调整对扩张器、止血夹等27种医疗器械的产品描述、预期用途、品名举例、管理类别均有调整，并且新增了多项二级类别，如“口腔义齿制作材料”在原有的6个二级类别下，增加了一项“07 增材制造用金属、陶瓷义齿制作材料”，管理类别为三类。

④ 2023年8月17日，国家药监局关于调整《医疗器械分类目录》部分内容的公告（2023年第101号），对2017年版《分类目录》进行了第四次调整。此次共调整了58类医疗器械的分类内容。

5.2.3 医疗器械分类查询与界定

5.2.3.1 医疗器械分类的查询

医疗器械的分类可以通过多种方式获得。

（1）通过官方网站查询

① 通过药监局网站查询。进入国家药监局网站→点击“医疗器械”栏→点击“医疗器械查询”→点击“医疗器械分类目录查询”。

② 通过中国食品药品检验研究院网站查询。进入官网→点击“信息公开”→点击“数据查询”→点击“医疗器械分类目录查询”。

（2）通过查询文件　下载《医疗器械分类规则》《医疗器械分类目录》《第一类医疗器械产品目录》等官方文件自行核对查询，或搜索相关分类界定文件进行查询。

（3）同三类申报　当无法确定所研发的医疗器械的分类时，可以在申报时以三类医疗器械同时进行申报，也可以申请分类界定后按照界定后的类别去申报。

5.2.3.2 医疗器械分类界定

当研发的医疗器械，无法从目前的医疗器械分类目录中获知其分类情况时，可以到相关部门申请对医疗器械进行分类界定。为进一步规范医疗器械产品分类界定工作，结合我国医疗器械产品分类界定实际情况，国家药监局于2024年5月11日发布了《关于规范医疗器械产品分类界定工作的公告》，废止了原来的分类界定工作文件。

公告中明确定义了新研制的医疗器械和管理类别存疑的医疗器械。

新研制的尚未列入《分类目录》的医疗器械，是指与《分类目录》中产品（根据产品描述、预期用途和品名举例进行综合判定）和已上市产品相比，产品的主要原材料、生产工艺、工作原理、结构组成、使用方法、接触部位及接触时间、预期目的等均为全新且尚未在我国上市的医疗器械。

管理类别存疑的医疗器械，是指同类产品已在我国上市或者已列入《分类目录》，但与《分类目录》中同类产品或者已上市同类产品相比，产品的主要原材料、生产工艺、工作原理、结构组成、使用方法、接触部位及接触时间、预期目的等发生了变化，引入了新的风险或者增加了产品风险，可能导致产品分类发生变化的医疗器械。

根据国家药监局网站公开对公告文件的解读，该公告：

(1) 明确了分类界定工作的定位和各方职责 明确分类界定为服务事项，规定“药品监督管理部门应当向医疗器械注册申请人、备案人等提供医疗器械分类界定服务”。进一步完善国家药监局医疗器械标准管理中心（以下简称器械标管中心）、医疗器械技术审评中心（以下简称器审中心）、医疗器械分类技术委员会、省级药品监督管理部门和医疗器械分类界定申请人（以下简称申请人）等在医疗器械分类界定工作中的职责，强化申请人的主体责任。

(2) 完善了分类界定的申请途径和流程 对新研制医疗器械分类界定和管理类别存疑的医疗器械分类的申请界定途径进行了优化调整：新研制医疗器械，统一报器械标管中心；对于管理类别存疑的医疗器械，境内产品报所在地省级药品监督管理部门（沿用现行流程），若省级药品监督管理部门不能确定类别的再报器械标管中心研究决定，而进口及港澳台地区产品直接报器械标管中心确定。

(3) 规范了分类界定申请资料要求 取消分类界定申请的纸质资料要求，申请和结果通知都可通过分类界定信息系统进行，实现无纸化办公。

进一步明确分类界定申请资料应包含的产品技术要求、拟上市产品说明书、产品照片或视频、符合性声明、证明性文件等资料的提交要求。

完善《医疗器械分类界定申请表》填报要求。总结日常分类界定工作中的常见问题，归纳各类产品技术特点和分类界定审核要点，对《医疗器械分类界定申请表》中的预期用途、结构组成、工作原理、使用状态、材料特征、产品风险点、境内外同类产品情况说明等内容的具体表述方法和提供形式，进行了逐一解释。

(4) 强化分类实施监督 加强对分类界定工作的监督指导。器械标管中心强化对省级药品监督管理部门的分类管理工作指导，必要时可以组织对省级药品监督管理部门回复的分类界定结果进行抽查，对回复不准确的、分类界定意见不一致的，指导并督促纠正。对于监管热点问题、共性问题和急需解决问题，器械标管中心应当在分类规则框架下研究细化分类界定指导原则，统一相关领域产品分类界定原则和尺度。器械标管中心按照《医疗器械分类目录动态调整工作程序》及时动态调整《分类目录》，并更新医疗器械分类数据库。

(5) 明确分类界定结果及分类界定信息公开的效力 《公告》明确，医疗器械分类界定信息系统告知的产品分类界定结果，仅供申请医疗器械注册或者办理备案时使用；若注册或者备案产品资料中的相关内容（如主要原材料、生产工艺、工作原理、结构组成、使用方法、接触部位及接触时间、预期目的等）与分类界定申请资料或者分类界定申请告知书不一致，则分类界定结果不适用。器械标管中心梳理汇总分类界定结果及其他情形分类相关信息，提炼整理形成分类界定信息并定期公布；相关产品分类界定信息是基于申请人等提供的资料得出的，作为医疗器械产品注册申报或者办理备案路径的重要指引，不代表对产品预期用途或者产品安全性和有效性的认可；分类界定信息中的产品描述和预期用途是用于判定产品的管理属性和管理类别，不代表相关产品注册或者备案内容的完整表述。

5.3 医疗器械标准监管

关于“标准”一词，在 GB/T 20000.1—2014《标准化工作指南 第 1 部分：标准化和相关活动的通用术语》中，对“标准”给出了精准且权威的定义：为了在一定的范围内获得最佳秩序，经协商一致制定并由公认机构批准，为活动或结果提供规则、指南和特性，供共同使用和重复使用的一种规范性文件。根据2017年施行的《医疗器械标准管理办法》（国家食品药品监督管理总局令第33号），医疗器械标准是指由国家食品药品监督管理总局依据职责组织制修订，依法定程序发布，在医疗器械研制、生产、经营、使用、监督管理等活动中遵循的统一的技术要求。国家药监局对医疗器械标准工作给予了极高的重视，严格遵循“四个最严”的监管要求，紧密结合产业发展的实际需求与监管工作的现实状况，不断优化和完善医疗器械标准管理制度体系。同时，持续推进医疗器械标准的制定与修订工作，使得我国医疗器械标准体系日益健全，对监管工作的技术支撑以及对产业发展的促进作用均实现了显著提升。

5.3.1 医疗器械标准监管相关法规

我国医疗器械标准监管体系构建了一套较为完备且层次分明的法规框架，为医疗器械行业的规范发展提供了坚实的法律保障。在法律层面，医疗器械标准严格遵循《中华人民共和国标准化法》的监管要求。该法作为标准化领域的基本法，为医疗器械标准的制定、实施与监督提供了根本性的法律依据，所有医疗器械标准均需符合其规定，确保在法律框架内有序运行。在行政法规层面，以《医疗器械监督管理条例》和《中华人民共和国标准化法实施条例》为代表，对医疗器械标准进行了更为具体和有针对性的监管。其中，《医疗器械监督管理条例》作为医疗器械监管领域的核心法规，对医疗器械标准提出了统领性的要求，明确了标准在保障医疗器械安全有效、促进产业高质量发展等方面的重要作用，为医疗器械标准监管工作指明了方向。在部门规章层面，一系列规章文件的出台进一步细化了医疗器械标准的监管措施。如2017年4月17日发布，自2017年7月1日起实施的《医疗器械标准管理办法》，作为专门针对医疗器械标准监管的部门规章，其制定旨在促进科学技术进步、保障医疗器械安全有效、提高健康保障水平。《医疗器械标准管理办法》依据《中华人民共和国标准化法》《中华人民共和国标准化法实施条例》和《医疗器械监督管理条例》等法律法规，对医疗器械标准的定义、分类、制定、修改和发布等环节进行了详细规定，为医疗器械标准的全生命周期管理提供了明确的操作指南。此外，《国家标准管理办法》《采用国际标准管理办法》和《行业标准管理办法》等文件也从不同角度对医疗器械标准进行了监管，确保了标准的科学性、规范性和国际兼容性。

为了进一步加强医疗器械标准的管理，监管部门还发布了一系列规范性文件。如《医疗器械行业标准制修订工作规范》和《医疗器械标准报批发布工作细则》等文件，对医疗器械标准的修订和发布流程进行了细化规定，提高了标准制定的透明度和效率。同时，为加强对医疗器械标准化技术委员会的管理，提升标准工作水平，监管部门还制定了《医疗器械标准化技术委员会考核评估方案》，通过定期考核评估，激励技术委员会不断提升工作质量和创新能力。此外，一系列国家标准如GB/T 1.1—2020《标准化工作导则 第1部分：标准化文件的结构和起草规则》、GB/T 20000《标准化工作指南》、GB/T 20001《标准编写规则》、GB/T 20002《标准中特定内容的起草》等，也为医疗器械标准的制定提供了良好的规范作用。这些标准文件对从标准的结构、编写规则到特定内容的起草等方面进行了详细规定，为医疗器械标准的科学制定提供了有力支持。

5.3.2 医疗器械标准组织机构体系

医疗器械标准的科学化管理，需以构建或优化标准化组织管理体系为基石，明晰管理架构层级与各机构职能分工，从而形成系统化、规范化的治理框架。依据《医疗器械标准管理办法》规定，我国医疗器械标准管理组织体系采用五级递进式架构，涵盖从顶层设计到终端实施的完整链条，具体包括国家药品监督管理局、医疗器械标准管理中心、医疗器械标准化（分）技术委员会（归口单位）、地方药品监管部门、医疗器械研制机构、生产经营企业和使用单位。

（1）国家标准化管理委员会　国家市场监督管理总局对外保留国家标准化管理委员会（简称国家标准委，英文缩写为 SAC）的牌子。作为国务院授权履行行政管理职能的直属机构，国家标准委主要职责包括：组织制定和实施国家标准化战略规划，负责国家标准体系的建设与管理；统筹协调国家标准制修订工作，下达国家标准计划并批准发布国家标准；审议并发布标准化政策法规、管理制度、发展规划、重要公告等规范性文件；组织开展强制性国家标准的制定、实施及对外通报工作；指导协调和监督行业标准、地方标准、团体标准及企业标准化工作；代表中华人民共和国参与国际标准化组织（ISO）、国际电工委员会（IEC）等国际或区域性标准化组织的活动；负责国际标准化合作与交流，承担国际标准化合作协议的签署与实施；承办国务院标准化协调推进部际联席会议的日常工作。

（2）国家药品监督管理局　根据《医疗器械标准管理办法》，国家药品监督管理局主要应履行组织贯彻医疗器械标准管理相关法律、法规，制定医疗器械标准管理工作制度；组织拟定医疗器械标准规划，编制标准制修订年度工作计划；依法组织医疗器械标准制修订，发布医疗器械行业标准；依法指导、监督医疗器械标准管理工作等职责。

（3）医疗器械标准管理中心　2010 年 3 月 30 日，经中央机构编制委员会办公室批准，国家食品药品监督管理局医疗器械标准管理中心（现属国家药品监督管理局）在中国药品生物制品检定所正式挂牌成立。该中心作为国务院授权履行行政管理职能的专门机构，按其官网公布，主要承担如下职责：组织开展医疗器械标准体系的研究，拟定医疗器械标准规划草案和标准制修订年度工作计划建议；依法承担医疗器械标准制修订的管理工作；依法承担医疗器械标准化技术委员会的管理工作；承担医疗器械标准宣传、培训的组织工作；组织对标准实施情况进行调研，协调解决标准实施中的重大技术问题；承担医疗器械国际标准化活动和对外合作交流的相关工作；承担医疗器械标准信息化工作，组织医疗器械行业标准出版；承担国家药品监督管理局交办的其他标准管理工作。

（4）医疗器械标准化（分）技术委员会（归口单位）《医疗器械标准管理办法》规定，国家药品监督管理局根据医疗器械标准化工作的需要，经批准依法组建医疗器械标准化技术委员会。

医疗器械标准化技术委员会主要履行如下职责：开展医疗器械标准研究工作，提出本专业领域标准发展规划、标准体系意见；承担本专业领域医疗器械标准起草、征求意见、技术审查等组织工作，并对标准的技术内容和质量负责；承担本专业领域医疗器械标准的技术指导工作，协助解决标准实施中的技术问题；负责收集、整理本专业领域的医疗器械标准资料，并建立技术档案；负责本专业领域医疗器械标准实施情况的跟踪评价；负责本专业领域医疗器械标准技术内容的咨询和解释；承担本专业领域医疗器械标准的宣传、培训、学术交流和相关国际标准化活动。

在现有医疗器械标准化技术委员会不能覆盖的专业技术领域，国家药品监督管理局可以根据监管需要，按程序确定医疗器械标准化技术归口单位。标准化技术归口单位参照医疗器械标准化技术委员会的职责和有关规定开展相应领域医疗器械标准工作。

根据《中国医疗器械标准管理年报（2024 年度）》，截至 2024 年 12 月 31 日，国家药监局批准成立医疗器械包装标准化技术归口单位（SMD/TU 011），医疗器械标准技术组织达到39个，包括13个总标委会（TC）、13个分标委会（SC）、2个标准化工作组（SWG）和11个技术归口单位（TU），医疗器械标准化技术组织覆盖领域更加全面。13个总标委会分别为“医用电器标委会”“外科器械标委会”“医用注射器（针）标委会”“口腔材料和器械设备标委会”“医用输液器具标委会”“外科植入物和矫形器械标委会”“麻醉和呼吸设备标委会”“医用临床检验实验室和体外诊断系统标委会”“医用体外循环设备标委会”“计划生育器械标委会”“消毒技术与设备标委会”“医疗器械生物学评价标委会”和“医疗器械质量管理和通用要求标委会”。13个分标委会分别是“医用X射线设备及用具分标委”“医用超声设备分标委”“放射治疗、核医学和放射剂量学设备分标委”“物理治疗设备分标委”“医用电子仪器分标委”“齿科设备与器械分标委”“骨科植入物分标委”“心血管植入物分标委”“组织工程医疗器械产品分标委”“有源植入物分标委”“纳米医疗器械生物学评价分标委”“医用光学和仪器分标委”和“测量、控制和实验室电器设备安全标委会医用设备分标委”。2个标准化工作组分别为全国医用防护器械标准化工作组和全国医疗装备产业与应用标准化工作组。11个技术归口单位分别为“人类辅助生殖技术用医疗器械技术归口单位”“医用增材制造技术归口单位”“医用电声设备归口单位”“人工智能医疗器械归口单位”“医用机器人标准化技术归口单位”“医疗器械临床评价标准化技术归口单位”“医用高通量测序标准化技术归口单位”“中医器械标准化技术归口单位”“医疗器械可靠性与维修性标准化技术归口单位”“口腔数字化医疗器械标准化技术归口单位”和“医疗器械包装标准化技术归口单位”。

（5）地方药品监管部门　根据《医疗器械标准管理办法》规定，地方药品监督管理部门在本行政区域依法履行如下职责：组织贯彻医疗器械标准管理的法律法规；组织、参与医疗器械标准的制修订相关工作；监督医疗器械标准的实施；收集并向上一级监督管理部门报告标准实施过程中的问题。

（6）医疗器械研制机构、生产经营企业和使用单位　医疗器械研制机构、生产经营企业和使用单位应当严格执行医疗器械强制性标准。鼓励医疗器械研制机构、生产经营企业和使用单位积极研制和采用医疗器械推荐性标准，积极参与医疗器械标准制修订工作，及时向有关部门反馈医疗器械标准实施问题和提出改进建议。

可见，我国医疗器械标准的制定、修订和实施各环节中，不同的机构和部门都有各自的职责，发挥着不同的作用。

5.3.3 医疗器械标准分类

5.3.3.1 医疗器械标准按照层级分类

在我国，按照《中华人民共和国标准化法》，医疗器械标准依据层级可划分为五级，自上而下分别为医疗器械国家标准、医疗器械行业标准、医疗器械地方标准、医疗器械团体标准和医疗器械企业标准。根据《医疗器械标准管理办法》第四条规定，医疗器械标准依据其效力可划为强制性标准和推荐性标准两类。医疗器械国家标准和行业标准同时存在强制性标准与推荐性标准两种属性，医疗器械地方标准统一为推荐性标准属性。

（1）医疗器械国家标准　医疗器械国家标准是针对医疗器械行业制定的、需在全国范围内统一的技术要求标准，由国务院标准化行政主管部门（如国家标准化管理委员会）会同国家药品监督管理局组织制定并发布，旨在保障医疗器械的安全性和有效性。医疗器械国家标准分为强制性国家标准和推荐性国家标准。强制性国家标准由国务院批准发布或授权批准发布，是涉及保障人体健康和生命安全的技术要求，必须强制执行。推荐性国家标准由国务院标准化行政主管部门制定，是满足基础通用、与强制性标准配套或对医疗器械产业起引领作用的技术要求，企业可自愿采用。

（2）医疗器械行业标准　医疗器械行业标准是针对医疗器械行业制定的、对没有国家标准而又需要在全国某个行业范围内统一的技术要求。医疗器械行业标准的制定通常由国家药品监督管理局等国务院有关行政主管部门提出标准制修订计划，并组织相关领域的专家和企业代表参与起草和审查工作；而后由国务院有关行政主管部门批准发布，并报国务院标准化行政主管部门备案。医疗器械行业标准也分为强制性行业标准和推荐性行业标准两类。

（3）医疗器械地方标准　医疗器械地方标准旨在满足地方自然条件、风俗习惯等特殊技术要求，确保医疗器械在特定地区内的安全性和有效性。这些标准通常针对地方特色或特殊需求制定，以补充国家标准和行业标准的不足。医疗器械地方标准的制定主体为省、自治区、直辖市人民政府标准化行政主管部门。设区的市级人民政府标准化行政主管部门在经所在地省、自治区、直辖市人民政府标准化行政主管部门批准后，也可以制定本行政区域的地方标准。地方标准由省级人民政府标准化行政主管部门发布，并报国务院标准化行政主管部门和国务院有关行政主管部门备案。备案的目的是确保地方标准与国家标准和行业标准的协调性和一致性。医疗器械地方标准为推荐性标准，即企业可自愿采用。然而，一旦企业选择采用地方标准，就必须严格遵守其规定。

（4）医疗器械团体标准　医疗器械团体标准通常由行业协会、学会、商会、联合会和产业技术联盟等社会团体制定。这些团体具有法人资格，且具备相应的专业技术能力、标准化工作能力和组织管理能力。医疗器械团体标准的制定旨在满足市场和创新需要，协调相关市场主体共同制定标准，以指导和规范医疗器械的研发、生产、销售和使用等活动。团体标准是我国医疗器械标准体系的重要组成部分，属于市场自主制定的标准，具有自愿性、灵活性和创新性的特点。

（5）医疗器械企业标准　医疗器械生产企业也可根据自身的实际需求，自主制定适合本企业的企业标准。企业标准的技术要求不得低于国家标准、行业标准、地方标准中的强制性标准。

当然，在经济全球化的今天，为促进交流全球化，技术服务全人类，在国际上还存在国际标准和区域标准。国际标准由国际标准化组织（ISO）、国际电工委员会（IEC）等国际组织制定，全球通用，旨在促进国际贸易和技术合作，例如 ISO 9001（质量管理体系）。区域标准由一些国家和地区联合制定，适用于特定地理区域，如欧洲标准化委员会（CEN）制定的欧洲标准，用于协调区域内成员国的技术规范，再如由非洲地区标准化组织（ARSO）制定的非洲区域标准（ARS），旨在促进区域内贸易合作和技术协调。

5.3.3.2　医疗器械标准按照规范对象分类

医疗器械标准依照其规范对象可划分为基础标准、方法标准、管理标准和产品标准。

（1）基础标准　医疗器械基础标准是指为整个医疗器械行业提供通用技术语言、基本要求、统一规范的标准，通常不针对具体产品，而是为其他标准（如产品标准、方法标准）的制定提供基础支撑。这类标准通常涉及术语、分类、符号、基本安全要求、通用测试方法等，是医疗器械标准体系的基石。例如，GB 9706.1—2020《医用电气设备 第 1 部分：基本安全和基本性能的通用要求》，这是有源医疗器械安全检验的基础标准之一，规定了医用电气设备在基本安全和基本性能方面的通用要求，包括电气安全、机械安全、热安全、辐射安全等方面的内容，适用于各种类型的医用电气设备，如超声诊断设备、X 射线设备、监护仪等。

(2) 方法标准　医疗器械方法标准是指规范医疗器械领域的抽样、试验、检验、分析、计算、统计等各类技术活动而制定的标准。这类标准不直接规定产品的性能指标，而是提供统一的测试手段，用于验证医疗器械的安全性、有效性、可靠性等关键特性。例如，YY/T 1676—2020《超声内窥镜》：对超声内窥镜的技术要求、试验方法、检验规则等进行了规定，包括超声成像性能、图像质量、测量精度等方面的测试方法和标准，为超声内窥镜的研发、生产和质量控制提供了指导。

(3) 管理标准　医疗器械管理标准是为了规范各类管理事项（事务）而制定的标准，或者管理机构为了行使其管理职能而制定的具有特定管理功能的标准。这类标准不直接规定产品技术参数，而是提供系统化的管理框架和最佳实践，以确保医疗器械的安全性和有效性。例如，GB/T 42062—2022《医疗器械 风险管理对医疗器械的应用》，规定了医疗器械（包括软件和体外诊断医疗器械）风险管理的术语、原则和过程，适用于医疗器械生命周期的所有阶段；为医疗器械制造商提供了管理风险的框架，有助于识别、评估和控制医疗器械全生命周期中的风险，保障产品的安全性和有效性。

(4) 产品标准　医疗器械产品标准是针对特定医疗器械产品制定的技术规范，明确规定产品的性能指标、安全要求、测试方法、标签标识等具体要求。这类标准直接指导产品的设计、生产、检验和注册，是医疗器械监管和市场准入的核心依据。例如，YY/T 0821—2022《一次性使用配药用注射器》，规定了配药用注射器的技术要求与检测方法，旨在保障患者用药安全，提高医疗服务质量。若标准仅包括分类、试验方法、标志和标签等内容中的一项，则该标准分别属于分类标准、试验标准和标志标准，而不属于产品标准。

5.3.3.3 医疗器械标准的编号

(1) 医疗器械国家标准的编号　国家标准的代号统一采用国标的大写汉语拼音字母“GB”来表示。其中，强制性国家标准的代号直接使用“GB”，而推荐性国家标准的代号则为“GB/T”。国家标准的编号体系由三部分构成：标准代号、标准顺序号以及年号。强制性国家标准编号格式：以“GB（强制性国家标准代号）××××（标准发布顺序号）—××××（标准发布年号）”的形式呈现。例如：GB 8368—2018《一次性使用输液器 重力输液式》和 GB 8599—2008《大型蒸汽灭菌器技术要求 自动控制型》。

推荐性国家标准编号格式采用“GB/T（推荐性国家标准代号）××××（标准发布顺序号）—××××（标准发布年号）”的编号形式。例如，GB/T 9937—2020《牙科学 名词术语》和 GB/T 9938—2013《牙科学 牙位和口腔区域的标示法》。

(2) 医疗器械行业标准的编号　医疗器械行业标准的代号由大写汉语拼音字母组合而成。具体来说，强制性行业标准的代号为“YY”，推荐性行业标准的代号为“YY/T”。行业标准的编号由代号、标准号以及标准发布的年号共同组成。强制性行业标准编号格式以“YY（强制性行业标准代号）××××（标准号）—××××（标准发布年号）”的形式进行编号。例如：YY 0970—2023《医疗保健产品灭菌　一次性使用动物源性医疗器械的液体化学灭菌剂　医疗器械灭菌过程的特征、开发、确认和常规控制的要求》和 YY 1277—2023《压力蒸汽灭菌器　生物安全性能要求》。

推荐性行业标准编号格式采用“YY/T（推荐性行业标准代号）××××（标准号）—××××（标准发布年号）”的编号方式。例如，YY/T 0664—2020《医疗器械软件 软件生存周期过程》和 YY/T 0595—2020《医疗器械 质量管理体系》。

5.3.3.4 医疗器械标准的发布情况

根据《中国医疗器械标准管理年报（2024 年度）》发布，截至 2024 年 12 月 31 日，现行有效医疗器械标准共计 2023 项，其中国家标准 296 项，行业标准 1727 项（见表 5-4）。

表 5-4 医疗器械标准情况统计表（来源于《中国医疗器械标准管理年报（2024 年度）》）

单位：项

项目	强制性	推荐性	指导性技术文件	合计
国家标准	89	201	6	296
行业标准	176	1551	—	1727
合计	265	1752	6	2023

“十四五”规划以来，医疗器械国家标准和行业标准数量呈现逐年稳定上升趋势（见图 5-1）。截至 2025 年 6 月底，现行有效医疗器械标准共 2039 项，其中国家标准 304 项（强制性标准 88 项，推荐性标准 216 项），行业标准 1735 项（强制性标准 177 项，推荐性标准 1558 项）。

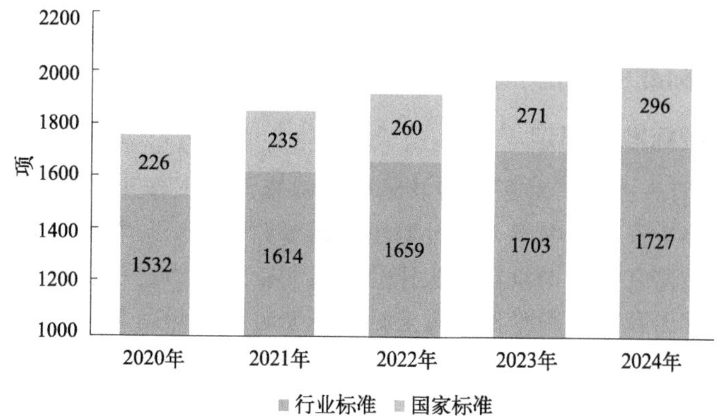

图 5-1 2020—2024 年医疗器械标准数量统计图（来源于《中国医疗器械标准管理年报（2024 年度）》）

按标准规范对象统计，截至 2024 年底，现行有效医疗器械标准中基础标准 349 项（占比 17.2%）；管理标准 54 项（占比 2.7%）；方法标准 488 项（占比 24.1%）；产品标准 1132 项（占比 56.0%）（见图 5-2）。

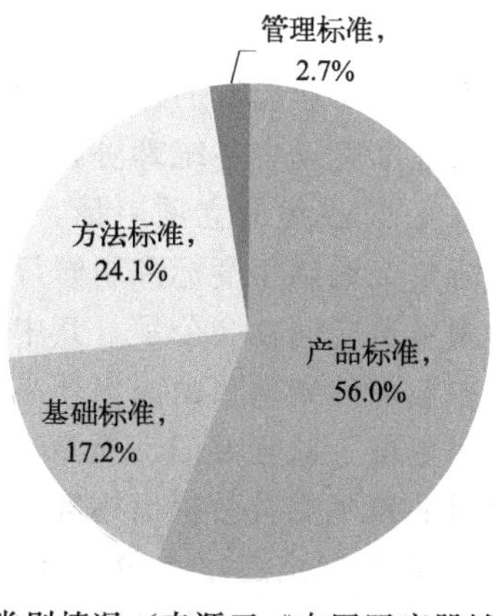

图 5-2 现行有效医疗器械标准类别情况（来源于《中国医疗器械标准管理年报（2024 年度）》）

2024 年共发布基础标准 40 项（占比 28.8%），管理标准 4 项（占比 2.9%），方法标准 17 项（占比 12.2%），产品标准 78 项（占比 56.1%）（见图 5-3）。

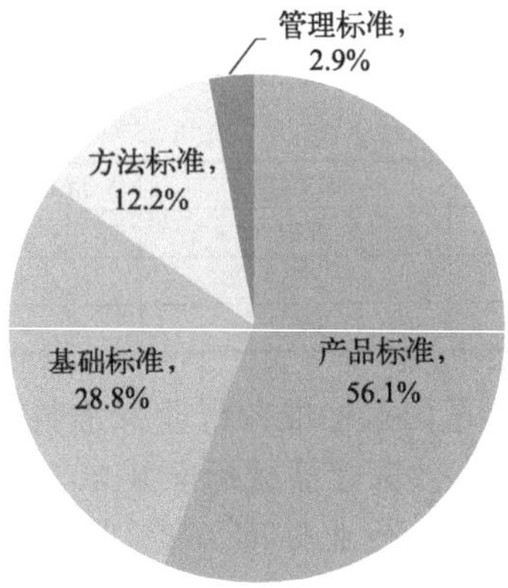

图 5-3 2024 年发布的医疗器械标准类别情况（来源于《中国医疗器械标准管理年报（2024 年度）》）

5.3.4 医疗器械标准的制定、修订与查询

5.3.4.1 医疗器械标准的制定

《医疗器械标准管理办法》对医疗器械标准的制修订流程作出了系统性规定，不仅构建了标准制修订的完整工作程序框架，更针对医疗器械监管中亟须制定或修订的特殊情形，明确允许按照国家药品监督管理局设定的快速通道机制推进。为进一步细化标准制修订全流程管理，监管部门配套出台了《医疗器械行业标准制修订工作规范》及《医疗器械标准报批发布工作细则》等规范性文件，从标准起草、技术论证到审批发布等环节形成闭环管理，为医疗器械标准的科学编制与动态优化提供了制度保障。

《医疗器械标准管理办法》规定，医疗器械标准制修订程序包括标准立项、起草、征求意见、技术审查、批准发布、复审和废止等（如图 5-4 所示），具体规定由国家药品监督管理局制定；但对医疗器械监管急需制修订的标准，可以按照国家药品监督管理总局规定的快速程序开展。

医疗器械标准管理中心应依据医疗器械标准规划，面向社会公开征集医疗器械标准制定与修订的立项提案。对于征集到的提案，由相应的医疗器械标准化技术委员会（含标准化技术归口单位，下同）组织研究，提出本专业领域的标准计划项目立项申请。若提案涉及两个及以上技术委员会，则由医疗器械标准管理中心统筹协调，明确牵头技术委员会，并由其提交立项申请。医疗器械标准管理中心对收到的立项申请，经公开征求意见并组织专家论证后，形成医疗器械标准计划项目清单，编制年度标准制修订工作计划建议，报国家药品监督管理局审核。审核通过的标准计划项目应向社会公示，其中国家标准计划项目报送国务院标准化行政主管部门批准下达，行业标准计划项目由国家药品监督管理局批准下达。

医疗器械生产经营企业、使用单位、监管部门、检测机构，以及教育科研机构、社会团体等主体，可向承担标准计划项目的技术委员会提出标准起草申请。技术委员会结合标准技术内容，遵循公开、公正、择优的原则选定起草单位。起草单位需通过广泛调研、深入分析、借鉴国际标准经验，并对技术内容进行充分验证后，编制医疗器械标准征求意见稿，经技术委员会初步审查后报送医疗器械标准管理中心。

医疗器械标准征求意见稿通过医疗器械标准管理中心网站向社会公开征求意见，征求意见期限一般为两个月。技术委员会汇总意见后反馈至起草单位，起草单位需认真研究并修改完善，形成标准送审稿。医疗器械标准管理中心负责组织对送审稿进行技术审查，审核通过

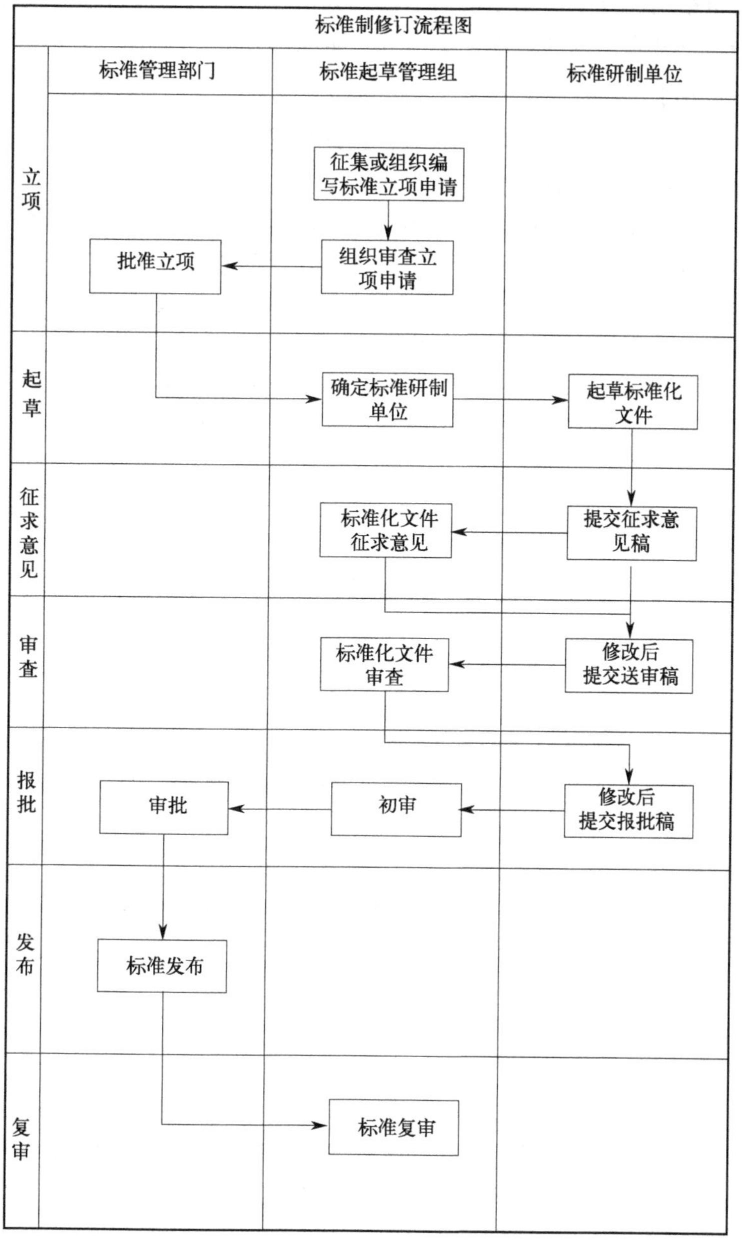

图 5-4　医疗器械标准制修订流程图

后将标准报批稿、实施建议及相关材料报送医疗器械标准管理中心复核，复核通过后转报国家药品监督管理局审查。经审查的医疗器械国家标准由国务院标准化行政主管部门批准发布，行业标准由国家药品监督管理局确定实施日期和要求后以公告形式发布。

5.3.4.2　医疗器械标准的修订

医疗器械标准发布后，若因个别技术内容影响使用需修改，或需少量增减内容时，应按标准制修订程序制定修改单，由原批准部门审查发布。修改单审核通过后，相关材料需报送至医疗器械标准管理中心备案。同时，技术委员会应定期对已发布的标准开展复审工作，结合科技进步、产业发展及监管需求，评估标准的有效性、适用性和先进性，提出继续有效、修订或废止的复审结论。复审周期原则上不超过五年，复审结论经医疗器械标准管理中心审核后报国家药品监督管理局批准，以公告形式发布废止标准。

5.3.4.3 医疗器械标准的查询

我国医疗器械的标准，不管是国家标准，还是行业标准等都向社会公布，公众能够进行查询获取。获取方式有以下多种途径：

① 从“全国标准信息公共服务平台”的网站数据库上可以查询获得医疗器械相应产品的国家标准、行业标准、地方标准、团体标准和企业标准。

② 从国家药品监督管理局网站的医疗器械查询栏目中，选择“医疗器械标准”查询，即可设置不同的条件，查询到官方颁布的标准。

③ 进入中国食品药品检定研究院网站，在“医疗器械标准目录”中可以查到现行有效的医疗器械国家标准和行业标准（包括行业强制标准和行业推荐标准）。

5.4 医疗器械检验监管

在医疗器械的研制进程中，需严格依据相关标准要求，对医疗器械的各项性能指标展开全面检验。这一举措旨在精准契合临床应用对性能的实际需求，切实保障所研制的医疗器械具备可靠的安全性与有效性。《医疗器械监督管理条例》第十四条明确规定，第一类医疗器械产品备案和申请第二类、第三类医疗器械产品注册，应当提交产品检验报告，产品检验报告应当符合国务院药品监督管理部门的要求，可以是医疗器械注册申请人、备案人的自检报告，也可以是委托有资质的医疗器械检验机构出具的检验报告。《医疗器械注册与备案管理办法》同样对此作出了清晰且明确的说明，申请注册或者进行备案，应当按照产品技术要求进行检验，并提交检验报告。检验合格的，方可开展临床试验或者申请注册、进行备案（详见第三十条）。申请注册或者进行备案提交的医疗器械产品检验报告可以是申请人、备案人的自检报告，也可以是委托有资质的医疗器械检验机构出具的检验报告（详见第三十二条）。

5.4.1 医疗器械检验发展概况

根据研究《医疗器械检验发展情况分析与思考》[4] 的分析整理，2000 年，我国正式颁布了首部《医疗器械监督管理条例》（以下简称《条例》）。该《条例》明确要求，医疗器械产品在申请注册时必须提交检验报告，同时确立了检验机构资格认可制度，规定由国家药品监督管理局联合质检部门，共同对检验机构进行资格认定。2000 年版《条例》实施后，中国食品药品检定研究院、北京市医疗器械检验研究院、北京大学口腔医学院口腔医疗器械检验中心、辽宁省医疗器械检验检测院、上海市医疗器械检验研究院、广东省医疗器械质量监督检验所、湖北省医疗器械质量监督检验研究院、浙江省医疗器械检验研究院、山东省医疗器械和药品包装检验研究院、天津市医疗器械质量监督检验中心 10 个检验机构被国家药监局授权承担全国医疗器械产品注册检验工作任务，为医疗器械规范管理提供了有力的技术支撑[5]。2003 年，《医疗器械检验机构资格认可办法（试行）》颁布实施，进一步细化和规范了检验机构资格认可的相关流程与标准，至此，全国有 53 家医疗器械检验机构被陆续建立并通过国家食品药品监督管理总局的资格认可。

随着我国医疗器械产业的高速发展以及监管水平的持续提升，2014 年修订版的《条例》对第一类医疗器械的管理方式进行了重大调整，由原先的注册管理变更为备案管理，并且认可企业自检报告。同时明确规定，只有经国务院认证认可监督管理部门会同国务院食品药品监督管理部门共同认定的检验机构，才具备对医疗器械实施检验的资质。2015 年，为进一步加强对医疗器械检验机构的规范管理，《医疗器械检验机构资质认定条件》正式发布，为检验机构的资质认定提供了更为明确和细致的依据。

2017 年，我国医药监管领域迎来重大变革，药品与医疗器械注册检验的行政事业性收费被正式取消。这一举措有力推动了系统内检验机构的转型升级进程，同时也为第三方检验机构的蓬勃发展创造了广阔空间，促使整个检验系统结构在市场与政策的双重驱动下，逐步开启重塑之旅。在 2019—2020 年期间，国家药监局制定并发布了《医疗器械检验检测机构能力建设指导原则》（国药监科外〔2019〕36 号，在本章中以下简称《指导原则》）和《医疗器械检验工作规范》（国药监科外〔2019〕41 号，以下简称《规范》）。这两份重要文件为医疗器械检验工作指明了规范化、标准化的发展方向，有力地引导着行业健康有序地前行。

2021 年，我国检验检测领域的制度建设再上新台阶。《检验检测机构资质认定管理办法》修正案与《检验检测机构监督管理办法》先后颁布实施。这两项法规相互配合、相得益彰，共同构建起独立的准入和退出机制；同时，进一步完善了实验室管理机制，为提升检验检测质量、保障行业公信力奠定了坚实的制度基础。2021 年版《条例》的颁布实施更是为医疗器械检验带来了如下新形势。①放宽检验报告要求：允许医疗器械注册申请人、备案人提交自检报告，或委托有资质的检验机构出具报告，放宽了注册检验报告的要求，降低了企业检验成本，释放了产业创新活力。②优化复检流程：对医疗器械检验复检制度进行了重大调整，包括由受理复检申请的部门在复检机构名录中随机确定复检机构进行复检，复检机构与初检机构不得为同一机构，以及相关检验项目只有一家有资质的检验机构时，复检时应当变更承办部门或者人员等。这些调整提高了复检程序的公正性和透明度。③加大处罚力度：对出具虚假检验报告等违法行为，撤销检验资质，并加大处罚力度，提高违法成本，保障公众用械安全。④强化全生命周期监管：要求医疗器械注册人、备案人加强全生命周期质量管理，对研制、生产、经营、使用全过程中医疗器械的安全性、有效性依法承担责任。同时，加强对医疗器械的监督检查和抽查检验，确保产品质量安全。

5.4.2　医疗器械机构检验

医疗器械检验作为产品上市前质量评价的首要关键环节，在注册审评决策与上市后全生命周期监管中均发挥着不可替代的作用。根据《规范》，医疗器械检验包括注册检验、监督抽查检验、评价性检验、风险监测以及委托检验等。

5.4.2.1　注册检验流程

医疗器械产品注册检验是产品上市前验证其安全性、有效性和合规性的关键环节。尽管现行《医疗器械监督管理条例》已取消对注册申请产品检验报告必须由具备资质的医疗器械检验机构出具的强制性要求，但专业检验机构凭借其深厚的技术积淀、规范的质量管理体系以及权威的行业公信力，其出具的检验报告仍被视为研发阶段产品性能验证与质量评估的核心依据，是创新医疗器械研发过程中技术合规性确认的重要依据。医疗器械产品注册检验流程主要包括分类界定、技术准备、样品送检、检测实施及报告获取等五个核心步骤。

（1）分类界定　明确产品类别：依据《医疗器械分类目录》及《医疗器械监督管理条例》，医疗器械按风险等级分为Ⅰ类（低风险，部分可自检）、Ⅱ类（中风险）和Ⅲ类（高风险)，其中Ⅱ类、Ⅲ类产品通常需委托具备资质的第三方检测机构进行注册检验。

分类依据：若产品未在《医疗器械分类目录》中明确列明，需结合其预期用途、结构特征及作用机理进行判定；若仍无法确定，应向药监部门申请分类界定。

(2) 技术准备　编制产品技术要求：按照《医疗器械产品技术要求编写指导原则》制定，涵盖性能指标、安全要求、试验方法等核心内容，确保技术文件科学、完整且符合法规要求。

整理技术资料：包括产品设计图纸、工艺文件、检测报告（需 CMA/CNAS 资质）等，确保资料真实、准确，支持后续检验及注册申报。

(3) 样品送检　数量要求：通常需提供 3 倍检验用量样品，特殊情况可适当减少，但不得低于检验及复试所需量。

质量控制：样品应标识清晰（含名称、批号、规格、生产日期/有效期等)，有效期需覆盖至少 2 个检验周期，且标签内容须与申报资料一致。

(4) 检测实施　抽样规范：由药监部门从企业成品库或市场抽取同批次样品，严格记录抽样信息并密封保存，确保样品具有代表性。

检测项目：包括但不限于安规测试（电气安全)、EMC 测试（电磁兼容性)、生物学评价（生物相容性）等，全面评估产品性能及安全性。

(5) 报告获取　报告内容：检验机构出具 CMA 认证的检测报告，详细列明产品是否符合标准要求、检测方法及结果，并附不合格项说明（如适用)。

整改要求：若检测未通过，企业需根据不合格报告进行技术改进（如设计优化、工艺调整等)，重新送检至合格为止。

通过以上流程，企业可系统完成注册检验，为后续医疗器械注册申报奠定基础。

5.4.2.2　医疗器械检验机构资质认定条件

根据 2014 年版《条例》(国务院令第 650 号）“医疗器械检验机构资质认定工作按照国家有关规定实行统一管理。经国务院认证认可监督管理部门会同国务院食品药品监督管理部门认定的检验机构，方可对医疗器械实施检验”的明确规定，自 2014 年 6 月 1 日起，医疗器械检验机构资质认定工作正式由国家认证认可监督管理委员会（以下简称“国家认监委”）与国家食品药品监管总局联合组织实施。为进一步加强医疗器械检验机构的监管，规范医疗器械检验机构的资质认定工作，国家食品药品监管总局于 2015 年 11 月 6 日正式发布了《医疗器械检验机构资质认定条件》（以下简称《认定条件》)，自发布之日起施行。该《认定条件》规定检验机构在组织、管理体系、检验能力、人员、环境和设施、设备、检测样品的处置等方面具备其要求后，方可向国家认监委提交资质认定申请。要求检验机构应持续符合相关法律法规和该《认定条件》的要求，以确保检验活动的科学、独立、诚信和公正。

在组织方面：检验机构应当是依法成立并能够承担相应法律责任的法人或者其他组织；检验机构开展国家法律法规规定需要取得特定资质的检验活动时，应当取得相应的资质。

在管理体系方面：检验机构应当按照国家有关检验检测机构管理的规定和本《认定条件》的要求，建立和实施与其所开展的检验活动相适应的管理体系，制定完善的质量管理体系文件，并确保其有效实施和受控，且管理体系应连续运行 12 个月以上，检验机构应当对管理体系实施完整的内部审核和管理评审，能够证实管理体系运行持续有效。

在检验能力方面：检验机构应当掌握开展检验活动所需的现行有效的国家标准、行业标准、产品技术要求、补充检验项目和检验方法等，具备相应的检验能力；检验机构应当依据现行有效的国家标准、行业标准、产品技术要求、补充检验项目和检验方法等开展检验活动，并具有对其进行确认或预评价的能力；检验机构所开展的检验活动涉及生物学性能、电磁兼容性等多个技术门类的，应当分别符合相应标准、产品技术要求、补充检验项目和检验方法及其他规定的要求；检验机构应当能够对所检验的医疗器械产品的检验质量问题进行分析和评估。

在人员方面：检验机构应当具备与所开展的检验活动相适应的管理人员和关键技术人员。其中，管理人员应当具备检验机构管理知识，熟悉医疗器械相关的法律法规及检验风险管理的方法；关键技术人员包括技术负责人、授权签字人及检验报告解释人员等。关键技术人员应当具备相关领域副高级以上专业技术职称，或硕士以上学历并具有5年以上相关专业的技术工作经历。

检验机构应当具备充足的检验人员，其数量、技术能力、教育背景应当与所开展的检验活动相匹配，并符合如下要求：①检验人员应当为正式聘用人员，并且只能在本检验机构中从业。具有中级以上专业技术职称的人员数量应当不少于从事检验活动的人员总数的50%；②检验人员应当熟悉医疗器械相关法律法规、标准和产品技术要求，掌握检验方法原理、检测操作技能、作业指导书、质量控制要求、实验室安全与防护知识、计量和数据处理知识等，并且应当经过医疗器械相关法律法规、质量管理和有关专业技术的培训和考核；③检验人员应当具有对所采用的产品技术要求进行确认和预评价的能力，能够按照规定程序开展检验活动；④从事国家规定的特定检验活动的人员应当取得相关法律法规所规定的资格。

在环境和设施方面：检验机构应当具备开展检验活动所必需的且能够独立调配使用的固定工作场所；检验机构的工作环境和基本设施应当满足检验方法、仪器设备正常运转、技术档案贮存、样品制备和贮存、防止交叉污染、保证人身健康和环境保护等的要求；检验机构应当具备开展检验活动所必需的实验场地以及数据分析、信息传输等相关的环境和设施，确保检测数据和结果的真实、准确；实验区应当与非实验区分离，明确需要控制的区域范围和有关危害的明显警示，并有效隔离可能产生影响的相邻区域；检验机构应当具有妥善贮存、处理废弃样品和废弃物（包括废弃培养物）的设施；从事动物试验、生物学性能、电磁兼容性、放射源等特定项目检测的检验机构应当符合国家相关法规和标准规定的环境和设施要求；涉及生物安全实验室的，其环境和设施应当符合相应的国家标准和规定。

在设备方面：检验机构应当根据开展检验活动的需要参照国家有关医疗器械检验机构基本仪器装备的要求，并且按照相关标准、产品技术要求、补充检验项目和检验方法的要求，配备相应的仪器设备和工艺装备；检验机构应当配备开展检验活动所必需的且能够独立调配使用的固定或可移动的检验仪器设备和工艺装备、样品贮存和处理设备以及标准物质、参考物质等；检验机构的仪器设备应当由专人管理，测量仪器应当经量值溯源以满足使用要求；检验机构应当建立和保存对检测质量有重要影响的仪器设备和工艺装备的档案、操作规程、计量/校准计划，以及证明、使用和维修记录等。

在检测样品的处置方面：检验机构应当建立并实施样品管理和弃置程序，确保样品受控并保持相应状态，确保检测后弃置的样品不再进入流通环节或被使用。样品的贮存、弃置、处理应当符合环境保护的要求。有特殊要求的还应当符合相应的规定。检验机构应当具有样品的标识系统，并保证样品在检验机构期间保留该标识。

截至2020年底，药监系统内外共有354家检验机构通过医疗器械检验资格认定并获得了资格认定证书。

5.4.2.3 医疗器械检验机构工作规范

为了规范医疗器械检验工作，提升医疗器械检验机构的检验能力、管理水平、工作质量和效率，2019 年 8 月，国家药品监督管理局正式发布了《指导原则》和《规范》两项核心文件，为第三方医疗器械检验机构提供从体系构建到持续改进的全流程指导。

《指导原则》具有作为指导检验检测机构能力建设的通用性指南与监管部门对辖区内检验检测机构进行体系建设和能力评价的参考性文件的双重定位价值。

《规范》从机构和人员、受理与样品管理、检验、报告与记录、能力验证及比对试验、从业道德规范与纪律等方面对我国医疗器械检验机构的检验工作做出了详细的规定。

《规范》在总则中明确规定，检验机构开展医疗器械检验工作应当遵循科学、独立、公正、权威的基本原则，对出具的检验数据和结论承担相应法律责任。检验机构应当切实履行社会责任，积极参与医疗器械安全社会共治体系建设。在保证常规检验工作质量的同时，应当优先配合政府相关部门完成医疗器械安全案件查处和突发事件应急处置相关的检验任务。检验机构应当建立健全应急检验机制，开辟创新医疗器械、优先审批品种等特殊情形的检验绿色通道，制定科学合理的特别程序。同时，必须严格执行国家环境保护、安全生产等相关法律法规要求，规范实验室危险化学品、生物废弃物、实验动物等特殊物品的管理和处置流程。要持续强化安全风险防控，完善检验事故应急预案，切实保障检验人员职业健康，维护检验工作安全和公共安全。

在机构方面：要求检验机构应当将风险管理贯穿于质量管理全过程，根据风险程度采用适当的管理措施，有效应对风险；应当具有与其检验工作相适应的设施和场地，并对其拥有独立支配权和使用权；应当获得正确开展实验室活动所需的设备，并对其拥有独立支配权和使用权，规范管理，建立并保持测量结果的计量溯源性；应当确保外部提供的产品和服务的适宜性，建立和保持对检验质量有影响的产品和服务进行选择和购买的程序，制定和落实产品、服务的购买、验收、贮存的制度和标准，并保存对供应商的评价记录和合格供应商名单；应当建立有关医疗器械的法律法规、政府主管部门公告公示、相关的技术标准等文件的信息库，关注医疗器械安全风险信息和医疗器械行业的发展动态，确保管理体系内部和外部文件的有效性；应当建立信息公示平台，采取公开的方式，公布已获得的检验资质认定、检验能力及范围、工作流程和投诉渠道等信息，接受社会监督。鼓励和支持检验机构有效利用信息化技术等新科技和数据共享平台，积极开展检验技术、检验设备、标准物质等创新研发工作。

在人员方面：检验机构应当配备与其检验工作相适应的人员，确保其人员的专业领域和数量与检验工作相匹配，规范人员的选择、培训、监督、授权和监控管理；检验机构应当加强对人员有关医疗器械法律法规、标准、规范、操作技能、质量控制要求、实验室安全与防护知识、计量溯源和数据处理知识等方面的培训考核，并建立相应的激励机制，确保其人员能力持续满足工作需求；检验机构人员应当能够按照规定程序开展检验活动，具有按照采用的医疗器械标准/技术文件的要求进行检验和预评价的能力，能够按规定程序判定所检测医疗器械存在的或者潜在的危害，并具有准确评估其风险的能力。

在受理与样品管理方面：检验机构在受理样品时，应当获得开展检验工作所需的产品技术要求、技术资料、标准品/参考品及其他辅助用品等信息和物品；在受理检验申请或者样品检验过程中，发现检验用样品存在虚假等不真实情况的，应当不予受理或者终止检验，并及时报告相关医疗器械监督管理部门；应当结合医疗器械样品的特点，建立和保持检验样品运输、接收、处置、保护、存储、保留、清理或者返还的管理程序，避免样品的变质、污染、丢失或者损坏；应当有能够清晰识别样品实物及相关文件的标识系统，确保样品在实物上、记录或者其他文件中不被混淆；应当确保可能对人体或者环境造成危害的医疗器械样品的处置过程安全可控；应当确保废弃的样品不再进入流通环节或者被使用；应当采取相应的安全措施处理废弃物，防止有害物质对人体和环境的危害。

在注册检验方面：检验机构应当具有依据国家标准、行业标准、补充检验项目和检验方法、产品技术要求等开展检验工作的能力，并具备对委托方提交的产品技术要求进行预评价的能力；建立并遵守检验方法管控程序，跟踪检验方法的变化和发展，适时对检验方法进行重新验证或者确认；建立并保持记录管理程序，确保记录的标识、贮存、保护、检索、保留和处置符合法律和程序要求；确保每一项与检验工作相关活动的记录信息完整、真实、可靠，且应当对与检验工作相关活动的记录归档留存，以确保记录可追溯；按照与委托方签订的合同开展相关工作，经过预评价的产品技术要求和预评价意见随检验报告一同出具给委托方（其中，预评价意见应当至少包含产品技术要求中性能指标的完整性与适用性，检验方法的可操作性和可重复性是否与检验要求相适应，引用标准和条款的完整性、适宜性和适用性等内容）；检验机构在使用移动设备进行检验和抽样时，应当在适当的技术控制和有效监督下进行，以确保满足检验要求。

在报告与记录方面：要求检验机构应当独立、客观地出具准确、清晰、完整、论证充分、结论明确的检验结果报告，并在报告上加盖检验机构专用章，标注资质认定标志。检验机构对其报告中的信息负责。检验报告应当用字规范，语言简练、准确，幅面整洁，不允许涂改。报告格式也应当符合检验报告模板的要求。检验机构应当建立健全文件管理制度，并有确保存档材料安全性、完整性的措施。档案保存期限应当符合相关法律法规要求和检验工作追溯需要。检验机构应当建立电子化或者纸质化的数据控制和信息管理系统，用于收集、处理、记录、报告、存储或者检索数据，其中计算机系统的建设应当遵循国家药品监督管理局已发布的信息化标准，以便于监管信息的互联互通。检验机构应当建立和保持保护数据完整性和安全性的程序；使用计算机系统创建、更改数据时，应当通过审计追踪功能或者替代方法满足数据可追溯性的要求；纸质数据的归档应当确保安全，便于查阅。检验机构应当对计算和数据传送及时进行适当和系统的检查。此外，检验机构应当建立健全投诉处理制度，及时处理对检验结果的异议和投诉，并保存有关记录。

在能力验证及比对试验方面：能力验证是重要的外部质量评价活动，检验机构有责任和义务寻求并参加能力验证，应当积极参加国家监管机构组织的能力验证活动。医疗器械检验机构比对试验是国家药品监督管理部门组织的能力验证活动，用于评价和提高检验机构的能力，加强对检验机构的监督管理。国家药品监督管理部门组织制定比对试验工作规划、年度计划，组织指导比对试验技术交流与培训。中国食品药品检定研究院（以下简称“中检院”）根据比对试验年度计划，组织制定和实施比对试验实施方案，组织开展比对试验结果的评价工作，并向国家药品监督管理部门报送比对试验总结报告；建立并保存比对试验档案；组织成立比对试验专家组；对检验机构技术能力进行综合评价。比对试验专家组成员由医疗器械相关专业专家及统计学专家组成，负责对比对试验方案策划、结果评价和其他技术问题向中检院提出意见及建议。具备比对试验项目检验资质的检验机构必须参加该项目的比对试验。检验机构在接到样品后，应当按照比对试验实施方案的作业指导书、标准进行检验，并在规定时间内将结果报送中检院。中检院根据比对试验实施方案进行结果判定，并组织比对试验专家对判定结果提出技术意见及建议。判定结果分为满意、可疑和不满意三种。中检院起草比对试验总结报告，报送国家药品监督管理部门。结果被判定为可疑的检验机构应当进行风险分析，制定并实施改进措施，必要时进行整改；结果被判定为不满意的检验机构应当根据比对试验结果进行整改，并向中检院提交整改材料，在整改结束前不得接受该检验项目的检测。

在从业道德规范与纪律方面：检验机构的人员不得同时在两个以上检验机构从业。检验机构及其人员从事检验工作，应当遵守国家相关法律法规的规定，遵循独立客观、公平公正、诚实信用的原则，恪守职业道德，承担社会责任，确保检验数据、结果的真实、客观、准确和可追溯。检验机构及其人员应当排除、抵制来自各方面的干扰、利益诱惑和不正当的压力影响，保证检验机构以科学的方法、公正的行为、准确的数据为客户提供服务。检验机构及其人员不得出具不真实数据和虚假结果的检验报告，不得出现如下行为：与其所从事的检验项目的委托方或者利益相关方，存在不正当利益关系；利用检验数据和结果进行检验工作之外的有偿活动；从事检验活动之外或者参与与类似的竞争性项目有关系的医疗器械生产、经营、服务活动；向委托方、利益相关方索取或者接受不正当利益；泄露检验活动中所知悉的国家秘密、商业秘密和技术秘密；以广告或者其他形式向消费者推荐医疗器械；其他影响检验工作的独立性、公正性和诚信的活动。检验机构应当明确各类管理人员、技术人员和关键支持人员职责，建立相应的管理和质量监控机制，并采取必要的措施，对检验工作中出现的违法违纪违规行为及时纠正，对于情节严重的，应当严肃追责。

5.4.2.4 医疗器械检验相关法律责任

由于医疗器械检验结果对评价医疗器械安全性和有效性具有决定性的意义，所以 2021 年版《条例》对医疗器械检验工作的法律责任做了明确的规定。

医疗器械检验机构出具虚假检验报告的，由授予其资质的主管部门撤销检验资质，10 年内不受理相关责任人以及单位提出的资质认定申请，并处 10 万元以上 30 万元以下罚款；有违法所得的，没收违法所得；对违法单位的法定代表人、主要负责人、直接负责的主管人员和其他责任人员，没收违法行为发生期间自本单位所获收入，并处所获收入 30%以上 3 倍以下罚款，依法给予处分；受到开除处分的，10 年内禁止其从事医疗器械检验工作。

5.4.3 医疗器械自检

随着我国医疗器械产业的蓬勃发展，医疗器械注册检验需求与检验机构资源之间的矛盾日益凸显。在此背景下，强化医疗器械全生命周期监管、完善质量标准体系、保障医疗器械安全有效使用已成为行业发展的关键课题。医疗器械注册过程中提交的产品检验报告作为设计验证的核心评价依据，其重要性不言而喻。在政策演进方面，2014 年版《条例》明确规定注册检验报告须由具备资质的检验机构出具。为响应国家关于促进医疗器械产业创新发展的战略部署，深化“放管服”改革，2021 年版《条例》第十四条创新性地提出：“医疗器械注册时提交的产品检验报告可以是医疗器械注册申请人、备案人的自检报告，也可以是委托有资质的医疗器械检验机构出具的检验报告。”这一改革举措既释放了产业创新活力，又强化了企业的主体责任。为加强医疗器械注册管理，规范注册申请人注册自检工作，确保医疗器械注册检验工作有序开展，国家药品监督管理局以 2021 年版《条例》（国务院令第 739 号）及《医疗器械注册与备案管理办法》（市场监管总局令第 47 号）等配套规章为依据，于 2021 年 10 月 22 日颁布了《医疗器械注册自检管理规定》（国家药品监督管理局公告第 126 号，自印发之日起施行，以下简称《规定》）。

根据官网对该政策的解读，该《规定》由六大核心部分构成，具体涵盖自检能力要求、自检报告要求、委托检验要求、申报资料要求、现场检查要求及责任要求。其中，自检能力要求部分详细阐述了总体原则、检验能力标准、管理体系框架及自检依据等关键要素；自检报告部分则明确了报告的格式规范、签章要求，以及产品检验型号的全面覆盖要求；委托检验要求部分对受托方的资质条件、评价标准及样品一致性要求等进行了具体规定；申报资料要求部分则详细列出了注册申请人在提交注册申请时，需一并提交的自检报告、自检能力声明、质量管理体系相关材料、型号覆盖说明以及报告真实性自我声明等必要文件；现场检查要求部分则强调，在注册质量管理体系现场核查过程中，应将“自检能力要求”的核查情况详细记录于现场核查报告中。关于《规定》中的部分重点问题说明如下：

（1）自检能力要求的总体概述　注册申请人所提交的产品自检报告，是确保产品安全性、有效性和质量可控性的关键支撑材料。其检测方法的科学性与结果的准确性，直接关系到对拟上市产品安全性、有效性的综合评估。鉴于此，注册申请人在推进自检工作时，必须严格遵循相关检验规范及申报产品自检的具体要求，将自检流程全面融入医疗器械质量管理体系之中。法规明确要求注册申请人须具备独立的自检能力，并从人员资质、设备与环境设施配置、样品管理流程、检验质量控制机制以及记录管理规范等多个维度，提出了详尽而具体的操作标准。这一系列举措旨在确保注册申请人的自检工作全程处于受控状态，同时明确其在检验报告内容真实性、检验过程合规性以及检验结果准确性方面的主体责任。

（2）检验人员的要求　在检验能力构建体系中，检验人员及其对应的管理人员占据着举足轻重的地位。注册申请人需紧密结合申报产品的自检项目特性与需求，从人员选拔聘用、专业能力评估、系统化培训实施、严格上岗考核以及明确授权范围等多个关键环节，实施全面而精细的规范化管理。法规特别强调，检验人员必须专职服务于本企业，且仅在获得正式授权后，方可从事与检验工作紧密相关的专业任务，以此确保检验工作的专业性、独立性与权威性。

（3）特殊专业检验实验室的要求　当注册申请人计划开展涉及特殊专业领域的检验工作，例如涵盖生物学评价、电磁兼容测试、生物安全性评估以及体外诊断试剂检测等高专业性要求的实验室自检项目时，必须依据各专业领域的特定标准与规范，精心制定并严格实施针对环境设施条件的精细化控制要求。此举旨在确保检验环境达到专业标准，保障自检工作的科学性、准确性与可靠性。

（4）委托生产情形下开展自检的要求　当注册申请人选择委托具备相应条件的受托生产企业开展自检工作时，需在双方签订的质量协议中，清晰、明确地界定对受托生产企业检测能力的具体要求与标准，确保自检工作的有效性与合规性。若经评估发现，受托生产企业的检验能力无法全面覆盖产品技术要求中的所有条款内容，注册申请人则需将未能覆盖的部分条款，另行委托给具备相应资质的医疗器械检验机构进行专业检验。在此过程中，注册申请人承担着对所有检验报告进行全面汇总与审核的责任，并需依据本规定的相关要求，编制并出具完整的自检报告，以确保产品质量的可控性与可追溯性。

（5）集团公司内部自检的要求　随着医疗器械产业的蓬勃发展，境内及境外涌现出众多集团公司，其组织架构与业务布局日益复杂。以境内注册申请人为例，若其所属集团公司旗下的实验室已成功获得CNAS（中国合格评定国家认可委员会）实验室认可，为优化资源配置、提升检测效率，在获得集团公司明确授权的前提下，注册申请人可将待检样品送至该实验室进行自检。最终，由注册申请人负责编制并出具自检报告，以此彰显其对检验报告真实性、准确性的主体责任。此授权机制的设计，旨在规避子公司间随意委托、责任界定模糊等潜在风险，确保自检工作的规范性与可追溯性。同时，必须严格限定检验实验室的承接范围，禁止其受理超出自身检验能力与资质的项目委托，以维护检验结果的权威性与公信力。针对境内或境外集团公司可能存在的跨境检验实验室布局，结合当前监管实际，特明确以下原则：境内注册申请人仅可通过其所属集团公司在境内的实验室开展自检工作；境外注册申请人则仅限利用其所属集团公司在境外的实验室进行自检。注册申请人在实施自检前，应全面评估集团内检验实验室的检验能力、检验范围及合规性，确保自检报告严格符合相关法规与管理规定的要求，为产品上市许可提供坚实的质量保障。

（6）自检报告的要求　自检报告的编制需严格以申报产品的技术要求为基准，确保涵盖全项目检验内容，全面、真实地反映产品质量的符合性。报告格式应严格遵循本《规定》所附《医疗器械注册自检报告》（模板）的规范要求，确保格式统一、要素完备。若检验过程中涉及委托检验环节，注册申请人须对受托方出具的检验报告进行系统性汇总整合，形成完整的自检报告体系，并在报告备注栏中清晰标注委托检验的具体项目信息。同时，为确保检验报告的可追溯性与真实性，注册申请人应在自检报告正文后附上委托检验报告的原始文件，作为报告的必备附件，以供监管部门核查。

（7）委托检验的检验机构资质问题　依据2021年版《条例》第七十五条的明确规定，仅经国务院认证认可监督管理部门与国务院药品监督管理部门联合认定的检验机构，方具备开展医疗器械检验工作的法定资质。根据国家检验检测机构资质认定管理要求，医疗器械检验检测机构必须取得中国计量认证（CMA）资质认定证书，这是其开展相关检验活动的基本前提。注册申请人在选择受托检验机构时，应建立科学的评估体系，重点考察受托机构的资质合法性、专业检验能力与申报产品检验范围的匹配度，确保委托检验工作的有效性。经资质认定的检验机构出具的委托检验报告，应规范加盖CMA资质认定专用章，以证明其检验结果的合法性与权威性。若遇特殊情况导致检验机构无法加盖CMA公章，则须严格按照国家药监局综合司《关于明确〈医疗器械检验工作规范〉标注资质认定标志有关事项的通知》（药监综科外函〔2020〕746号）的相关要求执行，通过规范标注资质认定标志等方式确保检验报告的合规性。

（8）自检产品注册申报资料的要求

① 检验人员信息表提交规范

鉴于检验人员的专业背景、岗位经验等要素对自检报告质量具有决定性影响，为强化自检工作全过程管控，要求注册申报资料中必须包含《自检检验人员信息表》。该表格应全面记录检验人员的专业资质、从业年限等关键信息，便于监管部门系统评估企业检验团队的专业能力与配置合理性，从人员要素层面保障自检工作的科学性。

② 检验设备配置表填报规范

根据《规定》中《医疗器械自检用设备（含标准品/参考品）配置表》的填报要求，表中列明的检验项目条款须与产品技术要求中的对应条款保持完全一致。企业应建立设备配置与检验项目的对应关系核查机制，确保所有检验项目均配备经校准合格的适用设备，为检验结果的准确性提供硬件保障。

③ 产品型号覆盖性验证规范

注册申请人需对申报产品的全型号系列开展系统性、差异性分析，重点识别不同型号间的关键性能差异。通过有针对性地选取差异项目实施检验检测，形成完整的型号覆盖性验证数据链。最终应在自检报告中清晰论证：经检验的代表性型号性能指标可完整覆盖全系列产品技术要求，确保自检结果对所有申报型号的适用性。

（9）现场检查要求　《规定》明确要求在注册质量管理体系现场检查时，应同时对“自检能力要求”进行逐项核实，并在现场检查报告中予以阐述。为了更好地指导检查人员实际操作，《规定》对检验人员资质要求、检验人员操作技能、设施和环境、检验设备、检验记录、检验质量控制能力等方面的检查方法进行了详细描述，各级药品监督管理部门可参照

《规定》中所列检查方法，结合行政区域内生产企业和产品的实际情况，制定相应的具体检查方法。

为进一步细化实施标准，国家药品监督管理局于2025年6月20日发布《医疗器械注册自检管理规定实施指南（征求意见稿）》（以下简称《实施指南》），面向社会公开征求意见，此举标志着我国医疗器械注册自检制度正向更加规范化、科学化的方向持续完善。本《实施指南》具有双重定位：一方面为药品监管部门开展第二类、第三类医疗器械注册自检现场核查提供标准化操作指引，明确核查要点、程序及判定标准；另一方面也为注册申请人建立自检质量管理体系、规范自检实施流程提供权威的技术参考。需要特别说明的是，本指南不适用于注册申请人将全部检验项目整体委托至具备CMA/CNAS资质的第三方医疗器械检验机构实施的情形。

5.4.4 医疗器械动物试验监管

动物试验是新型医疗器械研发中至关重要的环节。随着国家对创新医疗器械的鼓励，医疗器械的动物试验开展得越来越多，对这块的监管也走上正轨。2022年3月，国家药品监督管理局与国家卫生健康委员会联合颁布《医疗器械临床试验质量管理规范》（国家药监局国家卫生健康委令2022年第28号），明确要求医疗器械进入临床试验阶段前，申办方须系统完成临床前研究工作，其中动物试验作为关键组成部分，对验证产品安全性具有不可替代的作用。根据规范要求，首次应用于人体植入的第三类医疗器械，必须提供完整的动物试验报告；其他需通过动物试验验证人体临床安全性的医疗器械产品，亦需提交相关研究资料。

依据《医疗器械动物试验研究注册审查指导原则 第二部分：试验设计、实施质量保证》，医疗器械动物试验是根据试验目的，选用符合试验要求的动物，在预先设计的研究方案规定下，进行产品可行性和/或安全性和/或有效性研究，观察、记录动物的反应过程及结果，以确认医疗器械对生命活动的作用与影响。医疗器械动物试验作为产品评价的核心技术手段，是在科学设计的研究方案框架下，通过选择适宜的动物模型，系统开展产品可行性、安全性及有效性研究的专业活动。实验过程需严格记录动物反应及结果数据，为医疗器械作用于生命系统的机制研究提供实证依据。该研究环节贯穿医疗器械设计开发全周期：在产品设计定型阶段，动物试验数据为技术参数优化提供关键支撑；在临床试验筹备阶段，相关结果可有效评估人体应用风险，优化试验方案设计，最大限度保障受试者安全。需要特别强调的是，医疗器械动物试验具有高度的专业性和规范性要求，绝非简单的操作过程。近年来，随着社会的发展，医疗器械动物试验由于其特殊性，日益受到我国监管部门的重视。

5.4.4.1 医疗器械动物试验监管简述

动物试验作为人类探索生命科学的重要手段，其历史可追溯至1859年达尔文进化论的提出，并在19世纪达到研究高峰。尽管面临成本高昂、周期漫长、结果外推性受限等挑战，动物试验仍凭借其不可替代性在医学领域持续发展，为肺结核、帕金森病、哮喘等重大疾病的治疗提供关键研究基础。与此同时，动物伦理问题逐渐引发社会关注：1876年欧洲率先出台《防止残酷对待动物法案》，开创动物试验立法先河；1966年美国《动物福利法案》（AWA）的颁布，则标志着科研动物保护进入系统化监管时代。我国实验动物科学始于20世纪80年代，通过构建“法规—标准—资源”三位一体的管理体系，实现跨越式发展。1988年国务院颁布《实验动物管理条例》，奠定了行业法制基础；1997年《实验动物质量管理办法》与2001年《实验动物许可管理办法》的相继实施，推动了生产使用标准化进程。

当前，我国已建立严格的许可证准入制度，要求生产使用单位必须取得相应资质，并实施伦理审查前置程序。截至 2021 年 8 月，全国 1789 家实验动物机构中，生产资质机构占比 9.9%，使用资质机构占比 77.1%，双资质机构占比 13.0%，形成了梯度化的发展格局。

在医疗器械领域，动物试验作为临床前评价的核心环节，虽已有 GB/T 16886、YY/T 1754 等系列标准规范，但监管精细化需求日益凸显。2007—2018 年间发布的 265 部医疗器械指导原则中，41 部涉及动物试验，覆盖心血管、骨科、眼科等 12 大类产品领域。为破解标准碎片化难题，国家药监局于 2019 年发布《医疗器械动物实验研究技术审查指导原则 第一部分：决策原则》，首次建立“替代—减少—优化”（3R 原则）决策框架，终结行业无规可依局面。2021 年 9 月，国家药品监督管理局制定并发布了《医疗器械动物试验研究注册审查指导原则 第一部分：决策原则（2021 年修订版）》及《医疗器械动物试验研究注册审查指导原则 第二部分：试验设计、实施质量保证》（通告 2021 年第 75 号）（以下简称《指导原则》），进一步构建起覆盖实验全流程的技术体系，明确要求动物试验设计须与生物学评价标准（如 GB/T 16886）有机衔接，在确保科学性的同时推动伦理水平提升。

5.4.4.2 医疗器械动物试验总体原则

上述《医疗器械动物试验研究注册审查指导原则》构建了系统化的决策技术体系，其适用范围明确界定为：针对医疗器械产品是否需要开展活体动物在体试验的科学判定，不涵盖非活体动物试验、离体组织/器官研究及体外诊断试剂等特殊管理类别。该指导原则创新性地提出“3R＋DQ”四维原则，为动物试验的必要性评估与质量管控提供完整解决方案。3R 原则（replacement，reduction and refinement）是对动物的福利保护，科学方案设计（design）是 3R 原则实现的软件和科学基础，有效运行质量管理体系（quality）是硬件和工程基础。“3R＋DQ”原则是避免过度开展动物试验，获取科学、合理、客观、可信动物试验数据和证据的原则保障。

依据该《指导原则》，在医疗器械设计开发阶段，决策是否开展动物试验时，建议考虑动物福利伦理原则及风险管理原则。

（1）动物福利伦理原则　申请人开展动物试验应遵循“替代（replacement）、减少（reduction）和优化（refinement）”原则，即 3R 原则。在决策是否开展动物试验前，需要特别考虑动物福利伦理，充分开展实验室研究，不宜采用动物试验替代实验室研究。若有经过确认/验证的非活体研究、计算机模拟等方法，应优先采用此类方法替代动物试验。宜充分利用已有的信息获取产品安全性、有效性和可行性的相关证据，如可利用已有的同类产品动物试验数据或通过与市售同类产品进行性能比对等方式验证产品的安全性、有效性和可行性；若相关证据充分，可免于动物试验。

在实验中应科学设计，减少动物的使用量，采用一切可行的技术和手段，使动物免受试验造成的痛苦、不安和疼痛或（和）改善生活环境，提高动物生存质量。全球实验室认证体系要求动物试验必须同时满足两大技术规范：①良好实验室规范（good laboratory practice，GLP），覆盖实验全周期的质量管理体系，包括原始数据审计追踪、仪器设备校准验证、质量保证部门独立审查等 12 个关键控制点；②标准操作规程（standard operating procedure，SOP），针对具体操作的技术规范文件，要求每项操作均需通过预实验验证，误差范围控制在±5%以内。同时，我国发布施行的《实验动物管理条例》对于实验动物从繁殖到生产和使用进行了详细的规定。所有药物的安全评价试验都必须按规范进行，这是实验动物选择和应用的基本要求。

（2）风险管理原则　申请人在医疗器械设计和开发时应进行充分的风险管理活动。风险控制作为风险管理的重要部分，是将风险降低并维持在规定水平的过程。实施每一项风险控制措施后，应对其有效性予以验证（其中包括确认活动）。实验室研究或动物试验等均是验证风险控制措施有效性的手段，宜尽可能通过前期研究（如实验室研究等）对已识别风险的控制措施有效性进行验证，只有在实验室研究不足时，才考虑通过动物试验开展进一步验证。动物试验资料可作为风险/受益分析时的支持性资料。

如需通过动物试验进行风险控制措施有效性的验证，应结合动物试验目的，一般从可行性、有效性、安全性三方面进行考虑：

① 可行性

可行性研究是指产品设计开发阶段进行的，对产品工作原理、作用机理、设计、可操作性、功能性、安全性等方面进行确认/验证，或识别新的非预期风险的研究，如生物可吸收支架平台材料的筛选、经导管瓣膜置换装置的设计可行性、迭代设计更新的验证等。可行性研究可用于评估动物试验中不同研究指标的结果变异性，为安全性和有效性研究的试验设计要素如动物数量等提供设计依据。对于部分产品如创新性医疗器械，研究者可通过可行性研究识别产品设计方面引入的新增风险，开展相应的风险管理活动，对产品进行完善和改进。研究者在申请注册时，可提供可行性动物试验研究证据，作为产品设计依据的支持性资料。可行性研究并不是必须开展的，对于某些具有较多研究背景信息支持的医疗器械，可直接开展安全性和有效性研究。

② 有效性

尽管动物与人体之间在有效性评价方面可能存在一定差异，但有些情况下，设计合理的动物试验可支持产品的有效性（包括性能和操作），如可吸收防粘连医疗器械的防粘连性能评价、组织修复材料引导组织再生和重塑的有效性评价、多孔涂层关节类产品或 3D 打印多孔结构产品的骨结合效果评价等。采用动物试验评估产品的有效性，必要时预先对动物和评价指标等与人体的相关性进行分析，如利用已有文献信息、数据库信息、前代产品的动物试验研究资料等。适用时，申请人宜提供有效性动物试验研究资料，作为评价产品有效性的支持性资料。

③ 安全性

采取风险控制措施后，部分产品安全性可适当采用动物试验研究进行评价，如含药医疗器械中药物安全性范围研究、通过组织病理学等方式的毒理学评价、产品对生物体的损伤评价、动物源性材料的抗钙化性能、外科血管闭合设备的血管热损伤研究、防粘连器械与组织粘连相关并发症的评价等。医疗器械安全性研究一般是动物试验的主要研究目的，评价设计定型产品在实现功能时对机体安全性的影响，可包括短期（如评估操作安全性的即刻研究）、中/长期（如评估植入物降解周期）的安全性试验。适用时，研发申请人宜提供安全性动物试验研究资料，作为评价产品安全性的支持性资料。

试验目的有时是不能严格划分界限的，因此一项动物试验可能同时对产品的可行性、有效性、安全性进行评价。

若产品采用新的作用机理、工作原理、设计、主要材料/配方、应用方法（如手术操作）、预期用途，以及增加新的适用范围、改进某方面性能等，应针对产品创新点相关风险进行评估，并考虑通过动物试验对风险控制措施的有效性进行验证。在医疗器械设计开发过程中的风险管理活动中，应当依据法规的要求，根据产品的用途性能选择是否进行动物试验等。在能确定产品安全、有效且符合动物试验要求的情况下，尽可能地减少实验动物的数量。《医疗器械动物试验研究注册审查指导原则 第一部分：决策原则（2021 年修订版）》附页中列出了“可能需要开展动物试验的产品示例”，不是必须开展动物试验研究的产品列表，申请人在进行是否开展动物试验的决策时，宜遵循决策流程图，如图 5-5 所示。

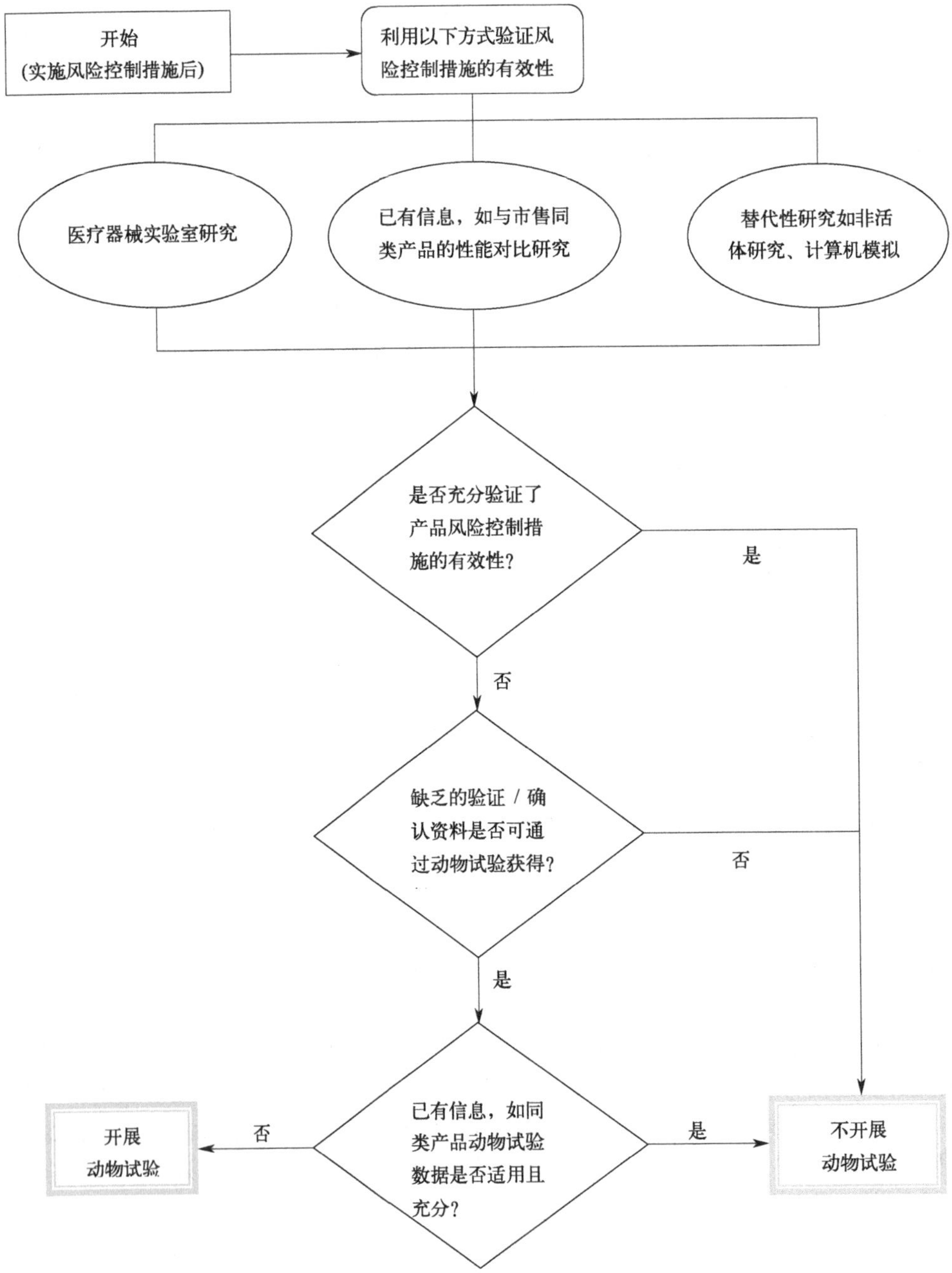

图 5-5　决策开展动物试验的流程图

5.4.4.3　医疗器械动物试验研究方案设计

依据《医疗器械动物试验研究注册审查指导原则　第二部分：试验设计、实施质量保证》，动物试验获得的可行性、安全性和有效性数据宜考虑重复性（repeatability）及再现性（reproducibility）。在医疗器械动物试验研究方案设计时，宜遵循“3R”（替代、减少、优化）原则，并综合科学、伦理、经济等方面因素进行考虑。在研究方案设计之前宜结合医疗器械预期受益及风险，汇总并分析已有的动物试验资料，包括文献资料、同类产品的动物试验证据等信息。良好的动物试验设计既能够保证采用尽可能少的动物进行科学的数据分析，又能够科学、合理地评价医疗器械产品的可行性、安全性和有效性。申请人宜结合产品的作用机理、工作原理、设计特征等方面进行研究方案设计。

(1) 实验目的　动物试验研究根据目的一般分为可行性研究、安全性研究和有效性研究，但有时不能严格划分界限，在一项动物试验中可同时对产品的可行性、有效性、安全性进行评价。具体如前面风险管理原则中关于可行性、有效性、安全性三方面的描述。

(2) 受试器械和对照

① 受试器械

申请人应在研究方案中对使用的受试器械进行详细描述，包括名称、结构及组成（含配合使用的附件、产品图示）、型号规格、批号、保存期限、保存条件、单个动物使用数量、使用频次（如适用）、是否重复使用等信息。在动物试验研究过程中，如发生产品设计更改，申请人应详细描述变化内容，同时分析变化情况对动物试验过程、试验结果及结论的影响，必要时重新设计、实施动物试验。在可行性研究中，可采用设计未定型产品作为受试器械，但在最终评价产品安全性、有效性的动物试验研究中，受试器械一般应为设计定型的终产品。动物试验中，受试器械应当能够代表注册单元内其他产品。如由于动物解剖结构等因素影响，未使用终产品时，需提供合理性分析，确认未对试验结果及结论产生影响。动物试验中受试器械的操作方法，宜与预期的临床操作方法一致。如采用不同的操作方法，应确认其未对试验结果及结论产生影响。

② 对照

在动物试验中，申请人宜对是否设立对照组进行分析论证。若需设立对照组，可根据评价指标特点等选择对照器械和/或对照材料等。宜优先选择已上市的同类器械作为对照，若选择非境内已上市产品，需提供其可作为对照器械的合理理由和证据。适当时，动物试验中可设立其他适宜对照组，如其他干预手段。

(3) 实验用动物　实验用动物对医疗器械可行性、安全性和有效性评价至关重要，建议优先选择实验动物。实验用动物选择时重点考虑以下因素（包括但不限于）：

① 满足动物试验目的需求

实验动物通常包括常规实验动物、自发突变实验动物和基因工程实验动物等。实验动物种类可包括啮齿类动物如大鼠和小鼠，非人类灵长类动物如猕猴，其他哺乳动物如兔、犬、猪等，宜根据不同的试验目的选择适宜的实验动物。如钙磷硅类骨填充材料，在研究其在缺损处的成骨效果时，需考虑动物骨骼自身修复能力对试验结果的影响，为了更好地达成该动物试验的研究目的，应选择骨骼发育成熟的动物。如对于生物可吸收冠状动脉药物洗脱支架产品，在研发早期的产品降解周期、机械性能、降解产物同组织的相容性及组织反应研究中，可选择小型动物（如兔）开展研究。产品设计定型后的动物试验研究可采用猪作为实验动物。

② 宜选用标准化的实验动物

标准化的实验动物主要是指对其携带的微生物实行控制，遗传背景明确或来源清楚且符合相关标准的动物。在医疗器械动物试验研究中，宜尽量选用该类实验动物，如使用尚无标准的实验动物，应说明选择理由，并分析对试验结果的影响。

③ 与人体的相似性

宜优先考虑结构（如解剖结构、尺寸）、功能、代谢及疾病特点、生物应答等方面与人体的相似性以及对试验结果的影响，动物与人体相似性越高，则动物试验可行性、安全性和有效性分析结果外推至人体水平时，支持的证据水平越高。不同的动物种属及品种/品系可能具有不同的解剖结构和生理特点，导致生物应答等方面各不相同，因此申请人宜根据试验目的选择适宜种属和品种/品系的动物进行动物试验。如对于腹腔内置疝修补补片，考虑动物与人体在腹壁解剖结构、新生腹膜化程度等方面的可比性因素，宜选择小型猪、比格犬进行动物试验研究。如对于体外除颤动物试验，因考虑到猪的心脏在解剖学、组织病理学、血流动力学和心肌侧支循环分布等方面与人类最为相似，宜选择健康的猪进行体外除颤动物试验研究。

④ 对评价指标敏感

选择实验用动物时，宜充分考虑动物与评价指标之间的敏感性关系。如生物型人工心脏瓣膜产品，在钙化水平研究的动物试验中，宜选择低龄动物作为钙化水平研究的实验用动物。比如兔对热比较敏感，比较适宜做热源实验。

⑤ 动物基本要素

动物性别、规格（年龄、体重）、健康和疾病状态、病原体感染情况等均可能会对动物试验结果和结论造成影响，因此实验用动物选择时宜充分考虑上述因素。如对于体外除颤设备的动物试验，成人用医疗器械动物试验研究中猪的体重需在 30～80kg 之间，小儿用医疗器械动物试验研究中猪的体重需在 4～25kg 之间。

⑥ 疾病模型的建立

动物试验中宜建立合适的动物疾病模型用于研究，如未建立疾病模型，需提供合理的论证。如通过动物试验评价硬脑膜修补材料的修补效果，需根据预期用途建立硬脑膜缺损模型。如对于体外除颤动物试验，宜建立实验用猪的诱发心室颤模型。

⑦ 其他

实验用动物选择时还需考虑环境、营养、动物作息、麻醉方法、手术技巧、疾病模型制备方法等因素对试验结论造成的影响。

（4）动物数量　在产品设计研发早期的可行性研究中，由于缺乏较成熟的经验，动物数量可能是预估的，但获得的数据可以为安全性和有效性研究的动物数量提供设计依据。产品设计定型后开展的安全性和有效性研究，一般可结合明确的研究目的、相应的研究假设（如适用）、文献信息、同类产品经验、可行性研究或预试验结果等方面预估动物数量。虽然可直接采用统计学原则估算样本量，但这种方法也可能使动物试验所需的动物数量较多。建议动物数量宜充分保证试验结果具有可靠性，且符合 3R 原则，可不采用统计学方法来估算数量。若在相同试验条件下，动物个体之间呈现出的评价结果具有较大的变异性，需分析变异性原因，如操作方法、产品质量等，适当时宜增加动物数量来获得更加科学和客观的结论。动物试验如有多个观察时间点，每个观察点的动物数量均应保证试验结果具有可靠性。建议在预估动物数量时，考虑因各种原因导致动物过早死亡的情况。适当时，可在同一只动物的多个组织部位使用器械。

（5）观察时间　动物试验的观察时间宜根据试验目的、产品特点、评价指标来进行设定，同时宜参考同类产品的研究情况。动物试验按照观察时间长短可划分为急性研究和慢性研究，急性研究一般是术后即刻/短期观察的研究；慢性研究一般是术后中/长期观察的研究。申请人宜根据医疗器械产品的作用机理、已有的背景信息等资料确定开展哪种类型的动物试验研究。在动物试验中宜设置足够的、不同的观察时间点，观察特定时间点的评价指标，评估产品对动物的影响。在研究方案中宜充分说明不同观察时间点设置的合理性，一般可包括术前、术中、术后即刻、术后短期、术后中/长期等。观察时间点的设置宜考虑医疗器械产品工作原理、预期与人体接触方式和时间、达到生物应答稳态所需时间等方面因素影响。如对于附着腹腔侧为不可吸收材料的腹腔内置疝修补补片产品，观察时间点宜选择至少28天；对于附着腹腔侧为可吸收材料的产品，宜根据产品预期完全降解或生物应答稳态的时间确定观察时间点。不同评价指标的观察频次可能不同。当动物试验持续时间较长，如评估生物可吸收冠状动脉药物洗脱支架对动物的影响实验，申请人结合已有动物试验结果能够充分说明产品的初步安全性和可行性时，可考虑开展人体临床试验，在开展临床试验的同时需继续完成动物试验。

（6）评价指标　研究方案中需预设评价指标，并在预设的观察时间点对评价指标进行观察。研究方案中需明确评价指标的具体评价方法，如影像学、大体解剖、组织病理学、性能测试等；需明确具体评价指标的观察时间点和频次。评价指标宜有科学、客观的评价标准。在动物试验研究中，宜对任何安全性事件/异常进行记录和分析。如果发生动物死亡，应详细分析死亡的原因，分析与器械的相关性。

5.4.4.4 医疗器械动物试验的实施和质量保证

申请人负责发起、申请、组织、监查动物试验，并对动物试验的动物福利伦理、真实性和科学性负责。申请人应保证试验数据完整、真实、可靠、可追溯，结果可信；应建立相应的动物试验研究质量管理体系，并维护体系有效运行，必要时接受监管部门检查。实施医疗器械动物试验应严格按照研究方案和相应的操作规范文件（如GB/T 35823等）。

（1）动物试验的实施　医疗器械动物试验应制定试验题目或代号，并在相关的质量管理体系文件及试验记录中统一使用该试验题目或代号。试验中所采集的各种样本均应标注题目或代号、样本编号和采集日期。应确保动物试验实施全过程中的动物福利保护，动物在试验期间出现健康、疾病等问题时，应及时处理并评估对试验结果的影响。研究方案实施前须经动物伦理委员会批准。

医疗器械动物试验研究方案的主要内容宜包括但不限于：①动物试验题目或代号；②所有参与研究的研究机构/单位和申请人的名称、地址及联系方式；动物生产和/或使用许可证号（如适用）；③动物试验项目负责人和参加试验的主要人员姓名和职责；如存在多场所研究的情况下，应当明确负责各部分试验工作的研究场所、主要研究者姓名及其所承担的工作内容；④动物试验研究依据的试验标准、指导原则或者文献等；⑤动物试验目的和背景信息（包括产品更改信息）；⑥受试器械和对照描述，如名称、缩写名、代号、型号规格、批号、保存期限、保存条件；受试器械和对照的型号规格选择的合理性说明等；未设立对照的合理性说明（如适用）；⑦实验用药物和配用器械的相关信息，如药物名称和剂量、配用器械名称和型号规格等；⑧实验用动物的种属和品种/品系、性别、规格、来源、动物等级（如适用）、分组方法和识别方法、健康状况等信息；⑨受试器械和对照的使用方法、剂量（如适用）和频次；⑩动物试验评价指标以及检测方法、频次及持续时间；⑪数据统计处理方法；⑫方案偏离处理方法；⑬档案的保存时间和地点。

医疗器械动物试验应严格按照研究方案和相应的操作规范文件进行，记录试验产生的所有数据，并保证数据记录及时、直接、准确、清晰和不易消除。试验记录需注明记录日期并由记录者签名。当记录的数据需要修改时，应当保持原记录清晰可辨，并注明修改的理由及修改日期，由修改者签名。电子数据的生成、修改也应当符合以上要求，同时保证电子数据具有完整的稽查轨迹和电子签名。宜建立受试器械和对照的接收、保管、使用记录和处理记录的文件集，保证样品使用具有可追溯性。动物试验实施过程中发生的任何偏离试验研究方案和操作规程的情况，都应当及时记录并报告项目负责人，在多场所研究的情况下还应报告给负责相关试验的主要研究者。项目负责人或者主要研究者应评估对研究数据的可靠性造成的影响，必要时采取纠正措施。医疗器械动物试验总结报告应有质量保证审查，由项目负责人签字批准，并且总结报告需签章。

动物试验研究总结报告主要内容宜包括但不限于：①动物试验题目和代号；②所有参与研究的研究机构/单位和申请人的名称、地址和联系方式；动物生产和/或使用许可证号（如适用）；③动物试验项目负责人和参加试验的主要人员姓名和职责；如存在多场所研究的情况下，应当明确负责各部分试验工作的研究场所、主要研究者姓名及其所承担的工作内容；④动物试验研究依据的试验标准、指导原则或者文献；⑤动物试验目的和背景信息（包括产品更改信息）；⑥受试器械和对照（如适用）描述，如名称、缩写名、代号、型号规格、批号等；⑦实验用药物和配用器械的相关信息，如药物名称和剂量、配用器械名称和型号规格等；⑧实验用动物的种属和品种/品系、性别、规格、来源、动物合格证或检疫合格证明等同类文件（如适用）、动物等级（如适用）、分组方法和识别方法、健康状况等信息；⑨受试器械和对照的使用方法、剂量（如适用）和频次；⑩动物试验评价指标以及检测方法、频次及持续时间；⑪动物试验测量/观察获得的个体数据及统计数据；分析数据所采用的统计方法；组织病理观察需同时提供彩色病理照片；⑫结果和结论；⑬方案偏离及所有影响研究数据可靠性的情况分析（如剔除数据）；对异常/非预期安全性事件进行分析（如死亡）；⑭质量保证声明；⑮项目负责人签署的陈述研究的符合性声明；⑯档案的保存地点。

（2）动物试验的质量保证　医疗器械动物试验应按照已建立的质量管理体系要求，配备足够的质量保证人员负责质量保证工作，并确保质量保证工作的独立性。质量保证人员不能参与具体试验项目的实施，或者承担可能影响其质量保证工作独立性的其他工作。质量保证人员应当制定书面的质量保证计划，并指定执行人员，以确保研究机构/单位的研究工作符合要求；宜对质量保证活动制定相应的操作规程，包括运行、质量保证计划及检查计划的制定、实施、记录和报告，以及相关资料的归档保存等。动物试验项目实施过程中，质量保证人员应对试验过程的关键阶段进行检查和记录。对于检查中所发现的问题，应及时向项目负责人和机构负责人报告，并对纠正措施进行审核。质量保证检查应当有过程记录和报告，必要时应当提交监管部门检查。质量保证人员需对动物试验项目进行审核并出具质量保证声明，确认是否准确完整地描述了研究的方法、程序、结果，真实、全面地反映研究的原始数据。质量保证声明需包含完整的研究识别信息、相关质量保证检查活动，以及报告的日期和阶段。任何对已完成总结报告的修改或者补充，应当重新进行审核并签署质量保证声明。质量保证人员在签署质量保证声明前，应当确认试验符合本指导原则的要求，遵照研究方案和操作规程执行，确认总结报告准确、可靠地反映原始数据。

5.5　医疗器械临床试验监管

在医疗器械安全性和有效性评价过程中，试验模型设计始终面临根本性挑战：受限于生理系统的复杂性，现有动物模型或体外模型均无法完整复现人体实际使用场景。由于缺乏与人体高度相似的替代模型，临床试验成为验证医疗器械安全性和有效性的核心环节。作为产品上市的关键依据，临床试验数据的真实性与可靠性直接决定了医疗器械上市后的实际性能表现和风险控制水平。尤其需要关注的是，将技术成熟度不足的医疗器械直接应用于人体试验，本身具有较高风险，因此规范临床试验流程、强化质量控制已成为医疗器械监管的核心任务之一。

5.5.1 医疗器械临床试验相关法规体系建设

我国医疗器械监管法规体系对医疗器械的临床评价作出了系统化的规范。《医疗器械监督管理条例》（国务院令第 739 号）第二十四至二十九条、《医疗器械注册与备案管理办法》（国家市场监督管理总局令第 47 号）第三章第二节（第三十三至四十六条）以及《体外诊断试剂注册与备案管理办法》（国家市场监督管理总局令第 48 号）第三章第二节（第三十五至四十五条）均专章设置了临床评价要求。近年来，国家药监局持续完善法规框架，先后出台《医疗器械临床试验机构条件和备案管理办法》《涉及人的生物医学研究伦理审查办法》和《医疗器械临床试验质量管理规范》等部门规章，并发布《医疗器械临床试验设计指导原则》《医疗器械临床试验机构监督检查办法》和《医疗器械临床试验检查要点及判定原则》等十余项技术指导文件，构建起覆盖试验设计、机构管理、数据采集、质量监控等全流程的标准化体系。这些法规文件通过细化操作规范、明确监管标准，为提升医疗器械临床试验质量提供了坚实的制度保障。

（1）医疗器械临床试验相关行政法规　《医疗器械监督管理条例》是我国医疗器械领域的专门行政法规，作为医疗器械临床试验的顶层法律依据，明确了临床试验的监管要求、各方责任及法律责任。开展医疗器械临床试验，应当按照《医疗器械临床试验质量管理规范》的要求，在具备相应条件的临床试验机构进行，并向临床试验申办者所在地省、自治区、直辖市人民政府药品监督管理部门备案。第三类医疗器械临床试验对人体具有较高风险的，应当经国务院药品监督管理部门批准。

（2）医疗器械临床试验相关部门规章　《涉及人的生物医学研究伦理审查办法》由国家卫生和计划生育委员会于 2016 年 10 月 12 日颁布，并于 2016 年 12 月 1 日起施行，适用于各级各类医疗卫生机构开展的涉及人的生物医学研究伦理审查工作。《涉及人的生物医学研究伦理审查办法》明确要求医疗卫生机构必须设立伦理审查委员会作为开展相关研究的前置条件，规定“医疗卫生机构未设立伦理委员会的，不得开展涉及人的生物医学研究工作”，从制度层面筑牢受试者权益保护的第一道防线。同时补充了涵盖伦理审查原则、操作规程、评价标准及跟踪审查的全流程管理规范相关内容，进一步阐述了知情同意的基本内容和操作规程。

《医疗器械临床试验机构条件和备案管理办法》是 2017 年 11 月 24 日由国家食品药品监督管理总局会同国家卫生和计划生育委员会联合制定发布的，自 2018 年 1 月 1 日起施行。该办法分为总则、备案条件、备案程序、监督管理和附则共五章二十条。主要内容包括：①总体要求，该办法清晰阐明了立法目的、关键定义以及适用范围，明确其适用于在我国境内开展医疗器械临床试验的临床试验机构的备案管理工作。②备案条件，该办法详细规定了医疗机构备案所需满足的各项条件。为强化对高风险医疗器械的管理，切实保障受试者安全，全面提升临床试验质量，特别规定，对于列入需进行临床试验审批目录的第三类医疗器械产品，其临床试验必须在三级甲等医疗机构的相关专业范围内开展。同时，针对开展创新医疗器械产品或需进行临床试验审批的第三类医疗器械产品临床试验的情况，明确要求主要研究者不仅应具备高级技术职称，还需参与过 3 项以上医疗器械或药物临床试验，以此确保研究团队具备足够的专业能力和实践经验。③备案程序，是由国家食品药品监督管理总局负责组织搭建的医疗器械临床试验机构备案管理信息系统（以下简称“备案系统”）。医疗器械临床试验机构通过该备案系统完成备案流程，成功获取备案号后，即具备承担医疗器械临床试验的资质。④监督管理，该办法明确了省级以上食品药品监管部门与卫生计生行政部门在临床试验机构监督管理方面的职责分工。双方需依据各自职能，协同开展对临床试验机构的监督管理工作，并建立有效的信息沟通机制，确保监管工作的高效、有序进行。

《医疗器械注册与备案管理办法》由国家市场监督管理总局于 2021 年 8 月 26 日颁布，并于 2021 年 10 月 1 日起施行。该办法的出台，旨在系统规范医疗器械注册与备案的全流程管理，通过构建科学、严谨的监管框架，切实保障医疗器械产品的安全性、有效性及质量可控性，为公众用械安全筑牢制度屏障。该办法重点围绕医疗器械临床试验的范围、技术审评、审批、监管及法律责任等方面作出系统性规定。

《体外诊断试剂注册与备案管理办法》于 2021 年 8 月 26 日经国家市场监督管理总局正式颁布，并于 2021 年 10 月 1 日起正式生效实施。该办法的出台，旨在通过构建系统化、规范化的监管体系，全面强化体外诊断试剂从研发到上市的全生命周期管理，切实保障其安全性、有效性及质量可控性，为维护公众健康权益提供坚实的法治保障。该办法重点明确了体外诊断试剂临床试验的定义、临床试验要求和临床试验资料等核心内容。

《医疗器械临床试验质量管理规范》是由国家药品监督管理局会同国家卫生健康委员会于 2022 年 3 月 31 日组织发布，并于 2022 年 5 月 1 日起施行的。本规范是为了加强对医疗器械临床试验的管理，维护受试者权益和安全，保证医疗器械临床试验过程规范，结果真实、准确、完整和可追溯而制定的。凡是在中华人民共和国境内，为申请医疗器械（含体外诊断试剂）注册而实施的医疗器械临床试验相关活动，都应当遵守本规范。本规范共 9 章 66 条，明确了伦理委员会、医疗器械临床试验机构、研究者、申办者的职责和要求，涵盖了医疗器械临床试验全过程。

（3）医疗器械临床试验相关规范性文件　《医疗器械临床试验设计指导原则》（总局公告 2018 年第 6 号）是 2018 年 1 月 8 日由国家食品药品监督管理总局组织制定并正式发布的。该指导原则系统构建了试验设计的科学框架，重点围绕试验目的、试验设计类型、样本量计算、对照组设置等关键环节提供方法学指导，旨在为申办方与研究者设计符合科学逻辑和监管要求的临床试验方案提供技术支撑。该指导原则是供申请人和审查人员使用的技术指导文件，不涉及注册审批等行政事项，亦不作为法规强制执行，如有能够满足法规要求的其他方法，也可以采用，但应提供详细的研究资料和验证资料。相关人员应在遵守相关法规的前提下使用本指导原则。该指导原则适用于产品组成、设计和性能已定型的医疗器械，包括治疗类产品、诊断类产品，不包括体外诊断试剂。

《接受医疗器械境外临床试验数据技术指导原则》（总局公告 2018 年第 13 号）是 2018 年 1 月 11 日由国家食品药品监督管理总局组织制定并发布实施的，发布目的是更好地满足公众对医疗器械的临床需要，促进医疗器械技术创新。该指导原则旨在从技术上指导申请人在申报医疗器械注册时使用境外临床试验数据和监管部门审评的该类临床试验数据，避免或减少临床试验重复性，缩短医疗器械在我国的上市周期。该指导原则适用于指导医疗器械（含体外诊断试剂）在我国申报注册时，接受申请人采用境外临床试验数据作为临床评价资料的工作。

《体外诊断试剂临床试验技术指导原则》（国家药监局令 2021 年第 72 号）是为了指导体外诊断试剂临床试验工作，由国家药品监督管理局于 2021 年 9 月 16 日发布并自发布之日起实施的。该指导原则旨在明确临床试验的基本原则和临床试验中需要考虑的关键因素，并对临床试验质量管理提出基本要求，用于指导申办者的临床试验工作，也为技术审评部门对临床试验资料的审评提供参考。该指导原则适用于按照医疗器械管理的体外诊断试剂在中国境内进行的、用于中国境内注册申请的临床试验。

《医疗器械临床评价技术指导原则》（国家药监局令 2021 年第 73 号）是由国家药品监督管理局于 2021 年 9 月 18 日发布的。该指导原则主要介绍临床评价和临床证据的概念，阐述临床试验、临床数据、临床评价以及临床证据之间的关系。该指导原则中的定义和概念，用于医疗器械对安全和有效基本原则的符合性的建立和保持，不适用于体外诊断试剂。

《医疗器械注册质量管理体系核查指南》（国家药监局令 2022 年第 50 号）是 2022 年 9 月 29 日由国家药品监督管理局组织修订发布，并自发布之日起实施的。该指南适用于医疗器械监管部门对第二类、第三类医疗器械开展的注册质量管理体系现场核查。其中对临床试验文件管理、临床确认管理、临床试验产品要求、临床试验产品管理等重点核查内容做出规定。

《涉及人的生命科学和医学研究伦理审查办法》（国卫科教发〔2023〕4 号）是 2023 年 2 月 18 日由国家卫生健康委、教育部、科技部、国家中医药局等部门联合制定发布。该办法以中华人民共和国境内的医疗卫生机构、高等学校、科研院所等为适用对象，明确了伦理审查的基本要求和监督管理责任，分为总则、伦理审查委员会、伦理审查、知情同意、监督管理及附则共六章五十四条。该办法总体要求：①伦理审查工作及相关人员应当遵守《中华人民共和国宪法》、法律及相关法规；②涉及人的生命科学和医学研究应当尊重研究参与者，遵循有益、不伤害、公正的原则，保护隐私权及个人信息。

为了进一步加强医疗器械临床试验监督管理，指导监管部门规范开展医疗器械临床试验项目检查工作，国家药监局结合新版《医疗器械临床试验质量管理规范》和近年来的医疗器械临床试验监督检查情况，组织修订了《医疗器械临床试验检查要点及判定原则》，通过细化检查要点和检查内容、完善检查结果判定原则、明确检查结果处理要求，于 2025 年 3 月 12 日形成了《关于发布医疗器械临床试验项目检查要点及判定原则的公告》（2025 年第 22 号，以下简称《公告》），自 2025 年 5 月 1 日起开始施行。该《公告》适用于由国家药监局启动、由国家药监局医疗器械检查机构组织实施的医疗器械临床试验现场检查工作。各省、自治区、直辖市药品监督管理部门对本行政区域内的临床试验现场检查工作参照该《公告》执行。根据官网的解读，该《公告》中的附件《医疗器械临床试验项目检查要点及判定原则》针对医疗器械和体外诊断试剂两个领域，①明确了检查要点：将现场检查要点分为临床试验条件与合规性、受试者权益保障、临床试验方案、临床试验实施过程、临床试验记录与报告、试验器械管理等板块；②完善了检查内容：根据法规调整和监管实际，细化临床试验实施过程、临床试验数据溯源、体外诊断试剂样本溯源等检查内容；③优化了真实性问题判定原则：将判定结果细化为“真实性问题、严重不符合要求问题、规范性问题、符合要求”四种情形。

（4）医疗器械临床试验机构相关规范性文件　为了进一步加强对医疗器械临床试验机构的管理，规范医疗器械临床试验机构监督检查工作，国家药品监督管理局于 2024 年 6 月 14 日发布了《医疗器械临床试验机构监督检查办法（试行）》（以下简称《办法（试行）》），自 2024 年 10 月 1 日起实施。该《办法（试行）》适用于药品监督管理部门对医疗器械临床试验机构备案及开展以医疗器械（含体外诊断试剂）注册为目的的医疗器械临床试验活动，执行针对医疗器械临床试验质量管理规范等情况的检查、处置等工作。该《办法（试行）》重点明确了各级监管部门职责、检查工作制度化要求、监督检查工作程序、不同检查结果的处理方式及协同办理要求等，有利于指导各级药品检查机构强化医疗器械临床试验机构管理，规范开展监督检查和风险处置；有利于督促临床试验机构切实维护受试者权益和安全，保证试验规范开展，确保临床试验结果真实、准确、完整和可追溯。

为落实《医疗器械注册与备案管理办法》和《医疗器械临床试验机构监督检查办法（试行）》等相关要求，加强医疗器械临床试验机构监督管理，国家药品监督管理局食品药品审核查验中心于 2024 年 6 月 14 日制定发布了《医疗器械临床试验机构监督检查要点及判定原则（试行）》（以下简称《检查要点及判定原则（试行）》），自 2024 年 10 月 1 日起施行。该《检查要点及判定原则（试行）》适用于药品监督管理部门组织的医疗器械临床试验机构监督检查，根据检查类型和检查重点，现场检查可适用部分检查要点。

5.5.2 医疗器械临床试验质量管理规范

5.5.2.1 医疗器械临床试验质量管理规范的由来与发展

我国医疗器械临床试验监管体系始于2000年《医疗器械管理条例》的颁布，该条例首次将第二类、第三类医疗器械的临床试用/验证纳入法定监管范畴，奠定了临床试验管理的法律基础。2004年1月17日，国家食品药品监督管理总局发布《医疗器械临床试验规定》（共7章29条），对临床试验的基本要求作出原则性规定，成为我国医疗器械临床试验质量管理体系的雏形。

2016年3月23日，国家食品药品监督管理总局联合国家卫生和计划生育委员会正式发布《医疗器械临床试验质量管理规范》（国家食品药品监督管理总局、国家卫生和计划生育委员会令第25号，英文全称为Good Clinical Practice，以下简称2016版GCP），自2016年6月1日起施行。该规范共11章96条，涵盖总则、临床试验前准备、受试者权益保障、临床试验方案、伦理委员会职责、申办者职责、临床试验机构及研究者职责、记录与报告、试验用医疗器械管理、基本文件管理和附则，系统构建了我国医疗器械临床试验的管理框架，在规范试验行为、保障受试者权益方面发挥了重要作用。

为深化医疗器械审评审批制度改革、优化临床试验管理，国家药品监督管理局会同国家卫生健康委员会于2022年3月24日发布修订后的《医疗器械临床试验质量管理规范》（以下简称2022版GCP），自2022年5月1日起施行。此次修订主要依据《医疗器械监督管理条例》（国务院令第739号）、《医疗器械注册与备案管理办法》（国家市场监管总局令第47号）及《体外诊断试剂注册与备案管理办法》（市场监管总局令第48号）等最新法规要求。2022版GCP共9章66条，涵盖医疗器械临床试验全过程，包括医疗器械临床试验的方案设计、实施、监查、稽查、检查，以及数据的采集、记录、保存、分析、总结和报告等。

5.5.2.2 医疗器械临床试验质量管理规范的修订背景与修订内容

根据国家药品监督管理局官网公布的对《医疗器械临床试验质量管理规范》的官方解读，该文件的修订背景和修订内容如下。

（1）修订背景　2016版GCP的实施，首次系统建立了我国医疗器械临床试验的标准体系，在规范试验流程、保障受试者权益等方面发挥了重要基础性作用。随着医疗器械审评审批制度改革纵深推进，特别是临床试验机构备案制改革（国药监械〔2017〕145号）等系列政策实施，现行规范中的部分条款已与监管实践发展产生不相适应的情形：新修订的《医疗器械监督管理条例》（国务院令第739号）及《医疗器械注册与备案管理办法》（国家市场监督管理总局令第47号）对临床评价路径、数据真实性核查等提出新要求，亟需通过规范修订实现法规体系的有机衔接；临床试验机构由资质认定改为备案管理后，机构数量增长320%（截至2023年），现有监管要求难以满足多元化主体的管理需要，需建立与备案制相匹配的质量控制标准；为推动医疗器械全球同步开发，需参照IMDRF（国际医疗器械监管机构论坛）相关指南，完善临床试验设计类型、真实世界数据应用等技术标准。因此，有必要对2016版GCP进行修改和补充，以适应当前医疗器械临床试验监管工作的需求。

（2）重点修订内容

① 调整整体框架

本次修订对2016版GCP的框架进行了系统性调整，将临床试验前准备、受试者权益保障、试验用医疗器械管理等章节内容整合到临床试验各参与方职责章节中。此次调整结构更加明确和强调各方职责，具有如下重要意义：首先，突出申办者主体责任，引入全流程风险管理理念，明确要求申办者的质量管理体系必须涵盖医疗器械临床试验全过程；其次，强化医疗器械临床试验机构要求，规定临床试验机构应当建立完善的组织架构和管理制度体系；最后，着重强调研究者的职责，要求研究者严格按照2022版GCP及相关法律法规的规定开展医疗器械临床试验。

② 将体外诊断试剂纳入2022版GCP管理

为适应体外诊断试剂产业发展和监管需求，本次修订将体外诊断试剂临床试验质量管理要求纳入2022版GCP中，体现了临床试验质量管理理念与要求的统一。

③ 调整安全性信息报告流程

2022版GCP对安全性信息报告流程进行了优化调整。一是将“双报告”改为“单报告”，由申办者向所在地省级药品监督管理部门、医疗器械临床试验机构所在地省级药品监督管理部门和卫生健康管理部门报告；二是明确报告范围为试验医疗器械相关的严重不良事件；三是细化报告时限要求，规定死亡或危及生命的报告时限为申办者在获知后的7日内，非死亡或非危及生命以及其他严重安全性风险应当在申办者获知后的15日内报告。

④ 简化优化相关要求

基于产业需求和监管实际，2022版GCP切实解决了当前反映较为集中的问题，取消了“医疗器械临床试验应当在两个或者两个以上医疗器械临床试验机构中进行”的规定要求，解决了部分医疗器械难以且无须在两家临床试验机构开展临床试验的实际困难；废止了检验报告1年有效期的限制，为临床试验的开展提供了更大便利。

⑤ 体现最新国际监管制度要求

2022版GCP充分吸纳借鉴IMDRF的监管协调文件相关内容，引入IMDRF MDCE WG/N57 FINAL：2019《临床试验》中关于在不同国家或者地区开展的多区域临床试验的概念，有助于全球创新产品同步在中国开展医疗器械临床试验。2022版GCP的修订全面参考ISO 14155：2020《医疗器械临床试验质量管理规范》和ISO 20916：2019《体外诊断医疗器械-使用人体样本进行临床性能研究-良好研究质量管理规范》等国际标准的相关内容，在正文内容和术语定义等多方面体现了与国际标准最新版本内容的协调统一。

5.5.2.3　医疗器械临床试验质量管理规范的内容

（1）医疗器械临床试验基本原则　2022版GCP规定，医疗器械临床试验应当遵守《世界医学大会赫尔辛基宣言》的伦理准则和国家涉及人的生物医学研究伦理的相关规范。参与医疗器械临床试验的各方，应当按照试验中各自的职责承担相应的伦理责任。同时，实施医疗器械临床试验应当有充分的科学依据和明确的试验目的，权衡受试者和社会预期的风险和获益。只有当预期的获益大于风险时，方可实施或者继续实施临床试验。

（2）医疗器械临床试验前准备　2022版GCP规定，医疗器械临床试验应当在具备相应条件且按照规定备案的医疗器械临床试验机构实施。医疗器械临床试验应当获得伦理委员会的同意。列入需进行临床试验审批的第三类医疗器械目录的，还应获得国家药品监督管理局的批准，并在符合要求的三级甲等医疗机构实施临床试验。医疗器械临床试验的申办者应当建立覆盖医疗器械临床试验全过程的质量管理体系，确保医疗器械临床试验符合相关法律法规，保护受试者权益和安全。

（3）医疗器械临床试验各方职责之伦理委员会　伦理委员会的职责是保护受试者合法权益和安全，维护受试者尊严。伦理委员会应当遵守《世界医学大会赫尔辛基宣言》的伦理准则和相关法律法规规定。伦理委员会的组成、运行、备案管理应当符合卫生健康管理部门要求。伦理委员会所有委员应当接受伦理知识、本规范和相关法律法规培训，熟悉医疗器械临床试验的伦理准则和相关法律法规规定，遵守伦理委员会的工作程序。

医疗器械临床试验开始前，申办者应当通过主要研究者向伦理委员会提交如下文件：①临床试验方案；②研究者手册；③知情同意书文本和其他任何提供给受试者的书面材料；④招募受试者和向其宣传的程序性文件（如适用）；⑤病例报告表文本；⑥基于产品技术要求的产品检验报告；⑦临床前研究相关资料；⑧主要研究者简历、专业特长、能力、接受培训和其他能够证明其资格的文件；⑨试验医疗器械的研制符合适用的医疗器械质量管理体系相关要求的声明；⑩与伦理审查相关的其他文件。

伦理委员会应当对医疗器械临床试验的伦理性和科学性进行审查，并应当重点关注如下内容：①主要研究者的资格、经验以及是否有充足的时间参加该临床试验；②临床试验的人员配备以及设备条件等是否符合试验要求；③受试者可能遭受的风险程度与试验预期的受益相比是否合适；④临床试验方案是否充分考虑了伦理原则，是否符合科学性，包括研究目的是否适当、受试者的权益和安全是否得到保障、其他人员可能遭受的风险是否得到充分保护；⑤向受试者提供的有关本试验的信息资料是否完整，是否明确告知其应当享有的权利；受试者是否可以理解知情同意书的内容；获取知情同意书的方法是否适当；⑥受试者入选、排除是否科学和公平；⑦受试者是否因参加临床试验而获得合理补偿；受试者若发生与临床试验相关的伤害或者死亡，给予的诊治和保障措施是否充分；⑧对儿童、孕妇、老年人、智力低下者、精神障碍患者等特殊人群受试者的保护是否充分。

伦理委员会审查意见包含：①同意；②作必要修改后同意；③不同意；④暂停或者终止已同意的试验四种情况。审查意见要求修改或者予以否定的，应当说明理由。

知情同意书一般应当包括如下内容以及对事项的说明：①主要研究者的姓名以及相关信息；②医疗器械临床试验机构的名称；③临床试验名称、目的、方法、内容；④临床试验过程、期限；⑤临床试验的资金来源、可能的利益冲突；⑥预期受试者可能的受益和已知的、可以预见的风险以及可能发生的不良事件；⑦受试者可以获得的替代诊疗方法以及其潜在受益和风险的信息；⑧适用时，说明受试者可能被分配到临床试验的不同组别；⑨受试者参加临床试验是自愿的，且在临床试验的任何阶段有权退出而不会受到歧视或者报复，其医疗待遇与权益不受影响；⑩告知受试者参加临床试验的个人资料属于保密，但医疗器械临床试验机构管理部门、伦理委员会、药品监督管理部门、卫生健康管理部门或者监查员、稽查员在工作需要时按照规定程序可以查阅受试者参加临床试验的个人资料；⑪受试者在临床试验期间可能获得的免费诊疗项目和其他相关补偿；⑫如发生与临床试验相关的伤害，受试者可以获得的治疗和/或赔偿；⑬受试者在临床试验期间可以随时了解与其相关的信息资料。此外，知情同意书应当注明制定的版本和日期或者修订后的版本和日期。知情同意书应当采用受试者能够理解的语言和文字。知情同意书不应当含有会引起受试者放弃合法权益以及免除医疗器械临床试验机构和主要研究者、申办者应当负责任的内容。

伦理委员会的跟踪审查要求有：①伦理委员会应当对医疗器械临床试验进行跟踪监督，发现受试者权益和安全不能得到保障等情形，可以在任何时间书面要求暂停或者终止该项临床试验；②伦理委员会需要审查研究者报告的本临床试验机构发生的严重不良事件等安全性信息，审查申办者报告的试验医疗器械相关严重不良事件等安全性信息；伦理委员会可以要求修改临床试验方案、知情同意书和其他提供给受试者的信息，暂停或者终止该项临床试验；③伦理委员会需要审查临床试验方案的偏离对受试者权益和安全的可能影响，或者对医疗器械临床试验的科学性、完整性的可能影响。

在医疗器械临床试验过程中，修订临床试验方案以及知情同意书等文件、恢复已暂停的临床试验，应当在重新获得伦理委员会的书面同意后方可实施。伦理委员会应当保存伦理审查的全部记录，包括伦理审查的书面记录、委员信息、递交的文件、会议记录和相关往来记录等。

（4）医疗器械临床试验各方职责之临床试验机构　医疗器械临床试验机构应当符合备案条件，建立临床试验管理组织架构和管理制度。医疗器械临床试验机构应当具有相应的临床试验管理部门，承担医疗器械临床试验的管理工作。医疗器械临床试验机构管理部门应当负责在医疗器械临床试验机构备案管理信息系统中填报、管理和变更医疗器械临床试验机构备案信息，包括临床试验专业、主要研究者等信息；负责在备案系统中在线提交上一年度实施医疗器械临床试验工作总结报告；负责在伦理委员会对医疗器械临床试验审查前，组织评估该临床试验主要研究者的资质并完成其备案。医疗器械临床试验机构应当建立质量管理制度，涵盖医疗器械临床试验实施的全过程，包括培训和考核、临床试验的实施、医疗器械的管理、生物样本的管理、不良事件和器械缺陷的处理以及安全性信息的报告、记录、质量控制等制度，确保主要研究者履行其临床试验相关职责，保证受试者得到妥善的医疗处理，确保试验产生数据的真实性。医疗器械临床试验机构在接受医疗器械临床试验前，应当根据试验医疗器械的特性评估相关资源，确保具备相匹配的资质、人员、设施、条件等。医疗器械临床试验机构和研究者应当配合申办者组织的监查和稽查，以及药品监督管理部门、卫生健康管理部门开展的检查。医疗器械临床试验机构应当按照相关法律法规和与申办者的合同，妥善保存临床试验记录和基本文件。

（5）医疗器械临床试验各方职责之研究者　负责医疗器械临床试验的主要研究者应当具备如下条件：①已完成医疗器械临床试验主要研究者备案；②熟悉本规范和相关法律法规；③具有试验医疗器械使用所要求的专业知识和经验，经过临床试验相关培训，有临床试验的经验，熟悉申办者所提供的医疗器械临床试验方案、研究者手册等资料；④有能力协调、支配和使用进行该项医疗器械临床试验的人员和设备，且有能力处理医疗器械临床试验中发生的不良事件和其他关联事件。

主要研究者应当确保医疗器械临床试验遵守伦理委员会同意的最新版本临床试验方案；在约定的时限内，按照本规范和相关法律法规的规定实施医疗器械临床试验。主要研究者可以根据医疗器械临床试验的需要，授权经过临床试验相关培训的研究者，组织进行受试者的招募和知情同意、筛选和随访。主要研究者还负责试验医疗器械和对照医疗器械（如适用）的管理和使用；生物样本的管理和使用（如适用）；不良事件和器械缺陷的处理；临床试验数据记录以及病例报告表填写等。

参与医疗器械临床试验的研究者应当：①具有承担医疗器械临床试验相应的专业技术资格、培训经历和相关经验；②参加申办者组织的与该医疗器械临床试验相关的培训，并在主要研究者授权的范围内参与医疗器械临床试验；③熟悉试验医疗器械的原理、适用范围或者预期用途、产品性能、操作方法、安装要求以及技术指标等，了解该试验医疗器械临床前研究相关资料；④充分了解并遵守临床试验方案、本规范和相关法律法规规定以及与医疗器械临床试验相关的职责；⑤掌握临床试验可能产生风险的防范以及紧急处理方法。

研究者应当遵守《世界医学大会赫尔辛基宣言》的伦理准则及相关伦理要求，并符合如下要求：①应当使用经伦理委员会同意的最新版本知情同意书和其他提供给受试者的信息；②在受试者参与临床试验前，应当向受试者说明试验医疗器械以及临床试验有关的详细情况，告知受试者可能的受益和已知的、可以预见的风险，经充分和详细解释后由受试者在知情同意书上签署姓名和日期，研究者在知情同意书上应当签署姓名和日期；③受试者为无民事行为能力人或者限制民事行为能力人的，应当依法获得其监护人的书面知情同意；受试者缺乏阅读能力的，应当有一位公正见证人见证整个知情同意过程并在知情同意书上签字并注明日期；④不应当强迫或者以其他不正当方式诱使受试者参加临床试验；⑤确保知情同意书更新并获得伦理委员会审查同意后，所有受影响的未结束试验流程的受试者，都签署新修订的知情同意书。

研究者对申办者提供的试验医疗器械和对照医疗器械（如适用）有管理责任，应当确保其仅用于参加该医疗器械临床试验的受试者，在临床试验期间按照要求储存和保管，在临床试验完成或者终止后按照相关法律法规和与申办者的合同进行处理。研究者应当确保医疗器械临床试验中生物样本的采集、处理、保存、运输、销毁等符合临床试验方案和相关法律法规。医疗器械临床试验中发生不良事件时，研究者应当为受试者提供足够、及时的治疗和处理；当受试者出现并发疾病需要治疗和处理时，研究者应当及时告知受试者。研究者应当记录医疗器械临床试验过程中发生的不良事件和发现的医疗器械缺陷。

研究者应当及时报告医疗器械临床试验中的安全性信息，具体如下：①医疗器械临床试验中发生严重不良事件时，研究者应当立即对受试者采取适当的治疗措施；同时，研究者应当在获知严重不良事件后 24 小时内，向申办者、医疗器械临床试验机构管理部门、伦理委员会报告；并按照临床试验方案的规定随访严重不良事件，提交严重不良事件随访报告；②发现医疗器械临床试验的风险超过可能的受益，需要暂停或者终止临床试验时，主要研究者应当向申办者、医疗器械临床试验机构管理部门、伦理委员会报告，及时通知受试者，并保证受试者得到适当治疗和随访。

主要研究者应当对收到的安全性信息及时处理，具体如下：①收到申办者提供的试验医疗器械相关严重不良事件和其他安全性信息时，应当及时签收阅读，并考虑受试者的治疗是否进行相应调整，必要时尽早与受试者沟通；②收到申办者或者伦理委员会需要暂停或者终止医疗器械临床试验的通知时，应当及时通知受试者，并保证受试者得到适当治疗和随访。

主要研究者应当按时向伦理委员会报告医疗器械临床试验的进展，及时报告影响受试者权益和安全的事件或者对临床试验方案的偏离。

医疗器械临床试验机构和研究者对申办者严重或者持续违反本规范和相关法律法规，或者要求改变试验数据、结论的行为，应当书面向申办者所在地省、自治区、直辖市药品监督管理部门报告。

（6）医疗器械临床试验各方职责之申办者　申办者应当对医疗器械临床试验的真实性、合规性负责。申办者为境外机构的，应当按照相关法律法规指定中国境内的企业法人作为代理人，由代理人协助申办者履行职责。申办者的质量管理体系应当覆盖医疗器械临床试验的全过程，包括医疗器械临床试验机构和主要研究者的选择、临床试验方案的设计，以及医疗器械临床试验的实施、记录、结果报告和文件归档等。申办者的质量管理措施应当与临床试验的风险相适应。

申办者发起医疗器械临床试验前应当：①确保产品设计已定型，完成试验医疗器械的临床前研究，包括性能验证以及确认、基于产品技术要求的产品检验报告、风险受益分析等，且结果应当能够支持该项医疗器械临床试验；②根据试验医疗器械的特性，选择已备案的医疗器械临床试验机构和主要的专业的研究者；③负责组织制定研究者手册、临床试验方案、知情同意书、病例报告表、标准操作规程以及其他相关文件，并向医疗器械临床试验机构和主要研究者提供。

申办者应当与医疗器械临床试验机构和主要研究者签订合同，明确各方在医疗器械临床试验中的权利和义务。申办者应当在医疗器械临床试验经伦理审查通过并且与医疗器械临床试验机构签订合同后，向申办者所在地省、自治区、直辖市药品监督管理部门进行临床试验项目备案。医疗器械临床试验备案完成后，该医疗器械临床试验机构方可开始第一例受试者知情同意以及筛选。

医疗器械临床试验开始前，申办者应当负责组织与该医疗器械临床试验相关的培训，如试验医疗器械的原理、适用范围、产品性能、操作方法、安装要求、技术指标、临床试验方案、标准操作规程以及其他相关文件等。

申办者应当免费提供试验医疗器械，并符合如下要求：①试验医疗器械应当按照医疗器械生产质量管理规范的相关要求生产且质量合格；②确定试验医疗器械的运输条件、储存条件、储存时间、有效期等；③试验医疗器械应当按照临床试验方案要求进行适当包装和保存；包装标签上应当标明产品信息，具有易于识别、正确编码的标识，标明仅用于医疗器械临床试验；④医疗器械临床试验获得伦理委员会同意后，申办者负责在规定的条件下将试验医疗器械运输至医疗器械临床试验机构；⑤对从医疗器械临床试验机构回收的试验医疗器械，申办者负责保存回收处置等记录。

申办者应当为受试者支付与医疗器械临床试验相关的费用。受试者发生与医疗器械临床试验相关的损害或者死亡时，申办者应当承担相应的治疗费用、补偿或者赔偿，但不包括研究者和医疗器械临床试验机构自身过失以及受试者自身疾病进展所致的损害。

申办者应当负责医疗器械试验期间安全性信息的评估和报告，具体如下：①申办者应当在获知死亡或者危及生命的临床试验医疗器械相关严重不良事件后 7 日内、获知非死亡或者非危及生命的试验医疗器械相关严重不良事件和其他严重安全性风险信息后 15 日内，向参与临床试验的其他医疗器械临床试验机构、伦理委员会以及主要研究者报告，向申办者所在地省、自治区、直辖市药品监督管理部门报告，向医疗器械临床试验机构所在地省、自治区、直辖市药品监督管理部门和卫生健康管理部门报告，并采取风险控制措施；出现可能影响受试者安全、可能影响医疗器械临床试验实施、可能改变伦理委员会同意意见的信息时，应当及时组织对临床试验方案、知情同意书和其他提供给受试者的信息，以及其他相关文件进行修改，并提交伦理委员会审查；②出现大范围临床试验医疗器械相关严重不良事件，或者其他重大安全性问题时，申办者应当暂停或者终止医疗器械临床试验，并向所有医疗器械临床试验机构管理部门、伦理委员会以及主要研究者报告，向申办者所在地省、自治区、直辖市药品监督管理部门报告，向所有医疗器械临床试验机构所在地省、自治区、直辖市药品监督管理部门和卫生健康管理部门报告。

申办者应当承担医疗器械临床试验监查责任，制定监查标准操作规程，并选择符合要求的监查员履行监查职责，具体要求如下：①监查员人数以及监查次数应当与医疗器械临床试验的复杂程度和参与临床试验的医疗器械临床试验机构数量相匹配；②监查员应当受过相应的培训，熟悉本规范和相关法律法规，具备相关专业背景知识，熟悉试验医疗器械的相关研究资料和同类产品临床方面的信息、临床试验方案以及相关的文件，能够有效履行监查职责；③监查员应当遵守由申办者制定的监查标准操作规程，督促医疗器械临床试验按照临床试验方案实施。监查的内容包括医疗器械临床试验机构和研究者在临床试验实施过程中对临床试验方案、本规范和相关法律法规的依从性；受试者知情同意书签署、筛选、随访、权益和安全保障；试验医疗器械和对照医疗器械（如适用）的管理和使用；生物样本的管理和使用（如适用）；不良事件和器械缺陷的处理；安全性信息的报告；临床试验数据记录以及病例报告表填写等。

为保证临床试验的质量，申办者可以组织独立于医疗器械临床试验、有相应培训和经验的稽查员对临床试验实施情况进行稽查，评估临床试验是否符合临床试验方案、本规范和相关法律法规的规定。申办者应当确保医疗器械临床试验的实施遵守临床试验方案，发现医疗器械临床试验机构和研究者不遵守临床试验方案、本规范和相关法律法规的，应当及时指出并予以纠正；如情况严重或者持续不改，应当终止该临床试验机构和研究者继续参加该临床试验，并书面向临床试验机构所在地省、自治区、直辖市药品监督管理部门报告。申办者应当在医疗器械临床试验暂停、终止或者完成后10个工作日内，书面报告所有的主要研究者、医疗器械临床试验机构管理部门、伦理委员会。申办者应当在医疗器械临床试验终止或者完成后10个工作日内，向申办者所在地省、自治区、直辖市药品监督管理部门报告。

（7）医疗器械临床试验方案和试验报告　实施医疗器械临床试验，申办者应当根据试验目的，综合考虑试验医疗器械的风险、技术特征、适用范围和预期用途等，组织制定科学、合理的临床试验方案。临床试验方案一般包含产品基本信息、临床试验基本信息、试验目的、风险受益分析、试验设计要素、试验设计的合理性论证、统计学考虑、实施方式（方法、内容、步骤）、临床试验终点、数据管理、对临床试验方案修正的规定、不良事件和器械缺陷定义和报告的规定、伦理学考虑等内容。申办者、主要研究者应当按照临床试验方案实施医疗器械临床试验，并完成临床试验报告。临床试验报告应当全面、完整、准确地反映临床试验结果，临床试验报告有关安全性、有效性的数据应当与临床试验源数据一致。

临床试验报告一般包含医疗器械临床试验基本信息、实施情况、统计分析方法、试验结果、不良事件和器械缺陷报告以及其处理情况、对试验结果的分析讨论、临床试验结论、伦理情况说明、存在问题及改进建议等内容。临床试验方案、临床试验报告应当由主要研究者签名、注明日期，经医疗器械临床试验机构审核签章后交申办者。

（8）医疗器械多中心临床试验　多中心临床试验是指按照同一临床试验方案，在两个以上（含两个）医疗器械临床试验机构实施的临床试验。多中心临床试验在不同的国家或者地区实施时，为多区域临床试验，在中国境内实施的多区域医疗器械临床试验，应当符合本规范的相关要求。

申办者实施多中心医疗器械临床试验，应当符合如下要求：①申办者应当确保参加医疗器械临床试验的各中心均能遵守临床试验方案；②申办者应当向各中心提供相同的临床试验方案；临床试验方案的伦理性和科学性经组长单位伦理委员会审查通过后，参加临床试验的其他医疗器械临床试验机构伦理委员会一般情况下不再对临床试验方案设计提出修改意见，但是有权不同意在其医疗器械临床试验机构进行试验；③各中心应当使用相同的病例报告表和填写指导说明，以记录在医疗器械临床试验中获得的试验数据；④医疗器械临床试验开始前，应当有书面文件明确参加医疗器械临床试验的各中心主要研究者的职责；⑤申办者应当确保各中心主要研究者之间的沟通；⑥申办者负责选择、确定医疗器械临床试验的协调研究者，协调研究者供职的医疗机构为组长单位；协调研究者承担多中心临床试验中各中心的协调工作。

多中心临床试验报告应当由协调研究者签名并注明日期，经组长单位医疗器械临床试验机构审核签章后交申办者。各分中心临床试验小结应当由该中心的主要研究者签名并注明日期，经该中心的医疗器械临床试验机构审核签章后交申办者。分中心临床试验小结主要包括人员信息、试验医疗器械和对照医疗器械（如适用）信息、试验概述、病例入组情况、临床试验方案的执行情况、试验数据的总结和描述性分析、医疗器械临床试验质量管理情况、不良事件和器械缺陷的发生及处理情况、方案偏离情况说明等。

（9）医疗器械临床试验记录要求　医疗器械临床试验数据应当真实、准确、完整，具有可追溯性。医疗器械临床试验的源数据应当清晰可辨，不得随意更改；确需更改时，应当说明理由，签名并注明日期。

在医疗器械临床试验中，主要研究者应当确保任何观察与发现均正确完整地予以记录。以患者为受试者的临床试验，相关的医疗记录应当载入门诊或者住院病历中。主要研究者应当确保按照申办者提供的指南，填写和修改病例报告表，确保病例报告表中的数据准确、完整、清晰和及时。病例报告表中报告的数据应当与源文件一致。病例报告表中数据的修改，应当确保初始记录清晰可辨，保留修改轨迹，由修改者签名并注明日期。医疗器械临床试验中如采用电子数据采集系统，该系统应当经过可靠的验证，具有完善的权限管理和稽查轨迹，可以追溯至记录的创建者、创建时间，或修改者、修改时间、修改情况，所采集的电子数据可以溯源。医疗器械临床试验基本文件是用于评价申办者、医疗器械临床试验机构和主要研究者对本规范和药品监督管理部门有关要求的执行情况。药品监督管理部门可以对医疗器械临床试验基本文件进行检查，并作为确认医疗器械临床试验实施的真实性和所收集数据完整性的依据。

申办者和医疗器械临床试验机构应当具备临床试验基本文件保存的场所和条件，应当建立基本文件管理制度。医疗器械临床试验基本文件按临床试验阶段分为三部分：准备阶段文件、进行阶段文件、完成或者终止后文件。申办者和医疗器械临床试验机构应当确保临床试验基本文件在保存期间的完整性，避免故意或者无意地更改或者丢失。其中，①研究者应当在医疗器械临床试验过程中妥善保存临床试验基本文件；②医疗器械临床试验机构应当保存临床试验基本文件至医疗器械临床试验完成或者终止后 10 年；③伦理委员会应当保存伦理审查的全部记录至医疗器械临床试验完成或者终止后 10 年；④申办者应当保存临床试验基本文件至无该医疗器械使用时。

（10）《医疗器械临床试验质量管理规范》的相关用语含义 医疗器械临床试验是指在符合条件的医疗器械临床试验机构中，对拟申请注册的医疗器械（含体外诊断试剂）在正常使用条件下的安全性和有效性进行确认的过程。

医疗器械临床试验机构是指具备相应条件，按照本规范和相关法律法规实施医疗器械临床试验的机构，包括承担体外诊断试剂临床试验的血液中心和中心血站、设区的市级以上疾病预防控制机构、戒毒中心等非医疗机构。

临床试验方案是指说明医疗器械临床试验目的、设计、方法学和组织实施等的文件。临床试验方案包括方案及其修订版。

临床试验报告是指描述一项医疗器械临床试验设计、执行、统计分析和结果的文件。

病例报告表是指按照医疗器械临床试验方案所规定设计的文件，用以记录试验过程中获得的每个受试者的全部信息和数据。

研究者手册是指申办者提供的，帮助主要研究者和参与临床试验的其他研究者更好地理解和遵守临床试验方案的资料汇编，包括但不限于：申办者基本信息、试验医疗器械的概要说明、支持试验医疗器械预期用途和临床试验设计理由的概要和评价、可能的风险、推荐的防范和紧急处理方法等。

试验医疗器械是指医疗器械临床试验中对其安全性、有效性进行确认的拟申请注册的医疗器械。

对照医疗器械是指医疗器械临床试验中作为对照的在中华人民共和国境内已上市的医疗器械。

伦理委员会是指由适当人员组成的独立委员会，其职责是确保参与医疗器械临床试验的受试者的权益和安全得到保护。

知情同意是指向受试者告知医疗器械临床试验的各方面情况后，受试者确认自愿参加该项医疗器械临床试验的过程，应当以书面签署姓名和注明日期的知情同意书作为证明文件。

受试者是指自愿参加医疗器械临床试验的个人。

公正见证人是指与医疗器械临床试验无关，不受临床试验相关人员不公正影响的个人，在受试者无阅读能力时，作为公正的见证人，阅读知情同意书和其他提供给受试者的信息，并见证知情同意。

申办者是指医疗器械临床试验的发起、管理和提供财务支持的机构或者组织。

研究者是指在医疗器械临床试验机构中实施医疗器械临床试验的人员。

主要研究者是指在医疗器械临床试验机构中实施医疗器械临床试验的负责人。

协调研究者是指在多中心临床试验中由申办者指定实施协调工作的研究者，一般为组长单位的主要研究者。

监查是指申办者为保证医疗器械临床试验能够遵守临床试验方案、本规范和相关法律法规，选派专门人员对医疗器械临床试验机构、研究者进行评价调查，对医疗器械临床试验过程中的数据进行验证并记录和报告的活动。

稽查是指由申办者组织对医疗器械临床试验相关活动和文件进行系统性的独立检查，以确定此类活动的执行、数据的记录、分析和报告是否符合临床试验方案、本规范和相关法律法规。

检查是指监管部门对医疗器械临床试验的有关文件、设施、记录和其他方面进行的监督管理活动。

偏离是指有意或者无意地未遵守医疗器械临床试验方案要求的情形。

不良事件是指在医疗器械临床试验过程中出现的不良医学事件，无论其是否与试验医疗器械相关。

严重不良事件是指医疗器械临床试验过程中发生的导致死亡或者健康状况严重恶化的事件，包括致命的疾病或者伤害、身体结构或者身体功能的永久性缺陷、需要住院治疗或者延长住院时间、需要采取医疗措施以避免对身体结构或者身体功能造成永久性缺陷，以及胎儿窘迫、胎儿死亡或者先天性异常、先天性缺损等事件。

器械缺陷是指在临床试验过程中，医疗器械在正常使用情况下存在可能危及人体健康和生命安全的不合理风险，如标签错误、质量问题、故障等。

源数据是指医疗器械临床试验中的临床发现、观察和其他活动的原始记录，以及其经核准的副本中的所有信息，可以用于医疗器械临床试验的重建和评价。

源文件是指包含源数据的印刷文件、可视文件或者电子文件等。

为配合 2022 版 GCP 的实施，进一步指导临床试验开展，药监局随后配套发布了《医疗器械临床试验方案范本》《医疗器械临床试验报告范本》《体外诊断试剂临床试验方案范本》《体外诊断试剂临床试验报告范本》《医疗器械/体外诊断试剂临床试验严重不良事件报告表范本》和《医疗器械/体外诊断试剂临床试验基本文件目录》等文件，与 2022 版《规范》同步实施。

5.5.3 医疗器械临床试验的决策原则

5.5.3.1 医疗器械临床试验决策原则

鉴于临床试验具有周期漫长、成本高昂的特点，在医疗器械开展临床评价之际，国家积极鼓励医疗器械注册申请人运用高效的方式，来获取能够证明产品符合医疗器械安全与性能基本原则的最低限度信息。此举旨在消除或减轻医疗器械研发者不必要的负担，让患者能够尽早且持续地获得安全有效的医疗器械。为此，国家还专门发布了《决策是否开展医疗器械临床试验技术指导原则》（本章节简称《指导原则》），为医疗器械临床试验的决策工作提供专业的技术指导。该《指导原则》适用于需要开展临床评价的第二类、第三类医疗器械产品注册时，决策是否需要开展临床试验，不适用于按医疗器械管理的体外诊断试剂。该《指导原则》中明确指出，决策是否开展医疗器械临床试验是综合考虑产品的适用范围、技术特征、生物学特性、风险程度及已有研究数据（包括临床数据和非临床数据）等方面来确定开展临床试验必要性的过程。需要开展临床试验的，可根据具体情况，选择在境内开展临床试验还是全部或同期在境外开展临床试验。

按照该原则，医疗器械是否需要开展临床试验才能完成临床评价的主要考虑因素有以下几方面。

① 临床使用具有高风险的第三类医疗器械（以下简称高风险医疗器械），原则上需要开展临床试验，但以下情形可考虑免于开展临床试验：

a. 申报产品的前代产品未在中国获准上市，申报产品是对前代产品进行的设计变更，注册申请人可通过已有数据（如非临床研究数据、前代产品的临床试验数据、申报产品的境外临床数据）证明申报产品符合医疗器械安全和性能的基本原则。

b. 注册申请人可按照《接受医疗器械境外临床试验数据技术指导原则》的要求提供申报产品境外临床试验数据，结合其他设计验证和确认文件、器械描述、说明书和标签、风险管理文件以及生产信息进行综合评价，证明申报产品符合医疗器械安全和性能的基本原则。

c. 申报产品的前代产品已在中国获准上市，申报产品是对前代产品进行的设计变更，且注册申请人可通过已有数据（如非临床研究数据、前代产品的临床试验数据、申报产品境外临床数据）证明申报产品符合医疗器械安全和性能的基本原则。

注：前代产品是指与申报产品属于同一注册申请人、具有相同适用范围且技术特征和生物学特性相似的产品，申报产品与前代产品为迭代关系。

② 申报产品虽然不属于高风险医疗器械，但为新型医疗器械，原则上应开展临床试验，但以下情形可考虑免于开展临床试验：

a. 注册申请人可通过非临床研究数据充分证明申报产品符合医疗器械安全和性能的基本原则。

b. 申报产品在我国为新型医疗器械，但其自身已有临床数据（例如境外临床文献数据、境外临床试验数据等），注册申请人可通过非临床研究数据、申报产品的临床数据证明申报产品符合医疗器械安全和性能的基本原则。

c. 申报产品在我国为新型医疗器械，但其前代产品已有境外临床数据，申报产品是对前代产品进行的设计变更，注册申请人可通过非临床研究数据、申报产品的境外临床数据和前代产品的境外临床数据充分证明申报产品符合医疗器械安全和性能的基本原则。

③ 产品不属于高风险医疗器械，也不属于新型医疗器械，在注册申请人已开展充分的非临床研究且全面收集已有临床数据的基础上，若已有证据不能证明产品符合医疗器械安全和性能的基本原则时，有可能需要通过开展临床试验补充临床数据。获得的临床试验数据用于产品临床评价过程且为临床证据的一部分。

具体而言，当注册申请人根据以上因素考虑是否开展医疗器械临床试验时，可参考医疗器械临床试验决策流程图，如图 5-6 所示。

5.5.3.2 免于临床试验的医疗器械目录

为深入践行中共中央办公厅、国务院办公厅印发的《关于深化审评审批制度改革鼓励药品医疗器械创新的意见》精神，积极响应国务院深化“放管服”改革的各项要求，国家药品监督管理局立足实际工作情况，定期对免于开展临床试验的医疗器械产品予以发文公示，以便公众能够便捷查询相关信息。

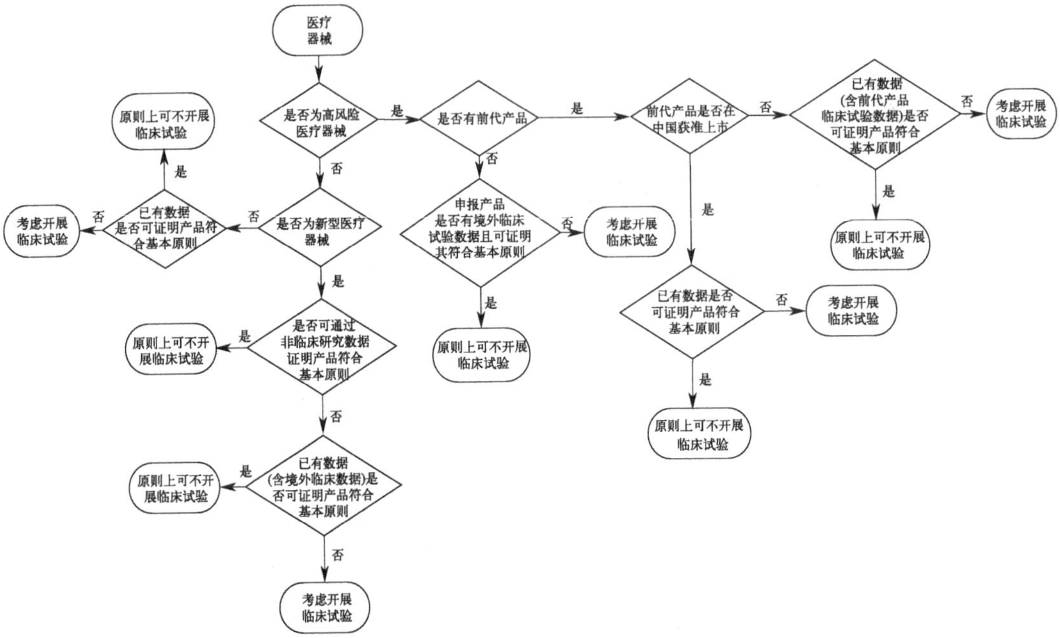

图 5-6　医疗器械临床试验决策流程图

2025 年 5 月 12 日，国家药监局在《免于进行临床评价医疗器械目录（2023 年）》（国家药监局通告 2023 年第 33 号）实施成效的基础上，科学修订并发布了《免于进行临床评价医疗器械目录（2025 年）》（以下简称《目录（2025）》），自发布之日起施行。《目录（2025）》的发布，标志着我国医疗器械监管体系在科学化、精准化道路上迈出了关键一步。该《目录（2025）》通过动态调整机制，将 1047 项技术成熟、风险可控的医疗器械纳入豁免范围，涵盖Ⅱ类医疗器械和Ⅲ类医疗器械。其中，新增 28 项豁免产品，包括个性化 3D 打印手术模型、放射治疗配套器械等 8 项Ⅱ类器械，以及输送型颅内球囊扩张导管、房间隔穿刺鞘等 20 项Ⅲ类高风险器械，实现精准医疗设备与植入介入器械的双重突破；对 25 项产品描述进行技术性修正，涉及一次性使用高频手术设备用阴极板、高频手术附件、3D 打印截骨导板等Ⅱ类医疗器械，以及高频手术设备、血管内回收装置、金属锁定接骨板等Ⅲ类医疗器械，例如将“一次性使用高频手术设备用阴极板”统一规范为“高频手术设备用一次性使用中性电极”。同时，对免疫层析分析仪器、免疫散射浊度分析仪器和幽门螺杆菌呼气分析仪器等 3 项Ⅱ类医疗器械产品的产品名称进行修订，对电子膀胱输尿管肾盂内窥镜（Ⅱ类医疗器械）和角度型金属接骨板（Ⅲ类医疗器械）两项产品的产品名称和产品描述进行复合修订。此外，针对经颈静脉肝内穿刺器械中 1 项产品的管理类别和分类编码进行了修订，以及针对一次性使用胸腔引流管及穿刺套件的分类编码和产品描述进行了修订，例如将其分类编码由原 02-15-01 优化为 02-12-03，进一步提升了产品溯源管理的精准性[6]。

临床试验作为体外诊断试剂（IVD）注册上市进程中的核心环节与关键挑战，始终牵动着行业发展的神经。在此背景下，系统剖析最新版《免于进行临床试验体外诊断试剂目录》的修订要点与演变趋势，不仅能为 IVD 企业精准把握监管政策导向提供科学依据，更可助力企业优化研发资源配置、构建差异化产品上市路径，在确保合规性的同时实现市场先发优势。

2025 年 6 月 24 日，国家药监局正式发布了《免于进行临床试验体外诊断试剂目录（2025 年）》（国家药监局通告 2025 年第 23 号，以下简称 2025 版《目录》），以替代 2021

年版《免于进行临床试验体外诊断试剂目录》（国家药监局通告 2021 年第 70 号，以下简称 2021 版《目录》）。根据《体外诊断试剂分类目录》（国家药监局公告 2024 年第 58 号，以下简称分类目录）最新修订，纳入该目录管理的体外诊断试剂产品共计 1013 项，其中Ⅱ类产品 682 项、Ⅲ类产品 331 项。

基于该分类框架，现对 2021 版《目录》与 2025 版《目录》的构成特征及演变趋势作如下专业分析。2021 版《目录》共收录 423 项豁免产品，其中Ⅲ类产品 24 项（占比 5.7%）、Ⅱ类产品 399 项（占比 94.3%）。经与 2024 版分类目录比对，因产品管理类别调整或标准更新，有 13 项产品不再纳入现行分类体系。剩余 410 项持续有效豁免产品中，包含Ⅰ类产品 25 项、Ⅱ类产品 361 项、Ⅲ类产品 24 项，Ⅱ/Ⅲ类产品合计豁免数量达 385 项，整体豁免比例为 38%（385/1013）。2025 版《目录》扩容至 445 项产品，其中Ⅲ类产品 27 项（占比 6.1%）、Ⅱ类产品 418 项（占比 93.9%），整体豁免比例提升至 44%。2025 版《目录》相较 2021 版《目录》呈现三大结构性变化。①规模效应显著：总豁免产品数增加 22 项，增幅为 5.2%；②品类聚焦明显：Ⅱ类产品新增 57 项，豁免比例跃升至 61%（418/682），成为政策红利主要受益群体；③风险分层优化：Ⅲ类产品豁免比例维持 8%（27/331）的审慎水平，体现“宽进严管”的监管逻辑。详见图 5-7 和图 5-8。

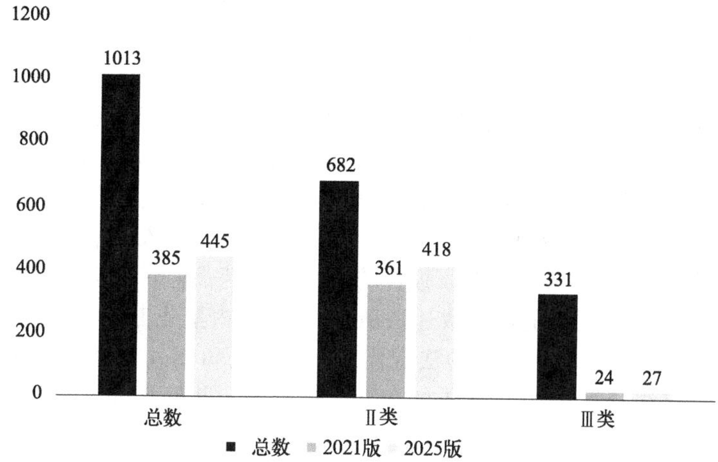

图 5-7　2021 版与 2025 版《目录》相比豁免产品数量图

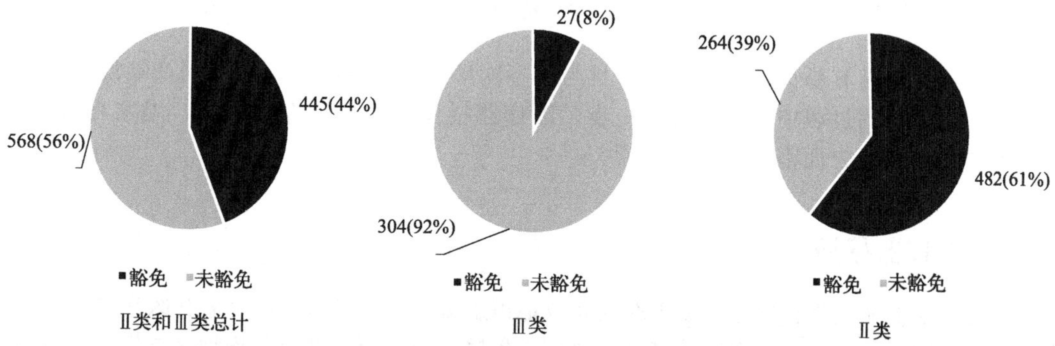

图 5-8　2021 版与 2025 版《目录》相比豁免产品比例图

5.5.4　医疗器械临床试验相关法律责任

医疗器械临床试验事关重大，必须进行非常严格的监管，《医疗器械监督管理条例》中针对医疗器械临床试验的相关违法行为和法律责任进行了明确规定。

① 未进行医疗器械临床试验机构备案开展临床试验的，由负责药品监督管理的部门责令停止临床试验并改正；拒不改正的，该临床试验数据不得用于产品注册、备案，处5万元以上10万元以下罚款，并向社会公告；造成严重后果的，5年内禁止其开展相关专业医疗器械临床试验，并处10万元以上30万元以下罚款，由卫生主管部门对违法单位的法定代表人、主要负责人、直接负责的主管人员和其他责任人员，没收违法行为发生期间自本单位所获收入，并处所获收入30%以上3倍以下罚款，依法给予处分。

② 临床试验申办者开展临床试验未经备案的，由负责药品监督管理的部门责令停止临床试验，对临床试验申办者处5万元以上10万元以下罚款，并向社会公告；造成严重后果的，处10万元以上30万元以下罚款。该临床试验数据不得用于产品注册、备案，5年内不受理相关责任人以及单位提出的医疗器械注册申请。

③ 临床试验申办者未经批准开展对人体具有较高风险的第三类医疗器械临床试验的，由负责药品监督管理的部门责令立即停止临床试验，对临床试验申办者处10万元以上30万元以下罚款，并向社会公告；造成严重后果的，处30万元以上100万元以下罚款。该临床试验数据不得用于产品注册，10年内不受理相关责任人以及单位提出的医疗器械临床试验和注册申请，对违法单位的法定代表人、主要负责人、直接负责的主管人员和其他责任人员，没收违法行为发生期间自本单位所获收入，并处所获收入30%以上3倍以下罚款。

④ 医疗器械临床试验机构开展医疗器械临床试验未遵守临床试验质量管理规范的，由负责药品监督管理的部门责令改正或者立即停止临床试验，处5万元以上10万元以下罚款；造成严重后果的，5年内禁止其开展相关专业医疗器械临床试验，由卫生主管部门对违法单位的法定代表人、主要负责人、直接负责的主管人员和其他责任人员，没收违法行为发生期间自本单位所获收入，并处所获收入30%以上3倍以下罚款，依法给予处分。

⑤ 医疗器械临床试验机构出具虚假报告的，由负责药品监督管理的部门处10万元以上30万元以下罚款；有违法所得的，没收违法所得；10年内禁止其开展相关专业医疗器械临床试验；由卫生主管部门对违法单位的法定代表人、主要负责人、直接负责的主管人员和其他责任人员，没收违法行为发生期间自本单位所获收入，并处所获收入30%以上3倍以下罚款，依法给予处分。

5.6 医疗器械命名、说明书与标签监管

给产品起个具有易记、易懂、上口且与众不同等特点的名称，以及编制产品说明书和标签是医疗器械研制过程中必须进行的一步。医疗器械作为一种特殊的产品，国家在其命名、说明书与标签编制方面都有严格的监管。

5.6.1 医疗器械通用名称命名

对医疗器械命名进行规范有助于准确有效地识别医疗器械产品，也是监管医疗器械产品的重要技术支撑手段之一[7]。医疗器械命名监管是保障公众健康、规范市场秩序与推动行业高质量发展的基石。其必要性在于，医疗器械技术复杂且应用场景专业，若缺乏统一命名规则，企业可能通过模糊、夸大或误导名称掩盖产品真实属性，导致医护人员误用、患者选择困难，甚至引发安全风险；同时，通用名称的商标化可能阻碍公平竞争，抑制技术创新。其意义则体现在多维度：科学命名确保产品功能、技术原理和使用场景透明化，降低使用风险；统一标准提

升监管效率，便于质量追溯与风险预警；规范术语促进国际互认，加速国产医疗器械“走出去”；而严格的法律约束更倒逼企业回归技术本质，遏制低质竞争，最终构建一个患者放心、企业公平、监管高效的市场生态，为医疗健康产业可持续发展提供坚实保障。

2014 年国务院发布的《医疗器械监督管理条例》（国务院令第 650 号）中，第二十六条明确规定：“医疗器械应当使用通用名称。通用名称应当符合国务院食品药品监督管理部门制定的医疗器械命名规则。”为了加强医疗器械监督管理，保证医疗器械通用名称的科学、规范，国家食品药品监督管理总局于 2015 年 12 月 21 日发布了《医疗器械通用名称命名规则》（总局令第 19 号，以下简称《命名规则》），自 2016 年 4 月 1 日起实施。随后，为了进一步规范医疗器械通用名称，指导医疗器械各专业领域命名指导原则的编制，2019 年 12 月 16 日，国家药品监督管理局组织制定并发布了《医疗器械通用名称命名指导原则》（2019 年第 99 号，以下简称《命名指导原则》），本原则不适用于按照医疗器械管理的体外诊断试剂。《命名规则》与《命名指导原则》两份文件的发布，标志着我国医疗器械命名从“无标尺”向“规范化、科学化、体系化”转型。

5.6.1.1 医疗器械通用名称命名基本原则

根据《命名规则》规定：①凡在中华人民共和国境内销售、使用的医疗器械应当使用通用名称；②医疗器械通用名称应当符合国家有关法律、法规的规定，科学、明确，与产品的真实属性相一致；③医疗器械通用名称应当使用中文，符合国家语言文字规范；④具有相同或者相似的预期目的、共同技术的同品种医疗器械，应当使用相同的通用名称。

5.6.1.2 医疗器械通用名称组成结构及要求

（1）医疗器械通用名称基本组成结构　医疗器械通用名称由一个核心词和一般不超过三个的特征词组成。其中，核心词是对具有相同或者相似的技术原理、结构组成或预期目的的医疗器械的概括性表述。特征词是对医疗器械使用部位、结构特点、技术特点或材料组成等特定属性的描述。使用部位是指产品在人体的作用部位，可以是人体的系统、器官、组织、细胞等。结构特点是对产品特定结构、外观形态的描述。技术特点是对产品特殊作用原理、机理或特殊性能的说明或者限定。材料组成是对产品的主要材料或主要成分的描述。

（2）医疗器械通用名称其他要求

① 各领域根据专业领域特性和产品特点分别确定核心词和特征词的选取原则。

② 对现有认知和技术具有重大影响的其他特定属性，视情况需要可增加特征词数量。

③ 一般情况下，描述产品使用形式、提供形式等属性的特征词应放首位，其他类型的特征词应按其对核心词的修饰性从广义到狭义的顺序排列。

④ 由两种及以上医疗器械组合而成，以实现某一临床预期用途的器械组合产品，由各领域根据产品实际情况进行命名，原则上其通用名称应体现组合形式和主要临床预期用途。按医疗器械管理的药械组合产品，根据其专业领域要求，其通用名称宜体现药械组合特性。

5.6.1.3 医疗器械通用名称禁用内容

医疗器械通用名称不得含有以下内容：①型号、规格；②图形、符号等标志；③人名、企业名称、注册商标或者其他类似名称；④“最佳”“唯一”“精确”“速效”等绝对化、排他性的词语，或者表示产品功效的断言或者保证；⑤说明有效率、治愈率的用语；⑥未经科学证明或者临床评价证明，或者虚无、假设的概念性名称；⑦明示或者暗示包治百病，夸大适用范围，或者其他具有误导性、欺骗性的内容；⑧“美容”“保健”等宣传性词语；⑨有关法律、法规禁止的其他内容。

根据《中华人民共和国商标法》第十一条第一款的规定，医疗器械通用名称不得作为商标注册。

5.6.1.4 各专业领域医疗器械通用名称命名指导原则

参考《医疗器械分类目录》中 22 个子目录的设置，22 个技术领域医疗器械通用名称命名指导原则构成了我国医疗器械命名的“术语词典”[8]。该词典对医疗器械的命名做了整体要求，有效解决了以往名称混乱、标准不一的问题，实现了命名的系统化和规范化。然而，由于医疗器械产品种类繁多且技术迭代迅速，现行《命名规则》和《命名指导原则》难以完全覆盖各细分领域的具体命名需求。因此，国家药品监督管理局从医疗器械的功能和临床使用的角度，按照不同的专业领域分别于 2020 年 6 月 22 日组织制定了《医用成像器械通用名称命名指导原则》《有源植入器械通用名称命名指导原则》和《口腔科器械通用名称命名指导原则》等 3 项指导原则（2020 年第 41 号），于 2020 年 11 月 30 日组织制定了《骨科手术器械通用名称命名指导原则》《输血、透析和体外循环器械通用名称命名指导原则》《无源手术器械通用名称命名指导原则》《无源植入器械通用名称命名指导原则》和《医疗器械消毒灭菌器械通用名称命名指导原则》等 5 项指导原则的通告（2020 年第 79 号），于 2021 年 7 月 12 日组织制定了《医用康复器械通用名称命名指导原则》《中医器械通用名称命名指导原则》《放射治疗器械通用名称命名指导原则》《医用软件通用名称命名指导原则》《呼吸、麻醉和急救器械通用名称命名指导原则》和《妇产科、辅助生殖和避孕器械通用名称命名指导原则》等 6 项指导原则（2021 年第 48 号），于 2021 年 8 月 23 日组织制定了《神经和心血管手术器械通用名称命名指导原则》和《医用诊察和监护器械通用名称命名指导原则》等 2 项指导原则（2021 年第 62 号），于 2022 年 5 月 26 日组织制定了《有源手术器械通用名称命名指导原则》《物理治疗器械通用名称命名指导原则》《患者承载器械通用名称命名指导原则》《眼科器械通用名称命名指导原则》《注输、护理和防护器械通用名称命名指导原则》和《临床检验器械通用名称命名指导原则》等 6 项指导原则（2022 年第 26 号）。以上共 22 个指导原则对各个领域医疗器械通用名称命名提供了指导。

同时当新的医疗器械出现时，为了规范新型医疗器械的命名，药监局也会与时俱进进行约束。比如，基于重组胶原蛋白生物材料的无源医疗器械使用越来越广泛，为了进一步规范重组胶原蛋白生物材料命名，促进新型生物材料产业创新和高质量发展，国家药品监督管理局于 2021 年 3 月 15 日正式发布了《重组胶原蛋白生物材料命名指导原则》（2021 年第 21 号），明确了重组胶原蛋白生物材料命名的核心要素构建规则：确立核心词与特征词的制定原则、制定名称组合的确定性原则、配套发布权威命名术语表。

5.6.2 医疗器械说明书与标签要求

医疗器械标签和说明书是传递产品安全性与有效性信息的重要载体，承担着产品识别和安全警示的双重功能。它们不仅为医疗器械的正确安装、调试、操作和维护提供专业指导，更是确保医疗器械安全有效使用的关键环节[9]。鉴于医疗器械直接关系到患者健康安全，若标签或说明书存在缺陷，将导致关键信息缺失，可能造成产品使用不当、维护失误等严重后果，甚至危及患者或操作者的生命安全[10]。为了规范医疗器械说明书和标签，保证医疗器械使用的安全，国家食品药品监督管理总局于 2014 年 7 月 30 日颁布了《医疗器械说明书与标签管理规定》（总局令第 6 号），自 2014 年 10 月 1 日起实施。其中明确规定：凡在中华人民共和国境内销售、使用的医疗器械，应当按照本规定要求附有说明书和标签。2021 版《医疗器械监督管理条例》（国务院令第 739 号）第三十九条明确规定：医疗器械应当有说明书、标签。说明书、标签的内容应当与经注册或者备案的相关内容一致，确保真实、准确。此外，为了规范医疗器械说明书技术审评，指导申请人编写医疗器械说明书，国家药品监督管理局医疗器械技术审评中心组织修订了《医疗器械说明书编写指导原则》，并于 2023 年 11 月 8 日向社会公开征求意见。

5.6.2.1 医疗器械说明书与标签的基本要求

根据《医疗器械说明书与标签管理规定》的定义，医疗器械说明书是指由医疗器械注册人或者备案人制作，随产品提供给用户，涵盖该产品安全有效的基本信息，用以指导正确安装、调试、操作、使用、维护、保养的技术文件。医疗器械标签是指在医疗器械或者其包装上附有的用于识别产品特征和标明安全警示等信息的文字说明及图形、符号。

对于医疗器械的说明书与标签，具体要求如下：

① 医疗器械说明书和标签对疾病名称、专业名词、诊断治疗过程和结果的表述，应当采用国家统一发布或者规范的专用词汇，度量衡单位应当符合国家相关标准的规定。

② 医疗器械说明书和标签中使用的符号或者识别颜色应当符合国家相关标准的规定；无相关标准规定的，该符号及识别颜色应当在说明书中描述。

③ 医疗器械最小销售单元应当附有说明书。医疗器械的使用者应当按照说明书使用医疗器械。

④ 医疗器械的产品名称应当使用通用名称，通用名称应当符合国家食品药品监督管理总局制定的医疗器械命名规则。第二类、第三类医疗器械的产品名称应当与医疗器械注册证中的产品名称一致。产品名称应当清晰地标明在说明书和标签的显著位置。

⑤ 医疗器械说明书和标签的文字内容应当使用中文，中文的使用应当符合国家通用的语言文字规范。医疗器械说明书和标签可以附加其他文种，但应当以中文表述为准。医疗器械说明书和标签中的文字、符号、表格、数字、图形等应当准确、清晰、规范。

⑥ 进口的医疗器械应当有中文说明书、中文标签。说明书、标签应当符合《医疗器械监督管理条例》规定以及相关强制性标准的要求，并在说明书中载明医疗器械的原产地以及境外医疗器械注册人、备案人指定的我国境内企业法人的名称、地址、联系方式。没有中文说明书、中文标签或者说明书、标签不符合规定的，不得进口。

5.6.2.2 医疗器械说明书应包含的内容

根据《医疗器械监督管理条例》的规定，医疗器械的说明书、标签应当标明下列事项：

① 通用名称、型号、规格；

② 医疗器械注册人、备案人，以及受托生产企业的名称、地址以及联系方式；

③ 生产日期，以及使用期限或者失效日期；

④ 产品性能、主要结构、适用范围；

⑤ 禁忌、注意事项，以及其他需要警示或者提示的内容；

⑥ 安装和使用说明或者图示；

⑦ 维护和保养方法，以及特殊运输、贮存的条件、方法；

⑧ 产品技术要求规定应当标明的其他内容。

第二类、第三类医疗器械还应当标明医疗器械注册证编号。由消费者个人自行使用的医疗器械还应当具有安全使用的特别说明。

根据《医疗器械说明书与标签管理规定》，医疗器械说明书中的注意事项、警示以及提示性内容主要包括：

① 产品使用的对象；

② 潜在的安全危害及使用限制；

③ 产品在正确使用过程中出现意外时，对操作者、使用者的保护措施以及应当采取的应急和纠正措施；

④ 必要的监测、评估、控制手段；

⑤ 一次性使用产品应当注明“一次性使用”字样或者符号，已灭菌产品应当注明灭菌方式以及灭菌包装损坏后的处理方法，使用前需要消毒或者灭菌的应当说明消毒或者灭菌的方法；

⑥ 产品需要同其他医疗器械一起安装或者联合使用时，应当注明联合使用器械的要求、使用方法、注意事项；

⑦ 在使用过程中，与其他产品可能产生的相互干扰及其可能出现的危害；

⑧ 产品使用中可能带来的不良事件或者产品成分中含有的可能引起副作用的成分或者辅料；

⑨ 医疗器械废弃处理时应当注意的事项，产品使用后需要处理的，应当注明相应的处理方法；

⑩ 根据产品特性，应当提示操作者、使用者注意的其他事项。

对于重复使用的医疗器械，应当在说明书中明确重复使用的处理过程，包括清洁、消毒、包装及灭菌的方法和重复使用的次数或者其他限制。

5.6.2.3 医疗器械标签应包含的内容

根据《医疗器械说明书与标签管理规定》，医疗器械标签一般应当包括以下内容：

① 产品名称、型号、规格；

② 注册人或者备案人的名称、住所、联系方式，进口医疗器械还应当载明代理人的名称、住所及联系方式；

③ 医疗器械注册证编号或者备案凭证编号；

④ 生产企业的名称、住所、生产地址、联系方式及生产许可证编号或者生产备案凭证编号，委托生产的还应当标注受托企业的名称、住所、生产地址、生产许可证编号或者生产备案凭证编号；

⑤ 生产日期，以及使用期限或者失效日期；

⑥ 电源连接条件、输入功率；

⑦ 根据产品特性应当标注的图形、符号以及其他相关内容；

⑧ 必要的警示、注意事项；

⑨ 特殊储存、操作条件或者说明；

⑩ 使用中对环境有破坏或者负面影响的医疗器械，其标签应当包含警示标志或者中文警示说明；

⑪ 带放射或者辐射的医疗器械，其标签应当包含警示标志或者中文警示说明。

医疗器械标签因位置或者大小受限而无法全部标明上述内容的，至少应当标注产品名称、型号、规格、生产日期和使用期限或者失效日期，并在标签中明确“其他内容详见说明书”。

5.6.2.4 医疗器械说明书和标签禁止的内容

根据《医疗器械说明书与标签管理规定》，医疗器械说明书与标签中禁止以下内容：

① 含有“疗效最佳”“保证治愈”“包治”“根治”“即刻见效”“完全无毒副作用”等表示功效的断言或者保证的内容；

② 含有“最高技术”“最科学”“最先进”“最佳”等绝对化语言和表示的内容；

③ 说明治愈率或者有效率的内容；

④ 与其他企业产品的功效和安全性相比较的内容；

⑤ 含有“保险公司保险”“无效退款”等承诺性语言的内容；

⑥ 利用任何单位或者个人的名义、形象作证明或者推荐的内容；

⑦ 含有误导性说明，使人感到已经患某种疾病，或者使人误解不使用该医疗器械会患某种疾病或者加重病情的表述，以及其他虚假、夸大、误导性的内容；

⑧ 法律、法规规定禁止的其他内容。

5.6.2.5 医疗器械说明书和标签的注册与备案要求

《医疗器械注册与备案管理办法》规定，申请人、备案人应当编制申请注册或者进行备案的医疗器械的产品说明书和标签。产品说明书和标签应当符合《医疗器械监督管理条例》要求及相关规定。

根据《医疗器械说明书与标签管理规定》，医疗器械说明书应当由注册申请人或者备案人在医疗器械注册或者备案时，提交食品药品监督管理部门审查或者备案，提交的说明书内容应当与其他注册或者备案资料相符合。经食品药品监督管理部门注册审查的医疗器械说明书的内容不得擅自更改。已注册的医疗器械发生注册变更的，申请人应当在取得变更文件后，依据变更文件自行修改说明书和标签。说明书的其他内容发生变化的，应当向医疗器械注册的审批部门书面告知，并提交说明书更改情况对比说明等相关文件。审批部门自收到书面告知之日起 20 个工作日内未发出不予同意通知件的，说明书更改生效。已备案的医疗器械，备案信息表中登载内容、备案产品技术要求以及说明书其他内容发生变化的，备案人自行修改说明书和标签的相关内容。

参考文献

[1] 熊伟，陈新华，许丹霞，等．国产医疗器械的研发和转化思考［J］．医疗装备，2021，34（1）：8-10，14.

[2] 崔福斋，刘斌，谭荣伟．生物材料的医疗器械转化［M］．北京：科学出版社．2019：19-25.

[3] 本刊讯．新修订的《医疗器械分类目录》正式发布［J］．生物医学工程学进展，2017，38（3）：178.

[4] 杨婉娟，李静莉，陈鸿波．医疗器械检验发展情况分析与思考［J］．中国药事，2025，39（4）：370-374.

[5] 胡帆，刘海燕，王彬彬，等．新形势下医疗器械检验检测机构的发展与定位［J］．医疗装备，2021，34（15）：48-50.

[6] 蒋红瑜．《免于进行临床评价医疗器械目录（2025 年）》发布［N］．中国医药报，2025-05-20. https：//bk. cnpharm. com/zgyyb/2025/05/20/320801. html.

[7] 杨婉娟，母瑞红，余新华．医疗器械命名研究与思考［J］．中国食品药品监管，2020（3）：22-25.

[8] 董谦，孟芸，王悦，等．医疗器械命名数据库建设研究［J］．中国食品药品监管，2022（4）：115-119.

[9] 李非，梁文，付伟伟，等．GHTF 医疗器械说明书和标签指导原则介绍［J］．中国医疗器械信息，2013（12）：5-9.

[10] 肖桂金，于淼，张薇薇，等．基于 2018—2019 年国家医疗器械质量监督抽检的标签和说明书不符合标准规定情况分析［J］．中国医药导刊，2020，22（12）：895-900.

第六章

医疗器械产品注册与备案监督管理

医疗器械产品在上市前，应根据产品的风险类别，到相关监管行政部门进行注册或备案，接受审查，凭所获得的注册证或者备案凭证方可上市。企业要想尽早获得利润，就需要尽快对产品进行注册或备案，才能获得上市资质，实现所开发产品的正常销售。所以医疗器械注册和备案环节，对医疗器械企业的发展具有重大影响，注册或备案的快慢直接影响着医疗器械企业在市场上的竞争力和市场占有率，从而影响行业的发展。而对于国家监管部门而言，医疗器械注册或备案是产品上市前的最后一道关卡，是筑牢公众用械安全防线的核心环节。近年来，随着社会环境变迁与监管科学的持续进步，国家对医疗器械上市前审查的标准日益严苛，监管体系越发完善。我国始终以保障公众用械安全为根本宗旨，以推动行业高质量发展为导向，动态优化医疗器械注册与备案政策，通过制度创新与科学监管的协同发力，构建起全生命周期的医疗器械安全治理新格局。

6.1 医疗器械产品注册监管沿革与现状

从我国对医疗器械进行监督管理以来，经过不断的改革和借鉴国外的先进经验，我国医疗器械产品注册监管已发展出成熟的监管法规和体系。市场的需求和行业的蓬勃发展使我国医疗器械产品注册飞速发展，下面将详细介绍我国医疗器械注册监管沿革和注册现状。

6.1.1 医疗器械产品注册监管沿革

我国医疗器械注册管理制度的演进历程体现了监管体系的不断完善与创新激励的平衡，具体经历了以下几个关键发展阶段：

(1) 制度奠基阶段（1996—2000 年） 1996 年，国家医药管理局率先出台《医疗器械产品注册管理办法》（1997 年 1 月 1 日正式施行），首次确立注册准入制度，明确未经注册不得上市销售。2000 年，国务院颁布医疗器械行业首部行政法规《医疗器械监督管理条例》（国务院令第 276 号），从法律层面确立注册管理的核心地位，同步配套实施《医疗器械注册管理办法》，系统构建起涵盖产品检测、质量体系核查、临床评价等技术审评的全流程监管框架。

(2) 体系完善阶段（2000—2014 年） 2004 年 8 月，国家食品药品监督管理局全面修订《医疗器械注册管理办法》（国家食品药品监督管理局令第 16 号公布，自公布之日起施行），首次系统构建境内医疗器械注册制度体系：明确境内销售医疗器械须取得注册证的基本原则，同步建立覆盖产品检测、质量体系核查、技术审评、行政审批的全链条操作规范，实现从“准入门槛”到“过程管控”的监管升级。2007 年，针对体外诊断试剂行业快速发展需求，该局颁布《体外诊断试剂注册管理办法》（国家药品监督管理局局令第 30 号），将体外诊断试剂全面纳入医疗器械法定监管框架，填补了高风险诊断产品监管空白。

（3）创新驱动阶段（2014 年至今）　为构建医疗器械创新生态体系，我国监管政策持续迭代升级：2014 年 2 月 7 日，国家食品药品监督管理总局出台了《创新医疗器械特别审批程序（试行）》（国食药监械管〔2014〕13 号），自 2014 年 3 月 1 日起实施，其为具有发明专利、技术领先且临床价值显著的器械开辟“优先审评、专人负责、全程指导”的绿色通道，有效缩短创新产品上市周期，标志着我国医疗器械监管正式迈入“鼓励创新”新阶段。

为深化审评审批制度改革，落实中共中央办公厅、国务院办公厅《关于深化审评审批制度改革鼓励药品医疗器械创新的意见》要求，监管部门以制度创新驱动供给侧结构性改革：通过实施医疗器械注册人制度、优化临床试验审批流程等组合拳，推动产业从“规模扩张”向“创新驱动”转型。2018 年，针对全球技术加速迭代背景下原试行程序暴露出的流程冗余、标准模糊等问题，国家药品监督管理局修订发布《创新医疗器械特别审查程序》（2018 年第 83 号公告），明确“填补国内空白、临床急需”等优先审查情形，建立跨部门协调机制，将平均审批时限从试行期的 18～24 个月压缩至 12～18 个月，效率提升达 33%。例如 2016 年首个通过该程序的“可降解镁合金冠脉支架”耗时 21 个月；2019 年获批的“神经介入取栓支架”全程耗时 13 个月；2021 年“人工智能辅助肺结节诊断软件”仅 9 个月即获批。截至 2023 年，通过该程序获批的医疗器械超过 200 项，包括首个国产人工心脏、磁共振引导放疗系统等突破性产品，平均审评时间较常规流程缩短 30%以上。该程序的实施标志着中国医疗器械监管从“追赶型”向“引领型”转变，为全球创新资源的集聚提供了制度保障。

2021 年 6 月 1 日，新修订的《医疗器械监督管理条例》（国务院令第 739 号，以下简称新《条例》）正式实施。新《条例》引入医疗器械注册人制度，允许研发机构或集团总部作为注册人，委托其他企业生产，分离生产与研发主体，促进产学研分工，加速创新成果转化。该制度明确注册人对医疗器械全生命周期（研发、生产、销售、不良事件监测等）承担法律责任，打破以往“重审批、轻监管”的模式。作为新《条例》的核心配套规章，国家市场监督管理总局同步修订的《医疗器械注册与备案管理办法》《体外诊断试剂注册与备案管理办法》（2021 年第 37 号、38 号令）于 2021 年 10 月 1 日起施行。这两部部门规章以“四个最严”为根本遵循，系统构建覆盖“注册准入—生产许可—上市后监管”的全流程监管框架。修订后的《医疗器械注册与备案管理办法》共计 10 章 124 条，对境内医疗器械注册及备案、体外诊断试剂的注册及备案、创新医疗器械及应急审批等特殊注册程序、变更注册与延续注册、医疗器械备案、工作时限、监督管理、法律责任等方面作出明确规定。

6.1.2　医疗器械注册人制度

医疗器械注册人制度（marketing authorization holder，MAH）作为我国医疗器械监管体系的核心制度创新，标志着监管范式从“准入管控”向“全生命周期治理”的根本性转变。该制度明确了注册人对医疗器械全生命周期质量安全的主体责任，通过“注册与生产解绑”优化资源配置，激发产业创新活力[1]。在医疗器械注册人制度实施之前，我国对医疗器械产品注册与生产许可进行捆绑管理，即医疗器械注册证（即上市许可）和医疗器械生产许可证（即生产许可）均由同一组织生产的主体申请取得。这种“捆绑”管理模式虽然在一定程度上加强了医疗器械生产企业的质量风险意识，为医疗器械产品安全事件发生后的消费者指明了赔偿责任人，在我国医疗器械发展之初对产品质量风险防范起到一定的积极作用，但另一方面也导致了研发机构、科研人员积极性不足，以及生产企业产能利用率不足等问题，不适合医疗器械产品的生产管理规范和发展，也是近年来被诟病的一大问题。

起初这种“捆绑”管理模式是基于我国基本延续国外产品，自主研发的产品少，当时的研发、生产、流通、使用环节是同一个主体，因此该模式是由那一特殊历史时期医疗器械发展情况所决定的。随着我国医疗器械行业的蓬勃发展，相关制度的改革，实行医疗器械注册人制度才能更好地促进行业发展。医疗器械注册人制度实现了产品注册与生产许可的分离“解绑”，允许医疗器械注册申请人（以下简称“申请人”）将其已获证产品委托给具备相应资质的一家或多家医疗器械生产企业进行生产。在这一制度框架下，受托生产企业可凭注册人持有的医疗器械注册证申领生产许可证，并以注册人名义上市销售，与注册人共同承担医疗器械全生命周期产品质量的法律责任。

为促进药品医疗器械产业结构优化升级，激发技术创新活力，提升产业国际竞争力，更好地满足公众健康与临床需求，2017 年 3 月，国务院在《全面深化中国（上海）自由贸易试验区改革开放方案》中首次提出，允许区内医疗器械注册申请人委托本地具备资质的企业生产产品，突破了传统注册证与生产许可证“捆绑”的管理模式，为医疗器械注册人制度的建立奠定了政策基础。2017 年 10 月，中共中央办公厅、国务院办公厅联合印发《关于深化审评审批制度改革鼓励药品医疗器械创新的意见》，正式提出推行医疗器械上市许可持有人制度[2]，明确注册人需对医疗器械全生命周期（研发、生产、销售、不良事件监测等）承担主体责任，并允许其自主选择自行生产或委托生产，以促进产业专业化分工。该文件的出台为后续全国推广提供了制度依据。2017 年 12 月，上海率先启动试点[3]，重点聚焦创新医疗器械委托生产。随后，2018 年，广东、天津相继跟进，结合本地产业优势，探索跨区域委托生产[3]。2019 年，国家药品监督管理局发布《关于扩大医疗器械注册人制度试点工作的通知》（国药监械注〔2019〕33 号），将试点范围扩展至 21 个省份，覆盖长三角、京津冀等重点区域，进一步验证了制度的普适性和可操作性。截至 2020 年 10 月，试点工作已取得显著成效：全国累计获批上市产品达 552 个，在审申请近 900 项，充分表明该制度有效激发了市场创新活力，尤其为创新型中小企业提供了更高效的产业化路径。2021 年版《条例》进一步巩固了制度成果，推动行业向高质量发展转型。截至 2023 年，医疗器械注册人制度已实现全国覆盖，成为创新医疗器械上市的重要途径之一。

根据国家药监局官网公布的权威人士对医疗器械注册人制度的政策解读，医疗器械注册人制度会给医疗器械行业发展带来巨大的改革红利，主要体现在以下几个方面：

（1）资源配置优化：从区域分割到全球布局　如大型集团公司旗下有多个分公司，分别位于不同省份，目前只能各自为政，分别组织开发、生产等，既浪费资源又不便于管理。医疗器械注册人制度的实施，使企业能够基于人力资源配置、土地成本、环保合规要求、劳动力价格及物流运输成本等关键生产要素，统筹研发、生产、销售等产业布局，优化集团资源配置，极大地增强了企业的自主权，增强了企业的竞争力。跨国企业如美敦力、强生通过“注册人＋合同生产”模式，将研发中心设于波士顿、硅谷等创新高地，生产基地布局于成本更优的爱尔兰、波多黎各等地。国内头部企业如迈瑞、联影可借此实现类似的全球资源配置。

（2）创新转化效率提升：破解“死亡谷”难题　医疗器械注册人制度的实施为科研机构提供了重要发展机遇，允许其作为注册申请人取得医疗器械注册证并成为合法注册人。这一制度创新有效打通了“实验室—市场”的转化路径，使科研机构的创新成果能够通过产业化实现价值提升。同时，实施注册人制度，能够使科研人员避免因缺乏成果转化经验而不得不“卖青苗”的情况，进一步激发科研创新的热情。实施医疗器械注册人制度，使得科研创新型企业可以不必投入大量财力兴建厂房，不必投入过多管理精力，而是专注于研发和改进，组建专业团队，利用已有生产资源组织生产制造，进一步缩短产品上市的周期，减少产品上市的成本。科研机构成果转化率从不足10%提升至30%以上（参考上海理工大学医疗器械注册人案例）。轻资产模式使初创企业研发投入占比可从传统的20%提升至50%，更接近生物医药行业的创新密度。

（3）行业集中度提升：从“散乱差”到龙头崛起 目前医疗器械产业存在的“企业规模小、产业散、行业杂”问题在一定程度上源于不同地区重复设厂、重复注册、恶性竞争。实施注册人制度后，同质化的弱小品牌将逐步“退出江湖”，落后产能将进一步减少，规模企业将进一步做大做强，产业集中度将进一步提高，助推产业结构调整和实现高质量发展。

在医疗器械注册人制度背景下，研发机构、高校或个人无须自建生产线，只需取得医疗器械注册证，即可通过委托生产将产品推向市场。这降低了创新门槛，尤其有利于中小企业和科研团队突破资金限制；生产企业可以专注于提升工艺水平和产能，承接多个注册人的委托生产，避免重复投入；研发机构则能集中资源于技术突破；科研机构、CRO（合同研究组织）等非传统企业可参与市场竞争，推动技术成果转化。医疗器械注册人制度是中国医疗器械监管体系中的一项重要改革，其核心目标是促进产业创新、优化资源配置、降低研发成本。在这一制度下，研发、生产、销售等环节可以分离，不同主体能够专注于自身优势领域，形成更高效的产业链分工。

6.1.3 医疗器械注册行业现状

随着我国医疗器械市场规模持续扩大，行业监管体系不断完善，医疗器械注册数量呈现稳定增长态势。国家药监局每年都会对医疗器械注册工作进行总结，并发布年度注册工作报告，向大众公告。根据国家药品监督管理局2025年2月13日发布的《2024年度医疗器械注册工作报告》可知：2024年度，国家药监局共受理医疗器械注册申请13828项（首次注册+延续注册+变更注册），较2023年同比增长4.3%，保持稳健发展势头。其中，受理境内第三类医疗器械注册申请7600项（占比55%），受理进口医疗器械注册申请6228项（占比45%）。按注册品种区分，医疗器械注册申请10271项（占比74.3%），体外诊断试剂注册申请3557项（占比25.7%）。按注册形式区分，首次注册申请3678项（占比27%），涉及新产品上市或进口产品首次进入中国市场；延续注册申请4894项（占比35%），反映存量产品的合规更新需求；变更注册申请5256项（占比38%），占比最高，提示企业对已上市产品的技术改进、适应证扩展等需求活跃。注册形式比例情况见图6-1。

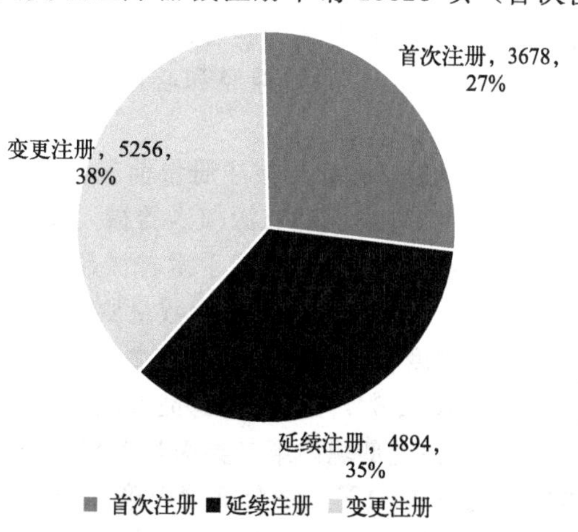

图6-1 国家药监局注册受理项目注册形式比例图

2024 年国家药监局医疗器械注册管理呈现“量增质优”特征，全年共批准 13133 项医疗器械注册（含首次注册、延续注册、变更注册），同比增长 7.5%，增速较 2023 年提升 2.1 个百分点。其中，首次注册量达 3363 项，同比激增 23.3%，创近五年新高；延续注册量达 4722 项，同比下降 1.4%，连续三年呈缩减态势；变更注册量达 5048 项，同比增长 7.5%，占总量比重提升至 38.4%，反映企业产品迭代活跃度持续增强。2024 年，企业自行撤回首次注册申请、自行注销注册证书 380 项。境内第三类医疗器械注册量达 6886 项，同比增长 11.9%，增速显著高于进口产品（数量 6247 项，同比增长 3.1%）。相关注册人地域分布呈现显著集聚效应，主要集中在长三角、珠三角及京津冀等沿海经济发达地区，其中，江苏、广东、北京、上海、浙江五省市贡献了 68%的境内首次注册量，与 2023 年相比基本持平，如图 6-2 所示。

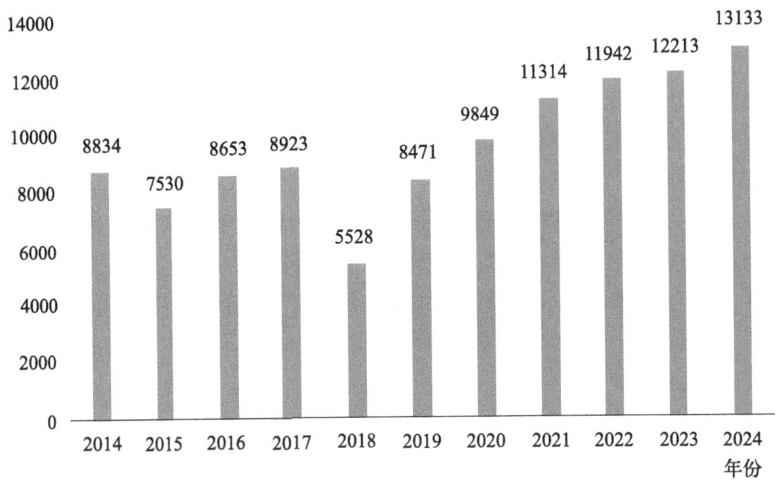

图 6-2 国家药监局 2014—2024 年度注册数据图

根据注册数量排序，2024 年境内第三类医疗器械前五位分别为无源植入器械，神经和心血管手术器械，有源手术器械，注输、护理和防护器械，以及口腔科器械。与 2023 年相比，有源手术器械超过注输、护理和防护器械，注册数量同比增加 61.5%，口腔科器械取代医用成像器械位置成为新晋前五，其他各主要品类注册数量均保持正增长，如注输、护理和防护器械增长 17%，神经和心血管手术器械增长 8.4%，无源植入器械增长 2.3%，如图 6-3 所示。

2024 年进口医疗器械注册量前五位的品类依次为：无源植入器械、口腔科器械、有源手术器械、眼科器械和有源植入器械，相较于 2023 年变化显著，有源植入器械取代医用成像器械成为新晋前五，有源手术器械超越眼科器械，排名上升至第三位，注册数量同比显著增加 24.4%，而其他品类注册数量则保持稳定小幅增长态势，如图 6-4 所示。

2024 年度，全国省级药品监督管理部门累计批准境内第二类医疗器械注册 35821 项，较 2023 年增长 6.7%，呈现稳健发展态势。其中，首次注册数量 14098 项，相较于 2023 年增长 1%，占全部境内第二类医疗器械注册数量的 39.4%；延续注册数量 10577 项，相比于 2023 年增长 12.1%，占全部境内第二类医疗器械注册数量的 29.5%；变更注册数量 11146 项，相较于 2023 年增长 9.3%，占全部境内二类医疗器械注册数量的 31.1%。2024 年全国范围内共注销境内第二类医疗器械注册证 1423 个，反映了监管部门持续加强证后监管力度。境内第二类医疗器械分项注册详细情况参见图 6-5。

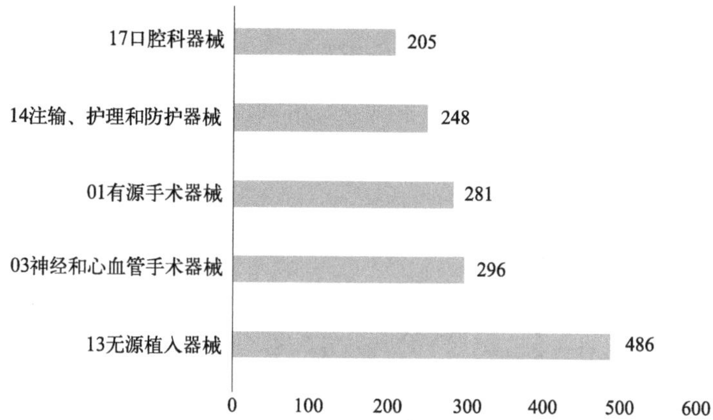

图 6-3　境内第三类医疗器械注册品种数排位图

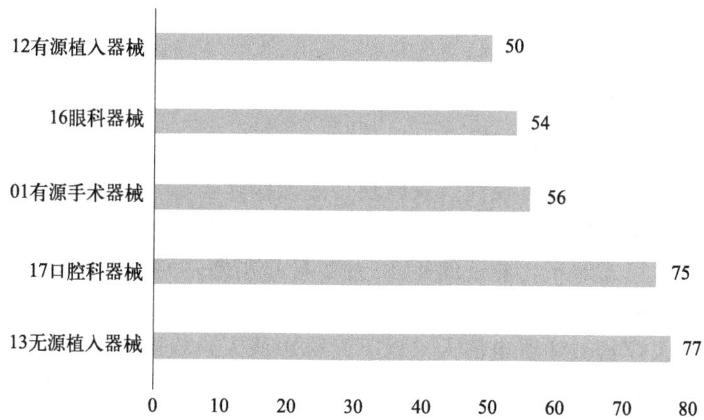

图 6-4　进口医疗器械注册品种数排位图

国家持续强化对创新医疗器械的政策支持，通过优化《创新医疗器械特别审查程序》和《医疗器械优先审批程序》，显著提升了审批效率。2024 年中国创新医疗器械发展报告数据显示：①全年受理创新医疗器械特别审批申请 451 项，同比小幅下降 3.2%；②2014—2024 年十年间累计批准创新医疗器械 315 个，其中境内产品 272 个，来自 16 个省份的 193 家企业，境内创新医疗器械注册省份详细分布见图 6-6；进口产品 43 个，来自 6 个国家的 24 家企业；③审批效率持续提升，平均审批周期较政策实施初期缩短 40%。五大省市（京沪粤苏浙）获批产品数量占全国 75.9%，较 2023 年下降 2.1 个百分点，但中西部地区仍以中低端产品为主。创新医疗器械审批数据反映我国医疗产业创新能力的提升，但区域和领域的不平衡仍存在。未来需通过政策引导、资本投入和临床资源整合，推动国产创新走向高端化与全球化。

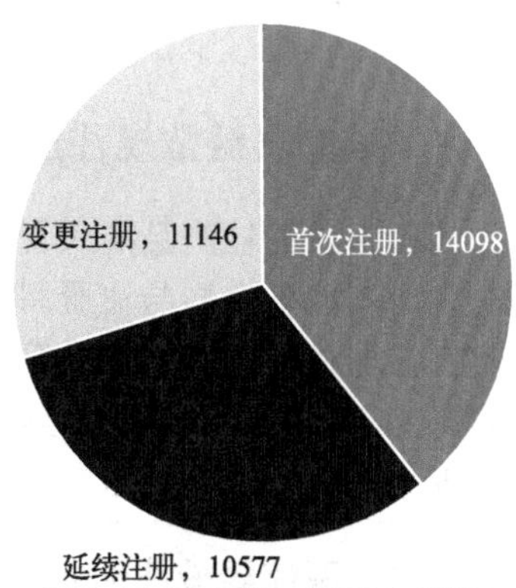

图 6-5　境内第二类医疗器械分项注册情况图

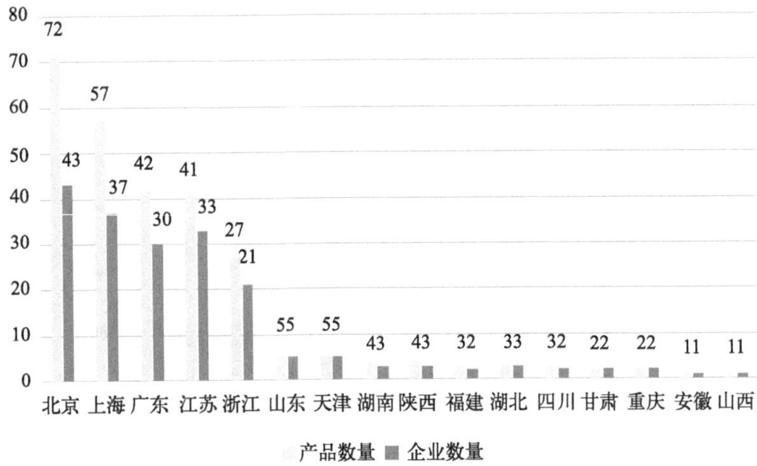

图 6-6 境内创新医疗器械注册地排位图

6.2 医疗器械注册管理

医疗器械注册制度作为医疗器械产品上市前的核心审批机制，其根本宗旨在于保障医疗器械的安全性、有效性和质量可控性。我国现行的《医疗器械注册与备案管理办法》（国家市场监督管理总局令第 47 号，以下简称新《办法》）作为医疗器械监管体系的重要法规，于 2021 年 8 月 26 日正式颁布，并于同年 10 月 1 日起实施，同时废止了 2014 年 7 月原国家食品药品监督管理总局令第 4 号公布的《医疗器械注册管理办法》。该新《办法》明确定义医疗器械注册为：医疗器械注册申请人（以下简称申请人）依照法定程序和要求提出医疗器械注册申请，药品监督管理部门依据法律法规，基于科学认知，进行安全性、有效性和质量可控性等审查，决定是否同意其申请的活动。同时，新《办法》的规范体系全面覆盖了医疗器械注册及备案、特殊注册程序、变更注册与延续注册、医疗器械备案、工作时限、监督管理、法律责任等方面的核心内容。

6.2.1 医疗器械常规注册

我国医疗器械产品准入管理制度自 2014 年起实施重大改革，由原先单一的注册制调整为分类管理的备案制与注册制并行模式。依据新《条例》第十三条规定，我国对第二类、第三类医疗器械产品实施注册管理制度。医疗器械注册人作为医疗器械产品的法定责任主体，其核心义务包括：建立并实施覆盖产品全生命周期的质量管理体系；确保上市医疗器械持续符合安全性和有效性要求；承担产品全过程的质量安全主体责任。

6.2.1.1 医疗器械注册人要求

医疗器械注册申请人应当为具备承担法律责任能力的医疗器械生产企业（含集团公司），或者是研发机构、科研院所等。境外申请人则必须指定中国境内的企业法人作为代理人，负责注册申报、与监管机构沟通，并协助履行上市后义务（如不良事件监测、召回等）。医疗器械注册人制度使上市许可持有人不用再背负生产设备、人员、场地等资产运营压力，使其专注于产品研发，有利于激发医疗器械创新人才的积极性，同时可将生产委托给符合条件的医疗器械生产企业（需通过质量管理体系核查），降低初创企业或研发机构的准入门槛，也将加快创新产品的上市和落地。新《办法》中对医疗器械注册主体的基本要求规定如下：

① 医疗器械注册应当遵守相关法律、法规、规章、强制性标准，遵循医疗器械安全和性能基本原则，参照相关技术指导原则，证明注册、备案的医疗器械安全、有效、质量可控，保证全过程信息真实、准确、完整和可追溯。

② 注册申请人应该是能够承担相应法律责任的企业或者研制机构。境外申请人应当指定中国境内的企业法人作为代理人，办理相关医疗器械注册事项。代理人应当依法协助注册人履行新《条例》第二十条第一款规定的义务，并协助境外注册人落实相应法律责任。

③ 注册申请人应当建立与产品相适应的质量管理体系，并保持有效运行。

④ 办理医疗器械注册事项的人员应当具有相应的专业知识，熟悉医疗器械注册管理的法律、法规、规章和注册管理相关规定。

⑤ 申请注册应当按照国家药品监督管理局有关注册的要求提交相关资料，申请人对资料的真实性负责。

根据新《条例》第二十条，医疗器械注册人应当履行下列义务：①建立与产品相适应的质量管理体系并保持有效运行；②制定上市后研究和风险管控计划并保证有效实施；③依法开展不良事件监测和再评价；④建立并执行产品追溯和召回制度；⑤国务院药品监督管理部门规定的其他义务。境外医疗器械注册人指定的我国境内企业法人应当协助注册人履行规定的义务。

6.2.1.2 注册质量管理体系核查基本要求

医疗器械注册质量管理体系核查是确保产品安全有效的重要监管环节，我国医疗器械注册质量管理体系核查的基本要求主要依据新《条例》、新《办法》、《医疗器械注册质量管理体系核查指南》（国家药监局通告 2022 年第 50 号）、《境内第三类医疗器械注册质量管理体系核查工作程序》（药监综械注〔2022〕13 号）和《医疗器械注册自检管理规定》（国家药监局公告 2021 年第 126 号）等法规文件，适用于境内第二类、第三类医疗器械注册申请时的质量管理体系核查（第一类医疗器械备案通常不涉及体系核查），核查类型包括首次注册、变更注册（涉及重大变更时）、延续注册（必要时）等情形。基本要求如下：

① 申请人应当在申请注册时提交与产品研制、生产有关的质量管理体系相关资料，受理注册申请的药品监督管理部门在进行产品技术审评时认为有必要对质量管理体系进行核查的，应当组织开展质量管理体系核查，可以根据需要调阅原始资料。

② 境内第三类医疗器械质量管理体系核查，由国家药监局医疗器械技术审评中心通知申请人所在地的省、自治区、直辖市药品监督管理部门开展。

③ 境内第二类医疗器械质量管理体系核查，由申请人所在地的省、自治区、直辖市药品监督管理部门组织开展。省、自治区、直辖市药品监督管理部门按照医疗器械生产质量管理规范的要求开展质量管理体系核查，重点对申请人是否按照医疗器械生产质量管理规范的要求建立与产品相适应的质量管理体系，以及与产品研制、生产有关的设计开发、生产管理、质量控制等内容进行核查。

④ 在核查过程中，药品监督管理部门应当同时对检验用产品和临床试验产品的真实性进行核查，重点查阅设计开发过程相关记录，以及检验用产品和临床试验产品生产过程的相关记录。提交自检报告的，药品监督管理部门应当对申请人、备案人或者受托机构研制过程中的检验能力、检验结果等进行重点核查。

⑤ 省、自治区、直辖市药品监督管理部门可以通过资料审查或者现场检查的方式开展质量管理体系核查。根据申请人的具体情况、监督检查情况、本次申请注册产品与既往已通

过核查产品生产条件及工艺对比情况等，确定是否现场检查以及检查内容，避免重复检查。

⑥ 国家药监局医疗器械技术审评中心对进口第二类、第三类医疗器械开展技术审评时，认为有必要进行质量管理体系核查的，通知国家局审核查验中心根据相关要求开展核查。

6.2.1.3 医疗器械注册资料基本要求

申请人应当在完成支持医疗器械注册的安全性、有效性研究，做好接受质量管理体系核查的准备后，提出医疗器械注册申请，并按照相关要求，通过在线注册申请等途径向药品监督管理部门提交以下注册申请核心资料：①产品风险分析资料；②产品技术要求；③产品检验报告；④临床评价资料；⑤产品说明书以及标签样稿；⑥与产品研制、生产有关的质量管理体系文件；⑦证明产品安全、有效所需的其他资料。

医疗器械注册申请材料需满足如下七项基本需求：

① 产品检验报告：接受自检报告或委托有资质的检验机构出具的报告（需符合药监部门标准)。建议若自检，需确保实验室符合 GMP/ISO 17025 要求，并保留完整原始数据；若委托检验，选择国家药监局认可的机构，并在报告中注明资质编号。

② 临床评价豁免：符合新《条例》第二十四条（如通过等同性比对、列入免临床目录）可免临床评价。建议对照《免于临床评价医疗器械目录》确认产品类别，提交等同性论证（如对比已上市产品的材料、工艺等)。

③ 资料真实性及可追溯性：医疗器械注册申请人应当确保提交的资料合法、真实、准确、完整和可追溯。建议建立质量管理体系（如 ISO 13485)，确保数据链完整（从研发到生产记录)；使用电子文档管理系统，保留版本控制及修改记录。

④ 进口医疗器械上市证明：提供原产国上市许可证明；若未被归类为医疗器械，需提供上市销售证明；创新医疗器械（未在原产国上市）可豁免。建议提前与药监局沟通创新产品认定，豁免时需提交《创新医疗器械特别审查申请》。

⑤ 强制性标准适用性：必须符合强制性标准（如 GB、YY 系列)，不适用的需说明理由；若无强制性标准时，推荐采用推荐性标准（如 YY/T)。建议提交《不适用强制性标准说明》时，附对比表及技术论证（如产品特殊性)。

⑥ 分类合规性：医疗器械注册工作应当按照《医疗器械分类规则》及《分类目录》确定类别（Ⅰ/Ⅱ/Ⅲ类)。建议核对分类目录动态更新（如 AI 软件、新材料可能调整类别)，必要时申请分类界定。

⑦ 注册资料应当使用中文提交，外文翻译需附原文；引用未公开发表的文献需有授权文件。建议由专业机构翻译后加盖公章，确保术语的一致性；提前获取文献著作权人的书面授权。

6.2.1.4 医疗器械注册基本流程

（1）注册申请资料提交　新《条例》第十六条规定，申请第二类医疗器械产品注册，注册申请人应当向所在地省、自治区、直辖市人民政府药品监督管理部门提交注册申请资料。申请第三类医疗器械产品注册，注册申请人应当向国务院药品监督管理部门提交注册申请资料。对新研制的尚未列入分类目录的医疗器械，申请人可以直接申请第三类医疗器械产品注册，也可以依据分类规则判断产品类别并向国家药品监督管理局申请类别确认后，申请产品注册或者进行产品备案。直接申请第三类医疗器械注册的，由国家药品监督管理局按照风险程度确定类别。境内医疗器械确定为第二类的，应当告知申请人向相应的药品监督管理部门申请注册。

向我国境内出口第二类、第三类医疗器械的境外注册申请人，由其指定的我国境内企业法人向国务院药品监督管理部门提交注册申请资料和注册申请人所在国（地区）主管部门准许该医疗器械上市销售的证明文件。未在境外上市的创新医疗器械，可以不提交注册申请人所在国（地区）主管部门准许该医疗器械上市销售的证明文件。

国务院药品监督管理部门应当对医疗器械注册审查程序和要求作出规定，并加强对省、自治区、直辖市人民政府药品监督管理部门注册审查工作的监督指导。

（2）申请资料审核　境内第二类医疗器械由省、自治区、直辖市药品监督管理部门审查、批准后发放医疗器械注册证。境内第三类医疗器械由国家药品监督管理局审查、批准后发放医疗器械注册证。进口第二类、第三类医疗器械由国家药品监督管理局审查、批准后发放医疗器械注册证。

新《办法》第五十三条提出，药品监督管理部门收到申请后首先对申请资料进行审核，并根据下列情况分别作出处理：①申请事项属于本行政机关职权范围，申请资料齐全、符合形式审核要求的，予以受理；②申请资料存在可以当场更正的错误的，应当允许申请人当场更正；③申请资料不齐全或者不符合法定形式的，应当当场或者在5日内一次性告知申请人需要补正的全部内容，逾期不告知的，自收到申请资料之日起即为受理；④申请事项依法不属于本行政机关职权范围的，应当即时作出不予受理的决定，并告知申请人向有关行政机关申请。

药品监督管理部门受理或者不予受理医疗器械注册申请，应当出具加盖本行政机关专用印章和注明日期的受理或者不予受理的通知书。医疗器械注册申请受理后，需要申请人缴纳费用的，申请人应当按规定缴纳费用。申请人未在规定期限内缴纳费用的，视为申请人主动撤回申请，药品监督管理部门终止其注册程序。

（3）技术审评　根据新《条例》和新《办法》的规定，药品监督管理部门受理注册申请后，应在3个工作日内将资料转交技术审评机构（如国家药品监督管理局医疗器械技术审评中心）。技术审评机构完成审评后，需将意见提交至受理部门，作为审批依据。若审评过程中认为有必要，药品监督管理部门可启动体系核查（通常针对高风险产品或存在疑问的情形）。技术审评过程中需要申请人补正资料的，技术审评机构需一次性列出所有需补正的内容，避免多次要求。申请人须在收到通知后1年内提交完整补充资料，若逾期未提交的，将终止审评，并收到不予注册的行政决定；若申请人对补正内容有异议，可提交书面说明及技术支持资料供审评机构重新评估。技术审评机构收到补充资料后，应在法定时限内（具体时限依产品类别而定，如第二类医疗器械通常为60个工作日）完成后续审评。

对于已受理的注册申请，申请人在行政许可决定作出前，可向受理部门提交书面撤回申请并说明理由。若理由成立，监管部门同意撤回后终止注册程序，审评、核查等流程随即停止。但若在审评、核查或审批过程中发现申请人存在隐瞒真实情况、提供虚假信息等违法行为，监管部门将依法处理，此时申请人无权撤回申请，程序继续直至作出最终行政决定。若有证据表明注册资料可能涉嫌虚假，监管部门有权中止审评审批，启动调查程序。经核实后，若资料真实则恢复审评，继续正常流程；若虚假属实则直接作出不予注册的决定，并可能追究法律责任（如依据新《条例》处罚）。

在医疗器械注册申请审评过程中，若技术审评机构拟作出不通过的结论，需遵循以下程序要点：①审评机构必须书面告知申请人不通过的具体理由，确保申请人清晰了解技术或资料上的缺陷；②申请人可以在收到通知后15个自然日内提出异议，异议内容仅限于针对原申请事项和已提交的资料内容（如技术数据、临床评价等），不可新增或修改材料，提交异议时，通常需要提交书面异议说明，明确反驳或补充原审评中的争议点；③审评机构需重新评估原结论，结合异议内容进行二次审查，重点核查申请人提出的合理性依据，评估结果需以书面形式反馈，明确是否维持或变更原结论，若维持，则需进一步说明理由；④异议处理阶段暂停审评时限计算，直至最终反馈完成；此规定避免因异议流程延误整体审评效率；⑤若异议未被采纳，申请人可根据新《办法》申请行政复议，或补充完善资料后重新申报（需注意重新申报的流程与时限要求）。

药品监督管理部门需在收到技术审评意见后20个工作日内作出是否批准的决定。对于符合安全、有效、质量可控要求的，发放《医疗器械注册证》，并附核准的产品技术要求（作为附件）；对于不予注册的，需书面说明理由，并告知申请人救济途径（行政复议或行政诉讼）。自准予注册之日起5个工作日内，监管部门需通过国务院药品监督管理部门在线政务服务平台公开注册信息（如产品名称、型号、注册人信息等），保障透明度。同时，无论批准与否，监管部门均需明确告知申请人可依法申请行政复议或提起行政诉讼，确保程序合法。申请人可在收到不予注册决定书后60日内申请行政复议，或在6个月内提起行政诉讼。

对于已受理的注册申请，若出现以下情形之一，药品监督管理部门将依法作出不予注册的决定，并书面告知申请人：①申请人提交的安全性、有效性、质量可控性研究数据及结果无法充分证明产品符合医疗器械基本要求（如设计验证、临床评价、性能测试等存在重大缺陷）；②质量管理体系核查不通过（如生产条件、质量控制不符合《医疗器械生产质量管理规范》），以及申请人拒绝接受现场检查的（无正当理由不配合核查）；③注册人提交的资料存在伪造、篡改数据或关键信息（如临床试验数据、检测报告、原材料来源等造假）；④注册申请资料内容逻辑混乱、前后矛盾，或与申请项目明显不符（如说明书标注的适用范围与临床试验结论不一致），或资料无法形成完整证据链，导致监管部门无法评估产品风险；⑤存在不予注册的其他情形，包括但不限于申请人未在规定时限内补充资料、产品被确认属于禁止上市的情形（如技术已淘汰、危害公众健康）、法律法规规定的其他禁止性条款。

6.2.2 医疗器械特殊注册

为了促进行业的发展，同时也为了应对突发的公共卫生事件，我国目前还制定了医疗器械特殊注册相关规定，主要包括三种类型：创新产品注册、优先注册和应急注册。

6.2.2.1 创新医疗器械注册

医疗器械创新作为高科技行业的核心驱动力，其发展受到国家政策、市场需求和技术突破的多重推动。国家制定医疗器械产业规划和政策，将医疗器械创新置于发展的关键位置，予以重点扶持。为加速创新成果转化，国家为创新医疗器械开辟优先审评审批的“快速通道”，让创新产品能够更早地进入市场；同时，大力支持创新医疗器械在临床中的推广和应用，为创新产品提供广阔的发展空间，全方位推动医疗器械产业迈上高质量发展的新台阶。2014年修订的《医疗器械监督管理条例》，首次明确提出了“创新医疗器械”这一概念，2017年出台的《创新医疗器械特别审批程序》，更是对审评流程进行了深度优化，显著缩短了创新产品的上市周期。以“绿色通道”为例，平均审批时间缩短3～6个月，让创新医疗器械能够更快地造福患者，为医疗健康事业注入新的活力。2021年新《条例》强化对AI医疗设备、基因检测等前沿领域的包容性监管，允许部分产品通过真实世界数据替代传统临床试验。国家药监局联合工业和信息化部设立专项基金，对突破性技术给予最高3000万元资助；地方配套政策如上海张江“医械谷”、深圳“大湾区药械通”等提供产业链协同支持。在带量采购中专门设置了针对创新产品的豁免条款，例如，在冠脉支架的集中带量采购里，明确将“可降解支架”这类创新产品排除在外，以此保障相关企业的合理利润空间。

（1）创新医疗器械的要求 根据新《办法》第四章第一节第六十八条规定，符合下列要求的医疗器械，申请人可以申请适用创新产品的注册程序：

① 申请人通过其主导的技术创新活动，在中国依法拥有产品核心技术发明专利权，或者依法通过受让取得在中国的发明专利权或其使用权，且申请适用创新产品注册程序的时间在专利授权公告日起5年内；或者核心技术发明专利的申请已由国务院专利行政部门公开，并由国家知识产权局专利检索咨询中心出具检索报告，载明产品核心技术方案具备新颖性和创造性；

② 申请人已完成产品的前期研究并具有基本定型产品，研究过程真实和受控，研究数据完整和可溯源；

③ 产品主要工作原理或者作用机理为国内首创，产品性能或者安全性与同类产品比较有根本性改进，技术上处于国际领先水平，且具有显著的临床应用价值。

（2）创新医疗器械审查程序 国家药品监督管理部门及相关技术机构依据《创新医疗器械特别审查程序》（国家药监局2018年第83号公告），按照早期介入、专人负责、科学审批的原则，在标准不降低、程序不减少的前提下，对创新医疗器械予以优先办理，并加强与申请人的沟通交流。最终目标是加速创新性强、技术领先、临床需求迫切的医疗器械的审批。具体审查程序如下：

① 申请

根据中国医疗器械法规要求，申请第二类、第三类医疗器械首次注册时，若涉及创新医疗器械，申请人需在正式注册申请前提交《创新医疗器械特别审查申请表》，并附证明产品符合创新医疗器械条件的资料（如核心技术专利、临床优势等）。境外申请人则必须指定中国境内代理人（企业法人）或在华办事机构作为申请主体；代理人需承担法规规定的连带责任，包括资料真实性审核、与监管机构沟通等。同时，要求所有提交资料必须以中文呈现；外文资料需提供经公证的中文译本，且技术文件翻译需由医疗器械专业翻译机构完成；译本需与原文保持一致，关键参数（如性能指标、临床数据）需逐项核对。

② 初审

境内申请人应当向其所在地省级药品监督管理部门提出创新医疗器械特别审查申请。省级药品监督管理部门在20个工作日内完成是否符合创新程序的形式审查。经审查若不符合要求，省级药品监督管理部门应当直接书面告知申请人；若符合要求，省级药品监督管理部门将申请材料及初审意见提交至国家药监局受理和投诉举报中心。

境外申请人应当向国家药品监督管理局提出创新医疗器械特别审查申请。

③ 形式审查

受理和举报中心对申请资料进行形式审查，需符合《创新医疗器械特别审查程序》第四条的形式要求（通常包括资料完整性、格式规范性等）。对于符合要求的申请将予以受理，并赋予唯一的受理编号，作为后续流程的标识。对于已受理的创新医疗器械特别审查申请，在审查决定作出前的任何阶段，申请人均可主动申请撤回已受理的申请及相关资料，但需书面说明理由，理由可能包括技术调整、资料补充、战略调整等（理由通常不影响撤回操作，但需如实陈述）。

④ 技术审查

国家药品监督管理局医疗器械技术审评中心（器审中心）设立创新医疗器械审查办公室，旨在通过特别审查程序加速具有显著临床价值的创新医疗器械的审批。但若存在申请资料虚假、内容混乱、矛盾、与申报项目明显不符、产品知识产权证明文件不完整、专利权不清晰或前次审查意见已明确指出产品工作原理/机制未被认定为国内首创，且设计未实质性改进（如核心参数、技术路径未变）的情形，再次申请可能直接被拒。申请人需提供迭代证据（如新专利、性能提升数据）。

《创新医疗器械特别审查程序》第十条规定："对拟纳入特别审查的医疗器械申请项目，器审中心应当在官方网站进行公示，公示时间不少于 10 个工作日。公示期内无异议的，纳入特别审查程序；对有异议的，按照程序研究处理。"

受理和举报中心在形式审查通过后，会在系统中标注"创新医疗器械"，并加快将资料流转至器审中心。器审中心对标注"创新"的注册申请应当优先进行技术审评，优先分配审评资源，缩短排队时间。技术审评通过后，国家药品监督管理局的行政审批环节（如注册证核发）同样优先处理，进一步压缩整体时间。从受理到获批，创新医疗器械的平均注册时间可能较普通产品缩短 30%～50%（具体因产品复杂性而异）。

⑤ 出具审查意见及分类界定

创新医疗器械审查办公室在出具特别审查意见时，会同时对产品管理类别（Ⅰ、Ⅱ、Ⅲ类）进行界定。若产品管理属性（是否属于医疗器械或具体类别）存在疑问，申请人需先通过药监部门的属性界定程序，确认后再提交创新申请。若产品被界定为第二类医疗器械，申请人可向省级药品监督管理部门提交创新审查申请，省级部门可参照《创新医疗器械特别审查程序》开展审查，但需遵循地方具体实施细则。对于第三类医疗器械，仍由国家药监局直接受理并审查。

⑥ 沟通交流

对于经审查同意按《创新医疗器械特别审查程序》审查的创新医疗器械，申请人所在地省级药监部门须指派专人提供一对一指导，优先办理体系核查申请，医疗器械检验机构实施优先检验制度，缩短技术评价周期。对于创新医疗器械，医疗器械检验机构应当优先进行检验，并出具检验报告。对于创新医疗器械的临床试验，在严格执行临床试验规范的基础上，药监部门实施进程式监督检查，确保风险可控的同时加速临床验证。对于创新医疗器械，建立"注册前＋审评中"双阶段沟通渠道，申请人可通过《沟通交流申请表》就关键技术/安全性问题、临床试验设计等核心事项申请协商。器审中心须在 15 个工作日内完成申请审核，采用书面/会议/视频等灵活形式开展沟通，并形成具有法律效力的签字记录。对于沟通中出现的重大分歧可升级至器审中心专家委员会审议，确保技术争议得到权威裁定。

⑦ 重新申请与终止

创新医疗器械临床研究工作变更分为一般性变更（如方案修订、使用方法优化）、重大变更（如预期用途、适用范围调整）和根本性变更（如工作原理、作用机理变化）三种类型。若需要重大变更的，申请人应当评估变更对产品安全性、有效性和质量可控性三个维度的影响。若属于根本性变更的，应当依据《创新医疗器械特别审查程序》第十六条重新申请创新审查。若出现申请人主动撤回、未按规定的时间及要求履行法定义务、提供伪造和虚假资料、核心专利失效或部分失效（驳回/撤回/专利权丧失）、申请产品属性变更（不再属于医疗器械）或者经专家审查会议讨论确定不宜再按照创新医疗器械特别审查程序管理的情形时，国家药品监督管理局可终止审查程序并告知申请人。

6.2.2.2 医疗器械优先注册

为进一步推动医疗器械审评审批制度改革向纵深发展，切实加速临床急需医疗器械上市的步伐，国家食品药品监督管理总局于 2016 年制定并发布了《医疗器械优先审批程序》。该程序自 2017 年 1 月 1 日起正式落地实施，它聚焦于符合特定条件的医疗器械，通过精准施策、优化流程，大幅缩短审批时间，为保障公众用械安全、满足临床急需提供了强有力的政策支撑。

（1）优先审批医疗器械的要求 《医疗器械优先审批程序》规定，对符合以下条件之一的国产第三类和进口第二类、第三类医疗器械的注册申请，实施优先审批。①符合下列情形之一的医疗器械：诊断或者治疗罕见病、恶性肿瘤且具有明显的临床优势；诊断或者治疗老年人特有和多发疾病且目前尚无有效诊断或者治疗手段；专用于儿童且具有明显的临床优势；临床急需且在我国尚无同品种产品获准注册的医疗器械。②列入国家科技重大专项或者国家重点研发计划的医疗器械。③国家药品监督管理局规定的其他应当优先审批的医疗器械。

国家药品监督管理局医疗器械技术审评中心（器审中心）设立的优先审批医疗器械审核办公室（优先审核办），是专门负责医疗器械优先审批程序实施的关键机构，其核心职能为负责受理、审核医疗器械优先审批申请，组织专家论证，确定是否纳入优先通道。在日常运作方面，由器审中心综合部门承担行政协调工作，技术审评部门提供专业支持，确保高效决策。对确定予以优先审批的项目，国家药监部门全环节加快审评审批进程。器审中心优先配置资源，缩短审评时限（常规三类器械审评时限约 60～90 个工作日，优先审批可压缩 30%～50%）。国家药监局对优先项目单独排队，行政审批时限从 20 个工作日缩短至 10 个工作日。2022 年数据显示，通过优先审批上市的医疗器械平均缩短上市周期约 8 个月，如国产首台质子治疗系统、人工心脏等重大产品受益。

（2）医疗器械优先审批程序 医疗器械优先审批申请流程为：申请人提出申请—优先审核办预审核—专家审核—器审中心审核—结果公示。

① 申请

对于符合医疗器械优先审批申请条件①和②的医疗器械，申请人应当向国家药监局自主提出申请并提供证明材料。对于符合医疗器械优先审批申请条件③的医疗器械，由国家药监局广泛听取意见，并组织专家论证后确定。申请人应当在提交医疗器械注册申请时一并提交《医疗器械优先审批申请表》，并参考《医疗器械优先审批申报资料编写指南（试行）》，提交支持拟申请产品符合程序要求的资料。

② 预审核

优先审核办对符合医疗器械优先审批申请条件的申请资料进行预审核，判断申请资料的完整性和合规性，例如文件是否齐全、是否符合法规要求等。

③ 专家审核

对于符合医疗器械优先审批申请条件①第 1 项情形的医疗器械，优先审核办每月集中组织专家论证审核，出具审核意见。专家选取由器审中心开发的专家管理系统完成。具体操作为：向系统中输入预审核中确定的专家专业及人数后，选取及确认流程全部由系统自动完成，实现专家随机盲选。对于由专家审核的优先审批申请，优先审核办每月召开成员办公会对专家意见进行确认。经审核不予优先审批的，将不予优先审批的意见和原因告知申请人，并按常规审批程序办理。

④ 器审中心审核

对于符合医疗器械优先审批申请条件①第 2 项情形的医疗器械，由优先审核办进行审核，对申请人提交的资料进行确认，符合优先审批情形的，拟定予以优先审批。器审中心经审核不予优先审批的，将不予优先审批的意见和原因告知申请人，并按常规审批程序办理。

⑤ 结果公示

器审中心官网需将拟定优先审批项目的申请人、产品名称、受理号等信息予以公示，公示时长不少于5个工作日，其间接受社会监督。若公示期满无异议，项目自动进入优先审评程序，并书面通知申请人。若有异议，任何单位或个人可在公示期内对项目优先资格提出异议，器审中心需在收到异议后10个工作日内完成研究，并形成结论，最终的研究意见需同时反馈给申请人和提出异议方。

⑥ 沟通交流

对于进入优先审批的医疗器械，器审中心在技术审评过程中，应当按照相关规定积极与申请人进行沟通交流，必要时，可以安排专项交流。对于进入优先审批通道的医疗器械，申请人可在线提交沟通交流申请。申请人可登录器审中心网站，在首页点击进入技术审评咨询平台，选择“创新优先沟通交流”平台，输入受理号、受理日期（年-月-日格式）、数据校验码、验证码，登录系统申请沟通交流。

6.2.2.3 医疗器械应急注册

《医疗器械应急审批程序》是我国药品监督管理部门为有力应对突发公共卫生事件而量身打造的一项特殊审批机制，其核心目标在于争分夺秒地加速应急所需医疗器械的上市进程，为保障公众生命健康赢得宝贵时间。回溯至2009年，彼时甲型H1N1流感等突发公共卫生事件来势汹汹，给社会公共卫生安全带来了严峻挑战。国家食品药品监督管理局首次制定并出台了《医疗器械应急审批程序》，为应急医疗器械的快速审批开辟了绿色通道。2021年，结合新冠疫情防控中应急审批的经验（如核酸检测试剂、呼吸机等产品的快速上市），国家药监局对程序进行优化，提升响应效率与规范性。该程序的启动与终止由国家药监局依据突发公共卫生事件的严重程度、影响范围等多方面因素进行综合评估后慎重决定。例如，新冠疫情暴发后，该程序被迅速启动，加速了口罩、防护服、检测试剂等物资的审批。该程序平衡了“速度”与“安全”，既保障紧急情况下医疗物资的及时供应，又通过科学评估确保产品的基本有效性及安全性，是我国公共卫生应急管理体系中不可或缺的重要组成部分。

（1）应急医疗器械的要求　根据《医疗器械应急审批程序》，当存在突发公共卫生事件（如传染病疫情、重大灾害等）威胁时，以及突发公共卫生事件发生后，药品监督管理部门需按照统一指挥、早期介入、随到随审、科学审批的原则，对突发公共卫生事件应急处理所需医疗器械实施应急审批。《医疗器械应急审批程序》适用于“突发公共卫生事件应急所需，且在我国境内尚无同类产品上市，或虽在我国境内已有同类产品上市，但产品供应不能满足突发公共卫生事件应急处理需要，并经国家药监局确认的境内第三类和进口第二类、第三类医疗器械的审批”。申请医疗器械应急审批的，境内注册申请人需将产品的应急需求背景（如突发公共卫生事件、临床急需等）及研发进展书面告知所在地的省级药品监督管理局，所提交资料需说明产品的必要性、技术成熟度、预期用途、风险收益比等关键信息。省级药监局收到通知后，应迅速响应，包括评估产品的应急必要性，确认是否符合《医疗器械应急审批程序》的适用条件（如疫情防控、救灾等）；必要时派专人介入，对研发过程、临床试验设计、注册资料准备等环节提供技术指导；协助与国家药监局沟通，推动后续快速审批；同时持续跟踪，督促申请人加快进度，确保申报材料真实、完整。

（2）应急医疗器械的审批　医疗器械应急审批申请流程为：申请人提出申请—预评估—样品注册检验—质量管理体系考核—技术审评和行政审批。

① 申请

申请境内第三类和进口第二类、第三类医疗器械应急审批的，应当向国家药品监督管理局受理部门提交《医疗器械应急审批申请表》和产品研究综述资料及相关说明。针对境内第三类医疗器械还应当附加省级药监局的初审意见。

② 预评估

国家药品监督管理局组织专家，通过会议评审（快速集中讨论）、函审（书面材料评估）、书面征求意见（多部门协同）等方式，对突发公共卫生事件所需和由国家级应急响应工作机制书面确认需求的医疗器械产品的研发成熟度、生产能力等进行评估，及时对产品是否进行应急审批予以确认，并将评估结论直接反馈给申请人，同步抄送技术机构（如检测中心）和省级药监局，确保后续监管衔接。

③ 样品注册检验

对于经国家药监局确认进行应急审批的医疗器械（以下简称应急审批医疗器械），通常由省级或国家级药监部门直属检验机构承担检验任务，当属地机构检验能力不足时（如设备、人员限制），国家药监局可跨区域指定具备资质的机构承接，以避免延误。相关医疗器械检验机构在接收样品后需在 24 小时内启动检验，并及时出具检验报告，以确保应急审批流程的快速推进。

对于应急审批医疗器械，国家药监局医疗器械技术审评中心应当指定专人，早期介入，按照注册申请人需求，通过适当方式开展咨询，指导注册申报资料准备，并按照医疗器械审评工作要求，对企业拟提交注册的资料按照随到随审原则开展受理前预审查。

④ 质量管理体系考核

对于应急审批医疗器械，相应的省级药监局应当在接到国家药监局通知后 2 个工作日内组织开展质量管理体系核查，核查完成后需及时出具报告，并按照国家药监局医疗器械技术审评中心的要求提交相应报告。

应急审批医疗器械受理后，注册申请人应当在申报表中将注册申请项目标记为“应急审批”，国家药监局医疗器械技术审评中心于当天完成注册申请事项的签收并按照国家药监局立卷审查要求开展立卷审查。

⑤ 技术审评和行政审批

当境内第三类及进口第三类应急审批医疗器械注册申请自受理并缴费转入技术审评阶段后，国家药监局应当在 10 个工作日内完成技术审评；技术审评结束后，3 个工作日内作出行政审批决定。

对于进口第二类应急审批医疗器械注册申请自受理并缴费转入技术审评阶段后，国家药监局应当在 5 个工作日内完成技术审评；技术审评结束后，3 个工作日内作出行政审批决定。

对于应急审批医疗器械，从确认适用应急审批之日起计算，注册申请人需在 90 日内完成注册申报资料的准备，并获得药监部门的受理通知书。若未能在期限内提交或获得受理，将退出应急审批程序，但可转入《医疗器械优先审批程序》（如符合条件），在受理后享受优先审评审批。由于审批程序未明确提及不可抗力等特殊情况的延期机制，注册申请人在实际操作中如遇特殊情况需与监管部门沟通。

省级药监局可参照国家《医疗器械应急审批程序》，制定辖区内第二类医疗器械的应急审批程序。该程序仅适用于境内第二类医疗器械（第一类备案管理，第三类由国家药监局审批），并且省级药监局需将相关程序上报国家药监局备案，确保与国家级政策协调一致。

6.2.3 医疗器械注册证

医疗器械注册证是医疗器械产品合法上市的重要凭证，其审批和内容规范由国家药品监督管理局严格监管，证件有效期为 5 年。注册证需载明医疗器械注册证编号、注册人信息

[包括注册人名称、住所（境内企业）或进口医疗器械的境外生产地址]、产品信息（包括产品名称、型号、规格、结构及组成、适用范围、产品技术要求），以及进口医疗器械必备的代理人信息和生产地址等信息。医疗器械注册证的编号规则和格式是依据《医疗器械注册管理办法》严格制定的，注册证编号结构为：×1 械注×2××××3×4××5××××6。其中：

×1 为注册审批部门简称：

境内第三类、进口第二类/三类医疗器械为“国”字（由国家药监局审批）；

境内第二类医疗器械为注册审批部门所在省、自治区、直辖市的简称（如“沪”代表上海）。

×2 为注册形式：

“准”字适用于境内医疗器械；

“进”字适用于进口医疗器械；

“许”字适用于港澳台地区的医疗器械。

××××3 为首次注册年份。

×4 为产品管理类别（用罗马数字Ⅰ、Ⅱ、Ⅲ表示一类、二类、三类医疗器械）。

××5 为产品分类编码（依据《医疗器械分类目录》的两位数字编码）。

××××6 为首次注册流水号。

例如，编号为“国械注准 20233131704”的境内第三类医疗器械，其中：

×1＝国（国家局审批）；

×2＝准（境内）；

××××3＝2023（首次注册年份）；

×4＝3（Ⅲ类）；

××5＝13（分类编码，如“13”代表无源植入器械）；

××××6＝1704（流水号）。

再如，编号为“国械注进 20222020096”的进口第二类医疗器械，其中：

×1＝国（进口器械由国家局审批）；

×2＝进（进口）；

×4＝2（Ⅱ类）；

××5＝02（分类编码，“02”代表无源手术器械）；

××××6＝0096（流水号）。

又如，编号为“国械注许 20243160001”的第二类医疗器械，其中：

×1＝国（国家局审审批）；

×2＝许（从港澳台地区进口）；

×4＝3（Ⅲ类）；

××5＝16（分类编码，“16”代表眼科器械及设备）；

××××6＝0001（流水号）。

还如，编号为“豫械注准 20242140374”的国产第二类医疗器械，其中：

×1＝豫（河南省药品监督管理部门审批）；

×2＝准（境内）；

×4＝3（Ⅱ类）；

××5＝14（分类编码，“14”代表注射护理类器械）；

××××6＝0374（流水号）。

延续注册的，首次注册年份（××××3）和流水号（××××6）保持不变。产品管理类别调整的，需重新编号。

作为全国医疗器械注册的主管部门，国家药品监督管理局建立医疗器械注册信息数据库，公开产品名称、注册证编号、规格型号、生产企业、适用范围等关键信息。公众登录国家药品监督局或者省级药监局的官方网站，进入“医疗器械查询”专栏，可以通过输入注册证编号、产品名称、企业名称等关键词检索，进而可获取产品注册状态、有效期、技术要求和说明书等信息。当注册证或附件因遗失、损毁需补发时，注册人向原发证机关提交书面申请及证明材料（如遗失声明），原发证机关核查注册信息真实性后，10 个工作日内补发新证，标注“补发”字样及原有效期。补发证书与原证具有同等法律效力，但需注意原证若在补办期间被他人冒用，注册人需依法承担相关责任。

6.2.4　医疗器械变更注册、延续注册与注销注册

（1）变更注册　医疗器械注册变更是指已获准注册的医疗器械在注册证有效期届满需延续时或在注册证有效期内发生实质性变化时，需向监管部门申请修改原注册信息的过程。新《办法》第五章第一节是专门针对医疗器械变更注册的说明，其中第七十九条明确规定，注册人应当主动开展医疗器械上市后研究，对医疗器械的安全性、有效性和质量可控性进行进一步确认，加强对已上市医疗器械的持续管理。已注册的第二类、第三类医疗器械产品，其设计、原材料、生产工艺、适用范围、使用方法等发生实质性变化，有可能影响该医疗器械安全、有效的，注册人应当向原注册部门申请办理变更注册手续；发生其他变化的，应当在变化之日起 30 日内向原注册部门备案。注册证载明的产品名称、型号、规格、结构及组成、适用范围、产品技术要求、进口医疗器械的生产地址等，属于前款规定的需要办理变更注册的事项。注册人名称和住所、代理人名称和住所等，属于前款规定的需要备案的事项。境内医疗器械生产地址发生变更的，注册人应当在办理相应的生产许可变更后办理备案。发生其他变化的，注册人应当按照质量管理体系要求做好相关工作，并按照规定向药品监督管理部门报告。

新《办法》第八十条规定，对于变更注册申请，技术审评机构应当重点针对变化部分进行审评，对变化后产品是否安全、有效、质量可控形成审评意见。在对变更注册申请进行技术审评时，认为有必要对质量管理体系进行核查的，药品监督管理部门应当组织开展质量管理体系核查。

新《办法》第八十条规定，医疗器械变更注册文件与原医疗器械注册证合并使用，有效期截止日期与原医疗器械注册证相同，医疗器械注册证编码不变。

（2）延续注册　医疗器械注册证有效期为 5 年，当医疗器械注册证书有效期届满时，企业注册人需提前 6 个月向原注册部门提出到期延续注册的申请；医疗器械注册证书在有效期内，当产品管理类别发生改变时，企业需在 6 个月内按新类别到相应药监部门申请延续注册，并按照相关要求提交申报资料。接到延续注册申请的药品监督管理部门应当在医疗器械注册证有效期届满前作出准予延续的决定。逾期未作出决定的，视为准予延续。

对于应急审批医疗器械，附条件批准上市的，医疗器械注册证的有效期与注册证注明的附带条件的完成时限一致，原则上不超过 1 年。如注册人完成附带条件，可以在到期之日前申请办理延续注册，符合要求的给予延续注册，注册证有效期为 5 年。

但当有下列情形之一时，相应药监部门将不予延续注册：

① 未在规定期限内提出延续注册申请；

② 新的医疗器械强制性标准已发布实施，申请延续注册的医疗器械不能达到新要求；

③ 附条件批准的医疗器械，未在规定期限内完成医疗器械注册证载明的事项。

延续注册的批准时间在原注册证有效期内的，延续注册的注册证有效期起始日为原注册证到期日的次日；批准时间不在原注册证有效期内的，延续注册的注册证有效期起始日为批准延续注册的日期。

医疗器械变更注册申请、延续注册申请的受理与审批程序，在新《办法》第五章未作规定的，适用新《办法》第三章的相关规定。

(3) 注销注册　医疗器械注册证书的注销是指注册人主动或监管部门依法终止医疗器械注册证书效力的行为。有《中华人民共和国行政许可法》第七十条规定情形之一的，原注册审批部门应当依法注销《医疗器械注册证》：①行政许可有效期届满未延续的；②赋予公民特定资格的行政许可，该公民死亡或者丧失行为能力的；③法人或者其他组织依法终止的；④行政许可依法被撤销、撤回，或者行政许可证件依法被吊销的；⑤因不可抗力导致行政许可事项无法实施的；⑥法律、法规规定的应当注销行政许可的其他情形。

6.3 医疗器械备案管理

(1) 医疗器械备案人要求　医疗器械备案是我国对第一类医疗器械实施监管的重要制度，新《条例》第十三条和新《办法》第八十六条均明确规定，第一类医疗器械实行备案制。其属于"事后备案"，是医疗器械备案人（以下简称备案人）依照法定程序和要求向药品监督管理部门提交备案资料，药监部门对资料进行形式审查后存档备查，不涉及实质性审批。新《条例》第一百零三条第二款明确指出，医疗器械备案人是指办理医疗器械备案的生产企业或者研制机构。境外医疗器械备案人必须指定中国境内企业法人作为代理人，由其承担备案申请及后续监管对接。

医疗器械备案人应加强对医疗器械全生命周期的质量管理，对研制、生产、经营、使用全过程中医疗器械的安全有效性依法承担责任，严格履行新《条例》第二十条规定的法律义务。

(2) 医疗器械备案流程　我国医疗器械产品备案的流程具体分为第一类医疗器械备案和进口第一类医疗器械备案两类。第一类医疗器械产品备案，由备案人向所在地设区的市级人民政府药品监督管理部门提交备案资料；向我国境内出口第一类医疗器械的境外备案人，由其指定的我国境内企业法人向国务院药品监督管理部门提交备案资料。依据新《条例》第十四条规定，第一类医疗器械产品备案应当提交与医疗器械注册同样类别的资料，备案人应当确保提交的资料合法、真实、准确、完整和可追溯。备案人可以通过网络提交或窗口现场提交等方式，将准备好的符合新《条例》规定的备案资料递交给相应的备案部门。通过这一系列的流程，备案人成功完成医疗器械的备案。备案部门会对备案资料的完整性、规范性和合规性进行检查。如果资料不齐全或者不符合规定形式，备案部门会一次性告知需要补正的全部内容。如果资料齐全，负责药品监督管理的部门应当自收到备案资料之日起 5 个工作日内，通过国务院药品监督管理部门在线政务服务平台向社会公布备案有关信息。

已备案的医疗器械管理类别调整为第二类或第三类医疗器械的，应当按照新《办法》规定申请注册。

(3) 医疗器械备案凭证与查询　医疗器械备案凭证的编号规则及查询方式对于监管和公众信息透明度至关重要。医疗器械经过备案，获得医疗器械备案凭证后即可上市销售。新《办法》第一百一十六条规定，第一类医疗器械备案编号的编排结构为：×1 械备××××2××××3。其中：

×1 为备案部门所在地的简称；

进口第一类医疗器械为“国”字；

境内第一类医疗器械为备案部门所在地省、自治区、直辖市的简称加所在地设区的市级行政区域的简称（无相应设区的市级行政区域时，仅为省、自治区、直辖市的简称）；

××××2 为备案年份；

××××3 为备案流水号。

例如，粤穗械备 20230005 为 2023 年广州市备案的第一类医疗器械；国械备 20220001 为 2022 年备案的进口第一类医疗器械；备案凭证为“豫长械备 20221402”的医疗器械，为 2022 年在河南省长垣市市场监督管理局备案的医疗器械。

国家药品监督管理局及省级药品监督管理部门建立医疗器械备案/注册信息数据库，并向公众开放查询。公众可通过访问国家药品监督管理局官网，进入“医疗器械”专栏，选择“医疗器械查询”，输入备案编号、产品名称或企业名称等信息进行检索。各省药监局网站通常设有“数据查询”或“医疗器械备案信息”栏目，部分省份还提供区域性医疗器械监管平台，可查询更详细的本地备案信息。

6.4 医疗器械唯一标识系统管理

医疗器械唯一标识（UDI）系统作为国际通行的监管工具，通过为每件医疗器械赋予全球通用的“数字身份证”，实现全生命周期精准追溯与信息透明化管理。UDI 系统对于提升医疗器械的安全性、有效性和监管效率具有重要意义[4]。欧美等国家和地区在推进 UDI 系统方面已经取得了显著进展，为了顺应国际趋势、提升行业治理能力，我国也开始积极推进实施 UDI 系统。新《条例》第三十八条确立分类分步实施原则，明确注册人/备案人在注册、变更或备案时需提交 UDI 信息的法定义务。新《办法》进一步细化了 UDI 提交要求，强调数据的真实性、准确性和可溯源性。2019 年 8 月，国家药监局发布的《医疗器械唯一标识系统规则》系统构建了 UDI 标准体系，包括编码结构、数据载体和数据库规范。2021 年起对高风险器械（如心脏支架、人工关节）首批实施 UDI 系统，并逐步扩展至Ⅱ类、Ⅲ类产品[5]。至此，UDI 制度与医保编码、医疗机构信息系统对接，有力推动了“三医联动”改革。

6.4.1 医疗器械唯一标识系统

根据《医疗器械唯一标识系统规则》，医疗器械唯一标识系统由医疗器械 UDI、唯一标识数据载体和唯一标识数据库组成。UDI 是一个特定的代码，它附载在医疗器械产品或其包装上，用于唯一地识别该医疗器械。这个代码由数字、字母或符号组成，确保了每个医疗器械在全球范围内的唯一性。UDI 的引入有助于提升医疗器械的安全性和有效性，因为它可以简化产品的追溯和召回过程。医疗器械唯一标识数据载体是存储或传输 UDI 信息的媒介。医疗器械唯一标识数据库是一个专门用于存储 UDI 及其关联信息的数据库。

（1）医疗器械唯一标识

① 医疗器械唯一标识的组成

医疗器械唯一标识（UDI）主要由两部分组成，即产品标识（device identifier，DI）和生产标识（production identifier，PI）。其中，DI 是 UDI 编号的静态部分，包括企业编码和产品 ID。企业编码由医疗器械注册人或备案人申请，由符合我国医疗器械编码规则和标准的发码机构发出。其具备唯一性，能够唯一标识一个医疗器械注册人或备案人。产品 ID 是包含具体产品名称、包装等级、规格型号等信息的编码。产品 ID 与企业编码组合后，能够唯一标识一个特定的医疗器械产品。

DI 是从数据库获取医疗器械相关信息的“关键字”，是 UDI 的必要部分。通过 DI，可以追溯医疗器械的注册信息、说明书等关键资料。PI 是 UDI 的动态部分，用于标识某一特定生产批次或单个医疗器械的特定信息。PI 由医疗器械生产过程相关信息的代码组成，包括医疗器械序列号、产品批号、生产日期和失效日期等。PI 与 DI 联合使用，实现“一物一码”，形成医疗器械的“电子身份证”。通过 PI，可以追溯到医疗器械的生产过程、质量控制等信息，满足医疗器械流通和使用环节精细化识别和记录的需求。

② 医疗器械唯一标识的要求

医疗器械 UDI 是医疗器械监管的核心工具，需满足唯一性、稳定性和可扩展性三大要求，共同确保标识系统的科学性和可持续性。

唯一性是指每个医疗器械都应有一个全球范围内独一无二的标识码，以确保其能被准确、无误地识别和追踪。这个标识码应当与医疗器械的识别要求相一致，即它能够清晰地表示出该医疗器械的型号、规格、生产厂家等关键信息，以便于在流通、使用及监管过程中进行准确识别。

稳定性要求医疗器械的唯一标识应当与产品的基本特征紧密相关。如果产品的基本特征（如设计、材料、功能等）没有发生变化，那么其唯一标识也应当保持不变。这有助于确保在产品的整个生命周期内，无论是生产、流通还是使用环节，都能保持产品的一致性和可追溯性。稳定性还意味着标识的持久性，即标识应当能够抵抗磨损、褪色等物理和化学因素的影响，以确保其长期有效。

可扩展性是指医疗器械唯一标识系统应当能够适应监管要求和实际应用的不断变化和发展。随着技术的进步和监管政策的更新，医疗器械的种类和功能可能会不断增加和完善，因此唯一标识系统需要具备一定的灵活性和可扩展性，以容纳新的医疗器械类型和识别需求。同时，可扩展性还意味着唯一标识系统应当能够与其他信息系统（如电子健康记录系统、供应链管理系统等）进行无缝对接和数据交换，以实现信息的共享和协同。

③ 医疗器械唯一标识的编码

在中国，UDI 系统的实施遵循严格的规定，其明确要求，发码机构须为在中国境内依法设立的法人机构，并且要构建起一套成熟、完善的管理制度与高效、稳定的运行体系。这一规定从源头保障了 UDI 的唯一性和数据的安全性，契合国家对医疗器械监管的严格要求。

目前，经官方认可在中国开展 UDI 发行业务的实体共有三家，分别是在国际物品编码领域占据重要地位的中国物品编码中心（GS1 中国）、专注于二维码技术研究与创新的中关村工信二维码技术研究院（ZIIOT）和在医疗健康科技领域颇有建树的阿里健康科技（中国）有限公司。这些机构在 UDI 的创建、分配和管理方面发挥着关键作用。

在国际上，UDI 发码机构同样扮演着重要角色。GS1（国际物品编码协会）是全球范围内最知名的 UDI 发码机构之一，其标准在全球范围内得到广泛应用。此外，HIBCC（保健行业商务通信委员会）、ICCBBA（国际血库自动化委员会）和 IFA GmbH（德国制药市场信息服务提供商）等机构也在各自的领域内提供 UDI 发码服务。这些国际发码机构与中国的发码机构在技术和标准上存在一定的互通性，但也可能存在某些差异，这取决于各国或地区的监管要求和市场需求。

不同的机构的 UDI 编码格式会有所不同。常见的 GS1 编码构成的 UDI 如图 6-7 所示，其中：

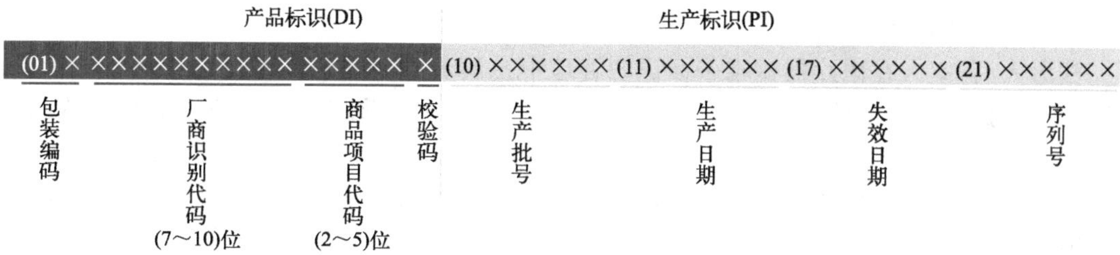

图 6-7 常见的 GS1 编码构成的 UDI

(01) 应用识别符，后面是产品标识（DI）。第一位数字是包装编码，然后是厂商识别代码和商品项目代码，最后一位是校验码。

(10) 应用识别符，后面是生产批号。本编码中，从（10）开始是生产标识（PI）。

(11) 应用识别符，后面是生产日期。

(17) 应用识别符，后面是失效日期。

(21) 应用识别符，后面是序列号。

对于医疗器械来讲，大部分器械一般都要求追溯到批次，对于高风险产品，如心脏起搏器需要追溯到单个产品。

(2) 唯一标识数据载体　UDI 数据载体，作为存储与传输医疗器械唯一标识的核心媒介，在医疗器械的全生命周期管理中扮演着举足轻重的角色。它不仅要满足自动识别和数据采集技术（涵盖一维码、二维码、射频标签等前沿技术）的精准读取需求，还需兼顾人工识读的便捷性，确保在各种场景下都能实现信息的快速、准确获取。当面临空间局促或使用条件受限的特殊情况时，应优先选用契合自动识别和数据采集技术的载体形式。这种选择能够以更高的效率和更精准的准确性完成信息的采集与传输，为医疗器械的流通与使用提供有力保障。

对于自动识别和数据采集技术，一维码、二维码和射频标签是备受青睐的常见选择。一维码通过将产品标识和生产标识巧妙串联或多行并联的方式，有序地存储着医疗器械的关键信息。而射频标签则具有非接触式读取、存储信息量大等优点，但在使用时应当同时具备一维码或二维码，以便在必要时进行人工识读或备用。

对于注册人/备案人而言，在选择 UDI 数据载体时，要使其与自身创建的 UDI 完美适配，还要充分考虑医疗器械的最小销售单元以及更高级别的包装或产品本身的特性，确保选择的载体能够在各个环节都发挥最佳效能。同时，注册人/备案人必须确保在医疗器械的经营使用期间，UDI 数据载体始终保持牢固、清晰和可读的状态；确保医疗器械信息的准确性和可追溯性，为公众的健康安全保驾护航。此外，注册人/备案人还应关注相关法规和标准的要求，确保 UDI 数据载体的设计和使用符合监管要求。随着技术的不断进步和监管要求的不断完善，UDI 数据载体的设计和选择也将不断发展和优化，以适应医疗器械市场的变化和需求。

(3) 医疗器械唯一标识数据库　医疗器械唯一标识数据库，是一座专为存储医疗器械唯一标识及其关联信息而精心构筑的“数字宝库”。这些唯一标识确保了每一件医疗器械在全球范围内都有一个独一无二的身份，从而便于对其进行追踪和管理。国家药品监督管理局在这一领域扮演着至关重要的“掌舵者”角色，在制定医疗器械唯一标识数据相关标准及规范方面发挥着核心引领作用。他们负责制定具体的标准和规范，以确保医疗器械唯一标识的准确性和一致性。不仅如此，国家药品监督管理局还肩负着组织建立和管理医疗器械唯一标识数据库的重任。他们不仅负责数据库的初期建设，还负责后续的维护和更新工作，以确保数据库稳定运行和数据的准确性。

注册人/备案人在医疗器械唯一标识的管理中扮演着重要角色，需严格按照相关标准或规范要求，认真履行上传、维护和更新数据库中相关数据的职责。具体来说，注册人/备案人需要承担以下责任和义务：①在申请医疗器械注册、注册变更或办理备案时，需要在注册/备案管理系统中准确提交其产品标识；②在产品即将上市销售前，将产品标识和相关数据及时上传至医疗器械唯一标识数据库；③对所上传数据的真实性、准确性和完整性负责，确保所上传的数据与实际情况相符。为了进一步提升医疗器械的管理效率和质量，国家积极鼓励各相关方充分利用先进的信息化手段，让医疗器械唯一标识在更广阔的领域发挥更大作用。这包括借助现代信息技术的强大力量，对医疗器械在生产、经营、使用等各个环节进行全链条、精细化管理，以实现更加精准、高效的监管。

6.4.2 医疗器械唯一标识系统的意义

UDI 系统的建立，在医疗行业内外均产生了深远的影响，其重要性不言而喻。从医疗行业的微观视角深入审视，UDI 系统将医疗器械从生产源头、销售流通环节直至终端使用的全过程紧密串联起来，实现了对每一个环节的精准识别与一致性管理。这一创新性举措确保其在漫长的生命周期中，信息始终准确无误、清晰可溯，为医疗器械的安全使用构筑了一道坚不可摧的防线。对于医疗器械生产企业而言，UDI 系统的应用助力企业大幅提升信息化管理水平，构建起一套完善的产品追溯体系，使每一件产品都能在数字化的轨道上被精准追踪。这不仅强化了企业的行业自律意识，更显著提高了管理效能，有力推动了医疗器械产业的高质量发展。医疗器械经营企业同样在 UDI 系统的赋能下焕发出新的活力。借助这一系统，企业能够建立起契合现代化需求的物流体系，实现医疗器械供应链的透明化、可视化和智能化管理。这能够精准优化库存管理，大幅提升物流效率，有效降低运营成本，使企业能在激烈的市场竞争中占据有利地位。对于医疗机构来说，UDI 系统的应用更是意义非凡。它帮助医护人员减少用械差错，在出现不良事件时能够迅速锁定问题医疗器械，并提供快速、高效的召回解决方案。这不仅提升了医疗机构的整体服务水平，更为患者的安全保驾护航。

从政府监管角度来看，UDI 系统的应用有助于政府构建医疗器械监管平台，结合“互联网+”技术和大数据分析，实现对医疗器械来源可查、去向可追、责任可究的智慧监管模式。这一变革大大提高了监管的效率和准确性，让违规行为无处遁形。卫生行政管理部门在 UDI 系统的助力下，能够进一步强化对医疗用械行为的规范化管理，推动健康医疗大数据的建立与完善。这有助于提升医疗服务的质量和效率，为健康中国战略的实施注入强大动力。医保部门也借助 UDI 系统在采购招标中实现了精准识别医疗器械的目标，推动结算过程透明化，有效打击欺诈和滥用行为。这保障了医保资金的合理使用，维护了医保制度的公平性和可持续性，让每一位参保人都能享受到公平、优质的医保服务。

从公众的视角出发，UDI 系统的应用通过信息公开和数据共享，让消费者能够清晰了解医疗器械的相关信息，实现放心使用、明白消费。这有效维护了消费者的合法权益，提升了公众对医疗器械的信任度和满意度。UDI 系统的广泛应用推动了产业的转型升级和健康发展。它为公众提供了更加安全、高效的医疗服务，让人民群众在医疗保障方面有了更多的获得感、幸福感和安全感，成为医疗行业发展进程中一座具有里程碑意义的丰碑。

6.5 法律责任与案例分析

医疗器械注册证和医疗器械备案凭证作为医疗器械在我国市场上合法销售的必要凭证，对于确保公众用械安全具有至关重要的作用。因此，国家对这两类凭证的审批、获取和持有都设定了严格的规定，并对违反这些规定的行为施以严厉的处罚。本节阐述的法律责任是指医疗器械申请人或备案人未严格执行新《条例》《医疗器械注册与备案管理办法》等法规所要承担的责任。相关法律责任条款是各级药品监督管理部门进行行政检查、行政处罚的依据，也是申请人或备案人自查自纠的依据。

（1）对骗取注册证或备案凭证的法律责任　新《条例》第八十三条规定：在申请医疗器械行政许可时提供虚假资料或者采取其他欺骗手段的，不予行政许可，已经取得行政许可的，由作出行政许可决定的部门撤销行政许可，没收违法所得、违法生产经营使用的医疗器械，10 年内不受理相关责任人以及单位提出的医疗器械许可申请；违法生产经营使用的医疗器械货值金额不足 1 万元的，并处 5 万元以上 15 万元以下罚款；货值金额 1 万元以上的，并处货值金额 15 倍以上 30 倍以下罚款；情节严重的，责令停产停业，对违法单位的法定代表人、主要负责人、直接负责的主管人员和其他责任人员，没收违法行为发生期间自本单位所获收入，并处所获收入 30％以上 3 倍以下罚款，终身禁止其从事医疗器械生产经营活动。

新《条例》第八十五条规定：备案时提供虚假资料的，由负责药品监督管理的部门向社会公告备案单位和产品名称，没收违法所得、违法生产经营的医疗器械；违法生产经营的医疗器械货值金额不足 1 万元的，并处 2 万元以上 5 万元以下罚款；货值金额 1 万元以上的，并处货值金额 5 倍以上 20 倍以下罚款；情节严重的，责令停产停业，对违法单位的法定代表人、主要负责人、直接负责的主管人员和其他责任人员，没收违法行为发生期间自本单位所获收入，并处所获收入 30％以上 3 倍以下罚款，10 年内禁止其从事医疗器械生产经营活动。

【案例】

2025 年 3 月 27 日，江苏省药品监督管理局发布了一则处理信息。其中指出某生物科技有限公司在 2016—2018 年向江苏省食品药品监督管理局提交的一次性使用气管插管（第二类医疗器械）注册资料中，使用了伪造的对比产品文件。按照《中华人民共和国行政许可法》第七十九条、《医疗器械监督管理条例》（2021 年修订）第八十三条第一款、《中华人民共和国行政处罚法》（2021 年 7 月 15 日施行）第二十八条第一款，撤销该公司已取得的一次性使用气管插管医疗器械注册证；没收违法所得 1796760 元，罚款 35935200 元（货值金额的 20 倍），罚没款合计 37731960 元；3 年内不得再次申请该行政许可；10 年内不受理医疗器械许可申请。本案时间跨度较大，违法行为发生的 2018 年是 2017 年版《条例》的实施期，查处期间则处于 2021 年版《条例》实施期。对于对当事人的查处适用《条例》哪一版颇有争议。但最终考虑到当事人的违法后果一直处于继续状态这一事实，江苏省药品监督管理局最终使用了 2021 年版《条例》更能体现法治理念并强化了法律对违法行为的震慑作用。

（2）对取证后违规使用证书的法律责任　新《条例》第八十三条第二款规定：伪造、变造、买卖、出租、出借相关医疗器械许可证件的，由原发证部门予以收缴或者吊销，没收违法所得；违法所得不足 1 万元的，并处 5 万元以上 10 万元以下罚款；违法所得 1 万元以上的，并处违法所得 10 倍以上 20 倍以下罚款；构成违反治安管理行为的，由公安机关依法予以治安管理处罚。

【案例】

根据江苏省药品监督管理局行政处罚决定书（苏药监扬处字〔2022〕6 号），扬州某医疗器械有限公司存在违法出租、出借其“一次性使用灭菌橡胶外科手套”医疗器械注册证的行为。该公司此举严重背离了《医疗器械监督管理条例》的相关要求，尤其是触犯了该条例第八十三条第二款的明确禁令。此条款明确禁止了医疗器械注册证、备案凭证等许可证件的出租、出借行为。依据处罚决定，该公司遭受了极为严厉的法律惩处。具体而言，其一次性使用灭菌橡胶外科手套的医疗器械注册证被依法吊销，这直接意味着该产品丧失了在市场上合法销售的资格。与此同时，公司还被责令没收违法所得人民币 1 万元，并处以罚款人民币 15 万元。这些处罚举措不仅是对该公司违法行为的直接有力回应，更是向所有潜在的违法者敲响了警钟。在法律依据方面，《中华人民共和国行政处罚法》第二十八条第一款为本次处罚提供了坚实的法律支撑，该条款明确指出，针对当事人的违法行为，行政机关必须依法作出行政处罚决定。而《医疗器械监督管理条例》第八十三条第二款则进一步细化了出租、出借医疗器械许可证件的具体处罚措施，涵盖吊销注册证、没收违法所得以及罚款等内容，为本次处罚的精准实施提供了明确依据。

(3) 对未依法办理变更注册或备案的法律责任　根据新《办法》第一百零七条，违反本办法第七十九条的规定，未按照要求对发生变化进行备案的，责令限期改正；逾期不改正的，处 1 万元以上 3 万元以下罚款。

(4) 未按《条例》规定履行注册人或备案人相关义务的法律责任　新《条例》第九十八条规定：境外医疗器械注册人、备案人指定的我国境内企业法人未依照本条例规定履行相关义务的，由省、自治区、直辖市人民政府药品监督管理部门责令改正，给予警告，并处 5 万元以上 10 万元以下罚款；情节严重的，处 10 万元以上 50 万元以下罚款，5 年内禁止其法定代表人、主要负责人、直接负责的主管人员和其他责任人员从事医疗器械生产经营活动。境外医疗器械注册人、备案人拒不履行依据本条例作出的行政处罚决定的，10 年内禁止其医疗器械进口。

【案例】

依据国家药品监督管理局交办的案件线索，在 2022 年 6 月，广东省药品监督管理局针对广州某康医疗器械有限公司涉嫌未履行境外医疗器械注册代理人义务的相关情况，正式予以立案并展开深入调查。经调查，该公司作为医疗器械的进口注册代理人，在协助注册人向国家药品监督管理局办理进口医疗器械“视功能综合训练软件”的注册申请流程中，严重失职，未能履行应尽的告知义务。具体而言，在注册申请过程中，注册人需补充提交公证函(包含生产地址变更的 ISO 证书、产品标签以及真实性声明等重要文件)，然而注册代理人却未将这一关键信息告知注册人。更为恶劣的是，该公司的注册专员竟擅自利用图片编辑软件，伪造了虚假的公证函，并将其作为注册补正材料提交给了国家药品监督管理局。这种弄虚作假的行为，严重扰乱了正常的医疗器械注册秩序，损害了行业的公平与诚信。不过，值得庆幸的是，在 2021 年 11 月，该公司协助注册人主动申请撤回了涉案医疗器械的注册申请，在一定程度上避免了虚假注册可能带来的严重后果，但这一事件所暴露出的问题依然不容忽视，亟待严肃处理。

该公司的上述行为，违反了新《条例》以下规定：

第十四条第四款：医疗器械注册申请人、备案人应当确保提交的资料合法、真实、准确、完整和可追溯。

第二十条第一款第（五）项：医疗器械注册人、备案人应当履行下列义务之（五）国务院药品监督管理部门规定的其他义务。

第二十条第二款：境外医疗器械注册人、备案人指定的我国境内企业法人应当协助注册人、备案人履行前款规定的义务。

该公司的违法行为最终定性为未履行境外医疗器械注册代理人义务。2022 年 8 月，广东省药品监督管理局依据新《条例》第九十八条第一款规定，责令当事人改正上述违法行为，对当事人广州某康医疗器械有限公司处以罚款 12 万元的行政处罚，对其责任人处以 5 年内禁止从事医疗器械生产经营活动的行政处罚。

（5）未依照新《条例》、新《办法》规定履行职责及违反规定的法律责任　新《办法》第一百零九条和新《条例》第一百条规定：医疗器械技术审评机构未依照新《条例》及相关部门规章等规定履行职责，致使审评工作出现重大失误的，由负责药品监督管理的部门责令改正，通报批评，给予警告；造成严重后果的，对违法单位的法定代表人、主要负责人、直接负责的主管人员和其他责任人员，依法给予处分。

新《办法》第一百一十条和新《条例》第一百零一条规定：负责药品监督管理的部门工作人员违反规定，滥用职权、玩忽职守、徇私舞弊的，依法给予处分。

参考文献

[1] 邢冰冰，何天平，张大威，等．我国医疗器械注册人制度下委托生产现状及建议［J］．中国医疗器械杂志，2022，46（2）：195-199.

[2] 董阳．以创新激励为导向的药品注册改革——基于上海市药品上市许可持有人制度的试点经验分析［J］．中国药事，2019，33（08）：857-863.

[3] 林峰．我国医疗器械注册人制度试点工作方兴未艾［J］．张江科技评论，2020（2）：18-21.

[4] 李君，刘政江．建立医疗器械唯一标识（UDI）编码规则的实践与思考［J］．中国医药导刊，2019，21（9）：529-532.

[5] 徐影，祝睿，龚顺军，等．医疗器械唯一标识（UDI）国内外发展动态及应用前景［J］．中国医院建筑与装备，2025，26（3）：15-20.

第七章

医疗器械生产监督管理

医疗器械产品的生产，本质上是将各类原材料经过一系列精密工艺转化为具备特定功能与性能的医疗器械成品的过程。在这一过程中，医疗器械产品的质量得以逐步塑造和确定，生产环节无疑成为确保医疗器械产品质量达标并持续提升的核心所在，是产品质量形成的“关键命脉”。而对医疗器械生产环节实施严格、有效的监管，则是贯穿医疗器械全生命周期监管体系中的关键一环，起着举足轻重的作用。本章将介绍我国医疗器械生产管理制度的变化与发展、生产企业行业的现状，阐述医疗器械生产企业的许可和备案申请、审批要求与流程；还将系统介绍医疗器械生产质量管理规范（GMP）的核心要点，以及从事医疗器械生产质量管理工作所必备的专业技能。

7.1 医疗器械生产监管历史沿革与生产企业行业现状

近年来，我国医疗器械产业呈现出蓬勃发展、高歌猛进的良好态势，取得了一系列令人欢欣鼓舞、倍感自豪的显著成绩。医疗器械产品的生产是一个复杂的过程，涉及原料采购、加工制造、质量控制等多个环节，其质量直接关系到患者的健康和安全。对医疗器械生产的监管，无疑是医疗器械全生命周期监管中至关重要的组成部分，紧密地贯穿于医疗器械的设计、开发、生产、销售和使用等各个环节。在不同时代，我国会根据医疗器械的行业现状和认知，制定相应的监管政策和措施，进行医疗器械生产行为的监管。

7.1.1 医疗器械生产监管历史沿革

2000 年，《医疗器械监督管理条例》正式颁布实施[1]。这部条例首次以行政法规的形式，确立了医疗器械生产许可制度，为医疗器械行业的有序发展筑牢了法治根基，标志着我国医疗器械监督管理正式迈入依法行政的新纪元。此后，相关部门陆续配套发布了一系列重要文件，如分类规则、注册管理办法等。这些文件相互衔接、相辅相成，共同搭建起一个涵盖医疗器械研制、生产、经营、使用等全生命周期的监管框架。

2004 年 7 月 20 日，《医疗器械生产监督管理办法》（国家食品药品监督管理局令第 12 号）公布施行[2]。后根据形势发展多次修订，明确医疗器械生产环节的监管要求，规范生产活动。

2011 年，国家食品药品监督管理局发布了“关于实施《医疗器械生产质量管理规范（试行）》及其配套文件有关问题的通知”，对相关问题进行了补充解释，为规范的实际落地提供了有力的支持。《医疗器械生产质量管理规范》充分考虑了不同类别医疗器械的特点，实施分类管理，体现了监管的科学性和精准性。随后，相关部门又陆续颁布了一系列具体的生产实施细则，如《一次性使用无菌医疗器械产品（注、输器具）生产实施细则》《外科植入物生产实施细则》《一次性使用麻醉穿刺包生产实施细则》等。这些细则为医疗器械生产环节的标准化建设指明了方向，共同推动着整个行业朝着更加规范、高效的方向迈进。

2014 年，新修订的《医疗器械监督管理条例》颁布并正式实施[3]。这一条例在强化医疗器械全生命周期监管方面迈出了坚实而有力的步伐，加大了对违法违规行为的处罚力度。在生产监管这一关键领域，修订后的《医疗器械监督管理条例》进一步加重了医疗器械生产经营企业在产品质量控制方面的责任。它明确要求企业构建并严格执行一套严密无疏的质量管理体系，将原材料采购、生产加工直至成品出厂的每一个环节都紧密囊括其中，确保每一个步骤都严格遵循相关标准和要求，不容许有任何的质量瑕疵和漏洞。与此同时，本条例还清晰界定了企业在产品追溯、不良事件报告等方面应尽的义务，并对法律责任进行了细致的细化，以促使企业更加积极主动地扛起产品质量安全的主体责任大旗，从源头上保障医疗器械的质量安全。

与之相呼应的是，2014 年国家食品药品监督管理总局适时发布了第 7 号令《医疗器械生产监督管理办法》[4]，与修订后的《医疗器械监督管理条例》紧密咬合、完美适配。该办法对医疗器械生产的许可、备案、生产管理、监督检查等各个方面都作出了细致的规定。它明确了生产企业在各个环节中的责任和义务，同时加强了对医疗器械生产环节的监管力度，为规范医疗器械生产行为提供了坚实的法律依据，让监管工作有章可循、有法可依。此外，依据新发布的《医疗器械监督管理条例》和《医疗器械生产监督管理办法》，相关部门进一步组织对《医疗器械生产质量管理规范（试行）》进行了全面修订，并于 2014 年 12 月 12 日正式公布了修订后的规范（国食药监械〔2014〕64 号）[5]。此次修订使规范更加契合行业发展的实际需求和监管要求。它进一步提升了医疗器械生产质量管理的科学性和有效性，为生产企业提供了更为明确、具体的质量管理体系建设指导。

2015 年，相关部门陆续发布了《医疗器械生产质量管理规范附录》，涵盖无菌医疗器械、植入性医疗器械、体外诊断试剂等多个关键领域。这些附录针对不同类型医疗器械的特点和风险，提出了更为具体和严格的质量管理要求。例如，无菌医疗器械附录强调了生产环境的无菌控制、灭菌过程的验证和管理；植入性医疗器械附录重点聚焦于产品的生物相容性、安全性和有效性评价；体外诊断试剂附录则对试剂的性能、稳定性、质量控制等方面提出了明确要求。这些附录的发布，进一步细化了医疗器械生产质量管理的标准，提高了不同类型医疗器械的质量安全水平。此后，相关部门又组织制定并发布了一系列配套规章，包括《医疗器械生产质量管理规范现场检查指导原则》以及针对无菌医疗器械、植入性医疗器械、体外诊断试剂的现场检查指导原则等。这些指导原则为监管部门开展现场检查提供了统一的标准和依据，有助于规范检查行为，提高检查的公正性和有效性；同时，也为生产企业提供了自我检查和改进的方向，促使企业加强内部管理，提高质量管理体系的运行水平。

为积极响应“放管服”这一改革号召，2017 年 5 月 4 日，正式颁布了《国务院关于修改〈医疗器械监督管理条例〉的决定》。此次修订在 2014 版《医疗器械监督管理条例》的基础上进行了十项重要修改，旨在进一步强化对医疗器械的监督管理力度，为行业的健康发展筑牢了根基。依据 2017 年 11 月 7 日国家食品药品监督管理总局局务会议《关于修改部分规章的决定》，修订了《医疗器械生产监督管理办法》，修正后的《医疗器械生产监督管理办法》于 2017 年 11 月 21 日正式发布并实施。这一修正进一步规范了医疗器械的生产流程，加强了对生产环节的监管，提高了医疗器械的生产质量和安全水平，为保障公众的健康安全提供了更加有力的保障。2017 年 10 月 1 日，中共中央办公厅与国务院办公厅联合发布了《关于深化审评审批制度改革鼓励药品医疗器械创新的意见》[6]。这一意见提出了 36 项具有前瞻性和针对性的重要改革措施，旨在通过深化审评审批制度改革，打破传统束缚，激发产品的创新活力，鼓励药品和医疗器械的创新研发，从而提高我国药品和医疗器械的质量和国际竞争力。

科技和社会的进步催生了新型医疗器械。为规范定制式医疗器械这一特殊领域的注册监督管理，满足患者日益增长的个性化需求，保障定制式医疗器械的安全有效，国家药品监督管理局会同国家卫生健康委员会发布了《定制式医疗器械监督管理规定（试行）》，并于 2020 年 1 月 1 日起正式施行[7]。这一规定填补了定制式医疗器械监管的空白，为该类特殊医疗器械的研发、生产和使用提供了明确的法律依据和监管框架，有助于推动定制式医疗器械行业的健康发展。

在产业快速发展、改革不断深化的时代大背景下，党中央、国务院作出了一系列具有重大战略意义的决策部署，使得现行的《医疗器械监督管理条例》已难以契合新形势下的诸多需求。为筑牢改革成果的坚实根基，为行业创新注入源源不断的动力，激发市场内生活力，更好地满足人民群众对高质量医疗器械的热切期待，对《医疗器械监督管理条例》进行再次修订已势在必行。2021 年 2 月 9 日，修订后的《医疗器械监督管理条例》（国务院令第 739 号）发布，自 2021 年 6 月 1 日起正式实施[8]。此次修订的条例，从制度层面进一步规范了医疗器械从研制、生产到经营、使用等各个环节的活动，特别是明确推广医疗器械注册人制度，允许医疗器械注册人或备案人自行生产，也可委托具备条件的企业生产，但其需对医疗器械全生命周期质量负责，实现了对医疗器械全生命周期监管的全方位覆盖，为医疗器械行业的健康发展保驾护航。

为了将医疗器械生产监督管理工作推向更加规范、精细的新高度，国家药品监督管理局起草了《医疗器械生产监督管理办法（修订草案征求意见稿）》，并于 2021 年 3 月 26 日面向社会公开征求意见。此次修订工作坚决落实“四个最严”要求，全面推行医疗器械注册人制度，将简政放权和防控风险贯穿始终，通过优化许可流程更大程度地激发市场活力、促进高端医疗器械本土生产，同时转变监管理念，加强风险管理，建立并落实以企业为质量责任主体的事中事后监管模式。2022 年 5 月 1 日起新修订的《医疗器械生产监督管理办法》（国家市场监督管理总局令第 53 号，本章内简称《办法》）正式实施，成为我国医疗器械监管体系的一次重要更新与升级[9]，其在强化风险管控、优化许可流程、加强跨境监管协作等方面进行了重要的完善，以适应医疗器械产业快速发展和监管需求的变化。

《办法》在强化风险管控方面提出：①建立医疗器械生产报告制度，要求医疗器械注册人、备案人以及受托生产企业定期提交质量管理体系自查报告、生产产品品种报告、生产条件变化报告和重新生产报告；这一制度强化了企业的主体责任意识，让监管部门能够及时、准确地掌握企业的生产动态，提前防范潜在风险，将安全隐患扼杀在萌芽状态；②细化监督检查措施，新增重点检查、跟踪检查、有因检查和专项检查等多种检查形式，并明确规定了不同检查方式的适用情形；例如，针对高风险产品或既往违规企业，监管部门可实施重点检查或跟踪检查，确保风险可控；③加强质量安全风险研判，要求监管部门根据监督检查、产品抽检、不良事件监测、投诉举报等多渠道信息，定期开展风险会商，及时分析、排查和处置质量安全隐患，为医疗器械的质量安全保驾护航。

《办法》在优化生产许可流程方面：①简化申报资料，取消了现行办法中须提交“营业执照复印件”等材料的要求，明确可通过联网核查的材料无须重复提交，大大减轻了企业的负担；②压缩审批时限，将医疗器械生产许可申请审核时限由 30 个工作日调整为 20 个工作日，提高了行政效率；③调整许可与备案流程，明确医疗器械备案人自行生产第一类医疗器械时，可在办理产品备案时一并办理生产备案，简化了办事程序。

《办法》在加强跨境监管方面：①明确跨区域监管职责，针对医疗器械注册人跨省委托生产的情形，细化注册人所在地和受托生产企业所在地药品监管部门的职责分工，确保监管工作无缝衔接，避免出现监管空白；②完善跨区域协同机制，新增跨区域监督检查、调查取证等方面的联合和协助规定，强化不同地区监管部门之间的协作，以防止监管盲区的出现；③推动监管信息共享，要求各级药品监管部门依法公开医疗器械生产许可、备案、监督检查、行政处罚等信息，促进信息透明，便于跨区域监管协同，同时也增强了公众对医疗器械监管工作的信任和支持。

2023 年，《企业落实医疗器械质量安全主体责任监督管理规定》正式发布实施，其核心内容紧紧围绕强化医疗器械企业质量安全主体责任展开，明确界定了关键岗位人员（如管理者代表）的职责，积极推动数字化追溯体系的建设。该规定的实施，既为医疗器械企业质量安全管理带来了新的发展机遇，也带来了前所未有的挑战，促使企业不断提升自身管理水平，以适应日益严格的监管要求。

7.1.2 医疗器械生产企业行业现状

在我国经济社会快速前行、科学技术持续进步的时代浪潮中，医疗器械行业作为国家重点培育与发展的战略性新兴产业，近年来取得了令人瞩目的显著成就。生产企业数量持续保持增长的态势，为行业发展注入了源源不断的活力。国家药监局权威数据显示，截至 2023 年底，中国医疗器械生产企业总数达到 3.23 万家。不过，这一数字较上一年度出现了 0.98%的同比下降。具体来看，生产Ⅰ类产品的企业有 2.65 万家，在行业中占据着较大的比重；生产Ⅱ类产品的企业有 1.46 万家，是行业发展的中坚力量；而生产Ⅲ类产品的企业仅有 1020 家，且数量呈现出大幅下降的态势。当前，我国医疗器械生产行业整体规模的扩张步伐有所放缓，进入了调整期。行业从以往的快速增长阶段，逐渐转向平稳收缩的发展阶段，发展节奏更加稳健、有序。为了更直观地呈现这一发展趋势，近 5 年中国医疗器械生产企业数量及增速情况如图 7-1 所示，近 5 年中国医疗器械各类生产企业的数量如图 7-2 所示。

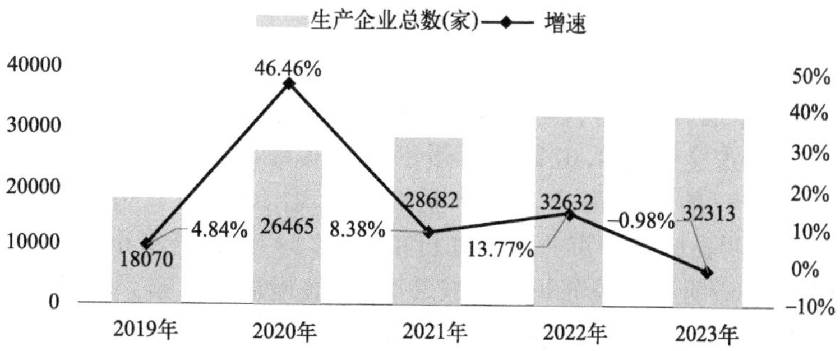

图 7-1　2019—2023 年中国医疗器械生产企业数量及增速情况

根据国家药监局发布的 2024 年医疗器械产业发展报告，截至 2024 年底，全国共有医疗器械生产企业 32752 家，较 2023 年增长 1.36%。这一增长得益于政策支持、市场需求扩大以及技术创新能力提升等多重因素，反映了行业结构持续优化、高端医疗器械生产能力显著提升的趋势。其中，Ⅰ类医疗器械生产企业 21025 家（占比 64.2%），同比增长 1.77%；Ⅱ类医疗器械生产企业 17575 家（占比 53.7%），同比增长 14.57%；Ⅲ类医疗器械生产企业 3258 家（占比 9.9%），同比增长 6.58%。

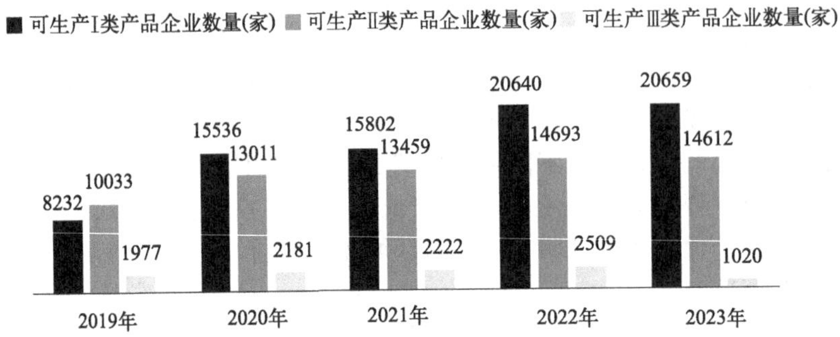

图 7-2　2019—2023 年中国医疗器械各类生产企业数量

从省份分布来看，2024 年全国境内医疗器械生产企业数量排名第一的是广东省，共 5346 家，占全国的 15.32%。其次是江苏省和山东省，分别有 4994 家、4346 家。根据《2025 年中国医疗器械产业全景图谱》，2024 年底中国境内医疗器械生产企业数量分布的 TOP 10 省市情况如图 7-3 所示。

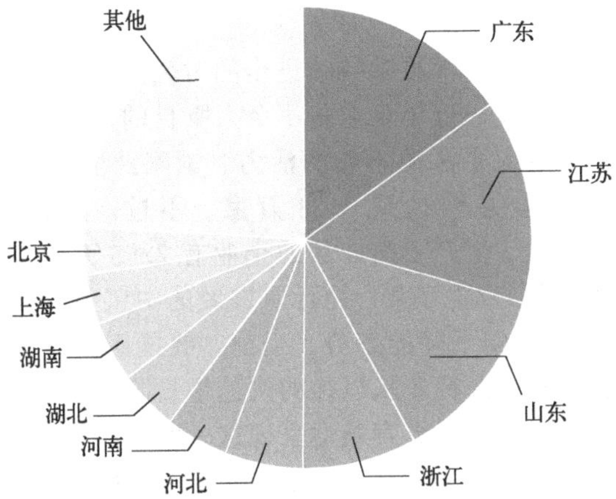

图 7-3　2024 年底中国境内医疗器械生产企业数量（家）分布 TOP 10 省市情况

资料来源：国家药品监督管理局前瞻产业研究院

从城市分布角度来看，2024 年全国医疗器械生产企业数量排名第一的是深圳市，生产企业数量达 1629 家，占全国的 4.67%；苏州市紧随其后，生产企业数量为 1345 家，占全国的 3.85%；排名第三的是上海市，生产企业数量达 1256 家，占全国的 3.60%。相较 2023 年，增速比例最明显的三个市分别为临沂市（16.89%）、金华市（14.20%）和东莞市（12.01%）；增长数量最明显的是苏州市，较 2023 年底增加 128 家。少量城市也存在一定程度的降低，如长春市（−1.86%），数量减少 7 家。

我国医疗器械生产行业正处于快速发展期，产业规模持续扩大，创新能力显著提升，政策环境不断优化。未来，随着技术突破、国产替代加速及国际化进程推进，行业将迎来更广阔的发展空间。

7.2　医疗器械生产许可管理

为了确保医疗器械产品的安全、有效，在监管中能更好地节约时间和精力，实现科学监管，我国依据医疗器械的风险分类，对医疗器械生产企业推行备案与许可制度。通过科学分类与前置审批，构建医疗器械质量安全防线。任何未依法取得医疗器械生产许可，或者未获得医疗器械生产备案凭证的企业，都严禁涉足相关医疗器械的生产活动，否则必将面临监管部门的严厉查处，接受法律的严正制裁。

7.2.1 医疗器械生产许可申请与审批

根据医疗器械的风险程度，其生产活动被划分为不同的类别，并相应地实施不同的管理要求。对于从事第二类、第三类医疗器械生产活动的企业，由于这些医疗器械的风险相对较高，因此需要经过更为严格的审批程序。具体来说，这些企业应当向所在地省、自治区、直辖市药品监督管理部门提出申请，并经过该部门的批准后，才能依法取得医疗器械生产许可证。这一许可证的取得，意味着企业已经具备了生产第二类、第三类医疗器械的资质和能力，可以合法地开展相关生产活动。而对于从事第一类医疗器械生产活动的企业，由于这些医疗器械的风险相对较低，因此管理要求也相对宽松。这些企业只需要向所在地设区的市级负责药品监督管理的部门办理医疗器械生产备案即可。备案制度的实施，既方便了企业的生产活动，又确保了医疗器械的安全性和有效性。这种分类管理的做法，既体现了对医疗器械风险程度的充分考虑，又确保了医疗器械生产活动的规范性和安全性，同时也为企业提供了明确的指导和规范，有助于促进医疗器械行业的健康发展。

7.2.1.1 申请条件与提交材料要求

根据《办法》第十二条规定，从事医疗器械生产的企业需满足以下条件：

① 具备与生产医疗器械相匹配的生产场地、环境、设备以及专业技术人员；

② 配备对生产的医疗器械进行质量检验的机构或专职检验人员以及检验设备；

③ 建立完善的医疗器械质量管理制度，确保生产过程符合规范；

④ 具备与生产的医疗器械相适应的售后服务体系，保障用户权益；

⑤ 生产过程须符合产品研制、生产工艺文件的规定要求。

根据《办法》第十条规定，在境内从事第二类、第三类医疗器械生产的企业，需向所在地省、自治区、直辖市药品监督管理部门申请生产许可，并提交以下材料：

① 提供所生产医疗器械的注册证以及产品技术要求文件的复印件；

② 提交法定代表人（企业负责人）的身份证明复印件；

③ 提供生产、质量和技术负责人的身份、学历、职称相关材料的复印件；

④ 提供生产管理、质量检验岗位从业人员的学历、职称一览表；

⑤ 提供生产场地的相关文件复印件，有特殊生产环境要求的，还需补充提交设施、环境的相关文件复印件；

⑥ 提供主要生产设备和检验设备的目录清单；

⑦ 提交质量手册和程序文件的目录；

⑧ 提供生产工艺流程的详细图示；

⑨ 提供证明售后服务能力的相关材料，如服务网络、服务承诺等；

⑩ 提交经办人的授权文件，明确授权范围和期限。

申请人需确保所提交的材料合法、真实、准确、完整和可追溯。对于可通过联网核查的材料，无须申请人重复提供，由监管部门直接核查。

7.2.1.2 医疗器械生产许可审批程序

医疗器械生产许可审批程序是保障医疗器械质量安全、规范市场秩序的重要环节。相关法规《医疗器械监督管理条例》与《办法》为该程序提供了坚实的法律基础，而2004年监管部门下发的《〈医疗器械生产企业许可证〉审批操作规范》更是对审批细节进行了细致入微的规定，使得整个审批流程更具操作性和规范性。

（1）受理 企业申报：医疗器械生产企业需严格依照要求，精心准备并提交申报材料，这是整个审批流程的起始点，材料的准确性和完整性至关重要。

形式审查：监督管理部门肩负着审查和核对申报材料完整性与有效性的重任。在审查过程中，需仔细核对填写项目是否齐全、准确，有无遗漏签字或盖章等情况。若申请资料存在可当场更正的错误，应秉持服务企业的原则，允许申请人当场更正，以提高审批效率。

申请事项处理：监管部门收到申请后，需依据相关规定，精准判断申请事项是否属于本行政机关职权范围，以及申请资料是否齐全、符合法定形式。对于符合要求的申请，应及时受理；对于不符合要求的申请，则需分情况作出相应处理。若申请资料不齐全或不符合法定形式，应当场或在5个工作日内一次性告知申请人需要补正的全部内容，逾期不告知的，自收到申请资料之日起即视为受理。若申请事项依法不属于本行政机关职权范围，应当即时作出不予受理的决定，并明确告知申请人向有关行政机关申请。同时，无论受理还是不予受理，监管部门都应出具加盖本行政机关专用印章和注明日期的受理或不予受理通知书，以确保审批流程的透明度和公正性。

听证规定：《办法》第十二条对听证事项作出了明确规定。对于法律、法规、规章规定实施行政许可应当听证的事项，或者药品监督管理部门认为需要听证的其他涉及公共利益的重大行政许可事项，药品监督管理部门应当向社会公告，并举行听证。此外，若医疗器械生产许可申请直接涉及申请人与他人之间的重大利益关系，药品监督管理部门在作出行政许可决定前，应当告知申请人、利害关系人享有要求听证的权利，充分保障各方的合法权益。

（2）审查 资料审查：在资料审查环节，监管部门需对申报材料进行深入细致的审核，确保材料的真实性、准确性和完整性，为后续的现场审查提供坚实的依据。

现场审查：现场审查是审批流程中的关键环节，需严格按照国家药品监督管理局制定的《医疗器械生产质量管理规范》的要求进行核查。为提高审批效率，避免重复核查，现场核查可与产品注册体系核查相结合，实现资源共享和协同推进。

（3）复审 复审阶段主要对受理和审查工作进行全面审视。一是审核受理和审查工作是否在规定时限内完成，确保审批流程的高效性；二是审核受理和审查程序是否符合规定要求，保障审批流程的合法性和规范性；三是确认资料审查和现场审查结果，为最终审定提供准确依据。按照规定，审查需在受理申请之日起20个工作日内作出决定，但需要整改的，整改时间不计入审核时限，这一规定既保证了审批效率，又充分考虑了企业的实际情况。

（4）审定 确认复审意见：审定阶段首先需对复审意见进行确认，确保复审结果的准确性和可靠性。

签发审定意见：根据复审意见，依法作出审定决定。若符合规定条件，依法作出准予许可的书面决定，并于10个工作日内发放医疗器械生产许可证；若不符合规定条件，作出不予许可的书面决定，并详细说明理由，同时告知申请人享有依法申请行政复议或者提起行政诉讼的权利，充分保障了申请人的合法权益。

随着互联网的飞速发展，现在医疗器械生产许可证的资料提交可以在网上进行，且各级政务部门都努力提高效率，缩短审批周期。例如，在河南省需要申请医疗器械生产许可，可以进入河南省政务服务网站（https：//www. hnzwfw. gov. cn/），注册登录后，在网上进行办理，亦可在窗口办理或者快递申请办理。图 7-4 为河南省政务网展示的医疗器械生产许可办理流程图。

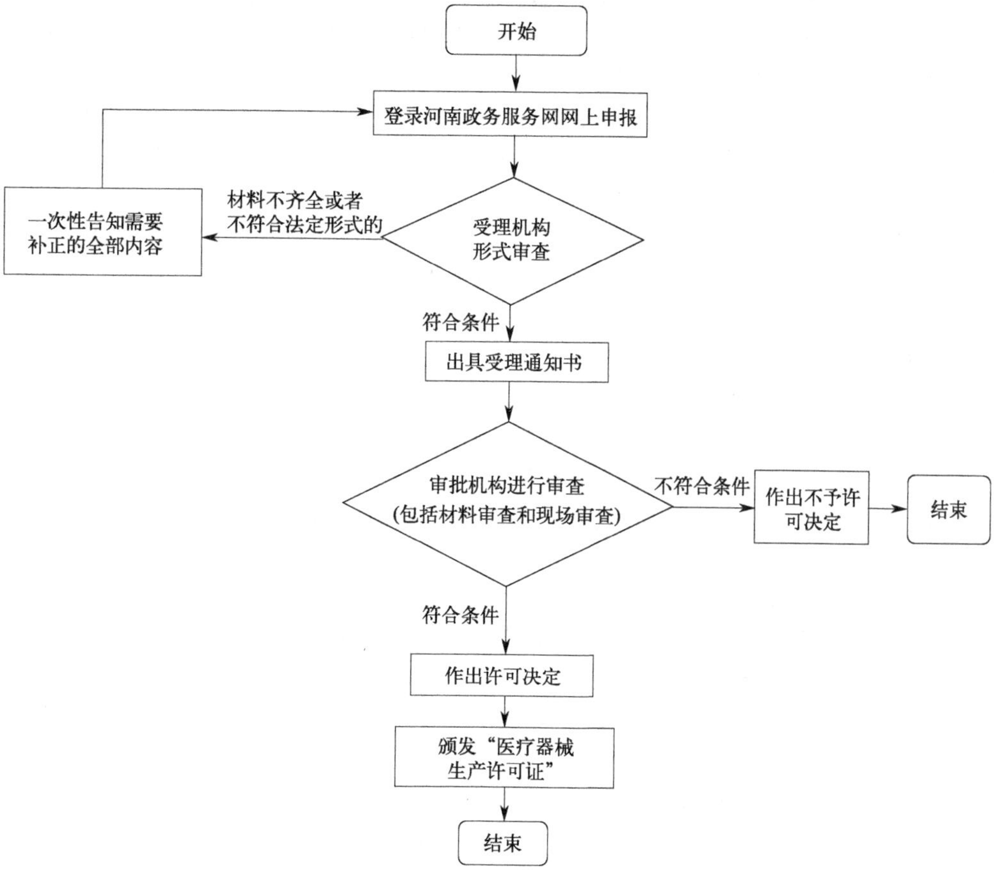

图 7-4 河南省政务网展示的医疗器械生产许可办理流程图

7.2.2 医疗器械生产许可证

医疗器械生产许可证由国家药品监督管理局统一制定样式，由省、自治区、直辖市药品监督管理部门印制。同时规定，医疗器械生产许可证电子证书与纸质证书具有同等法律效力。

（1）生产许可证内容 《办法》第十四条规定，医疗器械生产许可证分为正本和副本，有效期为 5 年。正本和副本载明许可证编号、企业名称、统一社会信用代码、法定代表人（企业负责人）、住所、生产地址、生产范围、发证部门、发证日期和有效期限。副本记载许可证正本载明事项变更以及车间或者生产线重大改造等情况。企业名称、统一社会信用代码、法定代表人（企业负责人）、住所等项目应当与营业执照中载明的相关内容一致。

医疗器械生产许可证编号的编排方式为：×药监械生产许××××××××号。其中：

第一位×代表许可部门所在地省、自治区、直辖市的简称；

第二到第五位×代表 4 位数许可年份；

第六到第九位×代表 4 位数许可流水号。

（2）生产许可证的变更 对于医疗器械生产许可事项变更，《办法》第十五条规定，当医疗器械生产地址发生变更或者生产范围增加时，应当向原发证部门申请医疗器械生产许可变更，并提交涉及变更内容的有关材料，原发证部门应当依照规定进行审核并开展现场核查。

车间或者生产线进行改造，导致生产条件发生变化，可能影响医疗器械安全、有效的，应当向原发证部门报告。属于许可事项变化的，应当按照规定办理相关许可变更手续。

对于医疗器械生产许可登记事项变更，《办法》第十六条规定，企业名称、法定代表人（企业负责人）、住所变更或者生产地址文字性变更，以及生产范围核减的，应当在变更后30个工作日内，向原发证部门申请医疗器械生产许可证登记事项变更，并提交相关证明材料。原发证部门应当于5个工作日内完成登记事项变更。

对于医疗器械生产许可证正本、副本变更，发证部门应当重新核发变更后的医疗器械生产许可证正本、副本，收回原许可证正本、副本；仅副本变更，发证部门应当重新核发变更后的医疗器械生产许可证副本，收回原许可证副本。变更后的医疗器械生产许可证编号和有效期限不变。

（3）生产许可证的延续 《医疗器械监督管理条例》第三十二条规定，医疗器械生产许可证有效期为5年；有效期届满需要延续的，依照有关行政许可的法律规定办理延续手续。

《办法》第十七条明确规定：医疗器械生产许可证有效期届满延续的，应当在有效期届满前90个工作日至30个工作日期间提出延续申请；逾期未提出延续申请的，不再受理其延续申请。

原发证部门应当结合企业遵守医疗器械管理法律法规、医疗器械生产质量管理规范情况和企业质量管理体系运行情况进行审查，必要时开展现场核查，在医疗器械生产许可证有效期届满前作出是否准予延续的决定。

经审查符合规定条件的，准予延续，延续的医疗器械生产许可证编号不变。不符合规定条件的，责令限期改正；整改后仍不符合规定条件的，不予延续，并书面说明理由。

延续许可的批准时间在原许可证有效期内的，延续起始日为原许可证到期日的次日；批准时间不在原许可证有效期内的，延续起始日为批准延续许可的日期。

（4）生产许可证遗失补发 《办法》第十九条规定，医疗器械生产许可证遗失的，应当向原发证部门申请补发；原发证部门应当及时补发医疗器械生产许可证，补发的医疗器械生产许可证编号和有效期限与原许可证一致。

（5）生产许可证的注销 《办法》第二十一条规定，有以下情形之一的，由原发证部门依法注销医疗器械生产许可证，并予以公告：

① 主动申请注销的；

② 有效期届满未延续的；

③ 市场主体资格依法终止的；

④ 医疗器械生产许可证依法被吊销或者撤销的；

⑤ 法律、法规规定应当注销行政许可的其他情形。

7.2.3 医疗器械生产许可查询

国家药品监督管理局建立统一的医疗器械生产监督管理信息平台，公众便能在国家药品监督管理局官方网站便捷查询医疗器械生产许可信息。首先访问官网：在浏览器的地址栏中准确输入国家药品监督管理局的官方网址→进入查询页面→网站首页导航栏中选择“查询服务”或“数据查询”选项进入查询页面→选择查询类型，在查询页面中找到“医疗器械生产许可查询”或与之相关的选项，点击进入→输入查询条件，根据页面提示，输入医疗器械生产企业的名称、许可证编号等关键查询条件→点击“查询”按钮，获取查询结果，系统将显示符合条件的医疗器械生产许可信息。

7.3 医疗器械生产备案管理

《办法》规定，第一类医疗器械实行生产备案制。“第一类医疗器械生产备案凭证”是医疗器械生产企业生产第一类医疗器械的资格证明，企业取得备案凭证即可生产。这明确了生产第一类医疗器械的基本准入要求，确保生产企业具备合法生产资质。医疗器械备案人对其上市的医疗器械产品质量负责，明确了备案人在产品质量保障方面的主体责任，促使备案人重视产品质量控制，从源头保障医疗器械的安全性和有效性。从事第一类医疗器械生产活动，需向所在地设区的市级药品监督管理部门办理医疗器械生产备案。设区的市级药品监督管理部门负责本行政区域第一类医疗器械生产监督管理工作，承担相关医疗器械备案管理、检查和行政处罚等工作。

根据 2020 年 1 月 1 日起施行的《定制式医疗器械监督管理规定（试行）》[7]，鉴于定制式医疗器械的产品特点，难以适用现行注册管理模式进行注册，故实行上市前备案管理制度。这种特殊的管理方式适应了定制式医疗器械的个性化、小批量特点，为这类医疗器械的上市提供了合理的监管途径。定制式医疗器械生产企业与医疗机构共同作为备案人，在生产、使用定制式医疗器械前需向医疗器械生产企业所在地（进口产品为代理人所在地）省、自治区、直辖市药品监督管理部门备案[7]。这种备案人主体的设定，考虑了定制式医疗器械生产与使用的特殊性，要求生产企业和医疗机构共同承担责任，同时明确了备案的具体部门，便于监管部门进行统一管理。从风险控制角度出发，定制式医疗器械是不得委托生产的，备案人应当具备相应条件，以确保其有能力保障定制式医疗器械产品的质量安全。当定制式医疗器械生产企业不具备相同类型的依据标准规格批量生产的医疗器械产品的有效注册证或生产许可证时，或者主要原材料、技术原理、结构组成、关键性能指标及适用范围基本相同的产品已批准注册的，备案自动失效。备案人需主动取消备案[7]。这一规定则进一步强化了风险控制，防止不符合条件的企业继续生产定制式医疗器械，保障市场秩序和公众健康。而符合伦理准则且真实、准确、完整、可溯源的临床使用数据，可以作为临床评价资料用于注册申报。如金属 3D 打印定制式颈椎融合体，在积累一定临床例数、产品基本定型后，可以作为患者匹配医疗器械申报注册[7]。

7.3.1 医疗器械生产备案申请与审批

《办法》将“一类生产备案”和“一类备案变更”两种情况分为两条进行了明确规定。

从事第一类医疗器械生产需向所在地设区的市级药品监督管理部门备案，在提交《医疗器械生产监督管理办法》第十条规定的相关材料后，即完成生产备案，获得医疗器械生产备案凭证号。医疗器械备案人自行生产第一类医疗器械的，可以在办理产品备案时一并办理生产备案。

在第一类医疗器械生产企业备案之日起 3 个月内，设区的市级药品监督管理部门需要对提交的资料以及医疗器械生产质量管理规范情况开展现场核查。对不符合医疗器械生产质量管理规范要求的，依法处理并责令限期改正；不能保证产品安全、有效的，取消备案并向社会公告。

当第一类医疗器械生产备案内容发生变化时，备案人应当在10个工作日内向原备案部门提交本办法第十条规定的与变化有关的材料，药品监督管理部门必要时可以依照规定开展现场核查。

7.3.2 医疗器械生产备案凭证与查询

（1）医疗器械生产备案凭证的内容　第一类医疗器械生产备案凭证上的内容主要包括：①企业名称、住所、生产地址、法定代表人等企业基本信息；②生产范围（产品类别、品种明细）、生产条件说明等生产信息；③由备案部门统一编制的唯一备案编号标识；④负责备案的药品监督管理部门的名称；⑤备案凭证的生效日期。

第一类医疗器械生产备案凭证是合法生产的依据，企业凭借此凭证方可开展第一类医疗器械的生产活动。第一类医疗器械产品需标注备案凭证编号方可合法上市销售。

（2）医疗器械生产备案凭证的编码含义　第一类医疗器械生产备案凭证备案编号的编排方式为：××药监械生产备××××××××号。其中：

第一位×代表备案部门所在地省、自治区、直辖市的简称；

第二位×代表备案部门所在地设区的市级行政区域的简称；

第三到第六位×代表4位数备案年份；

第七到第十位×代表4位数备案流水号。

（3）医疗器械生产备案凭证的查询　访问国家药品监督管理局网站首页（https：//www.nmpa.gov.cn/），点击“医疗器械”→“医疗器械查询”→“国产医疗器械产品（备案）”，输入备案编号、产品名称或企业名称即可查询。同时，部分省份提供在线查询服务，也可登录省级药品监督管理局官网查询省内企业的备案信息。再不然，也可携带有效证件至企业所在地药品监督管理部门申请查询。

7.4 医疗器械委托生产管理

7.4.1 医疗器械委托生产

对于医疗器械的委托生产，要求委托方必须是已取得医疗器械注册证或医疗器械备案凭证的境内注册人/备案人；要求受托方持有与委托产品生产相适应的医疗器械生产许可证或备案凭证，且生产范围涵盖委托产品类别。在医疗器械委托生产过程中，注册人、备案人作为医疗器械全生命周期管理的首要责任主体，需对受托方的质量保证能力和风险管理能力进行全方位评估，评估内容涵盖生产资质、质量体系运行、人员资质、设备设施、物料管理、过程控制、不良事件监测等关键环节。

受托生产企业需严格按照法律法规、规章、医疗器械生产质量管理规范、强制性标准及产品技术要求、委托生产质量协议等要求组织生产，对生产行为负责以确保生产过程合法合规，并接受医疗器械注册人、备案人的全过程监督。

医疗器械委托生产的，委托方和受托方双方需签订包含质量保证条款的质量协议，明确技术转移、设计开发、生产放行、上市放行、变更控制、不合格品处理、不良事件监测等环节的责任分工。委托协议则需明确生产范围、数量、价格、交付期限等商务条款。国家药品监督管理局根据《医疗器械监督管理条例》第三十四条第二款的规定，组织制定了《医疗器械委托生产质量协议编制指南》，规范了医疗器械委托生产质量协议的框架，包括但不限于质量管理体系、文件管理、生产过程控制、质量控制、采购控制、产品放行、风险管理、售后管理等内容。

7.4.2 禁止委托生产的医疗器械

具有高风险的植入性医疗器械不得委托生产，具体目录由国务院药品监督管理部门制定、调整并公布。国家药品监督管理局于2022年3月发布通告（2022年第17号），制定并实施了《禁止委托生产医疗器械目录》，规定了以下医疗器械产品不得进行委托生产。

（1）有源植入器械 植入式心脏起搏器（12-01-01）；

植入式心脏收缩力调节器（12-04-01）；

植入式循环辅助设备（12-04-02）。

（2）无源植入器械 硬脑（脊）膜补片（不含动物源性材料的产品除外）（13-06-04）；

颅内支架系统（13-06-06）；

颅内动脉瘤血流导向装置（13-06-11）；

心血管植入物（外周血管支架、腔静脉滤器、心血管栓塞器械除外）（13-07）；

整形填充材料（13-09-01）；

整形用注射填充物（13-09-02）；

乳房植入物（13-09-03）；

组织工程支架材料（不含同种异体或者动物源性材料的产品除外）（13-10）；

可吸收外科防粘连敷料（不含动物源性材料的产品除外）（14-08-02）。

（3）其他同种异体植入性医疗器械和直接取材于动物组织的植入性医疗器械。

注：产品名称后括号内数字为《医疗器械分类目录》（2017年版）类别编码。

2020年1月1日起施行的《定制式医疗器械监督管理规定（试行）》明确规定，从风险控制的角度出发，定制式医疗器械是不得委托生产的[7]，备案企业需具备独立生产能力，以确保质量控制。

2024年4月3日，国家药品监督管理局发布了《关于进一步加强医疗器械注册人委托生产监督管理的公告》（2024年第38号）。其中明确规定，对于植入性医疗器械，鼓励注册人自行生产，确需进行委托生产的，在委托生产活动期间，注册人原则上应当选派具有相关领域生产质量管理工作经验、熟悉产品生产过程和质量控制要求的人员入驻受托生产企业，对生产管理、质量管理的关键环节进行现场指导和监督，确保按照法规、规章、规范性文件、强制性标准和经注册的产品技术要求组织生产。派驻人员的工作职责应当在质量协议中予以明确。《禁止委托生产医疗器械目录》中的产品不得委托生产。

7.5 医疗器械生产质量管理规范

7.5.1 医疗器械生产质量管理规范概述

医疗器械GMP，是英文“good manufacturing practices”的精练缩写，可直译为“良好生产规范”或“良好制造标准”，亦能表述为“生产质量管理规范”。GMP是一套适用于制药、医疗器械、食品等诸多行业的强制性标准，要求生产企业将制造方法、标准、措施、制度等一系列生产要素加以系统化、规范化，对生产过程中的主要环节以及影响产品的各类因素做出必要的规定。生产企业唯有具备精良的生产设备、拥有合理的生产过程、建立完善的质量管理体系、配备严格的检测系统，才能全方位确保最终产品的安全性和有效性。具体到医疗器械这一特定领域，GMP 对医疗器械生产企业提出了全面且严格的要求。在原料采购环节，必须按照国家相关法规及相关标准，对原材料的质量、来源等进行严格审查与把控；人员作为生产的核心要素，GMP 要求企业员工具备相应的专业资质和过硬的工作能力，并接受定期的专业培训；设施设备是生产的物质基础，必须满足生产的实际需求，且要定期进行精心维护和精准校准；工艺流程和生产操作是产品质量的“生命线”，必须严格遵循既定的规范和标准，确保产品质量的一致性和稳定性；质量监督贯穿于生产的每一个环节，对产品质量进行实时监测和全面评估；卫生学管理是防止生产过程中污染的重要防线，必须达到规定的标准，营造一个干净、整洁、卫生的生产环境，确保产品在生产过程中不受污染；灭菌环节对于一些无菌医疗器械至关重要，必须确保灭菌效果符合要求；在包装运输过程中，要精心呵护产品，保证产品的完整性和安全性；储存条件要适宜，防止产品因储存不当而损坏；产品销售和使用环节也要遵循相关规定，确保产品能够安全、有效地到达用户手中。

(1) 医疗器械质量管理体系标准　作为医疗器械领域的质量管理体系标准，ISO 13485 标准的核心宗旨聚焦于全方位确保医疗器械的安全性与有效性。此标准不仅将目光紧紧锁定在产品本身的质量上，更着重强调组织在提供医疗器械的整个过程中，必须严格满足顾客的多元需求以及法规的严苛要求。由于 ISO 13485 标准的宗旨与医疗器械法规的目标高度契合，一经发布便在全球医疗器械产业界引发了强烈反响。它迅速获得了产业界、监管部门以及社会公众的高度重视和广泛认可。我国医疗器械监管部门高度重视 ISO 13485 标准的转化与实施工作，通过等同采用的方式，将其转化为行业标准，并纳入相关法规要求之中，确保我国医疗器械产业能够与国际先进水平接轨，全面提升整体质量水平。1996 年，ISO 13485 标准首次发布，随后我国医疗器械监管部门将其转化为行业标准 YY/T 0287—1996；2003 年，ISO 13485 标准进行了修订，我国也同步更新行业标准为 YY/T 0287—2003。医疗器械监管部门在制定相关医疗器械法规时，也充分借鉴和引用了 ISO 13485 标准的要求。2016 年 3 月 1 日，ISO/TC 210 正式发布了第三版的 ISO 13485 标准，这一版本的发布标志着医疗器械质量管理体系迈向了新的高度。国家食品药品监督管理总局迅速行动，于 2017 年 1 月 19 日将该标准转化为 YY/T 0287—2017/ISO 13485：2016《医疗器械质量管理体系 用于法规的要求》标准，并于 2017 年 5 月 1 日起正式实施[10]。这一系列举措充分体现了我国医疗器械监管部门与国际接轨的决心和行动，为我国医疗器械行业的持续健康发展提供了坚实的保障。

(2) 我国医疗器械生产质量管理规范相关文件　1999 年 6 月 18 日，国家药品监督管理局正式颁布并推行了《药品生产质量管理规范》(1998 年修订版)，虽然是专门为药品生产量身定制，但也为后续医疗器械 GMP 的构建提供了宝贵的经验与理论支撑。2011 年 1 月 27 日，国家食品药品监督管理局发布了“关于实施《医疗器械生产质量管理规范（试行）》及其配套文件有关问题的通知”(国食药监械〔2011〕54 号)，这份文件对相关问题进行了补充解释，标志着医疗器械行业正式迈入 GMP 时代，开启实施 GMP 管理的征程。

2014 年，随着《医疗器械监督管理条例》和《医疗器械生产监督管理办法》这两部法规的出台，国家食品药品监督管理总局敏锐地捕捉到行业发展的新需求，修订了《医疗器械生产质量管理规范（试行）》[5]。2014 年 12 月 12 日，修订后的《医疗器械生产质量管理规范》在国家食品药品监督管理总局第 17 次局长办公会上顺利审议通过。修订后的《规范》自 2015 年 3 月 1 日起正式施行，共分为 13 章 84 条，明确要求医疗器械生产企业必须严格按照规范建立完善的质量管理体系，其内容广泛覆盖机构与人员、厂房与设施、设备、文件管理、设计开发、采购、生产管理、质量控制、销售和售后、不合格品控制、不良事件监测、分析和改进等各个环节[5]。同时，该规范遵循风险管理、分类推进的科学原则，确定了不同类型医疗器械生产企业实施《规范》的具体时限要求。要求自 2016 年 1 月 1 日起，所有第三类医疗器械生产企业必须严格符合该规范要求，以高标准、严要求确保产品质量安全；自 2018 年 1 月 1 日起，我国境内所有第一类医疗器械备案企业以及第二类医疗器械注册企业也都必须符合 GMP 要求，共同推进医疗器械行业整体质量水平的提升。

为了指导医疗器械生产企业做好生产监管工作，国家又发布了一些指导性文件，规范生产企业相应环节的工作。如 2015 年 1 月，国家食品药品监督管理总局发布了《医疗器械生产企业供应商审核指南》，明确要求医疗器械生产企业构建供应商审核制度，对供应商展开细致的审核和评价。通过这一举措，确保所采购的物品满足其生产产品的质量要求，从源头上强化供应链的质量控制，为产品质量奠定坚实基础。2016 年 1 月 26 日，国家食品药品监督管理总局又颁布了《医疗器械工艺用水质量管理指南》，对医疗器械工艺用水的各个环节进行了详尽的规定，确保所用工艺用水的用途合理、质量契合产品生产工艺要求，以提升工艺用水的质量安全保障水平。2020 年 1 月 1 日，《定制式医疗器械监督管理规定（试行）》应运而生，它针对定制式医疗器械这一特殊领域，提出了更为严格、细致的要求。定制式医疗器械的研制与生产，不仅要严格遵循《医疗器械生产质量管理规范》及相关附录要求，还需满足医工交互、设计开发、质量控制及追溯管理等方面的特殊规定[7]。同时，为加强上市后监管，实行年度报告制度，确保定制式医疗器械从生产到使用的全过程都处于严格监管之下，保障患者使用安全。

为加强医疗器械生产质量管理，持续规范医疗器械生产行为，提升企业质量管理合规能力和水平，国家药监局依据《医疗器械监督管理条例》（国务院令第 739 号）、《医疗器械注册与备案管理办法》（国家市场监督管理总局令第 47 号）、《体外诊断试剂注册与备案管理办法》（国家市场监督管理总局令第 48 号）和《医疗器械生产监督管理办法》（国家市场监督管理总局令第 53 号）等重要法规，组织起草了《医疗器械生产质量管理规范（修订草案征求意见稿）》，并向社会广泛公开征求意见。

相较于 2014 年 12 月 29 日颁布的《医疗器械生产质量管理规范（2014 年第 64 号）》，2025 年新修订版的《医疗器械生产质量管理规范》几乎对原有条款进行了一次彻底的革新重塑，新规范新增内容多达 54 条，修订内容共计 69 条，章节数量也从原来的 13 章扩充至 15 章，删除了原规范中的第十一章“不合格品控制”和第十二章中的“不良事件监测、分析和改进”，新增了第二章、第九章、第十二章和第十四章，尤其是更新了“委托生产”这一关键词。第一章总则中增加了以《医疗器械注册与备案管理办法》《体外诊断试剂注册与备案管理办法》为依据，适用范围则明确包括了医疗器械注册人、备案人和委托生产企业。第二章质量保证与风险管理为新增章节，详细规定了质量目标、资源保障、质量保证系统、变更控制、持续改进、质量风险管理、质量风险回顾等内容。第三章机构与人员细化了组织机构、质量管理部门、人员配备和岗位职责、关键岗位人员（包括企业负责人、管理者代表、生产管理负责人、质量管理负责人和产品放行审核人员等）的职责和要求。第四章厂房与设施中增加了对厂房选址、设计、布局、建造、改造和维护的具体要求，以及信息化系统、区域权限、厂房设施文档等新内容。第五章设备中强调了设备档案、操作规程和记录、设备标识、校准和检定、设备仪器再确认等要求。第六章文件和数据管理为新增章节，涵盖了质量管理体系文件的建立、文件管理、法规识别、记录管理、电子记录及数据管理等详细规定。第七章设计开发中详细规定了设计开发的控制程序、风险管理、计划、输入、输出、转换、评审、验证、确认、变更和文档等要求。第八章采购与物料管理，细化了采购管理程序、供应商分类管理、准入审核、定期评价、采购质量协议、采购信息、采购验收、物料和成品管理、物料复验、供应商体系变更管理等要求。第九章验证与确认也为新增章节，包括验证或者确认的范围和原则、设施设备确认、工艺验证、清洁方法验证、变更验证、再验证及再确认、验证实施流程、软件确认等详细规定。第十章生产管理，详细规定了生产过程控制、原材料管理、环境监测与控制、批生产记录、物料平衡、标识控制、说明书与标签、产品防护、清场管理、偏差管理、不合格品控制、返工管理、产品追溯、医疗器械唯一标识、共线生产、连续生产、恢复生产等要求。第十一章质量控制与产品放行，详细规定了质量控制程序、检验人员、检验操作规程、检验方法、检验样品管理、检验活动与记录、检验设备、环境监测与控制、不合格处理、放行要求、产品留样、委托检验等要求。第十二章委托生产与外协加工亦为新增章节，涵盖了委托生产体系、委托协议、受托能力评估和监督、委托双方机构与人员要求、生产转换要求、变更控制要求、生产、上市放行、异常情况处理、委托研发、外协加工文件要求、外协加工能力评估等详细规定。第十三章销售与售后服务，详细规定了销售活动、售后服务、安装维护等要求。第十四章分析与改进，详细规定了监测、分析和改进活动、顾客反馈和投诉、不良事件、数据分析和定期评价、纠正预防措施、召回、信息告知、内审、管理评审等要求。

2025 年初，国家药品监督管理局（NMPA）密集出台多项医疗器械领域的重量级法规，体现了国家深化医疗器械监管改革、推动产业高质量发展的坚定决心。此次政策调整以“委托生产”为核心，旨在通过优化监管框架、强化主体责任、鼓励创新驱动，为全国医疗器械产业注入新动能。

7.5.2 医疗器械生产质量管理规范主要内容

《医疗器械生产监督管理办法》明确医疗器械注册人、备案人的法定代表人、主要负责人是医疗器械质量安全的第一责任人，这一规定将质量安全责任直接落实到企业高层，促使其从战略高度重视医疗器械质量安全，在决策过程中充分考虑质量安全因素，加大对质量安全管理的资源投入。医疗器械注册人、备案人以及受托生产企业必须依据《医疗器械生产质量管理规范》，建立与所生产医疗器械相适应的质量管理体系，并确保其在实际生产过程中有效运行。企业必须严格按照经注册或者备案的产品技术要求组织生产，保障企业生产的医疗器械产品符合国家、行业等相关强制性标准的规定。2025 年 1 月 15 日，国家药监局组织起草了《医疗器械生产质量管理规范（修订草案征求意见稿）》，并向社会公开征求意见，公开征求意见时间是 2025 年 1 月 16 日—2025 年 2 月 14 日。该新规范是医疗器械注册人、备案人、受托生产企业（以下简称企业）在医疗器械设计开发、生产、销售和售后服务等全生命周期活动过程中应当遵守的要求。各医疗器械生产企业应当按照新规范的要求，结合产品特点，建立健全与所生产医疗器械相适应的质量管理体系，包括委托生产、外协加工及委托检验等，并保证其有效运行。同时，企业应当将风险管理贯穿于设计开发、生产、销售和售后服务等全过程，所采取的控制措施应当与产品存在的风险相适应。企业应当诚实守信，禁止任何虚假、欺骗行为。

（1）质量保证与风险管理　在质量保证与风险管理方面，要求企业应当履行医疗器械质量安全主体责任，建立符合医疗器械质量管理要求的质量目标，将医疗器械产品安全、有效和质量可控的所有要求，系统地贯彻到产品设计开发、生产、质量控制及产品放行、贮存运输、使用等全过程，确保质量目标得到理解和实现。企业应当为实现质量目标配备足够并符合要求的人员、厂房设施和设备等资源。企业各级人员应当共同参与实现质量目标的各项活动并承担相应责任。质量保证是质量管理体系的一部分，应当建立质量保证系统并有完整的质量管理体系文件，以保证质量管理体系有效运行。质量保证系统应当确保：

① 医疗器械的设计开发、生产管理和质量控制活动符合本规范的要求；

② 管理职责明确；

③ 采购和使用的原材料正确无误；

④ 中间产品得到有效控制；

⑤ 确认、验证的实施；

⑥ 严格按照规程进行生产和检验；

⑦ 每批（台）产品经审核批准后方可放行；

⑧ 在贮存、运输和随后的各种操作过程中有保证质量的适当措施；

⑨ 对委托生产、外协加工和采购服务等行为进行监控与评估。

此外，企业应当建立变更控制程序，根据变更可能对医疗器械安全性、有效性和质量可控性影响的风险程度，确定变更管理类型，对变更进行相应的评审，并在实施前得到批准。必要时，应当对变更进行验证和确认，确保变更不对产品的安全性、有效性和质量可控性产生不良影响。企业应当通过质量数据监控、纠正和预防措施、变更管理、不良事件监测、质量风险管理回顾及管理评审等方式，保证质量管理体系、产品工艺性能和产品质量的持续改进。企业应当建立质量风险管理制度，基于法律、法规、标准、科学知识和经验等，评估产品实现全过程的质量风险，验证和实施质量风险控制措施，确保产品质量风险得到有效控制。企业应当收集产品全生命周期质量风险信息，定期实施质量风险管理回顾，确保质量风险管理措施持续有效。

（2）机构与人员　在机构与人员方面，要求企业应当建立与医疗器械生产相适应的组织机构，明确各部门的职责和权限，明确质量管理职能。生产管理部门和质量管理部门负责人不得互相兼任。企业应当设立与产品生产要求相适应的质量管理部门，参与与产品质量相关的各项活动，负责审核与本规范有关的文件。质量管理部门应当独立履行质量保证和质量控制职责，并对产品质量有否决权。企业应当配备足够数量并具有相应资质（含学历、培训和实践经验）的专业技术人员、管理人员、生产操作人员和专职检验人员；应当明确规定每个岗位的职责，岗位职责不得遗漏，交叉的职责应当有明确规定。每个人所承担的职责不应当过多。企业应当配备与生产产品相适应的关键岗位人员。关键岗位人员应当为企业的全职人员，至少应当包括企业负责人、管理者代表、生产管理负责人、质量管理负责人和产品放行审核人员等。关键岗位人员应当熟悉医疗器械相关法律法规，具有质量管理的实践经验，有能力对生产管理和质量管理中的实际问题作出正确的判断和处理。企业负责人是医疗器械产品质量安全的主要责任人，应当履行以下职责：

① 组织制定企业的质量方针和质量目标；

② 确保质量管理体系有效运行所需的人力资源、基础设施和工作环境等；

③ 组织实施管理评审，定期对质量管理体系运行情况进行评估，并持续改进；

④ 确保管理者代表、质量管理负责人和产品放行审核人独立履行职责，不受企业内部因素干扰；

⑤ 按照相关法律、法规、规章、强制性标准以及产品技术要求组织生产。

企业负责人应当在企业高级管理人员中任命一名管理者代表。第二类、第三类医疗器械生产企业管理者代表应当具有医疗器械相关专业大学本科以上学历；第一类医疗器械生产企业管理者代表应当具有医疗器械相关专业大学专科以上学历，管理者代表原则上应当具有三年及以上医疗器械质量管理或者生产、技术管理工作经验（或者中级以上技术职称），熟悉产品生产和质量管理情况，具有良好履职能力。管理者代表应当履行包括但不限于以下职责：

① 组织落实相关法律、法规、规章、强制性标准以及经注册或者备案的产品技术要求；

② 建立健全与所生产产品相适应的质量管理体系并保持其有效运行；

③ 确保产品符合放行要求，并组织开展上市后产品质量的信息收集工作；

④ 组织开展质量管理体系自查、不良事件监测及报告、医疗器械召回等工作；定期向企业负责人报告质量管理体系的运行情况和改进需求；

⑤ 配合药品监督管理部门开展监督检查，针对发现的问题，组织企业相关部门按照要求及时整改。

质量管理负责人应当具有医疗器械相关专业本科及以上学历或者中级专业技术职称，同时具备三年以上医疗器械生产或者质量管理经验。质量管理负责人应当至少履行以下职责：

① 确保物料和产品的生产、检验均符合相关法律、法规、规章、强制性标准以及经注册或者备案的产品技术要求；

② 组织产品放行审核；

③ 确保生产过程中所有重大偏差和不合格情况已经过调查并得到及时处理；

④ 组织上市后产品质量管理活动，确保所有与产品质量有关的退货、投诉、不良事件已经过调查，并得到及时、正确的处理；

⑤ 确保完成产品质量年度回顾分析；

⑥ 确保本部门人员经过相关培训，掌握相关法规、理论知识和实际操作技能；

⑦ 负责其他与产品质量有关的活动。

生产管理负责人应当具有医疗器械相关专业大专及以上学历，具备三年以上医疗器械生产或者质量管理经验。生产管理负责人应当履行包括但不限于以下职责：

① 确保按照生产工艺规程、作业指导书等组织产品生产；

② 确保生产记录真实、准确、完整、及时和可追溯；

③ 组织实施厂房设施、设备的维护保养，确保其保持良好的运行状态；

④ 确保本部门的员工经过培训，具备与其岗位要求相适应的知识和实际操作技能；

⑤ 负责其他与产品生产有关的活动。

放行审核人应当是质量管理部门人员或者其他更高管理人员，应当经过与产品放行有关的培训，具备产品放行审核能力，能独立承担产品放行审核职责。企业应当指定部门或者专人负责培训管理工作，建立培训制度，制定培训计划，保存培训记录。从事影响产品质量的所有人员，应当经过与其岗位要求相适应的法规、岗位职责、实际操作技能的培训，以确保相应人员明确并理解自己的职责，熟悉与其职责相关的要求，具有相关理论知识和实际操作技能。企业应当对培训的实际效果进行评估。对从事影响产品质量工作的人员，企业应当根据生产产品的特性对其健康进行管理，并建立健康档案。

（3）厂房与设施　在厂房与设施方面，厂房的选址、设计、布局、建造、改造和维护应当符合医疗器械生产要求，并能够最大限度地避免污染、交叉污染、混淆和差错，便于清洁、操作和维护。企业应当根据所生产产品的特性、工艺流程及相应的洁净级别要求，合理设计、布局和使用厂房与设施。厂房应当有整洁的生产环境，有适当的照明、温度、湿度和通风控制条件，符合产品质量及相关技术标准的要求。厂房与设施的设计和安装应当能够有效防止昆虫或者其他动物进入，并根据产品特性采取必要的防护措施。厂房与设施的维护和维修活动不得影响产品质量。生产区应当有足够的空间，并与其产品生产规模、品种相适应。同一区域内有多条生产线的，应当采取有效的隔离措施。仓储区应当能够满足原材料、包装材料、中间产品、成品等的贮存条件要求，按照待验、合格、不合格、退货或者召回等情形进行合理存放，以避免混淆和差错，便于检查和监控。有毒、易燃、易爆和其他危险品的验收、贮存、管理等，应当执行国家有关规定。企业应当配备与产品生产规模、品种、检验要求相适应的检验场所和设施。企业应当根据产品特性、生产操作要求及外部环境等配置相应的设施，如空调净化系统、工艺用水系统、工艺用气系统及防静电设施等。企业应当对相关设施进行验证并开展日常监测和维护，确保其符合预期用途。

对生产环境有洁净级别要求的，洁净区与非洁净区之间的静压差应当大于10Pa，不同级别洁净区之间的压差应当大于5Pa。必要时，相同洁净度级别的不同功能区域（操作间）之间也应当保持适当的压差梯度。生产过程中产生大量粉尘、烟雾、毒害物等的操作区域应当保持相对负压，排至室外的废气应当经过净化处理并符合要求。生产、检验、贮存过程中使用的信息化系统，企业应当配备满足预期用途的硬件设施和软件运行环境，并采取适宜的防护措施以防止外来因素干扰。生产、贮存和质量控制区不应作为非本区工作人员的直接通道。企业应当采取适当措施，防止未经批准人员的进入。企业应当保存厂房和设施相关的文档，包括但不限于竣工图纸、使用说明、维护保养规定等。

（4）设备　在设备方面，企业应当配备与所生产产品和规模相匹配的生产设备、检验仪器和设备及工装夹具等，并确保其有效运行。设备和仪器的设计、选型、安装、维护和维修应当符合其预定用途，便于操作、清洁和维护。企业应当建立设备和仪器档案，包括但不限于设备和仪器的采购、安装、确认等文件和记录。企业应当建立主要设备和仪器的使用、维护和维修操作规程，并保存相关记录，确保相关活动可追溯。企业主要设备和仪器应当标明编号与名称。出现异常情况时，应当配备异常状态标识，防止非预期使用。企业应当按照操作规程和校准或者检定计划，定期对主要设备和仪器进行校准或者检定，校准的量程范围应当涵盖实际使用范围。企业应当配备适当的计量器具，计量器具的量程和精度应当满足使用要求，并标明校准或者检定的有效期。企业应当保存校准和检定相应记录。企业应当对经过改造或者重大维修的设备和仪器进行再确认，符合要求后方可使用。

（5）文件和数据管理　在文件和数据管理方面，企业应当建立健全质量管理体系文件，包括质量方针和质量目标、质量手册、程序文件、技术文件和记录，以及法规要求的其他文件。质量手册应当对质量管理体系作出规定。程序文件应当根据产品设计开发、生产和质量管理的实际需要制定，包含本规范所规定的各项程序。技术文件应当包括产品技术要求及相关标准、生产工艺规程、作业指导书、检验和试验操作规程、安装和服务操作规程等相关文件。企业应当建立文件控制程序，系统地设计、制定、审核、批准、发放和保存质量管理体系文件，至少应当符合以下要求：

① 文件的起草、修订、审核、批准、替换或者撤销、保管和销毁等应当按照控制程序管理，并有相应的文件分发、替换或者撤销、销毁记录；应当根据文件的不同用途与类型，明确适宜的受控方法；

② 修订或者更新文件时，应当经过评审和批准，并确保能够识别出文件的修订或者更新状态；

③ 分发和使用的文件应当为适宜的文本，已撤销或者作废的文件应当进行标识，防止误用；

④ 应当明确必要的质量管理体系文件（如技术文件等）作废后的保存期限，以满足产品维修和产品质量责任追溯等需要。

企业应当指定部门或者人员负责识别医疗器械相关法律、法规、规范、标准等外部文件的变化情况，并及时更新质量管理体系文件。企业应当建立记录控制程序，包括记录的标识、保管、检索、保存期限和处置要求等，并满足以下要求：

① 记录应当保证产品设计开发、生产、质量控制和放行等活动的可追溯性；

② 记录应当清晰、完整，易于识别和检索，防止破损和丢失；

③ 记录不得随意涂改或者销毁；更改记录应当签注姓名和日期，并使原有信息仍清晰可辨，必要时应当说明更改的理由；

④ 记录的保存期限至少应当与医疗器械的寿命期保持一致或者符合相关法规要求，且自产品放行之日起不少于2年。

采用信息化系统生成电子记录或者数据的，企业应当确保电子记录或者数据的真实、准确、完整、及时和可追溯，并符合以下要求：

① 建立用户权限管理，确保对于电子记录或者数据真实准确产生影响的权限得到有效控制；

② 电子记录或者数据的更改及删除应当由经授权的人员操作，并且保留更改及删除的记录；

③ 电子记录或者数据应当进行备份，其保存期限应当不低于本章定义的记录保存期限，且在保存期内应当便于查阅。

（6）设计开发　在设计开发方面，企业应当建立设计开发控制程序，对设计开发的阶段进行划分，规定设计开发的策划、输入、输出、验证、确认、转换、变更和评审等活动及相关文档的控制要求，对医疗器械的设计开发全过程实施策划和控制。企业应当将风险管理贯穿设计开发至产品实现的全过程，制定相关要求并形成文件，使用风险管理方法和工具开展风险管理活动并保留相关记录。企业应当根据产品特性对设计开发进行策划，明确设计输入、设计输出、设计转换、设计验证与确认等阶段需要开展的具体活动；应当制定设计开发计划，明确各阶段适用的验证、确认、转换、变更和评审等活动及输出要求，确定各部门在不同阶段的活动和接口，明确职责和分工。设计开发计划应当经过评审和批准，并在实施过程中定期回顾。设计开发的输入至少应当包括根据用户需求及预期用途所确定的功能、性能、安全以及法规、标准、风险控制措施等要求。设计开发的输入要求应当清晰、完整，并经过评审和批准。设计开发的输出应当满足各阶段的输入要求。设计开发输出至少应当包括采购、生产、检验、使用和服务所需的相关信息以及产品技术要求等。设计开发的输出应当经过验证并得到批准。企业应当结合产品特点，开展设计开发到生产的转换活动，确保设计输出的生产环境、原材料控制、生产工艺和质量控制等相关规程得到验证并适用于商业化生产。设计开发转换应当重点关注关键工序和特殊过程的识别及验证和确认等。企业应当在设计开发的适宜阶段进行评审，持续评价设计开发输出满足输入要求的能力，识别问题并提出必要的改进措施。企业应当对设计开发进行验证，以确保设计开发输出满足输入的要求；应当保留验证相关文件，至少包括验证方案、验证报告、验证结果和结论以及验证过程记录等。企业应当对设计开发进行确认，以确保产品满足规定的使用要求或者预期用途要求，确认可以采用临床评价或者性能评价；进行临床试验时，应当符合医疗器械临床试验法规的要求。企业应当对设计开发变更进行识别并评估变更的影响，必要时，应当对设计开发变更进行验证和确认，并在实施前得到批准。企业应当建立产品设计开发文档，包括设计开发过程中建立或者引用的记录，以证实符合设计开发要求，确保历次设计开发最终输出过程及其相关活动可追溯。

（7）采购与物料管理　在采购与物料管理方面，企业应当建立采购管理程序，确保采购的原材料或者服务符合规定要求，且不低于法律法规和强制性标准的相关要求。企业应当根据采购的原材料或者服务对产品的影响程度，对采购的原材料或者服务以及供应商进行分类管理。供应商管理应当考虑采购的原材料或者服务生产工艺的复杂程度、对产品质量安全的影响程度、首次供应或是持续供应等因素。企业应当建立供应商审核制度，明确供应商的选择、评价和再评价的准则和方法，并根据审核评价的结果建立合格供应商名单；应当结合产品质量风险、原材料用量及对产品质量的影响程度，必要时对原材料和服务供应商进行现场审核。企业应当对供应商定期进行综合评价，回顾分析其供应物料或者服务的质量、技术水平、交付能力等。经评估认为供应商存在重大缺陷的，应当中止采购，及时分析相关缺陷给产品带来的风险，必要时采取相应措施。

企业应当与主要原材料和服务供应商签订质量协议，明确采购原材料或者服务的技术要求、验收标准和双方的质量责任。企业应当建立主要原材料或者服务供应商的质量档案。档案内容应当包括：采购合同或者质量协议、采购物品清单、供应商资质证明文件、产品技术要求或者质量标准、验收准则、供应商定期审核报告，以及对供应商能力或者绩效的评价、选择、监视和再评价的结果及由这些活动所引起的任何必要措施的记录等。企业应当明确采购信息和采购要求，包括采购原材料或者服务的类别、验收准则、规格型号、规程、图样等内容。企业应当保留采购记录，包括采购合同、物料或者服务清单、检验报告等，采购记录应当真实、准确、完整和可追溯。企业应当建立原材料进货验收制度，对采购的原材料进行检查、检验或者验证，确保其满足要求。原材料进货验收应当在相应的环境下遵循抽样规则，并符合验收准则要求。

企业应当建立相应的管理制度，确保原材料、中间产品及成品等能够正确贮存、发放、使用和发运，防止污染、交叉污染、混淆和差错。相关活动应当有记录。企业原材料的发放和使用一般应当遵循先进先出原则。超过贮存期的原材料应当进行复验，经评估符合规定后方可使用。主要原材料的生产条件、规格型号、图样、生产工艺、质量标准和检验方法等发生变更，可能影响产品质量时，企业应当要求供应商提前告知上述更改，评估变更对产品质量影响的范围和程度，必要时采取相应的措施以避免更改造成的产品质量风险，并对供应商进行现场审核。

（8）验证与确认　在验证与确认方面，企业应当基于风险评估确定验证或者确认的范围和程度，以证明相关设施设备、操作以及产品实现过程中的关键要素能够得到有效控制。厂房、设施及主要设备应当经过确认。应当采用经过验证的生产工艺、操作规程和检验方法进行生产和检验，确保在验证过的状态下开展相关活动。企业应当形成确认的文件和记录，并能以文件和记录证明厂房、设施、设备的设计、安装、运行符合预定用途、设计标准及本规范要求，其性能在正常操作方法和工艺条件下能够持续符合要求。工艺验证应当证明生产过程按照规定的工艺参数能够持续生产出符合预定用途和产品技术要求的产品。关键工序、特殊过程应当经过验证或者确认。企业应当结合产品特性、工艺特点以及设备设施的使用情况等对清洁方法实施验证，证实其清洁效果，以有效防止污染和交叉污染。主要原材料、生产环境、生产工艺、主要生产设备、检验方法等影响产品质量的主要因素发生变更时，企业应当进行验证或者确认。需要进行注册变更批准、备案或者生产事项变更报告的，应当按相关要求完成。首次验证或者确认后，企业应当根据产品质量回顾分析情况对设备设施、生产工艺等进行再验证或者再确认，确保其能够达到预期结果。如使用历史数据开展回顾性验证或者确认，应当确保所使用数据适当且充分。连续停产一年以上且无同类产品在产的，重新生产时应当进行必要的验证和确认。

企业应当制定验证总计划，并根据验证的对象制定验证或者确认方案。验证或者确认方案应当经过审核和批准，方案应至少包括：验证或者确认的对象、部门和人员职责、实施环境、方法、取样要求、接收准则等。企业应当按照方案实施验证或者确认并形成报告。生产、检验过程中采用的计算机软件对产品质量有影响的，企业应当进行确认并有记录和结论。确认至少包括软件首次使用前的确认、软件更改后的再确认等。确认或者再确认的方法和活动应当与软件使用的有关风险相适应。

（9）生产管理　在生产管理方面，企业应当建立生产过程控制程序，明确操作人员、生产设备、原材料和中间产品、生产工艺和操作规程、生产环境、过程检验或者监控等要求，并按照要求组织生产。企业应当在生产过程中对原材料、包装材料、中间产品等进行有效管控。需要清洁处理的，企业应当明确清洁方法和要求，并对清洁效果进行验证。企业应当根据生产工艺特点对环境进行监测和控制，并保存记录。每批（台）产品均应当有生产记录，并满足可追溯的要求。生产记录至少包括产品名称、规格型号、原材料批号、生产批号或者产品编号、生产日期、数量、主要设备、工艺参数、操作人员等内容，并体现物料平衡或者记录物料使用情况。企业应当根据产品特点检查产量和关键物料的物料平衡，确保物料平衡符合设定的限度要求。如有差异，企业应当查明原因，确认无潜在质量风险后，方可按照正常产品处理。

企业应当建立产品标识控制程序，用适宜的方法对产品进行标识，以防止混淆、差错以及不合格中间产品流入下道工序。产品的说明书、标签应当符合相关法律法规及标准要求，并进行有效管控。企业应当建立产品防护程序，规定产品及其组成部分的防护要求，包括污染防护、静电防护、网络安全防护、粉尘防护、腐蚀防护和运输防护等。防护措施应当包括标识、搬运、包装、贮存和保护等。企业应当结合产品特性和生产实际建立清场管理制度，防止生产涉及的物料和产品的污染与混用、相关文件差错使用。下次生产开始前，企业应当对前次清场情况进行确认。清场记录和确认应当纳入批生产记录。

企业应当结合产品生产工艺特点建立偏差处理程序，规定偏差的识别、报告、记录、评估、调查、处理以及所采取的纠正和预防措施等，并保持相应的记录。偏差处理应当涵盖医疗器械生产、检验全过程。企业应当建立不合格品控制程序，对生产过程中的不合格物料、中间产品、成品等进行及时有效的标识、记录、隔离并开展评审。涉及返工、降级使用等处置情形的，企业应当符合相关法规规定及顾客要求。不合格产品进行返工的，企业应当建立返工控制程序，包括操作指导书、重新检验和重新验证等内容。企业应当对返工带来的风险进行充分评估。企业应当建立产品的可追溯程序，规定产品追溯范围、程度、标识和必要的记录，包括物料编号、批号或者序列号管理、医疗器械唯一标识（如有）等。企业应当根据产品类型建立医疗器械唯一标识创建、赋码和数据载体要求，唯一标识数据库应当按相关法规要求完成数据上传。

共用生产车间、生产线或者生产设备的，企业应当基于产品质量风险管理原则，建立相应管理制度，以防止可能产生的物料或者产品混淆、交叉污染、工艺参数误用等风险。开展连续生产的，企业应当规定最大批次数量或者最长生产时间，并验证连续生产对环境和设备等的影响。达到最大批次数量或者最长生产时间后，应当进行相应的清洁、维护。停产后恢复生产的，企业应当制定相应的规程，明确对生产环境、生产设备、供应商、原材料、中间产品、工艺用水和空调系统等的评估要求，必要时开展验证或者确认。

（10）质量控制与产品放行　在质量控制与产品放行方面，企业应当建立质量控制程序，规定产品质量管理组织机构、检验人员、检验操作规程及取样、检验设备、产品放行及留样等要求，确保物料或者产品在放行前完成必要的检验，质量符合要求。检验人员的教育背景、技术能力和数量应当与产品检验检测工作相匹配，并经过与所从事检验检测操作相关的实践培训和考核合格后上岗。企业应当依据法规、产品技术要求，基于风险管理原则和产品质量保证能力等制定进货检验规程、过程检验规程和成品检验规程等文件。检验规程应当覆盖注册或者备案的产品技术要求的性能指标，不能覆盖的应当予以说明，必要时给出经确认的替代解决方案。检验方法的制定应当与相应产品的性能指标相适应，必要时开展验证或者确认。对开展检验工作所需的标准品（参考品）、菌种、培养基及其他辅助用品等，应当根据其控制特点建立管理文件，确保满足检验要求。企业应当建立检验样品管理规程，根据产品特点规定取样方法、样本量、标识、储存条件等要求，确保样品在取样、分发、接收、储存、返回或者报废过程中受控。企业应当按照检验规程开展检验检测活动。每批（台）产品均应当有检验记录，并满足可追溯的要求。检验记录应当包括进货检验、过程检验和成品检验的检验记录、检验报告或者证书，其内容至少包括产品或者物料信息、检验项目、检验设备、检验结果、检验日期、检验人员、复核人员等。检验设备的管理与使用应当符合以下要求：

① 定期对检验设备进行校准或者检定并对结果进行确认；

② 规定检验设备在搬运、维护、贮存期间的防护要求，防止检验结果失准；

③ 发现检验设备不符合要求时，应当对以往检验结果进行评价，必要时采取相应措施。

企业应当结合产品检验要求对检验环境进行规定、监测和控制，并有相应记录。开展特殊专业检验的实验室，其环境设施条件应当符合其特定的专业要求。企业应当根据产品特点制定检验结果不合格的调查处理规程。任何检验检测不合格都必须按照规程进行调查处理，并保留记录。对于因检验过程偏差造成的不合格，可以进行复检。企业应当建立产品放行工作程序，明确产品放行条件、审核和批准要求等，产品放行前至少应当符合以下条件：

① 完成所有规定的工艺流程；

② 规定的批生产记录完整齐全；

③ 所有规定的质量控制记录完整齐全，结果符合规定要求，已按规定签发记录；

④ 产品实现全过程已按规定处理完毕；

⑤ 产品说明书、标签及其版本符合规定要求；

⑥ 经授权的放行人员已按规定签发产品放行单。

企业应当根据产品和工艺特点制定留样管理规程，按规定进行留样并保存留样观察记录。需要常规控制的进货检验、过程检验和成品检验项目不得进行委托检验。对于检验条件和设备要求较高，确需委托检验的项目，可以委托具有资质的机构进行检验。委托检验的，企业应当签订质量协议，明确规定双方责任和委托检验要求。委托方应当对受托检验机构的检验能力开展评价，确保委托检验结果准确、可靠。

（11）委托生产与外协加工　在委托生产与外协加工方面，委托生产医疗器械的，委托方的质量管理体系应当覆盖医疗器械全生命周期。受托生产企业质量管理体系应当包括与受托生产活动相关的内容。委托双方应当建立有效的沟通机制，确保双方质量管理体系有效衔接与运行。委托双方应当签订质量协议，明确双方在产品生产全过程中各自的权利、义务和责任。委托方不得通过协议转移依法应当由其履行的义务和责任。受托生产企业不得将受托生产的产品再次委托生产。委托生产前，委托方应当对受托方的生产能力、质量保证能力和风险管理能力进行现场评估，确认其具有完成委托生产的能力，并能保证符合本规范的要求；委托生产后，应当定期对受托方质量管理体系进行现场审核和评估。受托方应当接受委托方的审核和监督，并及时采取措施落实整改要求。委托方应当设置相适应的管理机构，配备足够数量和能力的专职质量管理人员，以及熟悉产品、具有相应专业知识的技术人员，对委托生产活动进行有效的指导和监督。受托方的管理者代表、生产管理负责人、质量管理负责人、生产放行审核人等关键岗位人员应当熟悉受托生产产品的生产和质量管理情况。委托方应当与受托方共同策划并完成生产转换活动，确保产品技术要求、生产工艺、原材料要求及说明书和标签等能有效转移到受托方。受托方应当开展试生产及工艺验证与确认活动，试生产应当包括所转移的全部生产过程及质量控制过程。委托方的设计变更、采购变更等应当及时通知受托方，并监督其变更执行情况；应当确保能及时获知受托方发生的可能影响产品质量的质量管理体系变更，并开展联合评估。受托方应当落实委托方的变更要求，并结合生产质量管理情况向委托方反馈变更的需求。委托方应当建立产品上市放行规程，明确放行标准、条件，对医疗器械生产过程记录、质量检验结果和受托生产企业生产放行文件进行审核，符合标准和条件的，经授权的放行人员签字后方可上市。产品上市放行由注册人自行完成，不得委托其他企业进行。

受托生产企业应当建立生产放行规程，明确生产放行的标准、条件，对医疗器械生产过程进行审核，对产品进行检验，确认符合标准、条件的，方可出厂。受托方对于受托生产过程中出现可能影响产品质量的偏差、变更、异常情况，应当及时向委托方报告，并保留处理记录。委托设计开发医疗器械的，委托方应当对受托方研发与持续技术支持的能力进行评估；应当与受托方签订协议，明确委托设计开发活动的范围、责任及设计开发文档转移的要求；应当对委托设计开发的过程和结果进行管理并承担相应责任，确保设计开发过程符合法规和协议要求。

产品实现过程中涉及外协加工的，企业应当建立外协加工控制程序，对外协过程实施控制，并满足相关法规要求。企业至少应当按照供应商对外协加工方进行管理，并保持相关记录。企业应当对外协加工方的加工能力、质量保证能力、风险管理能力等进行评估；双方应当签订外协加工质量协议，明确外协加工的内容、质量标准或者技术要求、验收准则及双方责任等，协议内容中应当明确相关工艺、验证与确认、放行条件、变更及沟通机制等要求。

(12) 销售与售后服务　在销售与售后服务方面，产品销售活动应当符合医疗器械相关法律、法规、规章和规范要求。企业应当保留产品销售记录，并满足可追溯的要求。销售记录至少包括医疗器械的名称、规格、型号、数量、生产批号或者产品编号（序列号）、医疗器械唯一标识（如有）、有效期、销售日期、购货单位名称、地址、联系方式等内容。企业应当具备与所生产产品相适应的售后服务能力，建立健全售后服务制度。企业应当规定售后服务的要求并保留售后服务记录，满足可追溯的要求。需要由企业安装的医疗器械，企业应当确定安装要求和安装验证的接收标准，保留安装和验收记录。由使用单位或者其他企业进行安装、维修的，企业应当提供安装要求、标准和维修零部件、资料、密码等，并进行指导。

(13) 分析与改进　在分析与改进方面，企业应当开展产品和质量管理体系监测、分析和改进活动，确保产品质量安全有效、质量管理体系持续有效运行。企业应当建立产品质量投诉和顾客反馈处理程序，明确相关部门的职责，及时调查、评价和处理投诉与反馈意见，并保持相关记录。企业应当按照有关法规、规章的要求建立医疗器械不良事件监测制度，对发生的不良事件及时开展调查、分析、评价并采取措施控制风险，及时发布风险信息。委托方不得通过质量协议向受托生产企业转移不良事件监测责任。企业应当建立数据分析程序，确定适宜的数据收集方法、控制标准、分析方法和统计技术，收集分析与产品质量、不良事件、顾客反馈和质量管理体系运行有关的数据，评价产品安全性和有效性，按要求形成风险评价报告，并将数据分析结果作为改进输入的内容。

企业应当建立纠正措施程序，确定并消除产生问题的原因，防止相关问题再次发生。企业应当建立预防措施程序，消除潜在问题的原因，防止不合格发生。采取的措施应当与问题的影响程度相适应，且经验证无不良影响。措施的有效性应当进行确认。企业应当建立医疗器械召回管理制度，对监测与分析过程中发现存在质量缺陷的医疗器械，应当采取暂停销售、召回、销毁等相应风险控制措施，并按规定报告有关部门。企业应当建立产品信息告知程序，及时将与产品安全有关的变化信息通知相关企业、使用单位或者消费者。企业应当建立质量管理体系内部审核程序，确定审核的准则、范围、频次、参加人员、方法、记录要求、纠正和预防措施有效性的评定等内容，以确保质量管理体系持续符合本规范的要求。企业应当制定内部审核计划，按计划实施内审，对审核发现的不合格内容采取纠正和预防措施并形成审核报告。企业应当建立管理评审程序，定期对质量管理体系进行评价和审核。管理评审的内容应当包括产品质量评价以及质量管理体系变更需求、法规符合性和改进的机会等。企业应当形成管理评审报告并有相应的改进措施，以确保质量管理体系的持续适宜性、充分性和有效性。

7.5.3 医疗器械生产的监督检查管理

《办法》（国家市场监督管理总局令第 53 号）规定，药品监督管理部门依法按照职责开展对医疗器械注册人、备案人和受托生产企业生产活动的监督检查。必要时，药品监督管理部门可以对为医疗器械生产活动提供产品或者服务的其他单位和个人开展延伸检查。省、自治区、直辖市药品监督管理部门应当制定年度医疗器械生产监督检查计划，确定医疗器械监督管理的重点，明确检查频次和覆盖范围，综合运用监督检查、重点检查、跟踪检查、有因检查和专项检查等多种形式强化监督管理。对生产重点监管产品目录品种的企业每年至少检查一次。

（1）医疗器械生产企业分级监管　早在 2014 年 9 月 30 日，国家食品药品监督管理总局发布了《医疗器械生产企业分类分级监督管理规定》，对医疗器械生产企业进行分类分级监督管理。新版《办法》规定，药品监督管理部门依据产品和企业的风险程度，对医疗器械注册人、备案人、受托生产企业实行分级管理并动态调整。国家药品监督管理局组织制定重点监管产品目录。省、自治区、直辖市药品监督管理部门结合实际确定本行政区域重点监管产品目录。省、自治区、直辖市药品监督管理部门依据重点监管产品目录以及医疗器械生产质量管理状况，结合医疗器械不良事件、产品投诉举报以及企业信用状况等因素，组织实施分级监督管理工作。2022 年 9 月，国家药监局发布了《关于加强医疗器械生产经营分级监管工作的指导意见》（以下称指导意见），进一步规范医疗器械生产企业的分级监管[11]。指导意见要求各级监管部门按照“风险分级、科学监管，全面覆盖、动态调整，落实责任、提升效能”的原则，开展医疗器械生产经营分级监管工作，保障人民群众的用械安全。国家药品监督管理局负责指导和检查全国医疗器械生产分级监管工作，制定医疗器械生产重点监管品种目录；省、自治区、直辖市药品监督管理部门负责制定本行政区域医疗器械生产重点监管品种目录，组织实施医疗器械生产分级监管工作；设区的市级负责药品监督管理的部门依法按职责负责本行政区域内第一类医疗器械生产分级监管的具体工作。

监管级别划分与检查原则如下：

对风险程度高的企业实施四级监管，主要包括生产本行政区域重点监管品种目录产品，以及质量管理体系运行状况差、有严重不良监管信用记录的企业；

对风险程度较高的企业实施三级监管，主要包括生产除本行政区域重点监管品种目录以外的第三类医疗器械，以及质量管理体系运行状况较差、有不良监管信用记录的企业；

对风险程度一般的企业实施二级监管，主要包括生产除本行政区域重点监管品种目录以外的第二类医疗器械的企业；

对风险程度较低的企业实施一级监管，主要包括生产第一类医疗器械的企业。

涉及多个监管级别的，按照最高级别进行监管。

一般情况下，对实施四级监管的企业，每年全项目检查不少于一次；对实施三级监管的，每年检查不少于一次，其中每两年全项目检查不少于一次；对实施二级监管的，原则上每两年检查不少于一次；对实施一级监管的，原则上每年随机抽取本行政区域25%以上的企业进行监督检查，并对新增第一类医疗器械生产企业在生产备案之日起3个月内开展现场检查，必要时对生产地址变更或者生产范围增加的第一类医疗器械生产企业进行现场核查。监督检查可以与产品注册体系核查、生产许可变更或者延续现场核查等相结合，提高监管效能。全项目检查是指药品监督管理部门按照《医疗器械生产质量管理规范》及相应附录，对监管对象开展的覆盖全部适用项目的检查。对委托生产的医疗器械注册人、备案人开展的全项目检查，应当包括对受托生产企业相应生产活动的检查。

(2) 医疗器械生产企业监督检查和重点检查　药品监督管理部门组织监督检查时，应当制定检查方案，明确检查事项和依据，如实记录现场检查情况，并将检查结果书面告知被检查企业。需要整改的，应当明确整改内容和整改期限。

药品监督管理部门进行监督检查时，应当指派两名以上检查人员实施监督检查。执法人员应当向被检查单位出示执法证件，其他检查人员应当出示检查员证或者能表明其身份的文书、证件。

药品监督管理部门对医疗器械注册人、备案人采取自行生产方式的，开展监督检查时应对如下情况重点检查：

① 医疗器械注册人、备案人执行法律法规、医疗器械生产质量管理规范的情况；

② 按照强制性标准以及经注册、备案的产品技术要求组织生产，实际生产与医疗器械注册备案、医疗器械生产许可备案等内容的一致情况；

③ 质量管理体系运行持续合规、有效情况；

④ 法定代表人、企业负责人、管理者代表等人员了解熟悉医疗器械相关法律法规情况；

⑤ 管理者代表履职情况；

⑥ 法定代表人、企业负责人、管理者代表、质量检验机构或者专职人员、生产场地、环境条件、关键生产检验设备等变化情况；

⑦ 用户反馈、企业内部审核等所发现问题的纠正和预防措施；

⑧ 企业产品抽检、监督检查、投诉举报等发现问题的整改落实情况；

⑨ 内部审核、管理评审、变更控制、年度自查报告等情况；

⑩ 其他应当重点检查的内容。

对于药品监督管理部门对医疗器械注册人、备案人采取委托生产方式的，开展监督检查时应重点检查：

① 医疗器械注册人、备案人执行法律法规、医疗器械生产质量管理规范的情况；

② 质量管理体系运行是否持续合规、有效；

③ 管理者代表履职情况；

④ 按照强制性标准以及经注册或者备案的产品技术要求组织生产情况；

⑤ 用户反馈、企业内部审核等所发现问题的纠正预防措施；

⑥ 内部审核、管理评审、变更控制、年度自查报告等情况；

⑦ 开展不良事件监测、再评价以及产品安全风险信息收集与评估等情况；

⑧ 产品的上市放行情况；

⑨ 对受托生产企业的监督情况，以及委托生产质量协议的履行、委托生产产品的设计转换和变更控制、委托生产产品的生产放行等情况；

⑩ 其他应当重点检查的内容。

必要时，可以对受托生产企业开展检查。

药品监督管理部门对受托生产企业开展监督检查时应重点检查：

① 实际生产与医疗器械注册备案、医疗器械生产许可备案等内容的一致情况；

② 受托生产企业执行法律法规、医疗器械生产质量管理规范的情况；

③ 法定代表人、企业负责人、管理者代表等人员了解并熟悉医疗器械相关法律法规的情况；

④ 法定代表人、企业负责人、管理者代表、质量检验机构或者专职人员、生产场地、环境条件、关键生产检验设备等变化情况；

⑤ 产品的生产放行情况；

⑥ 企业产品抽检、监督检查、投诉举报等发现问题的整改落实情况；

⑦ 内部审核、管理评审、年度自查报告等情况；

⑧ 其他应当重点检查的内容。

必要时，可以对医疗器械注册人、备案人开展检查。

（3）医疗器械生产企业飞行检查、有因检查和跟踪检查 飞行检查（unannounced inspection），简称飞检，是指在事先不通知被检查部门的情况下所实施的现场检查，是跟踪检查的一种形式。飞检是国际上产品认证机构对获证后的工厂最常用的一种跟踪检查方法，具有突击性、独立性、高效性的特点。2012 年，国家食品药品监管局发布了《医疗器械生产企业飞行检查工作程序（试行）》，虽已建立突击检查机制，但仅覆盖医疗器械生产环节，难以应对全产业链风险。2015 年，国家食品药品监督管理总局制定了《药品医疗器械飞行检查办法》，对飞行检查的范围、要求、工作程序及各方责任和义务做出进一步明确。该办法共 5 章 35 条，包括总则、启动、检查、处理及附则；将药品和医疗器械研制、生产、经营和使用全过程纳入飞行检查的范围，突出飞行检查的依法、独立、客观、公正，以问题为导向，以风险管控为核心，按照“启得快、办得顺、查得严、处得快、罚得准”的要求，详细规定了启动、检查、处理等相关工作程序，严格各方责任和义务，提升飞行检查的科学性、有效性和权威性。

有因检查（for-cause inspection）是指基于特定原因（如不良事件、投诉举报、检验不合格等）开展的检查，通常采取非预先告知的突击形式。《医疗器械监督管理条例》（2021 年修订）第七十三条明确要求对高风险线索开展有因检查；《药品医疗器械飞行检查办法》将有因检查纳入飞行检查范畴。

跟踪检查是指药品监督管理部门对企业的整改措施的落实情况进行验证所开展的检查，分为书面审查和现场复查两种形式。

新版《医疗器械生产监督管理办法》第五十四条明确规定，药品监督管理部门对不良事件监测、抽查检验、投诉举报等发现可能存在严重质量安全风险的，应当开展有因检查。有因检查原则上采取非预先告知的方式进行。第五十五条明确指出，药品监督管理部门对企业的整改情况应当开展跟踪检查。跟踪检查可以对企业提交的整改报告进行书面审查，也可以对企业的问题整改、责任落实、纠正预防措施等进行现场复查。

（4）医疗器械生产监督现场检查 为了指导和规范医疗器械生产企业日常监督现场检查工作，统一和细化现场检查工作要求和方法，2014 年 1 月 13 日，国家食品药品监督管理总局发布了《医疗器械生产日常监督现场检查工作指南》文件，对已取得《医疗器械生产企业许可证》或已按照有关规定办理备案的医疗器械生产企业进行的日常监督现场检查，指导和规范医疗器械生产企业日常监督现场检查工作做出了详细的规定，包括检查职责和人员要求、检查准备、检查步骤、检查内容、检查方式、对问题的处理等各个方面。2015 年，国家食品药品监督管理总局又组织制定并发布了4类产品专项检查指导原则，包括通用规范《医疗器械生产质量管理规范现场检查指导原则》《医疗器械生产质量管理规范无菌医疗器械现场检查指导原则》《医疗器械生产质量管理规范植入性医疗器械现场检查指导原则》和《医疗器械生产质量管理规范体外诊断试剂现场检查指导原则》，分别对无菌、植入性、体外诊断试剂3类高风险产品提出附加要求。2016年12月，国家食品药品监督管理总局又印发了《医疗器械生产质量管理规范定制式义齿现场检查指导原则》，针对个性化定制产品特点提出特殊要求。为了加强医疗器械生产企业实施《医疗器械生产质量管理规范》及其附录独立软件的监督检查，指导监管部门开展现场检查和检查结果评估，国家药监局2020年5月又发布了《医疗器械生产质量管理规范独立软件现场检查指导原则》。新版《医疗器械生产监督管理办法》第五十条规定，药品监督管理部门组织监督检查时，应当制定检查方案，明确检查事项和依据，如实记录现场检查情况，并将检查结果书面告知被检查企业。需要整改的，应当明确整改内容和整改期限。药品监督管理部门进行监督检查时，应当指派两名以上检查人员实施监督检查。执法人员应当向被检查单位出示执法证件，其他检查人员应当出示检查员证或者表明其身份的文书、证件。第六十三条指出，药品监督管理部门开展现场检查时，可以根据需要进行抽查检验。

以上是我国医疗器械生产环节监管法规的制度体系，该体系通过“核心法律＋配套规章＋技术标准＋指南文件”的多层次设计，构建了覆盖全面、风险导向、动态优化的医疗器械生产监管框架，既保障了产品质量安全，也为行业高质量发展提供了制度保障。

7.6 法律责任与案例分析

7.6.1 法律责任

（1）无证从事医疗器械生产的法律责任　《办法》第七十三条指出，医疗器械生产的违法行为，2021版《条例》等法律法规已有规定的，依照其规定。

《办法》第七十四条规定，有下列情形之一的，依照2021版《条例》第八十一条的规定处罚：

① 超出医疗器械生产许可证载明的生产范围生产第二类、第三类医疗器械；

② 在未经许可的生产场地生产第二类、第三类医疗器械；

③ 医疗器械生产许可证有效期届满后，未依法办理延续手续，仍继续从事第二类、第三类医疗器械生产；

④ 医疗器械生产企业增加生产产品品种，应当依法办理许可变更而未办理的。

2021版《条例》第八十一条规定，有下列情形之一的，由负责药品监督管理的部门没收违法所得、违法生产经营的医疗器械和用于违法生产经营的工具、设备、原材料等物品；违法生产经营的医疗器械货值金额不足1万元的，并处5万元以上15万元以下罚款；货值金额1万元以上的，并处货值金额15倍以上30倍以下罚款；情节严重的，责令停产停业，10年内不受理相关责任人以及单位提出的医疗器械许可申请，对违法单位的法定代表人、主要负责人、直接负责的主管人员和其他责任人员，没收违法行为发生期间自本单位所获收入，并处所获收入30%以上3倍以下罚款，终身禁止其从事医疗器械生产经营活动：

① 生产、经营未取得医疗器械注册证的第二类、第三类医疗器械；

② 未经许可从事第二类、第三类医疗器械生产活动；

③ 未经许可从事第三类医疗器械经营活动。

有前款第一项情形且情节严重的，由原发证部门吊销医疗器械生产许可证或者医疗器械经营许可证。

《办法》第七十五条规定，未按照本办法规定办理第一类医疗器械生产备案变更的，依照2021版《条例》第八十四条的规定处理。

2021版《条例》第八十四条规定，有下列情形之一的，由负责药品监督管理的部门向社会公告单位和产品名称，责令限期改正；逾期不改正的，没收违法所得、违法生产经营的医疗器械；违法生产经营的医疗器械货值金额不足1万元的，并处1万元以上5万元以下罚款；货值金额1万元以上的，并处货值金额5倍以上20倍以下罚款；情节严重的，对违法单位的法定代表人、主要负责人、直接负责的主管人员和其他责任人员，没收违法行为发生期间自本单位所获收入，并处所获收入30%以上2倍以下罚款，5年内禁止其从事医疗器械生产经营活动：

① 生产、经营未经备案的第一类医疗器械；

② 未经备案从事第一类医疗器械生产；

③ 经营第二类医疗器械，应当备案但未备案；

④ 已经备案的资料不符合要求。

（2）骗取、不正当使用医疗器械生产相关证件的法律责任 2021版《条例》第八十三条规定，在申请医疗器械行政许可时提供虚假资料或者采取其他欺骗手段的，不予行政许可，已经取得行政许可的，由作出行政许可决定的部门撤销行政许可，没收违法所得、违法生产经营使用的医疗器械，10年内不受理相关责任人以及单位提出的医疗器械许可申请；违法生产经营使用的医疗器械货值金额不足1万元的，并处5万元以上15万元以下罚款；货值金额1万元以上的，并处货值金额15倍以上30倍以下罚款；情节严重的，责令停产停业，对违法单位的法定代表人、主要负责人、直接负责的主管人员和其他责任人员，没收违法行为发生期间自本单位所获收入，并处所获收入30%以上3倍以下罚款，终身禁止其从事医疗器械生产经营活动。

伪造、变造、买卖、出租、出借相关医疗器械许可证件的，由原发证部门予以收缴或者吊销，没收违法所得；违法所得不足1万元的，并处5万元以上10万元以下罚款；违法所得1万元以上的，并处违法所得10倍以上20倍以下罚款；构成违反治安管理行为的，由公安机关依法予以治安管理处罚。

2021版《条例》第八十五条规定，备案时提供虚假资料的，由负责药品监督管理的部门向社会公告备案单位和产品名称，没收违法所得、违法生产经营的医疗器械；违法生产经营的医疗器械货值金额不足1万元的，并处2万元以上5万元以下罚款；货值金额1万元以上的，并处货值金额5倍以上20倍以下罚款；情节严重的，责令停产停业，对违法单位的法定代表人、主要负责人、直接负责的主管人员和其他责任人员，没收违法行为发生期间自本单位所获收入，并处所获收入30%以上3倍以下罚款，10年内禁止其从事医疗器械生产经营活动。

（3）违反医疗器械生产质量管理规范的法律责任 《办法》第七十六条规定，违反医疗器械生产质量管理规范，未建立质量管理体系并保持有效运行的，由药品监督管理部门依职责责令限期改正；影响医疗器械产品安全、有效的，依照2021版《条例》第八十六条的规定处罚。

2021版《条例》第八十六条规定，有下列情形之一的，由负责药品监督管理的部门责令改正，没收违法生产经营使用的医疗器械；违法生产经营使用的医疗器械货值金额不足1

万元的，并处2万元以上5万元以下罚款；货值金额1万元以上的，并处货值金额5倍以上20倍以下罚款；情节严重的，责令停产停业，直至由原发证部门吊销医疗器械注册证、医疗器械生产许可证、医疗器械经营许可证，对违法单位的法定代表人、主要负责人、直接负责的主管人员和其他责任人员，没收违法行为发生期间自本单位所获收入，并处所获收入30%以上3倍以下罚款，10年内禁止其从事医疗器械生产经营活动：

① 生产、经营、使用不符合强制性标准或者不符合经注册或者备案的产品技术要求的医疗器械；

② 未按照经注册或者备案的产品技术要求组织生产，或者未依照本条例规定建立质量管理体系并保持有效运行，影响产品安全、有效；

③ 经营、使用无合格证明文件、过期、失效、淘汰的医疗器械，或者使用未依法注册的医疗器械；

④ 在负责药品监督管理的部门责令召回后仍拒不召回，或者在负责药品监督管理的部门责令停止或者暂停生产、进口、经营后，仍拒不停止生产、进口、经营医疗器械；

⑤ 委托不具备本条例规定条件的企业生产医疗器械，或者未对受托生产企业的生产行为进行管理；

⑥ 进口过期、失效、淘汰等已使用过的医疗器械。

（4）未及时变更报告等的法律责任 《办法》第七十七条规定，违反本办法第十五条第二款、第四十二条第三款的规定，生产条件变化，可能影响产品安全、有效，未按照规定报告即生产的，依照《医疗器械监督管理条例》第八十八条的规定处罚。

2021版《条例》第八十八条规定，有下列情形之一的，由负责药品监督管理的部门责令改正，处1万元以上5万元以下罚款；拒不改正的，处5万元以上10万元以下罚款；情节严重的，责令停产停业，直至由原发证部门吊销医疗器械生产许可证、医疗器械经营许可证，对违法单位的法定代表人、主要负责人、直接负责的主管人员和其他责任人员，没收违法行为发生期间自本单位所获收入，并处所获收入30%以上2倍以下罚款，5年内禁止其从事医疗器械生产经营活动：

① 生产条件发生变化、不再符合医疗器械质量管理体系要求，未依照本条例规定整改、停止生产、报告；

② 生产、经营说明书、标签不符合本条例规定的医疗器械；

③ 未按照医疗器械说明书和标签标示要求运输、贮存医疗器械；

④ 转让过期、失效、淘汰或者检验不合格的在用医疗器械。

《办法》第七十八条规定，有下列情形之一的，由药品监督管理部门依职责给予警告，并处1万元以上5万元以下罚款：

① 医疗器械生产企业未依照本办法第四十二条第二款的规定向药品监督管理部门报告所生产的产品品种情况及相关信息的；

② 连续停产一年以上且无同类产品在产，重新生产时未进行必要的验证和确认并向所在地药品监督管理部门报告的。

《办法》第七十九条规定，有下列情形之一的，由药品监督管理部门依职责责令限期改正；拒不改正的，处1万元以上5万元以下罚款；情节严重的，处5万元以上10万元以下罚款：

① 未按照本办法第十六条的规定办理医疗器械生产许可证登记事项变更的；

② 未按照国家实施医疗器械唯一标识的有关要求，组织开展赋码、数据上传和维护更新等工作的。

（5）从业人员违反规定的法律责任　2021版《条例》第九十九条规定，医疗器械研制、生产、经营单位和检验机构违反本条例规定使用禁止从事医疗器械生产经营活动、检验工作的人员的，由负责药品监督管理的部门责令改正，给予警告；拒不改正的，责令停产停业直至吊销许可证件。

《办法》第八十条规定，药品监督管理部门工作人员违反本办法规定，滥用职权、玩忽职守、徇私舞弊的，依法给予处分。

7.6.2　案例分析

（1）案例1　企业未经许可从事第二类医疗器械生产活动案

【基本案情】

2021年12月28日，河北省某市场监督管理局对某一处民宅进行检查，发现当事人疑似在未取得相关许可的情况下，擅自从事义齿生产活动。经过调查核实，执法人员查明涉案货值金额达540元，违法所得为540元。

【法律依据与处罚】

当事人未经许可从事第二类医疗器械生产活动的行为，严重违反了2021版《条例》（国务院令第739号）第三十二条第一款的明确规定。2022年1月25日，该市场监督管理局依据2021版《条例》第八十一条第一款第二项的相关规定，果断下达行政处罚决定：责令当事人立即改正其违法行为，同时没收违法所得540元，并处以10万元的罚款，以起到有力的警示和惩戒作用。

【案例启示】

依据2021版《条例》的严格规定，从事第二类、第三类医疗器械生产的企业，必须向所在地省、自治区、直辖市人民政府药品监督管理部门提交生产许可申请，并附上符合本条例规定条件的相关资料以及所生产医疗器械的注册证，经审核批准后方可开展生产活动。广大消费者对义齿的需求日益增大，导致义齿市场蓬勃发展。义齿属于第二类医疗器械，生产企业必须依法取得医疗器械生产企业许可证及产品注册证，方可进行生产。然而一些不法商家瞄准这个商机，未取得医疗器械生产许可证就利用简陋的制作平台、简单的制作工艺进行隐蔽生产，逃避监管，给使用者身体健康埋下极大隐患。义齿安全关乎民生健康，需通过“强监管＋严执法＋促合规＋共治理”四维发力，构建“从原料到口腔”的全链条安全屏障，让非法生产者无处遁形，让消费者放心“咬合”。同时，本案也提醒广大消费者应选择具有数字化义齿制作设备的正规医疗机构，其产品精度和生物相容性更有保障。同时注意，价格明显低于市场均价的产品存在较高风险。

（2）案例2　在未经许可的生产场地生产医疗器械案

【基本案情】

2023年7月，浙江某医疗器械有限公司在接到电子体温计订单后，未办理医疗器械生产许可生产地址变更，擅自组织员工在未经许可的生产场地生产电子体温计（属第二类医疗器械）15000支，货值金额合计63000元。

【法律依据与处罚】

该公司的上述行为，严重违反了《办法》第十五条第一款的明确规定，东阳市市场监督管理局在发现这一违法行为后，迅速展开调查，并依法对该企业作出了严肃处理：没收违法生产的产品，以杜绝其流入市场危害公众健康；同时处以315000元的罚款，彰显了法律的威严和对违法行为的零容忍态度。

《办法》第十五条第一款明确指出：当生产地址发生变更或者生产范围需要增加时，企业必须向原发证部门申请医疗器械生产许可变更。在申请过程中，需提交本办法第十条规定中涉及变更内容的有关材料。原发证部门则会依照本办法第十三条的规定，对申请进行严格审核，并开展现场核查，以确保企业的生产条件符合相关法规和标准的要求。

（3）案例 3　生产标签不符合规定的第二类医疗器械案

【基本案情】

2023 年 6 月 15 日，吉林省药品监督管理局长春检查分局对长春市某义齿技术研发有限公司展开了一场专项检查。经查，当事人生产第二类医疗器械“定制式固定义齿”和“定制式活动义齿”包装标示的生产企业名称，与经注册内容不一致。

【法律依据与处罚】

该公司的上述行为，已然严重违反了 2021 版《条例》第三十九条第一款的明确规定。该条款清晰指出，医疗器械应当有说明书、标签。说明书、标签的内容应当与经注册或者备案的相关内容一致，确保真实、准确。2023 年 8 月 28 日，吉林省药品监督管理局依据 2021 版《条例》第八十八条第二项的相关规定，果断下达行政处罚决定：责令该公司立即改正其违法行为，消除不良影响；同时，对该公司处以 40000 元的罚款，以起到警示和惩戒作用，督促其严格遵守法律法规，规范生产经营行为。

（4）案例 4　委托不具备条例规定条件的企业生产医疗器械案

【基本案情】

2022 年 7 月 5 日，J 省药品监督管理局正式作出×药监罚〔2022〕××号《行政处罚决定书》，认定 JXX 特公司委托案外人李某鸿在不具备医用一次性防护服生产条件且未经药监部门许可的生产场地代加工医用一次性防护服半成品。

【法律依据与处罚】

该公司的上述行径，属于典型的委托不具备 2021 版《条例》所规定条件的企业生产医疗器械，公然违反了该《条例》第三十四条的明确规定。基于此，J 省药品监督管理局依据 2021 版《条例》第八十六条第（五）项的相关规定，对 JXX 特公司作出了严肃且有力的行政处罚：①依法没收违法生产经营的医用一次性防护服 600 套，从源头上杜绝这些可能存在质量隐患的产品流入市场，切实保障公众的生命健康安全；②处以货值金额 3672562.5 元五倍的罚款，即 18362812.5 元。

2021 版《条例》第三十四条明确指出，医疗器械注册人、备案人可以自行生产医疗器械，也可以委托符合本条例规定、具备相应条件的企业生产医疗器械。委托生产医疗器械的，医疗器械注册人、备案人应当对所委托生产的医疗器械质量负责，并加强对受托生产企业生产行为的管理，保证其按照法定要求进行生产。医疗器械注册人、备案人应当与受托生产企业签订委托协议，明确双方权利、义务和责任。受托生产企业应当依照法律法规、医疗器械生产质量管理规范、强制性标准、产品技术要求和委托协议组织生产，对生产行为负责，并接受委托方的监督。

（5）案例 5　企业生产不符合产品技术要求医疗器械案

【基本案情】

2022 年 5 月 26 日，浙江省药品稽查局根据投诉举报线索，组织绍兴市市场监督管理局和绍兴市柯桥区市场监督管理局对绍兴某医疗科技有限公司进行现场检查，并对当事人生产的第一类医疗器械“液体伤口敷料”抽样检验。经检验，在产品中检出备案产品技术要求以外的成分。经查，当事人生产不符合经备案产品技术要求的医疗器械“液体伤口敷料”，涉案货值金额 838899.6 元。

【法律依据与处罚】

绍兴某医疗科技有限公司生产不符合产品技术要求医疗器械的行为，公然违反了2021版《条例》第三十五条第一款的明确规定。2023年5月17日，绍兴市柯桥区市场监督管理局依据2021版《条例》第八十六条第一项的相关规定，果断下达行政处罚决定：责令绍兴颜诺医疗科技有限公司立即改正其违法行为，从源头上消除质量安全隐患；同时，对该公司处以高达4200000元的罚款。

2021版《条例》第三十五条第一款明确指出，医疗器械注册人、备案人、受托生产企业应当按照医疗器械生产质量管理规范，建立健全与所生产医疗器械相适应的质量管理体系并保证其有效运行；严格按照经注册或者备案的产品技术要求组织生产，保证出厂的医疗器械符合强制性标准以及经注册或者备案的产品技术要求。

参考文献

[1] 岳伟. 加快《医疗器械监督管理条例（修正案）》发布的重大意义 [J]. 中国医疗器械杂志，2013，37（1）：40.

[2] 本刊讯.《医疗器械生产监督管理办法》发布施行 [J]. 中国医疗器械杂志，2004，28（5）：359.

[3] 何韦静，谢婷，徐昊. 解读新修订《医疗器械监督管理条例》及要点探讨 [J]. 中药与临床，2015，6（2）：95-97.

[4] 刁春芳，黄海琪，高旭年.《医疗器械生产监督管理办法》解读 [J]. 分子诊断与治疗杂志，2016，8（4）：287-288.

[5] 佚名.《医疗器械生产质量管理规范》发布 [J]. 中医药管理杂志，2015（2）：70.

[6] 秦宇龙.《关于深化审评审批制度改革鼓励药品医疗器械创新的意见》印发 [J]. 中医药管理杂志，2017，25（19）：封4.

[7] 佚名.《定制式医疗器械监督管理规定（试行）》解读 [J]. 中国医药导刊，2020，22（1）：47.

[8] 蒋海洪，方媛. 论2021年《医疗器械监督管理条例》的修订与影响 [J]. 医疗卫生装备，2022，43（1）：1-5.

[9] 李姝，路燕，杨欢，等. 医疗器械生产监督管理办法 [J]. 现代工程项目管理，2024，3（20）.

[10] 佚名. YY/T 0287—2017《医疗器械质量管理体系用于法规的要求》标准正式发布 [J]. 中国医疗设备，2017，32（02）：90.

[11] 岁正阳，孟佳惠. 国家药监局：加强医疗器械生产经营分级监管 [J]. 中国信用，2022，（10）：50.

第八章

医疗器械经营流通监督管理

医疗器械产品在完成生产并投放市场后，其流通路径从上游的生产企业延伸至下游的医疗服务机构，直至到达最终用户手中，从而完成价值的传递。医疗器械作为关乎公众生命健康安全的特殊商品，其流通环节的重要性不言而喻。国家高度重视医疗器械流通领域的管理，实施了一系列严格且细致的监管措施。这些举措的核心目的在于实现对产品全生命周期的精准把控与有效管理，从产品的诞生到最终的使用，每一个阶段都能做到安全可控、信息可溯，为公众的健康安全构筑起一道坚不可摧的防线。本章将聚焦我国医疗器械流通领域的关键环节，深入且全面地介绍医疗器械经营、捐赠、转让以及出口等重要流程的监督管理工作，旨在为读者呈现一个清晰、完整且规范的医疗器械流通监管体系，增进读者对这一领域政策法规和实践操作的理解与认识。

8.1 医疗器械经营监督管理概述

8.1.1 医疗器械经营监督管理

(1) 医疗器械经营的定义和方式　医疗器械经营，是指以购销的方式提供医疗器械产品的行为，包含采购、收货验收、贮存、销售、运输、售后服务等诸多环节。医疗器械企业的经营方式包含批发、零售、批零兼营和为医疗器械企业提供运输、贮存服务。医疗器械批发，是指将医疗器械销售给医疗器械生产企业、医疗器械经营企业、医疗器械使用单位或者其他有合理使用需求的单位的医疗器械经营行为。医疗器械零售，是指将医疗器械直接销售给消费者个人使用的医疗器械经营行为。为医疗器械企业提供运输、贮存服务，是指具备资质的企业可为医疗器械注册人、备案人或经营企业专门提供仓储、配送服务（需符合《医疗器械经营质量管理规范》要求）。医疗器械经营管理是指国家药品监督管理部门及其相关部门依据《医疗器械监督管理条例》等法律法规，对医疗器械的流通、储存、销售等经营活动实施的监督管理体系，其目的是保障医疗器械的安全性和有效性，维护公众健康。

(2) 从事医疗器械经营活动应具备的条件　根据《医疗器械监督管理条例》（本章简称《条例》）[1] 和《医疗器械经营监督管理办法》（本章简称《办法》）[2] 的相关规定，从事医疗器械经营活动，应当具备以下条件：

① 与经营范围和经营规模相适应的质量管理机构或者质量管理人员，质量管理人员应当具有相关专业学历或者职称；

② 与经营范围和经营规模相适应的经营场所；

③ 与经营范围和经营规模相适应的贮存条件；

④ 与经营的医疗器械相适应的质量管理制度；

⑤ 与经营的医疗器械相适应的专业指导、技术培训和售后服务的质量管理机构或者人员。

从事第三类医疗器械经营的企业还应当具有符合医疗器械经营质量管理制度要求的计算机信息管理系统，保证经营的产品可追溯。鼓励从事第一类、第二类医疗器械经营的企业建立符合医疗器械经营质量管理制度要求的计算机信息管理系统。

此外，从事医疗器械经营，应当按照法律法规和医疗器械经营质量管理规范的要求，建立覆盖采购、验收、贮存、销售、运输、售后服务等全过程的质量管理制度和质量控制措施，并做好相关记录，保证经营条件和经营活动持续符合要求。

(3) 医疗器械经营的分类管理 《办法》规定，按照医疗器械风险程度，医疗器械经营实施分类管理。经营第三类医疗器械实行许可管理，经营第二类医疗器械实行备案管理，经营第一类医疗器械不需要许可和备案。国家药品监督管理局主管全国医疗器械经营监督管理工作。省、自治区、直辖市药品监督管理部门负责本行政区域的医疗器械经营监督管理工作。设区的市级、县级负责药品监督管理的部门负责本行政区域的医疗器械经营监督管理工作。药品监督管理部门依法设置或者指定的医疗器械检查、检验、监测与评价等专业技术机构，按照职责分工承担相关技术工作并出具技术意见，为医疗器械经营监督管理提供技术支持。国家药品监督管理局加强医疗器械经营监督管理信息化建设，提高在线政务服务水平。省、自治区、直辖市药品监督管理部门负责本行政区域医疗器械经营监督管理信息化建设和管理工作，按照国家药品监督管理局的要求统筹推进医疗器械经营监督管理信息共享。

8.1.2 医疗器械经营监督管理的历史沿革

我国医疗器械经营监督管理的法律体系历经二十余载的不断沉淀、发展和完善，如今已构建起一套以《医疗器械监督管理条例》为核心，以部门规章为有力支撑，以配套文件为必要补充的监管框架。

2000 年 4 月，《医疗器械监督管理条例》应运而生，这部条例作为我国医疗行业监管领域的核心法规，首次以法律的形式确立了医疗器械经营分类管理、经营许可等一系列基础性制度。并且，该条例明确提出了医疗器械经营应符合的条件以及监管的总体原则性要求，为后续监管工作的深入开展筑牢了坚实的法律根基，开启了我国医疗器械经营监管法治化的新篇章。

在该条例的引领下，国家食品药品监督管理总局随后陆续发布了与医疗器械经营相关的管理办法，对医疗器械经营活动作出了详细规定。随着形势的发展，特别是《医疗器械监督管理条例》的修订和医疗器械经营企业的壮大，相应的管理办法也经历了几轮修订与更新，具体如下：

① 2000 年 3 月 27 日，国家药品监督管理局经过审慎审议，正式通过并颁布了《医疗器械经营企业监督管理办法》(国家药品监督管理局令第 19 号)，该办法自 2000 年 4 月 20 日起正式施行，首次对医疗器械经营企业的准入条件与监管要求进行了界定与规范。

② 2004 年 6 月 25 日，《医疗器械经营企业许可证管理办法》(原国家局令第 15 号) 经审议后顺利通过，该办法自 2004 年 8 月 9 日起开始施行，着重强化了许可证审批流程和日常监管，体现了“严准入”的理念。与此同时，随着新办法的出台，《医疗器械经营企业监

督管理办法》完成了其历史使命，予以废止。

③ 为紧密配合《医疗器械监督管理条例》的首次修订工作，2014 年 6 月 27 日，《医疗器械经营监督管理办法》经审议通过并向社会公布，该办法自 2014 年 10 月 1 日起正式实施，此次修订进一步强化了对医疗器械经营企业的监管，促使企业经营行为更加规范、有序。在此背景下，《医疗器械经营企业许可证管理办法》也同步废止。

④ 2017 年 11 月 7 日，依据《国家食品药品监督管理总局关于修改部分规章的决定》（国家食品药品监督管理总局令第 37 号），对《医疗器械经营监督管理办法》（国家食品药品监督管理总局令第 8 号公布）进行了进一步的修订完善。此次修订亮点颇多，包括：a. 将第八条第一项“营业执照和组织机构代码证复印件”修改为“营业执照复印件”，简化了企业提交的材料；b. 新增一条作为第六十六条，明确规定：“食品药品监督管理部门制作的医疗器械经营许可电子证书与印制的医疗器械经营许可证书具有同等法律效力。”修订后的办法于发布当日起正式施行。

⑤ 随着网络购物的兴起，我国在 2017 年 12 月 20 日公布了《医疗器械网络销售监督管理办法》，于 2018 年 3 月正式实施，开始规范我国医疗器械网络销售行为。我国医疗器械网络销售管理的发展将在后面章节中详细讨论。

⑥ 为了深入贯彻最新版《条例》，进一步规范医疗器械经营监督管理工作，2021 年 3 月 26 日，《医疗器械经营监督管理办法（修订草案征求意见稿）》面向全社会公开征求意见，广泛吸纳各方智慧和建议。经过精心打磨与完善，2022 年 3 月 10 日，新版《办法》（国家市场监督管理总局令第 54 号）正式发布，并自 2022 年 5 月 1 日起施行[2]。此次修订更加突出落实“放管服”改革：简化材料、优化审批程序；强化企业主体责任；建立质量自查制度；加强对网络销售等新业态的监管；以及完善跨境监管协作机制，使得监管办法更加符合当下医疗器械经营行业的实际情况。

为强化医疗器械经营质量管理、规范医疗器械经营活动流程、切实保障医疗器械的安全性与有效性，国家药品监督管理局依据最新版《条例》《办法》等法规规章的规定，于 2023 年 12 月 7 日正式发布了《医疗器械经营质量管理规范》（本章简称《经营规范》），并明确该规范自 2024 年 7 月 1 日起正式施行[3]。这部规范堪称医疗器械经营质量管理的基石性文件，对从事医疗器械经营活动的主体，在医疗器械采购、验收、贮存、销售、运输以及售后服务等全流程各环节，应当采取的质量管理措施作出了明确规定，以确保医疗器械产品在经营过程中的质量稳定可靠，每一个环节都能实现精准追溯。与此同时，国家食品药品监督管理总局于 2014 年 12 月 12 日发布的《关于施行医疗器械经营质量管理规范的公告》（2014 年第 58 号）完成历史使命，予以废止。

在 2024 年 7 月 1 日起正式落地实施的新《经营规范》的框架下，为进一步规范和精准指导医疗器械经营质量管理规范的现场检查工作，国家药监局于 2024 年 7 月 30 日组织并发布了《医疗器械经营质量管理规范现场检查指导原则》，并于发布之日起施行。本《指导原则》适用于药品监督管理部门依据《经营规范》，对医疗器械经营企业经营许可（含变更和延续）现场核查，或者经营备案后的现场检查，以及其他各类监督检查。在实际检查过程中，医疗器械经营企业可结合其自身经营方式、经营范围、经营品种等特点，确定合理的缺项项目，并书面说明理由，由药品监督管理部门的检查组予以确认。届时，国家食品药品监管总局印发的《医疗器械经营质量管理规范现场检查指导原则》（食药监械监〔2015〕239 号）同步废止。

为了强化医疗器械经营监督管理，对专门提供医疗器械运输贮存服务的医疗器械企业的质量管理工作进行规范，国家药品监督管理局还依次组织发布了两项重要文件：《医疗器械经营质量管理规范附录：专门提供医疗器械运输贮存服务的企业质量管理》（国家药品监督管理局公告〔2022〕第94号）（2022年10月31日发布，2023年1月1日起施行）和《医疗器械经营质量管理规范附录：专门提供医疗器械运输贮存服务的企业质量管理现场检查指导原则》（药监综械管〔2023〕第44号）（2023年5月17日发布，2023年5月17日起实施）。

8.1.3 医疗器械经营企业行业现状

我国医疗器械经营企业行业现状呈现出快速扩张、结构分化及区域集中的特点。2020年底至2022年9月，经营企业数量从89.9万家增至116万家，年复合增长率达13.7%，远超其他传统行业增速。第二类医疗器械经营企业占比最高（如2021年仅第二类企业就达68.44万家，占比66.5%），反映出低风险产品（如体温计、血压仪等）准入条件相对宽松、需求旺盛；第三类医疗器械（高风险产品，如心脏支架、人工关节）经营企业数量较少但监管更严。根据高端医械院数据中心的统计数据，2019—2024年间，全国境内医疗器械经营企业数量整体呈现增长趋势，如图8-1所示。截至2024年底，全国境内共有医疗器械经营企业152.7403万家，与2023年底的141.3740万家相比增长了8.1%。进一步细分来看，全国仅经营Ⅱ类医疗器械产品的企业数量颇为可观，达101.8760万家，相比去年增长了8.64%；全国仅经营Ⅲ类医疗器械产品的企业数量有112.729万家，增长了11.6%；全国同时经营Ⅱ类、Ⅲ类医疗器械产品的企业有39.5914万家，增长了5.22%，如图8-2所示。总体而言，这些企业呈现出“多、小、散”的特点。近年来，医疗器械经营环节合规要求不断提升，企业集约度逐步提高，领先企业的市场份额有所扩大。

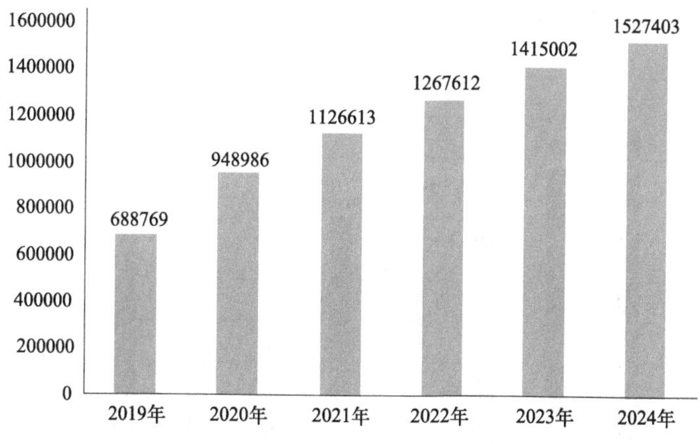

图8-1 2019—2024年全国医疗器械经营企业数量情况

数据来源：医疗器械经销商联盟、高端医械院数据中心（注：数据统计截至2024年12月25日）

当前，我国医疗器械经营企业在区域布局上仍呈现出显著的不均衡态势。从2024年全国各省的医疗器械经营企业数量来看，行业资源在地域上有着较为集中的分布特征。其中，位列全国前十的省份依次为广东省、山东省、四川省、河南省、江苏省、浙江省、河北省、辽宁省、安徽省以及江西省。其中，广东省以19.3119万家企业位居榜首，占比12.64%；山东省以13.2017万家企业排名第二，占比8.64%；四川省以10.0972万家企业排名第三，占比6.61%；排名前三的这三个省份医疗器械经营企业数量占据全国近三成，其中广东省

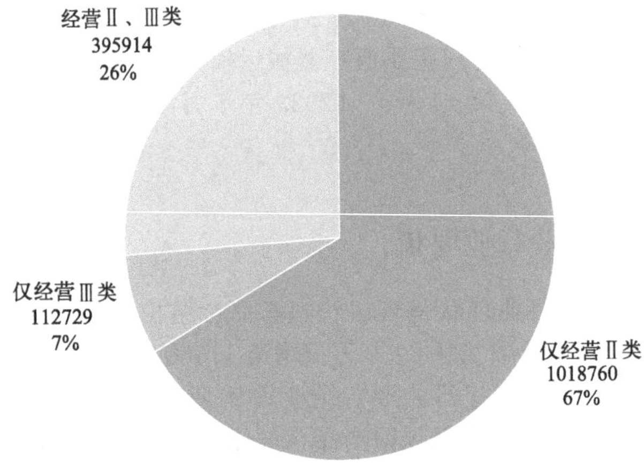

图 8-2 2024 年全国可经营Ⅰ类、Ⅱ类、Ⅲ类产品企业数量情况

数据来源：医疗器械经销商联盟、高端医械院数据中心（注：数据统计截至 2024 年 12 月 25 日）

数量更是遥遥领先。从企业经营范围的角度分析，全国可经营Ⅲ类医疗器械产品的企业中排名前十的分别是山东省、河南省、广东省、江苏省、上海市、江西省、黑龙江省、湖北省、辽宁省和云南省。其中，位列前三的分别是山东省（3.9292 万家，占比 7.72%）、河南省（3.3843 万家，占比 6.65%）、广东省（3.3742 万家，占比 6.63%），如图 8-3 所示。全国可经营Ⅱ类医疗器械产品企业排名前十的分别是广东省、山东省、四川省、河南省、江苏省、浙江省、河北省、辽宁省、安徽省和广西壮族自治区。其中，位列前三的分别是广东省（18.5742 万家，占比 13.13%）、山东省（12.3822 万家，占比 8.75%）、四川省（9.5802 万家，占比 6.77%），如图 8-4 所示。

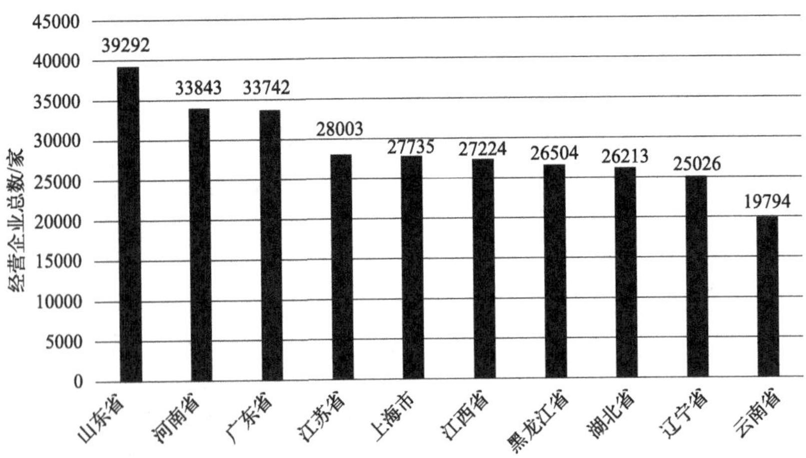

图 8-3 2024 年全国可经营Ⅲ类产品企业数量 TOP10 的地区

数据来源：医疗器械经销商联盟、高端医械院数据中心（注：数据统计截至 2024 年 12 月 25 日）

从城市分布角度分析，全国医疗器械经营企业数量排名前十的城市分别为深圳市、上海市、北京市、成都市、广州市、重庆市、郑州市、杭州市、济南市和西安市。其中，深圳市以 7.0856 万家企业位居全国第一，上海市和北京市分别以 4.8288 万家和 4.8082 万家企业数量位列全国第二、第三，如图 8-5 所示。按照经营范围，全国可经营Ⅲ类医疗器械产品企

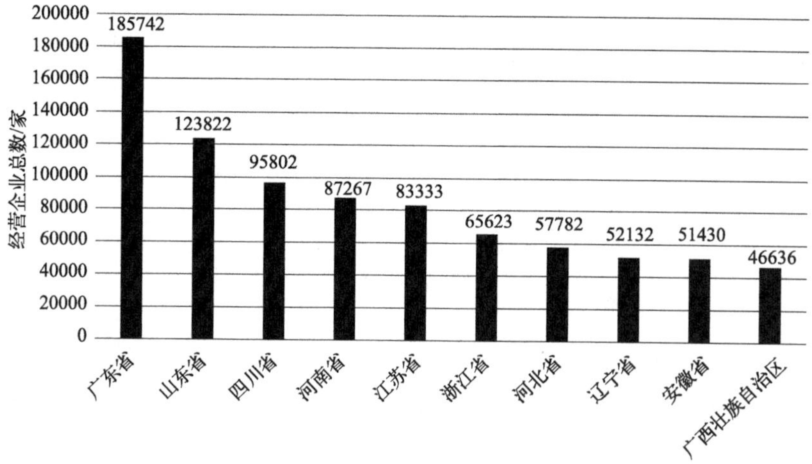

图 8-4　2024 年全国可经营Ⅱ类产品企业数量 TOP10 的省份

数据来源：医疗器械经销商联盟、高端医械院数据中心（注：数据统计截至 2024 年 12 月 25 日）

业数量排名前三的地级市/直辖市分别为上海市（2.7735 万家）、北京市（1.3461 万家）、成都市（1.2326 万家）。全国可经营Ⅱ类医疗器械产品企业数量排名前三的地级市/直辖市分别为深圳市（6.9269 万家）、北京市（4.5424 万家）和成都市（4.3778 万家）。

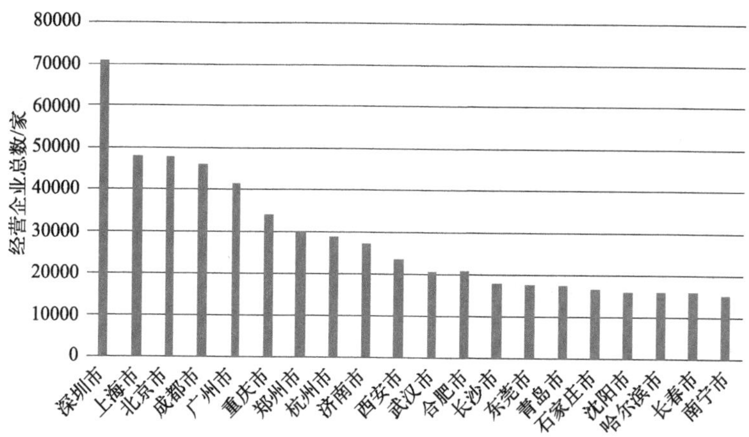

图 8-5　2024 年全国 TOP20 的城市经营企业数量

数据来源：医疗器械经销商联盟、高端医械院数据中心（注：数据统计截至 2024 年 12 月 25 日）

根据南方医药经济研究所的数据分析，如图 8-6 所示，从 2015 年至 2021 年，我国医疗器械产业营业收入（涵盖规模以上与规模以下企业数据）实现了从 6297 亿元到 11560 亿元的跨越式增长，年均复合增长率高达 10.65%。这一增速显著超越了同期我国制造业的整体增长水平，展现出医疗器械产业蓬勃的发展活力与巨大的市场潜力。2022 年，我国医疗器械产业延续良好发展态势，营业收入达 1.3 万亿元，增速保持在 12%左右，依旧大幅领先于医药工业整体增速，在医药领域中独树一帜。新冠检测试剂是拉动行业增长的主要力量，新冠核酸检测试剂和抗原检测试剂大量出口国际市场，推动相关企业营收大幅增长。与此同时，医疗新基建和“千县工程”的稳步推进，不仅促进了医疗设备市场的进一步扩容，还加速了国产替代的进程[4]。

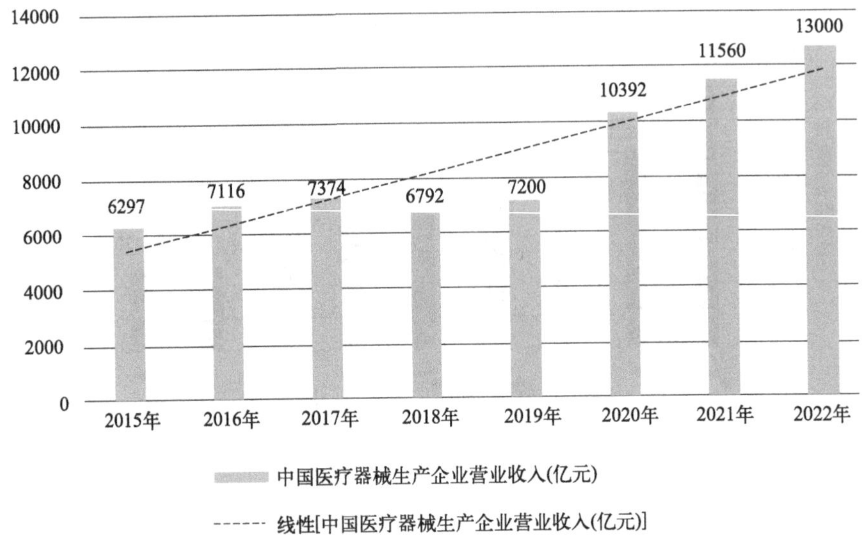

图 8-6　中国医疗器械生产企业营业收入及发展趋势

数据来源：国家统计局、工业和信息化部、南方医药经济研究所

2024 年，我国医疗器械经营领域整体效益水平维持稳健态势。根据国家统计局的权威数据，在 2024 年上半年，尽管规模以上医疗器械企业利润延续了小幅下滑的态势，其中卫生材料及医药用品制造、医疗仪器设备及器械制造这两个细分子行业的规模以上企业利润同比分别下降了 1.8%和 9.6%，但整体利润仍稳稳处于历史较高水位，彰显出行业深厚的底蕴与强大的发展根基。从上市企业来看，Wind（万得）数据显示，2024 年的前三季度，A 股医疗器械行业企业的销售净利率为 17.05%，相比于 2023 年底和 2019 年底分别增长了 0.67 和 1.08 个百分点，上市公司利润水平总体处于稳定。

8.2　医疗器械经营许可和备案监督管理

8.2.1　医疗器械经营许可监督管理

《条例》（国务院令第 739 号）和《办法》（国家市场监督管理总局令第 54 号）均规定，按照医疗器械风险程度，对医疗器械经营实施分类管理。经营第三类医疗器械实行许可管理，经营第二类医疗器械实行备案管理，经营第一类医疗器械不需要许可和备案。《办法》第二十五条至第二十七条规定，对产品安全性、有效性不受流通过程影响的第二类医疗器械，可以免予经营备案。具体产品名录由国家药品监督管理局制定、调整并公布。从事非营利性的避孕医疗器械贮存、调拨和供应的机构，应当符合有关规定，无须办理医疗器械经营许可或者备案。医疗器械注册人、备案人在其住所或者生产地址销售其注册、备案的医疗器械，无须办理医疗器械经营许可或者备案，但应当符合规定的经营条件；在其他场所贮存并销售医疗器械的，应当按照规定办理医疗器械经营许可或者备案。

8.2.1.1　医疗器械经营企业开办许可申请与审批

(1) 申请资料提交　《办法》第十条规定，从事第三类医疗器械经营的，经营企业应当向所在地设区的市级负责药品监督管理的部门提出申请，并提交下列资料：

① 法定代表人（企业负责人）、质量负责人身份证明、学历或者职称相关材料复印件；

② 企业组织机构与部门设置；

③ 医疗器械经营范围、经营方式；

④ 经营场所和库房的地理位置图、平面图、房屋产权文件或者租赁协议复印件；

⑤ 主要经营设施、设备目录；

⑥ 经营质量管理制度、工作程序等文件目录；

⑦ 信息管理系统基本情况；

⑧ 经办人授权文件。

医疗器械经营许可申请人应当确保提交的资料合法、真实、准确、完整和可追溯。

（2）申请资料受理　《办法》第十一条规定，设区的市级负责药品监督管理的部门收到申请后，应当根据下列情况分别作出处理：

① 申请事项属于本行政机关职权范围，申请资料齐全、符合法定形式的，应当受理申请；

② 申请资料存在可以当场更正的错误的，应当允许申请人当场更正；

③ 申请资料不齐全或者不符合法定形式的，应当当场或者在5个工作日内一次性告知申请人需要补正的全部内容；逾期不告知的，自收到申请资料之日起即为受理；

④ 申请事项不属于本行政机关职权范围的，应当即时作出不予受理的决定，并告知申请人向有关行政部门申请。

设区的市级负责药品监督管理的部门受理或者不予受理医疗器械经营许可申请的，应当出具加盖本行政机关专用印章和注明日期的受理或者不予受理通知书。

法律、法规、规章规定实施行政许可应当听证的事项，或者药品监督管理部门认为需要听证的其他涉及公共利益的重大行政许可事项，药品监督管理部门应当向社会公告，并举行听证。医疗器械经营许可申请直接涉及申请人与他人之间重大利益关系的，药品监督管理部门在作出行政许可决定前，应当告知申请人、利害关系人享有要求听证的权利。

（3）申请资料审查　《办法》第十三条规定，设区的市级负责药品监督管理的部门自受理经营许可申请后，应当对申请资料进行审查，必要时按照医疗器械经营质量管理规范的要求开展现场核查，并自受理之日起20个工作日内作出决定。需要整改的，整改时间不计入审核时限。

符合规定条件的，作出准予许可的书面决定，并于10个工作日内发放医疗器械经营许可证；不符合规定条件的，作出不予许可的书面决定，并说明理由。

8.2.1.2　医疗器械经营许可证

（1）经营许可证内容与编码含义　《办法》第十四条规定，医疗器械经营许可证有效期为5年，载明许可证编号、企业名称、统一社会信用代码、法定代表人、企业负责人、住所、经营场所、经营方式、经营范围、库房地址、发证部门、发证日期和有效期限等事项。

医疗器械经营许可证由国家药品监督管理局统一样式，由设区的市级负责药品监督管理的部门印制。药品监督管理部门制作的医疗器械经营许可证的电子证书与纸质证书具有同等法律效力。

医疗器械经营许可证编号的编排方式为：××药监械经营许××××××××号。其中：

第一位×代表许可部门所在地省/自治区/直辖市的简称；

第二位×代表所在地设区的市级行政区域的简称；

第三到第六位×代表4位数许可年份；

第七到第十位×代表4位数许可流水号。

注：2022年5月1日起新规实施后，编号中不再含“食”字，旧版证书在有效期内仍可继续使用。

（2）经营许可证变更 《办法》第十五条规定，医疗器械经营许可证变更的，应当向原发证部门提出医疗器械经营许可证变更申请，并提交医疗器械经营许可证申请中涉及变更内容的有关材料。经营场所、经营方式、经营范围、库房地址变更的，药品监督管理部门自受理之日起20个工作日内作出准予变更或者不予变更的决定。必要时，按照医疗器械经营质量管理规范的要求开展现场核查。

需要整改的，整改时间不计入审核时限。不予变更的，应当书面说明理由并告知申请人。其他事项变更的，药品监督管理部门应当当场予以变更。变更后的医疗器械经营许可证编号和有效期限不变。

（3）经营许可证延续与补发 《办法》第十六条规定，医疗器械经营许可证有效期届满需要延续的，医疗器械经营企业应当在有效期届满前90个工作日至30个工作日期间提出延续申请。逾期未提出延续申请的，不再受理其延续申请。原发证部门应当按照本办法第十三条的规定对延续申请进行审查，必要时开展现场核查，在医疗器械经营许可证有效期届满前作出是否准予延续的决定。

经审查符合规定条件的，准予延续，延续后的医疗器械经营许可证编号不变。不符合规定条件的，责令限期整改；整改后仍不符合规定条件的，不予延续，并书面说明理由。逾期未作出决定的，视为准予延续。

延续许可的批准时间在原许可证有效期内的，延续起始日为原许可证到期日的次日；批准时间不在原许可证有效期内的，延续起始日为批准延续许可的日期。

医疗器械经营许可证遗失的，应当向原发证部门申请补发。原发证部门应当及时补发医疗器械经营许可证，补发的医疗器械经营许可证编号和有效期限与原许可证一致。

（4）经营许可证的注销 《办法》第二十条规定，有下列情形之一的，由原发证部门依法注销医疗器械经营许可证，并予以公告：

① 主动申请注销的；

② 有效期届满未延续的；

③ 市场主体资格依法终止的；

④ 医疗器械经营许可证依法被吊销或者撤销的；

⑤ 法律、法规规定应当注销行政许可的其他情形。

（5）经营许可证的其他规定 《办法》第十七条～第十八条规定，经营企业跨设区的市设置库房的，由医疗器械经营许可发证部门或者备案部门通报库房所在地设区的市级负责药品监督管理的部门。经营企业新设立独立经营场所的，应当依法单独申请医疗器械经营许可或者进行备案。

8.2.1.3 医疗器械经营企业开办许可查询

依据《办法》的规定，药品监督管理部门依法及时公布医疗器械经营许可信息，公众可以查阅审批结果。因此，可以通过国家药品监督管理局网站下的医疗器械查询数据库进行查询。具体查询过程如下：访问国家药品监督管理局官网（首页下方“数据查询”模块）；进入“医疗器械”子栏目，选择“医疗器械经营企业（许可/备案）信息查询”功能。该系统整合了全国许可信息，支持按企业名称、许可证编号、省份等条件检索。

8.2.2 医疗器械经营备案监督管理

8.2.2.1 医疗器械经营企业开办备案申请与审批

(1) 备案申请 《办法》第二十一条规定，从事第二类医疗器械经营的，经营企业应当向所在地设区的市级负责药品监督管理的部门备案，并提交符合本办法第十条规定的资料（信息管理系统基本情况除外），即完成经营备案，获取经营备案编号。医疗器械经营备案人应当确保提交的资料合法、真实、准确、完整和可追溯。

对产品安全性、有效性不受流通过程影响的第二类医疗器械，可以免予经营备案。具体产品名录由国家药品监督管理局制定、调整并公布。2021 年 6 月 30 日，国家药监局正式发布《免于经营备案的第二类医疗器械产品目录》的公告（2021 年第 86 号），明确列出以下 13 种免于经营备案的第二类医疗器械，如表 8-1 所示。

表 8-1 免于经营备案的第二类医疗器械产品目录

序号	产品名称	产品描述	用途	目录名称
1	电子血压计	通常由阻塞袖带、传感器、充气泵、测量电路组成。采用示波法、柯式音法或类似的无创血压间接测量原理进行血压测量的电子设备	用于在手臂或手腕部位测量患者血压	07 医用诊察和监护器械
2	水银血压表	通常由阻塞袖带、听诊器、压力表组成。通过水银或机械表显示，采用柯式音法或类似的无创血压间接测量原理进行血压测量的设备	用于在手臂或手腕部位测量患者血压	07 医用诊察和监护器械
3	无菌医用脱脂棉	通常包括吸水性材料。为了方便使用，部分产品有供手持的组件。不含消毒剂。无菌提供，一次性使用	用于对皮肤、创面进行清洁处理	14 注输、护理和防护器械
4	医用脱脂纱布	通常为由医用脱脂棉纱布或脱脂棉与粘胶纤维混纺纱布经过裁切、折叠、包装、灭菌步骤加工制成的敷料	用于吸收手术过程中的体内渗出液，手术过程中承托器官、组织等	14 注输、护理和防护器械
5	脱脂棉纱布	通常为由医用脱脂棉纱布或脱脂棉与粘胶纤维混纺纱布经过裁切、折叠、包装、灭菌步骤加工制成的敷料	用于吸收手术过程中的体内渗出液，手术过程中承托器官、组织等	14 注输、护理和防护器械
6	避孕套	通常由天然胶乳或合成乳胶或聚氨酯薄膜制成开口端为完整卷边的鞘套物。非无菌提供	用于生殖道局部范围内，用物理方法（机械阻挡）不让精子到达子宫口处，以此阻断精子和卵子相遇而达到避孕目的	18 妇产科、辅助生殖和避孕器械
7	避孕帽	通常由天然胶乳或合成乳胶或聚氨酯薄膜制成开口端为完整卷边的鞘套物。非无菌提供	用于生殖道局部范围内，用物理方法（机械阻挡）不让精子到达子宫口处，以此阻断精子和卵子相遇而达到避孕目的	18 妇产科、辅助生殖和避孕器械
8	电动轮椅	通常由电机、蓄电池、控制系统、车轮、座椅、扶手、脚踏板等组成。可由乘坐者或护理者操作的、有一个或多个电机驱动，有座椅支撑。分为手动转向和动力转向	用于行动障碍患者转运、行走功能补偿	19 医用康复器械
9	手动轮椅	通常由车轮、座椅、扶手、脚踏板等组成。以乘坐者手驱动、脚踏驱动或护理者手推为动力。至少有三个车轮	用于行动障碍患者转运、行走功能补偿	19 医用康复器械

续表

序号	产品名称	产品描述	用途	目录名称
10	血糖分析仪	通常由主机模块、电源模块、软件模块等组成。原理一般为电化学法、光反射技术、比色法等，不包含采血器具及适配试剂	与适配试剂配合使用，用于人体样本中待测物的定性和/或定量分析	22 临床检验器械
11	自测用血糖监测系统（血糖试纸）	—	产品用于定量检测新鲜毛细血管全血中的葡萄糖浓度（如可用于静脉血、动脉血、新生儿血检测也可进行详细描述），检测部位可以是手指、手掌及上臂等。只用于监测糖尿病人血糖控制的效果，而不能用于糖尿病的诊断和筛查，也不能作为治疗药物调整的依据	6840 体外诊断试剂
12	人绒毛膜促性腺激素检测试剂（妊娠诊断试纸）	—	运用双抗体夹心免疫胶体金层析等技术实现对人尿液中人绒毛膜促性腺激素体外定性检测，不可用于滋养细胞肿瘤的检测	6840 体外诊断试剂
13	促黄体生成素检测试剂（排卵检测试纸）	—	通过定性或半定量检测女性尿液中促黄体生成素的水平，以预测排卵时间，用于指导育龄女性选择最佳受孕时机或指导安全期避孕	6840 体外诊断试剂

注：“—”表示原文件无相关描述。

同时申请第三类医疗器械经营许可和进行第二类医疗器械经营备案的，或者已经取得第三类医疗器械经营许可进行第二类医疗器械备案的，可以免予提交相应资料。

(2) 备案申请审核 《办法》第二十二条规定，必要时，设区的市级负责药品监督管理的部门在完成备案之日起 3 个月内，对提交的资料以及执行医疗器械经营质量管理规范情况开展现场检查。

现场检查发现与提交的资料不一致或者不符合医疗器械经营质量管理规范要求的，责令限期改正；不能保证产品安全、有效的，取消备案并向社会公告。

8.2.2.2 医疗器械经营备案凭证

医疗器械经营备案凭证应当载明编号、企业名称、法定代表人、企业负责人、住所、经营场所、经营方式、经营范围、库房地址、备案部门、备案日期等事项。第二类医疗器械经营备案凭证的备案号编号规则为：××药监械经营备××××××××号。其中：

第一位×代表备案部门所在地省、自治区、直辖市的中文简称；

第二位×代表所在地设区的市级行政区域的中文简称；

第三到第六位×代表 4 位数备案年份；

第七到第十位×代表 4 位数备案流水号。

第二类医疗器械经营企业的经营场所、经营方式、经营范围、库房地址等发生变化的，应当及时进行备案变更。必要时，设区的市级负责药品监督管理的部门开展现场检查。现场检查不符合医疗器械经营质量管理规范要求的，责令限期改正；不能保证产品安全、有效的，取消备案并向社会公告。

8.2.2.3 医疗器械经营企业开办备案查询

依据《办法》第八条的规定，药品监督管理部门依法及时公布医疗器械经营备案信息，公众可以查阅审批结果。可以通过国家药品监督管理局网站进行查询。首先访问国家药监局官网，通过路径：首页→“医疗器械”栏目→“医疗器械经营企业（备案）信息公示”（或直接搜索“医疗器械经营备案公示”进入查询页面）。

8.3　医疗器械经营质量监督管理

8.3.1　医疗器械经营质量管理规范

为加强医疗器械经营质量管理，规范医疗器械经营活动，促进行业规范发展，保障医疗器械的安全、有效，国家药监局根据新发布的《条例》和《办法》等相关法规规章的规定，制定了《经营规范》（2023 年第 153 号），并自 2024 年 7 月 1 日起施行。本《经营规范》是医疗器械经营质量管理的基本要求。从事医疗器械经营活动，应当在医疗器械采购、验收、贮存、销售、运输、售后服务等全过程采取有效的质量管理措施，确保医疗器械产品在经营过程中的质量安全与可追溯。

下面将针对新《经营规范》与 2014 年的旧版规范相比的重点变化内容进行分析：

① 增加质量管理体系建立与改进的要求，要求企业建立健全符合规范要求的质量管理体系，鼓励企业制定质量方针和质量目标，依法履行医疗器械质量安全责任，保证质量管理体系有效运行。

② 细化了企业质量安全关键岗位人员，包括企业负责人、质量负责人和质量管理人员，重点指出企业负责人对本企业医疗器械质量安全工作全面负责的要求。

③ 增加了体系文件与质量记录关于可追溯管理的要求。强调了质量记录的保存年限要求，进货查验记录、销售记录应当保存至医疗器械有效期满后 2 年；没有有效期的，不得少于 5 年。植入类医疗器械的进货查验记录和销售记录应当永久保存。

④ 增加了质量管理人员、售后服务技术人员和售后服务管理人员的任职要求。

⑤ 增加了自动售械机在医疗器械零售经营场所的要求，包括其设置位置、数量等应当与企业的管理能力相适应。

⑥ 增加了委托销售的要求，医疗器械注册人、备案人委托销售的，应当委托符合条件的医疗器械经营企业，签订委托协议明确双方的权利和义务，并加强对经营企业的培训和管理。

8.3.1.1　总则中增加的内容

医疗器械经营企业应当严格执行本《经营规范》。医疗器械注册人、备案人销售其注册或者备案的医疗器械，以及医疗器械流通过程中其他涉及贮存与运输医疗器械的，应当符合本《经营规范》的相关要求。

医疗器械注册人、备案人依法对上市医疗器械的安全、有效负责，医疗器械经营企业（以下简称企业）对本企业的经营行为负责。

鼓励企业使用信息化手段传递和存储相关政府管理部门制作的电子证照。电子证照与纸质证书具有同等法律效力。

鼓励企业运用先进的质量管理工具与方法实施质量管理，持续改进质量管理体系。鼓励企业数字化、智能化、绿色化发展，提升医疗器械供应链效率与质量安全，促进行业高质量发展。

8.3.1.2 质量管理体系建立与改进

这一章整体为新增章节，以下是第九条至第十三条的内容。

企业应当建立健全符合本《经营规范》要求的质量管理体系。质量管理体系应当与企业的经营范围和经营规模相适应，包括质量管理体系文件、组织机构、人员、设施设备等。

鼓励企业制定质量方针和质量目标。质量方针和质量目标应当满足适用的法律、法规、规章、规范的要求并符合企业实际，相关要求应当贯彻到医疗器械经营活动的全过程。

企业应当依法履行医疗器械质量安全责任，提供必要的资源和制度保障，保证质量管理体系有效运行，确保质量安全关键岗位人员有效履行职责、全员参与质量管理，各有关部门、岗位人员正确理解并履行职责，承担相应质量责任。

从事第二类、第三类医疗器械经营的企业，应当按照本规范以及质量管理自查制度要求进行自查，每年 3 月 31 日前向所在地市县级药品监督管理部门提交上一年度的自查报告。自查报告内容应当真实、准确、完整和可追溯。

企业应当根据经营产品的风险程度、质量安全风险情况和质量管理自查情况等，运用质量管理技术与方法，持续改进质量管理体系，保持质量管理体系的适宜性、充分性和有效性。

8.3.1.3 职责与制度

企业质量安全关键岗位人员包括企业负责人、质量负责人和质量管理人员，其中企业负责人为最高管理者，质量负责人为高层管理人员或者质量管理机构负责人。

企业应当按照“权责一致、责任到人、因岗选人、人岗相适”的原则，设置质量安全关键岗位，配备与经营范围和经营规模相适应的质量安全关键岗位人员，并为其履职提供必要的资源和制度保障，确保质量安全关键岗位人员充分履行职责。

企业负责人应当对本企业医疗器械质量安全工作全面负责，提供必要的条件，保证质量负责人、质量管理人员有效履行职责，确保企业按照相关法律、法规、规章和本规范要求经营医疗器械；企业负责人作出涉及医疗器械质量安全的重大决策前，应当充分听取质量负责人、质量管理人员的意见和建议，对其发现的质量安全隐患，应当组织研究并提出处置措施，及时消除风险隐患。

企业负责人应当每季度至少听取一次质量负责人工作情况汇报，对企业经营质量安全风险情况进行工作会商和总结，对重点工作作出调度安排，形成医疗器械质量安全风险会商会议纪要。会商会议应当有企业质量安全关键岗位人员以及质量安全风险情况涉及的相关部门参加。

企业质量负责人负责医疗器械质量管理工作，应当独立履行职责，在企业内部对医疗器械质量管理具有裁决权，并承担相应的质量管理责任。

（1）质量管理职责　企业应当具有与经营范围和经营规模相适应的质量管理机构或者质量管理人员。企业质量管理机构或者质量管理人员应当履行下列职责：

① 负责收集和管理与医疗器械经营相关的法律、法规、规章、规范和有关规定等与质量管理相关的信息，建立医疗器械质量档案，实施动态管理，并督促相关部门和岗位人员执行；

② 负责组织制定质量管理制度，指导、监督制度的执行，并对质量管理制度的执行情

况进行检查、纠正和持续改进；

③ 负责对医疗器械经营相关的计算机信息系统的质量控制功能和操作权限进行管理；

④ 负责实施医疗器械追溯管理，推进医疗器械唯一标识制度实施；

⑤ 负责对医疗器械供货者、产品、购货者资质的审核，并实施动态管理；

⑥ 负责不合格医疗器械的确认，对不合格医疗器械的处理过程实施监督；

⑦ 负责医疗器械质量投诉和质量事故的调查、处理及报告；

⑧ 负责医疗器械召回的管理；

⑨ 负责医疗器械质量安全风险会商的组织实施；

⑩ 组织医疗器械不良事件的收集与报告；

⑪ 组织验证、校准相关设施设备；

⑫ 组织对受托运输承运方进行质量保障能力审核及质量监督；

⑬ 组织对专门提供医疗器械运输、贮存服务的企业进行质量保障能力审核及产品质量监督；

⑭ 组织对医疗器械网络销售相关过程进行质量保障能力审核以及质量监督；

⑮ 组织质量管理自查和各项专项自查，按时提交自查报告；

⑯ 组织或者协助开展质量管理培训；

⑰ 其他应当由质量管理机构或者质量管理人员履行的职责。

（2）建立企业质量管理体系文件　企业应当依照本《经营规范》建立覆盖医疗器械经营全过程的质量管理体系文件。质量管理体系文件应当符合企业实际，并实施动态管理，确保文件持续有效。质量管理体系文件应当由企业负责人批准后实施，并至少包括下列内容：

① 质量管理机构或者质量管理人员的管理职责；

② 质量安全关键岗位人员岗位说明；

③ 质量文件审核批准管理制度；

④ 质量记录管理制度；

⑤ 质量管理自查制度；

⑥ 医疗器械供货者和产品资质审核制度；

⑦ 医疗器械采购管理制度；

⑧ 医疗器械收货和验收管理制度；

⑨ 医疗器械贮存（陈列）和在库检查管理制度；

⑩ 医疗器械出入库管理制度；

⑪ 医疗器械效期管理制度；

⑫ 医疗器械运输管理制度；

⑬ 医疗器械销售和售后服务管理制度；

⑭ 医疗器械不合格品管理制度；

⑮ 医疗器械退货管理制度；

⑯ 医疗器械不良事件监测和报告制度；

⑰ 医疗器械产品召回管理制度；

⑱ 医疗器械追溯管理制度；

⑲ 医疗器械质量投诉、事故调查和处理报告制度；

⑳ 设施设备维护和验证校准管理制度；

㉑ 环境卫生和人员健康管理制度；

㉒ 质量管理培训和考核制度；

㉓ 医疗器械质量安全风险会商管理制度；

㉔ 医疗器械采购、收货、验收、贮存、销售、出库、运输等环节的工作程序。

从事第二类、第三类医疗器械批发业务和第三类医疗器械零售业务的企业，应当制定购货者资格审核制度、销售记录制度。鼓励其他医疗器械经营企业建立销售记录制度。

从事需要冷藏、冷冻管理的医疗器械经营的，企业应当制定冷链医疗器械管理制度和应急管理制度。

按本《经营规范》规定进行医疗器械直调购销的，企业应当制定医疗器械直调管理制度。

(3) 建立企业质量记录　企业应当依照本《经营规范》建立覆盖医疗器械经营全过程的质量记录。质量记录应当包括下列内容：

① 供货者和产品资质审核记录；

② 医疗器械采购合同或者协议、采购记录；

③ 医疗器械进货查验记录（包括留存随货同行单据）；

④ 医疗器械入库记录；

⑤ 医疗器械在库检查记录、各库区温湿度记录；

⑥ 医疗器械库存记录；

⑦ 医疗器械销售记录；

⑧ 医疗器械出库复核记录、出库记录；

⑨ 医疗器械运输记录、冷链产品运输过程温度记录；

⑩ 医疗器械售后服务记录或者管理记录；

⑪ 医疗器械退货记录；

⑫ 医疗器械召回和不良事件处理记录；

⑬ 医疗器械质量投诉、事故调查的相关记录和档案；

⑭ 医疗器械不合格品处理记录、销毁记录；

⑮ 企业年度自查报告档案；

⑯ 员工档案及人员资质证明、培训记录、直接接触医疗器械产品人员的健康档案；

⑰ 设施设备档案、维护维修记录；

⑱ 计量器具校准或者检定记录、冷链设施验证记录；

⑲ 医疗器械质量安全风险会商相关记录；

⑳ 其他质量管理过程生成的相关质量记录。

从事第二类、第三类医疗器械批发业务的企业，还应当建立购货者档案。

同时，要求记录内容应当真实、准确、完整和可追溯。鼓励企业采用先进技术手段进行记录。

对于质量记录的保存，企业应当采取有效措施，妥善保存质量记录。进货查验记录、销售记录应当保存至医疗器械有效期满后 2 年；没有有效期的，不得少于 5 年。植入类医疗器械的进货查验记录和销售记录应当永久保存。

使用计算机信息系统存储的质量记录，应当采用安全可靠的方式存储各类数据，定期备份并确保备份数据存储安全，防止损坏和丢失。

8.3.1.4　人员与培训

（1）企业人员要求　企业负责人、企业质量负责人和质量管理人员应当熟悉医疗器械监督管理的法律、法规、规章、规范和所经营医疗器械的相关知识，并符合有关法律、法规、规章、规范规定的资格要求，不得有相关法律、法规禁止从业的情形。企业质量负责人、质量管理人员应当在职在岗，并履行岗位职责。企业应当按照质量管理体系要求，对质量安全关键岗位负责人员的任命、调整、责任履行等情况予以记录，存档备查。

第三类医疗器械经营企业质量负责人应当具备医疗器械相关专业（包括医疗器械、生物医学工程、机械、电子、医学、生物工程、化学、药学、护理学、康复、检验学、计算机、法律、管理学等专业，下同）大专及以上学历或者中级及以上专业技术职称，并具有 3 年及以上医疗器械经营质量管理工作经历。

质量管理人员应当具有相关专业学历或者职称，并履行本规范规定的职责：

① 从事第三类医疗器械批发经营的，企业质量管理人员中应当至少有 1 人具有医疗器械相关专业大专及以上学历或者中级及以上专业技术职称；

② 从事体外诊断试剂经营的，企业质量管理人员中应当至少有 1 人具有主管检验师职称，或者具有检验学相关专业（包括检验学、生物医学工程、生物化学、免疫学、基因学、药学、生物技术、临床医学、医疗器械等专业，下同）大专及以上学历或者中级及以上专业技术职称，并具有 3 年及以上检验相关工作经历；从事体外诊断试剂验收工作的人员，应当具有检验学相关专业中专及以上学历或者具有检验师初级及以上专业技术职称；

仅经营国家规定的免予经营备案体外诊断试剂的除外；

③ 专门提供医疗器械运输、贮存服务的，企业质量管理人员中应当至少有 2 人具有医疗器械相关专业大专及以上学历或者中级及以上专业技术职称，并具有 3 年及以上医疗器械质量管理工作经历。

企业应当配备与经营范围和经营规模相适应的经营相关岗位人员，人员要求如下：

① 从事体外诊断试剂经营的售后服务技术人员，应当具有检验学相关专业中专及以上学历或者具有检验师初级及以上专业技术职称；

② 从事植入和介入类医疗器械采购或者销售的人员中应当至少有 1 人具有医学相关专业（包括基础医学、预防医学、临床医学、医学技术、口腔医学、中医学、护理学、药学等专业）大专及以上学历，并经过医疗器械注册人或者其他专业机构培训；

③ 从事角膜接触镜、助听器等其他有特殊要求的医疗器械零售的，应当配备具有相关专业或者职业资格的人员。

企业应当配备与经营范围和经营规模相适应的售后服务技术人员和售后服务管理人员，相关要求如下：

① 企业自行为客户提供安装、维修、技术培训等售后技术服务的，应当配备具有相应技术能力的售后服务技术人员，售后服务技术人员应当具备专业资格或者经过医疗器械注册人、备案人、其他专业机构技术培训；

② 企业配备的专职或者兼职售后服务管理人员，应当熟悉质量投诉，不良事件监测，召回的相关法律、法规、规章、规范、质量管理制度，以及所经营医疗器械的相关知识。

（2）人员培训与考核　企业应当对质量安全关键岗位人员及其他相关岗位人员进行与其职责和工作内容相关的岗前和继续培训，并建立培训记录，使相关人员能够正确理解并履行职责。培训内容应当包括相关法律、法规、规章、规范、质量管理制度、医疗器械专业知识和技能、职责、岗位操作规程等。从事需要冷藏、冷冻管理的医疗器械收货、验收、贮存、检查、出库、运输等工作的人员，还应当接受冷链相关法律、法规、规章、规范、质量管理制度、冷链专业知识和操作规程的培训。企业应当对质量负责人、质量管理人员、售后服务技术人员、售后服务管理人员、冷链工作人员等相关人员进行上岗和定期考核，经考核合格后方可上岗或者继续从事此岗位工作。企业应当按照人员健康管理制度的要求，对质量管理、验收、库房管理、售后技术服务、零售等直接接触医疗器械岗位的人员进行健康管理，实施岗前和年度健康检查，并建立员工健康档案。身体条件不符合相应岗位特定要求、影响质量判定或者影响医疗器械质量安全的人员，不得从事相关工作。

8.3.1.5　设施与设备

（1）经营场所和库房要求　企业应当具有与经营范围和经营规模相适应的经营场所和库房，经营场所和库房的面积应当满足经营与质量管理的要求。经营场所和库房不得设在居民住宅等不适合开展经营活动的场所。库房的选址、设计、布局、建造、改造和维护应当符合医疗器械贮存的要求，防止医疗器械的混淆、差错或者被污损，并具有符合医疗器械产品特性要求的贮存设施设备。有下列情形之一的，企业可以不单独设立医疗器械库房：

① 单一门店零售企业的经营场所陈列条件能符合其所经营医疗器械产品性能要求、经营场所能满足其经营规模及品种陈列需要的；

② 连锁零售经营医疗器械的；

③ 全部委托专门提供医疗器械运输、贮存服务的企业进行贮存的；

④ 仅经营医疗器械软件，且经营场所满足其产品存储介质贮存要求的；

⑤ 仅经营磁共振成像设备、X射线计算机体层摄影设备、放射治疗设备等大型医用设备的；

⑥ 省级药品监督管理部门规定其他可以不单独设立医疗器械库房的。

库房的条件应当符合下列要求：

① 库房内外环境整洁、无污染源；

② 库房内墙光洁、地面平整、房屋结构严密；

③ 有防止室外装卸、搬运、接收、发运等作业受异常天气影响的措施；

④ 库房有可靠的安全防护措施，能够对无关人员的进入实行可控管理。

库房贮存作业区、辅助作业区，应当与办公区和生活区分开一定距离或者有隔离措施，有效防止对贮存的医疗器械造成产品质量安全风险。库房应当按质量状态实行分区管理，设置待验区、合格品区、不合格品区、发货区、退货区等，并有明显区分。可以采用色标管理，待验区、退货区为黄色，合格品区和发货区为绿色，不合格品区为红色。库房应当配备与经营范围和经营规模相适应的设施设备，包括：

① 医疗器械与地面之间有效隔离的设施设备，如货架、托盘等；

② 避光、通风、防潮、防虫、防鼠等设施；

③ 符合安全用电要求和满足照明需求的照明设备；

④ 包装物料的存放场所；

⑤ 有特殊贮存要求的，应当配备相应的设施设备。

企业应当根据所经营医疗器械产品的质量特性和管理要求，合理设置满足不同质量状态、贮存环境要求的库区与库位。库房温度、湿度以及其他贮存条件应当符合所经营医疗器械说明书或者标签标示的要求。对有特殊温湿度贮存要求的，应当配备有效调控及监测温湿度的设施设备或者仪器。

库房贮存产品包含非医疗器械产品时，应当做好库房分区管理；应当充分评估非医疗器械产品对贮存环境与人员的污染风险，并制定措施确保医疗器械贮存环境安全。

（2）从事医疗器械批发和专门提供医疗器械运输、贮存服务的企业　从事医疗器械批发和专门提供医疗器械运输、贮存服务的企业，其经营或者运输、贮存的医疗器械涉及需要冷藏、冷冻管理的，应当配备下列设施设备：

① 与其经营规模和经营品种相适应的冷藏、冷冻设施设备；

② 用于冷藏、冷冻设施设备的温湿度自动监测、显示、记录、调控、报警的设备；

③ 能够确保制冷设备正常运转的不间断的供电设备（如双回路供电系统或者备用发电机组等）；

④ 根据相应的运输规模和运输环境要求配备冷藏车、保温车，或者冷藏（冷冻）箱、保温箱等设备；冷藏车应当具有自动显示温度、调控温度、报警、存储和读取温度监测数据的功能；

⑤ 对有特殊温湿度要求的，应当配备符合其贮存、运输要求的设施设备。

（3）医疗器械零售经营场所　医疗器械零售经营场所应当与其经营范围和经营规模相适应，并符合下列要求：

① 配备陈列货架和柜台；

② 相关证照应当在醒目位置展示；

③ 经营需要冷藏、冷冻管理的医疗器械的，应当配备经过验证并具有温度显示和监测功能的冷柜；

④ 经营可拆零医疗器械的，应当配备拆零销售所需的工具、包装用品，拆零的医疗器械标签和说明书应当符合有关规定；

⑤ 提供验配服务的，应当设立符合验配服务相关规定的独立区域。

零售医疗器械的陈列应当符合下列要求：

① 陈列环境应当满足所经营医疗器械说明书或者标签标示的贮存要求；

② 分区陈列，并设置醒目标志，类别标签字迹清晰、放置准确；

③ 医疗器械的摆放应当整齐有序，避免阳光直射；

④ 需要冷藏、冷冻管理的医疗器械，应当放置在冷藏、冷冻设备中，并对温度进行监测和记录；

⑤ 医疗器械与非医疗器械应当分开陈列，并醒目标示。

自动售械机作为医疗器械零售经营场所的延伸，其设置位置、数量等应当与企业的管理能力相适应。自动售械机应当符合下列要求：

① 自动售械机内的陈列环境应当满足所经营医疗器械说明书或者标签标示的贮存要求；需要冷藏、冷冻管理的医疗器械应当对贮存环境的温度进行监测和记录；

② 自动售械机内的医疗器械摆放应当整齐有序，类别标签字迹清晰、放置准确，避免阳光直射；

③ 自动售械机的贮存与出货、取货方式，应当有效防止所陈列医疗器械的污染及产品破损风险；

④ 应当具备开具纸质或者电子销售凭据的功能；

⑤ 应当在醒目位置展示经营主体的相关信息、证照；

⑥ 应当在醒目位置公布企业售后服务电话，建立畅通的顾客意见反馈机制及退货等售后服务渠道。

(4) 设施设备的管理与维修　企业应当对库房的基础设施以及相关设备进行保养、维护与维修，并对设施设备状态进行定期检查，相关记录应当妥善存放至设施设备档案中。企业应当按照国家有关规定，对温湿度监测设备等计量器具进行有效管理，保证计量器具性能持续满足要求，定期进行校准或者检定，保存相关校准或者检定记录。企业应当对冷库、冷柜等贮存设施设备，冷藏、冷冻、保温等运输设施设备，以及温湿度监测系统进行使用前验证、定期验证和停用时间超过规定时限情况下的验证。企业应当在验证实施过程中，建立并形成验证控制文件，包括验证方案、报告、评价和预防措施等，验证使用的计量器具应当经法定计量机构校准，校准证书复印件应当作为验证报告的必要附件。

(5) 计算机信息系统　经营第三类医疗器械的企业，应当具有符合医疗器械经营质量管理要求的计算机信息系统，保证经营的产品可追溯。计算机信息系统应当具有下列功能：

① 具有对采购、收货、验收、贮存、销售、出库、复核、退货等各经营环节进行实时质量控制的功能；

② 具有权限管理功能，确保各类数据的录入、修改、保存等操作符合授权范围、管理制度和操作规程的要求，保证数据真实、准确、安全和可追溯；

③ 具有部门之间、岗位之间在权限授权范围内进行信息传输和数据共享的功能；

④ 具有供货者、购货者以及所经营医疗器械的合法性、有效性审核控制的功能；

⑤ 具有对供货者以及所经营医疗器械产品信息记录与资质效期预警的功能；

⑥ 具有对库存医疗器械的有效期进行自动跟踪和控制的功能，有近效期预警及超过有效期自动锁定等功能，防止过期医疗器械销售；

⑦ 具有实现医疗器械产品经营过程质量追溯的功能，以及采集、记录医疗器械唯一标识的功能；

⑧ 具有医疗器械经营业务票据生成、打印和管理的功能；

⑨ 具有质量记录数据自动备份功能，确保数据存储安全；

⑩ 具有与企业外部业务及监管系统进行数据交互接口的功能。

鼓励其他企业建立符合医疗器械经营质量管理要求的计算机信息系统。

(6) 贮存、运输要求　企业可以通过跨行政区域设置仓库或者委托专门提供医疗器械运输贮存服务的企业贮存等方式，构建全国或者区域多仓协同物流管理模式。企业应当对跨行政区域设置的仓库加强质量管理：

① 应当建立与其规模相适应的质量管理制度；

② 应当配备与其规模相适应的质量管理人员、设施设备；

③ 应当配备与经营企业本部互联互通、能够实时交互医疗器械贮存、出入库数据的计算机信息系统；

④ 应当满足医疗器械贮存与追溯质量管理要求。

8.3.1.6　采购、收货与验收

(1) 采购要求　企业在与医疗器械注册人、备案人或者经营企业首次发生采购前，应当获取加盖供货者公章的相关资料复印件或者扫描件，进行资质的合法性审核并建立供货者档案，内容至少应包括：

① 营业执照；

② 医疗器械注册人、备案人证明文件及受托医疗器械生产厂家的生产许可证或者备案

凭证，或者医疗器械经营企业的经营许可证或者备案凭证；

③ 载明授权销售的品种、地域、期限、销售人员身份证件号码的授权书，以及销售人员身份证件复印件；

④ 随货同行单样式（含企业样章或者出库样章）。

必要时，企业可以派员对供货者进行现场核查，对供货者质量管理情况进行评价。企业发现供货者存在违法违规经营行为时，应当及时向企业所在地的市/县级药品监督管理部门报告。

企业在首次采购医疗器械前，应当获取加盖供货者公章的医疗器械产品的相关资料复印件或者扫描件，进行资质的合法性审核并建立产品档案，内容至少包括：

① 医疗器械注册证或者备案凭证；

② 医疗器械标签样稿或者图片；

③ 医疗器械唯一产品标识（若有）。

企业应当与供货者签订采购合同或者协议，采购合同、协议或者采购订单中，应当明确采购医疗器械的名称、型号、规格、医疗器械注册人或者备案人名称、医疗器械注册证编号或者备案编号，以及数量、单价、金额、供货者等内容。企业应当在采购合同或者协议中与供货者约定质量责任和售后服务责任，以保证医疗器械售后的安全使用。企业不得采购未依法注册或者备案、无合格证明文件以及过期、失效、淘汰的医疗器械；不得进口过期、失效、淘汰等已使用过的医疗器械；企业在采购医疗器械时，应当建立采购记录。记录应当包括医疗器械的名称、型号、规格、医疗器械注册人或者备案人名称、医疗器械注册证编号或者备案编号，以及单位、数量、单价、金额、供货者、购货日期等。

发生灾情、疫情、突发事件、临床紧急救治等特殊情况，或者仅经营本规范第三十七条中的大型医用设备以及其他符合国家有关规定的情形，企业在保证医疗器械购销渠道安全和产品质量可追溯的前提下，可采用直调方式购销医疗器械，将已采购的医疗器械不人本企业仓库，直接从供货者发送到购货者。

企业应当加强直调方式购销医疗器械的质量管理，应当在购销前对供货者、购货者以及医疗器械产品的资质合法性进行审核，并建立专门的直调医疗器械采购记录，保证有效的质量跟踪和追溯。

（2）收货要求　企业收货人员在接收医疗器械时，应当核实运输方式以及到货产品是否符合要求，并对照相关采购记录和随货同行单据与到货的医疗器械进行核对。对符合要求的产品，交货和收货双方应当对交运情况当场签字确认。对不符合要求的产品，应当采取拒收或者其他方式有效隔离，并立即报告质量管理机构或者质量管理人员。企业应当妥善保存随货同行的原始单据与资料，确保供货者以及供货信息可追溯。鼓励企业采用电子文件方式留存收货过程中的运单、随货同行单据等资料。收货人员对符合收货要求的医疗器械，应当按质量特性要求放于相应待验区域，或者设置状态标示，并通知验收人员进行验收。需要冷藏、冷冻管理的医疗器械收货时，应当核实运输方式、到货以及在途温度、启运时间和到货时间并做好记录，符合要求的，应当及时移入符合温控要求的待验区。

（3）验收要求　验收人员应当对医疗器械的外观、包装、标签以及合格证明文件等进行检查、核对，并做好进货查验记录。进货查验记录应当包括：

① 医疗器械的名称、型号、规格、数量；

② 医疗器械注册证编号或者备案编号；

③ 医疗器械注册人、备案人和受托生产企业名称，生产许可证号或者备案编号；

④ 医疗器械的生产批号或者序列号、使用期限或者失效日期、购货日期等；

⑤ 供货者的名称、地址以及联系方式；

⑥ 验收结论、验收合格数量、验收人员、验收日期；

⑦ 医疗器械唯一标识（若有）。

验收不合格的，还应当注明不合格事项及处置措施。

企业按本规范第五十九条规定进行医疗器械直调购销的，应当由验收人员或者委托的验收人员进行医疗器械验收。直调验收应当严格按照本规范的要求验收医疗器械，验收完成当日，验收人员应当将进货查验记录相关信息传递给直调企业。

企业应当建立专门的直调医疗器械进货查验记录，除满足进货查验记录内容要求外，还应当记录验收地点、验收人员信息。直调医疗器械进货查验记录应当真实、准确、完整和可追溯。对需要冷藏、冷冻管理的医疗器械进行验收时，应当对其运输方式及运输过程的温度记录、运输时间、到货温度以及外观、包装、标签等质量状况进行重点检查并记录；对销售后退回的需要冷藏、冷冻管理的医疗器械，还应当核实售出期间的温度记录，不符合温度要求的应当拒收。验收不合格的，应当注明不合格事项及处置措施。企业委托专门提供医疗器械运输、贮存服务的企业进行收货和验收时，应当对受托方进行必要的质量监督。委托方应当与受托方签订书面协议，明确双方质量责任和义务，并按照协议承担和履行相应的质量责任和义务。

8.3.1.7 入库、贮存与检查

（1）医疗器械入库要求　企业应当建立入库记录，验收合格的医疗器械应当及时入库登记；验收不合格的，应当注明不合格事项，并放置在不合格品区，按照有关规定采取退货、销毁等处置措施。入库记录应当包括以下内容：

① 医疗器械的名称、型号、规格、数量；

② 医疗器械注册证编号或者备案编号；

③ 医疗器械注册人、备案人和受托生产企业名称，生产许可证号或者备案编号；

④ 医疗器械的生产批号或者序列号、使用期限或者失效日期、入库日期；

⑤ 医疗器械唯一标识（若有）。

（2）贮存要求　企业应当根据医疗器械的质量特性进行合理贮存，并符合以下要求：

① 按照医疗器械说明书或者标签标示的贮存要求贮存；

② 冷库贮存时，应当根据冷库验证报告确定合理的贮存区域，制冷机组出风口应当避免被遮挡；

③ 应当按照要求采取避光、通风、防潮、防虫、防鼠等措施；

④ 搬运、堆垛、放置医疗器械时，应当按照包装标示要求规范操作，堆垛高度、放置方向等应当符合包装图示要求；应当按照货架、托盘承重范围等要求妥善存放，避免损坏医疗器械；

⑤ 按照医疗器械的贮存要求分库（区）存放，医疗器械与非医疗器械应当分开存放；组合销售的医疗器械和非医疗器械可以不分开贮存；在实施自动化操作的自动化仓库中，医疗器械与非医疗器械可以按货位分开存放；

⑥ 医疗器械应当按照品种、规格、型号分开存放；医疗器械与库房地面、内墙、顶、灯、温度调控设备及管道等设施间应保留足够空隙；

⑦ 贮存医疗器械的货架、托盘等设施设备应当保持清洁，无破损；

⑧ 非作业区工作人员未经批准不得进入贮存作业区，贮存作业区内的工作人员不得有影响医疗器械质量安全的行为；

⑨ 医疗器械贮存作业区内不得存放与贮存管理无关的物品。

从事专门提供医疗器械运输、贮存服务的企业，应当通过计算机信息系统有效区分其自营、受托，以及不同委托方的医疗器械。

（3）在库医疗器械检查　企业应当根据库房条件、外部环境、产品有效期要求等，对医疗器械进行定期检查，建立在库检查记录。在库检查记录应当包括以下内容：

① 检查医疗器械合理贮存与作业流程；

② 检查并改善贮存条件、防护措施、卫生环境；

③ 对温湿度监控系统、冷库温湿度自动报警装置进行检查、保养；

④ 未采用温湿度监测系统进行自动监测的，应当每天上、下午各不少于 1 次对库房温湿度进行监测记录；

⑤ 对库存医疗器械的外观、包装、有效期等质量状况进行检查。

发现存在质量疑问的医疗器械，应当立即进行质量隐患产品隔离并标示，防止其销售出库，并及时通知质量管理机构进行质量判定与处理。零售企业应当定期对零售陈列、自动售械机陈列、存放的医疗器械进行检查，重点检查拆零医疗器械和近效期医疗器械。发现有质量疑问的，应当及时撤柜、停止销售，由质量管理人员确认和处理，并保留相关记录。企业应当对库存医疗器械有效期进行跟踪和控制，并采取近效期预警措施。超过有效期的医疗器械应当及时放置到不合格品区进行隔离，按照相关制度采取销毁、退货等处置措施，并保存相关记录。企业应当定期对库存医疗器械进行盘点，核对库存医疗器械的名称、规格、型号，生产批号或者序列号、有效期、数量等，发现质量及数量问题应当及时查明原因并做好记录，保证账、货相符。

8.3.1.8 销售、出库与运输

（1）销售授权与记录　企业应当加强对销售人员的培训和管理，对销售人员以本企业名义从事的医疗器械购销行为承担法律责任。企业销售人员销售医疗器械，应当提供加盖本企业公章的授权书。授权书应当载明授权销售的品种、地域、期限，并注明销售人员的身份证件号码。医疗器械注册人、备案人委托销售的，应当委托符合条件的医疗器械经营企业，签订委托协议明确双方的权利和义务，并加强对经营企业的培训和管理。企业不得销售未依法注册或者备案、无合格证明文件以及过期、失效、淘汰的医疗器械。

从事第二类、第三类医疗器械批发业务的企业，应当将医疗器械销售给医疗器械生产企业、医疗器械经营企业、医疗器械使用单位或者其他有合理使用需求的单位。向其他有合理使用需求的单位销售医疗器械，销售前应当索取购货者对所采购医疗器械的使用需求说明。从事第二类、第三类医疗器械批发业务的企业，在首次销售前，应当获取购货者相关资料复印件或者扫描件，对购货者的证明文件、经营范围进行核实，并建立购货者档案，保证医疗器械销售流向真实、准确、完整和可追溯。从事第二类、第三类医疗器械批发业务以及第三类医疗器械零售业务的经营企业，应当实施销售记录制度。销售记录应当包括以下内容：

① 医疗器械的名称、型号、规格、注册证编号或者备案编号、数量、单价、金额；

② 医疗器械的生产批号或者序列号、使用期限或者失效日期、销售日期；

③ 医疗器械注册人、备案人和受托生产企业名称，生产许可证编号或者备案编号。

从事第二类、第三类医疗器械批发业务的企业，销售记录还应当包括购货者的名称、收货地址、联系方式、相关许可证明文件编号或者备案编号等。企业按本规范第五十九条规定进行医疗器械直调购销的，应当建立专门的直调医疗器械销售记录。从事医疗器械零售业务的企业，应当给消费者开具销售凭据，记录医疗器械的名称、型号、规格、注册证编号或者

备案编号，医疗器械注册人、备案人和受托生产企业名称，生产批号或者序列号、数量、单价、金额，以及零售企业名称、经营地址、电话、销售日期等，以方便进行质量追溯。

（2）出库要求　医疗器械出库前，企业应当进行出库复核，并建立出库复核记录。发现有下列情况之一的不得出库，并报告质量管理机构或者质量管理人员处理：

① 医疗器械包装出现破损、污染、封口不牢、封条损坏等问题；

② 标签脱落、字迹模糊不清或者标示内容与实物不符；

③ 医疗器械超过有效期；

④ 存在其他异常情况的。

出库复核记录应当包括：医疗器械的名称、型号、规格、注册证编号或者备案编号，医疗器械注册人、备案人和受托生产企业名称，生产批号或者序列号、使用期限或者失效日期、单位、数量，以及购货者、出库日期、医疗器械唯一标识（若有）等内容。

需要医疗机构选配后方可确认销售的医疗器械，企业应当加强出库前的质量复核，符合产品质量安全要求方可出库，并留存出库质量复核记录。医疗机构临床选择确认后，应当及时建立销售记录。医疗机构选配后未使用的退回产品，按照本规范第一百零六条、第一百零七条进行相关管理。企业应当加强过程质量记录管理，确保医疗机构选配销售产品的出库质量复核记录、销售记录、退货记录信息真实、准确、完整和可追溯。

从事医疗器械批发业务的企业，在医疗器械出库时应当附随货同行单，并加盖本企业或者委托的专门提供医疗器械运输、贮存服务企业的出库印章。随货同行单内容应当包括以下方面：

① 供货企业名称；

② 医疗器械注册人、备案人和受托生产企业名称；

③ 医疗器械的名称、型号、规格、注册证编号或者备案编号；

④ 医疗器械的生产批号或者序列号、使用期限或者失效日期、数量；

⑤ 医疗器械运输及贮存条件；

⑥ 专门提供医疗器械运输、贮存服务的企业名称（若有）；

⑦ 收货单位名称、收货地址、联系方式、发货日期等。

企业按照本《经营规范》第五十九条规定进行医疗器械直调购销的，直调医疗器械出库时供货者应当开具两份随货同行单，分别发往直调企业和购货者。直调随货同行单应当有明显的直调标识，并标明直调企业名称、直调原因。

（3）装箱、装车与运输要求　医疗器械拼箱发货的代用包装箱应当有醒目的拼箱标识。需要冷藏、冷冻管理的医疗器械装箱、装车作业时，应当由专人负责，并符合下列要求：

① 车载冷藏冷冻箱或者保温箱在使用前应当达到相应的温度要求；

② 包装、装箱、封箱工作应当在符合医疗器械说明书或者标签标示的温度范围内完成；

③ 装车前应当检查冷藏车辆的启动、运行状态，达到规定温度后方可装车。

企业应当按照相关制度以及运输操作规程要求进行医疗器械运输，选择合理的运输工具及运输路线，做好运输过程中的产品防护，确保运输过程中医疗器械产品的质量安全，并做好运输记录。运输记录应当包括收货单位名称、地址、联系方式、运输方式，医疗器械名称、型号、规格、注册证编号或者备案编号，以及生产批号或者序列号、单位、数量、发货日期等内容。委托运输时还应当记录承运单位名称和运单号，自行运输时应当记录运输车辆车牌号和运输人员姓名。运输需要冷藏、冷冻管理的医疗器械，应当根据运输的产品数量、距离、时间以及温度要求、外部环境温度等情况，选择合理的运输工具和温控方式，确保运输过程中温度控制符合要求。冷藏车、车载冷藏冷冻箱、保温箱应当符合医疗器械在运输过程中对温度控制的要求。企业可以委托其他具备质量保障能力的承运单位运输医疗器械，应当签订委托运输质量保证协议，并定期对承运单位运输医疗器械的质量保障能力进行考核评估，确保运输过程的质量安全。委托运输质量保证协议应当包括运输过程中的质量责任、运输操作规程、在途时限、温度控制、签收和回执要求等。企业应当制定需要冷藏、冷冻管理的医疗器械在贮存、运输过程中温度控制的应急预案，并对应急预案进行定期演练。对贮存、运输过程中出现的断电、异常气候、设备故障、交通事故等意外或者紧急情况能够及时采取有效的应对措施，防止因异常突发情况造成的温度失控。

8.3.1.9　售后服务

企业应当按照与供货者在采购合同或者协议中约定的质量责任和售后服务责任，以及与购货者约定的质量责任和售后服务责任，提供相应的售后服务。

（1）售后技术支持　企业自行向客户提供安装、维修、技术培训等售后技术服务的，应当设置售后服务部门或者配备售后服务技术人员，具备与所经营的医疗器械产品以及规模相适应的售后服务能力。企业与供货者约定由供货者负责产品安装、维修、技术培训等售后技术服务的，或者由约定的第三方机构提供技术支持的，企业可以不设置售后服务部门和售后服务技术人员，但应当配备相应的售后服务管理人员。企业使用第三方机构提供售后服务的，应当选择具备质量保障能力的服务机构，签订质量保证书面协议，约定双方质量责任和义务，明确售后服务的服务范围与质量管理要求。企业应当定期对服务机构的质量保障能力进行考核评估，确保售后服务过程的质量安全与可追溯。

（2）售后服务管理　企业应当按照质量管理制度的要求，制定售后服务管理操作规程，内容包括投诉渠道及方式、档案记录、调查与评估、处理措施、反馈和事后跟踪等。企业应当及时将售后服务处理结果等信息记入档案，以便查询和跟踪。企业应当配备专职或者兼职的售后服务管理人员，对客户投诉的质量安全问题查明原因，采取有效措施及时处理和反馈，并做好记录，及时通知医疗器械注册人、备案人和供货者。

企业应当加强对退货产品的管理，防止混入不符合法定要求的医疗器械。退货医疗器械应当经过验收人员质量查验，并生成退货记录。对质量查验不合格的，应当注明不合格事项及处置措施，并放置在不合格品区，按照有关规定采取退货、销毁等处置措施。退货记录应当包括退货日期、原出库单号、退货单位名称，医疗器械名称、型号、规格、注册人、备案人和受托生产企业名称、注册证编号或者备案编号、运输及贮存条件，生产批号或者序列号、使用期限或者失效日期，以及医疗器械唯一标识（若有）、退货原因、产品质量状态、退货数量、验收人员等内容。从事医疗器械零售业务的企业应当在营业场所公布售后服务电话，设置顾客意见簿，及时处理顾客的医疗器械质量安全投诉。

（3）风险处理　企业应当配备专职或者兼职人员，协助医疗器械注册人、备案人对所经营的医疗器械开展不良事件监测，并按照国家药品监督管理部门的规定，向医疗器械注册人、备案人以及医疗器械不良事件监测技术机构报告。对相关部门开展的不良事件调查，应当予以配合。企业发现其经营的医疗器械有严重质量安全问题，或者不符合强制性标准、不符合经注册或者备案的医疗器械产品技术要求的，应当立即停止经营，通知相关医疗器械注册人、备案人、生产经营企业、使用单位、购货者，记录停止经营和通知情况，并立即向企业所在地市县级药品监督管理部门报告。企业应当协助医疗器械注册人、备案人履行召回义务，按照召回计划的要求及时传达、反馈医疗器械召回信息，控制和收回存在质量安全隐患的医疗器械，并建立医疗器械召回记录。

8.3.2 医疗器械经营的监督检查管理

《办法》（国家市场监督管理总局令第 54 号）规定，省、自治区、直辖市药品监督管理部门组织对本行政区域的医疗器械经营监督管理工作进行监督检查。设区的市级、县级负责药品监督管理的部门负责本行政区域医疗器械经营活动的监督检查。设区的市级、县级负责药品监督管理的部门应当制定年度检查计划，明确监管重点、检查频次和覆盖范围并组织实施。药品监督管理部门组织监督检查，检查方式原则上应当采取突击性监督检查，现场检查时不得少于两人，并出示执法证件，如实记录现场检查情况。检查发现存在质量安全风险或者不符合规范要求的，将检查结果书面告知被检查企业。需要整改的，应当明确整改内容以及整改期限，并进行跟踪检查。

(1) 医疗器械经营企业的分级监管　药品监督管理部门根据医疗器械经营企业的质量管理情况和所经营医疗器械产品的风险程度，实施分类分级管理并动态调整。设区的市级负责药品监督管理的部门应当根据本行政区域医疗器械经营的风险程度、经营业态、质量管理水平和企业监管信用情况，结合医疗器械不良事件及产品投诉状况等因素，制定并印发分级监管细化规定，明确监管级别划分原则，以及对不同监管级别医疗器械经营企业的监督检查形式、频次和覆盖率。根据《关于加强医疗器械生产经营分级监管工作的指导意见》（药监综械管〔2022〕78 号），我国对医疗器械经营企业实施如下分级监管规定[5]。监管级别划分和检查要求可以按照以下原则进行：

① 对风险程度高的企业实施四级监管，主要包括“为其他医疗器械注册人、备案人和生产经营企业专门提供贮存、运输服务的”经营企业和风险会商确定的重点检查企业；

② 对风险程度较高的企业实施三级监管，主要包括本行政区域医疗器械经营重点监管品种目录产品涉及的批发企业，上年度存在行政处罚或者存在不良监管信用记录的经营企业；

③ 对风险程度一般的企业实施二级监管，主要包括除三级、四级监管以外的经营第二、三类医疗器械的批发企业，本行政区域医疗器械经营重点监管品种目录产品涉及的零售企业；

④ 对风险程度较低的企业实施一级监管，主要包括除二、三、四级监管以外的其他医疗器械经营企业。

涉及多个监管级别的，按最高级别对其进行监管。

实施四级监管的企业，设区的市级负责药品监督管理的部门每年组织全项目检查不少于一次；实施三级监管的企业，设区的市级负责药品监督管理的部门每年组织检查不少于一次，其中每两年全项目检查不少于一次；实施二级监管的企业，县级负责药品监督管理的部门每两年组织检查不少于一次，对角膜接触镜类和防护类产品零售企业可以根据监管需要确定检查频次；实施一级监管的企业，县级负责药品监督管理的部门按照有关要求，每年随机抽取本行政区域 25%以上的企业进行监督检查，4 年内达到全覆盖。必要时，对新增经营业态的企业进行现场核查。其中的全项目检查是指药品监督管理部门按照《医疗器械经营质量管理规范》及相应附录，对经营企业开展的覆盖全部适用项目的检查。对“为其他医疗器械注册人、备案人和生产经营企业专门提供贮存、运输服务的”经营企业开展的全项目检查，应当包括对委托的经营企业的抽查。

设区的市级负责药品监督管理的部门应当根据医疗器械经营分级监管细化规定，在全面有效归集医疗器械产品、企业和监管等信息的基础上，每年组织对本行政区域医疗器械经营企业、跨设区的市增设库房的医疗器械经营企业进行评估，科学研判企业风险程度，确定监管级别并告知企业。对于新增经营业态等特殊情况，可以及时确定或调整企业监管级别。对于长期以来监管信用情况较好的企业，可以酌情下调监管级别；对于存在严重违法违规行为、异地增设库房、国家集中带量采购中选产品和疫情防控用产品的经营企业应当酌情上调监管级别。具体调整方式由设区的市级负责药品监管的部门结合本行政区域企业整体监管信用状况、企业数量和监管资源配比等情况确定。

（2）医疗器械经营企业监督检查重点 药品监督管理部门应当对有下列情形之一的医疗器械经营企业进行重点监督检查：

① 上一年度监督检查中发现存在严重问题的；

② 因违反有关法律、法规受到行政处罚的；

③ 风险会商确定的重点检查企业；

④ 有不良信用记录的；

⑤ 新开办或者经营条件发生重大变化的医疗器械批发企业和第三类医疗器械零售企业；

⑥ 为其他医疗器械注册人、备案人和生产经营企业专门提供贮存、运输服务的；

⑦ 其他需要重点监督检查的情形。

设区的市级负责药品监督管理的部门应当建立并及时更新辖区内医疗器械经营企业的信用档案。信用档案中应当包括医疗器械经营企业许可备案、监督检查结果、违法行为查处、质量抽查检验、自查报告、不良行为记录和投诉举报等信息。对有不良信用记录的医疗器械注册人、备案人和经营企业，药品监督管理部门应当增加监督检查频次，依法加强失信惩戒。医疗器械注册人、备案人、经营企业对存在的医疗器械质量安全风险，未采取有效措施消除的，药品监督管理部门可以对医疗器械注册人、备案人、经营企业的法定代表人或者企业负责人进行责任约谈。

（3）医疗器械经营企业监督检查抽查 药品监督管理部门应当加强医疗器械经营环节的抽查检验，对抽查检验不合格的，应当及时处置。省级以上药品监督管理部门应当根据抽查检验结论及时发布医疗器械质量公告。药品监督管理部门应当根据监督检查、产品抽检、不良事件监测、投诉举报、行政处罚等情况，定期开展风险会商研判，做好医疗器械质量安全隐患排查和防控处置工作。药品监督管理部门在监督检查中，发现涉嫌违法行为的，应当及时收集和固定证据，依法立案查处；涉嫌犯罪的，及时移交公安机关处理。

8.4 医疗器械网络经营监督管理

8.4.1 医疗器械网络经营行业现状

我国医疗器械网络经营行业近年来在“互联网＋”与电商消费浪潮的推动下快速发展，已成为医疗器械零售的主战场。2018 年，国内零售药店医疗器械市场呈现出蓬勃发展的态势，总规模一举达到 741 亿元，在整体零售药店销售中占据 12.1%的份额。其中，网上药店的表现尤为亮眼，器械规模约达 507 亿元，在医疗器械零售市场中独占鳌头，占比高达 68.4%。网络销售以其便捷、高效等优势，成功跻身核心销售渠道之列。即使是全球新冠疫情防控形势严峻的 2020 年，医疗器械产品需求与行业关注度仍然持续走高，截至 2020 年 3 月底，国内医疗器械互联网销售平台备案数量已接近 3 万项。据国家药监局权威统计，截至 2022 年 3 月 31 日，全国医疗器械网络销售备案主体数量达到 13.55 万家，医疗器械网络交易服务第三方平台备案数量为 536 家[6]。截至 2023 年 11 月 30 日，我国医疗器械网络交易服务第三方平台数量已达 852 家，相较于前一年整体增长 30.07%，增长势头强劲。与此同时，医疗器械网络销售企业规模也迅速扩张至24.6万家。

但是，网络平台也成为劣质医疗器械流通的温床，无证经营（部分商家伪造经营许可证，销售未注册产品）、虚假宣传（夸大功效、隐瞒禁忌证，误导消费者）、运输风险、假冒伪劣等产品充斥平台，严重威胁消费者健康。根据中国消费者协会数据，2020年上半年医疗器械投诉量同比激增40倍。2024年国家药监局专项检查显示，约23%的网售医疗器械存在资质不全问题。这些数据不仅反映了消费者维权意识的提升，更凸显了网络销售渠道已成为违法违规行为的“重灾区”。网络销售由于其虚拟性导致主体追溯困难、跨地域性增加执法成本、隐匿性与易转移性加剧风险等特性致使监管难度加大。因而，医疗器械网络销售在便利民众的同时，应当平衡发展与安全。未来需要通过“强监管＋行业自律＋消费者教育”多管齐下，推动行业健康有序发展，以保障公众用械安全。

8.4.2 医疗器械网络销售的法规体系沿革

2001年2月，国家正式颁布并施行《互联网药品信息服务管理暂行规定》，首次清晰界定了涵盖医疗器械的“互联网药品信息服务”这一关键概念[6]。同时，它对不同性质的互联网药品信息服务活动进行了明确区分与规范：针对经营性互联网药品信息服务，实行严格的审核制度，即审批制，由国家药品监督管理局进行把关；而对于非经营性互联网药品信息服务，则采取相对灵活的备案管理方式，即备案制。这奠定了互联网药品/医疗器械信息服务的准入框架，但未涉及交易行为。2004年7月该规定正式废止，国家推出了《互联网药品信息服务管理办法》，该办法统一要求，所有通过互联网向用户提供药品（含医疗器械）信息服务的主体，无论其服务性质是经营性还是非经营性，都必须依法取得互联网药品信息服务资格证书，并自觉接受相关部门的监管[6]。这一规定进一步强化了对信息内容合规性的把控，确保用户在互联网上获取的药品和医疗器械信息真实、准确、可靠。从监管模式上看，这标志着信息服务监管从之前的“分类管理”模式，迈入了“全面许可”的新阶段。

2005年12月，国家正式出台并施行《互联网药品交易服务审批暂行规定》，依据不同的业务规模，将互联网药品交易服务机构资格证书细分为A证、B证、C证三种类型，但仍存在未区分药品与医疗器械的特殊性的缺陷，实际执行中医疗器械网络销售仍受限。2014年6月，经过修订的《条例》和《医疗器械经营监督管理办法》应运而生。其中明确指出，“互联网医疗器械经营有关管理规定由国家食品药品监督管理总局另行制定”。2017年，国家在监管政策上迈出了重要一步，取消了互联网药品交易服务机构资格证书的全类别审批制度，转而实行备案制，极大地降低了市场准入门槛，为医疗器械网络销售市场的开放和繁荣发展铺平了道路。2018年3月，作为医疗器械网络销售的特别规定，《医疗器械网络销售监督管理办法》正式生效[7]。这一办法的出台为医疗器械网络经营确立了“线上线下一致”的核心监管原则。它明确要求“从事医疗器械网络销售的企业应当是依法取得医疗器械生产许可、经营许可或者办理备案的医疗器械生产经营企业。法律法规规定不需要办理许可或者备案的除外”，从源头上规范了医疗器械网络销售企业的资质，为保障医疗器械网络销售的质量安全奠定了坚实基础。2019年1月，《中华人民共和国电子商务法》实施，将医疗器械纳入电子商务一般规则，强调平台责任（如资质核验、记录保存）。2021年6月，新版《医疗器械监督管理条例》实施。其中第四十六条首次在法律层面明确了医疗器械网络销售的相关规定，涵盖资质公示、数据真实等关键内容，为医疗器械网络销售的监管提供了强有力的法律依据，强化了法律效力和威慑力。至此，我国医疗器械网络销售的直接监管法律体系初步形成，包括《中华人民共和国电子商务法》《医疗器械监督管理条例》和《医疗器械网络销售监督管理办法》，构建了法律—法规—部门规章的完整法制框架[6]。

然而，随着我国电子商务的快速发展，我国医疗器械网络销售市场迎来了爆发式增长。据统计，从 2018 年至今，从事网络销售的医疗器械经营企业由 8717 家增至 36 万余家，第三方平台企业由 77 家增至 851 家。因此，为了进一步加强医疗器械网络销售监督管理，规范医疗器械网络销售质量管理，切实保障公众用械的安全有效，促进医疗器械产业的健康可持续发展，国家药监局颁布了《医疗器械网络销售质量管理规范》（国家药监局令 2025 年第 46 号，本章节内简称《规范》），并于 2025 年 10 月 1 日起正式实施，标志着我国医疗器械网络销售即将迈入一个全新的发展纪元。该《规范》分为四章共计五十条，重点围绕从事医疗器械网络销售的经营者和为医疗器械网络交易提供服务的电子商务平台经营者的管理提供指引。具体而言，一是明确基本原则，要求从事医疗器械网络销售和为医疗器械网络交易提供电子商务平台服务的主体，必须坚守诚实守信的底线，秉持风险管理的理念，确保网络销售医疗器械信息的真实、准确、完整和可追溯；同时，要采取切实有效的措施，防控网络销售医疗器械的质量安全风险，保障消费者的合法权益。二是规范网络销售行为，要求从事网络销售的医疗器械企业要展示经营主体信息、产品信息，加强质量管理体系建设，涵盖质量管理机构设置、人员培训、软硬件设备、体系文件、网络销售记录和运输等重点内容，全方位提升网络销售的质量管理水平。三是强化电商平台管理，指导电子商务平台经营者在医疗器械网络交易服务的全过程中，采取有效的质量控制措施，涵盖体系建立、制度职责、机构人员、文件数据管理、入网经营者管理、质量安全风险管理、体系审核与持续改进等方面，全面保障网络销售医疗器械产品的质量安全和可追溯。

8.4.3 医疗器械网络销售质量管理规范

为加强医疗器械网络销售质量管理，规范医疗器械网络销售行为，切实保障网络销售医疗器械质量安全，国家药监局严格依据《中华人民共和国电子商务法》《医疗器械监督管理条例》《医疗器械经营监督管理办法》《医疗器械网络销售监督管理办法》等法律法规，于 2025 年 4 月 28 日，正式出台并发布了《规范》（国家药监局令 2025 年第 46 号），并明确自 2025 年 10 月 1 日起正式施行。该《规范》共计五十条，分为总则、网络销售经营者质量管理、电商平台经营者质量管理和附则四大章节。《规范》的出台对指导企业和电商平台加强医疗器械网络销售质量管理、规范医疗器械网络销售行为、保障网络销售医疗器械质量安全具有重要意义。

（1）医疗器械网络销售质量管理规范概述　该《规范》是医疗器械网络销售质量管理的基本要求，从事医疗器械网络销售的经营者（以下简称网络销售经营者）和为医疗器械网络交易提供服务的电子商务平台经营者（以下简称电商平台经营者），都应当遵守该《规范》。从事医疗器械网络销售和为医疗器械网络交易提供电子商务平台服务，应当坚持诚实守信，确保网络销售医疗器械信息的真实、准确、完整和可追溯；应当坚持风险管理，采取有效措施防控网络销售医疗器械的质量安全风险。网络销售经营者和电商平台经营者应当按照本《规范》要求，建立健全与网络销售医疗器械相适应的质量管理体系，并持续改进，保证其有效运行。鼓励网络销售经营者和电商平台经营者采用大数据、云计算、人工智能等新方法、新技术实施质量控制，提升医疗器械网络销售质量管理水平。

（2）网络销售经营者质量管理　《规范》明确规定，网络销售经营者应当设立与网络销售范围、经营方式和销售规模相适应的质量管理机构。未设立质量管理机构的，应当指定专门的网络销售质量管理人员履行质量管理机构职责。网络销售经营者质量管理机构除应当履行《医疗器械经营质量管理规范》（2023 年第 153 号）规定的职责外，还应当履行下列职责：①收集与医疗器械网络销售相关的法律、法规、规章、规范等规定，并督促相关部门和岗位人员执行；②组织制定网络销售质量管理制度，指导、监督制度的执行，并对网络销售质量管理制度的执行情况进行检查、纠正和持续改进；③审核拟展示的医疗器械生产、经营许可或者备案信息、网络销售医疗器械产品信息等，并实行动态管理，确认相关信息展示持续符合要求；④对网络销售质量安全风险进行监测与处置；⑤对网络销售质量投诉进行调查、处理及报告；⑥对自建网站、客户端、应用程序及计算机系统和设施设备等功能进行确认与维护（若有）；⑦对拟入驻的电商平台经营者资质进行审查和管理（若有）；⑧其他应当由质量管理机构履行的职责。网络销售经营者从事第二类、第三类医疗器械批发业务的，其质量管理机构还应当对购货者资格进行审核并实施动态管理。

根据《规范》要求，网络销售经营者的企业负责人、质量负责人和质量管理人员等，应当满足《医疗器械经营质量管理规范》规定的相关人员资格要求。网络销售经营者应当对相关岗位人员进行医疗器械网络销售相关法律法规的培训与考核。网络销售经营者应当配备与网络销售范围和网络销售规模相适应的软硬件设备或者技术条件。通过自建网站、客户端、应用程序等方式开展网络销售的网络销售经营者，其计算机系统、设施设备或者技术条件应当具备数据备份、故障恢复等功能，并制定网络安全事件的应急预案，相关信息系统和存储数据的服务器应当存放在中华人民共和国境内。通过入驻电子商务平台方式销售医疗器械的网络销售经营者，应当确认拟入驻电商平台经营者的相关资质，建立入驻电商平台档案，并实施动态管理。

根据《规范》规定，网络销售经营者建立的质量管理体系文件除应当满足《医疗器械经营质量管理规范》规定外，至少还应当涵盖如下内容：①企业资质信息展示管理；②网络销售医疗器械产品审核与信息展示管理；③网络销售合同或者订单管理；④网络销售数据记录管理；⑤网络销售质量安全风险控制；⑥网络销售相关人员培训管理；⑦自建网站、客户端、应用程序的质量控制功能确认与变更管理以及网络销售交易安全保障管理（若有）；⑧入驻电子商务平台资质审查管理（若有）。

网络销售经营者应当在其网站首页或者经营活动的主页面等显著位置，持续展示如下资质信息：①医疗器械经营企业从事网络销售的，展示医疗器械经营许可证或者第二类医疗器械经营备案凭证的图片或者相关电子证书的链接标识；②自行生产医疗器械的医疗器械注册人通过网络销售其注册产品的，展示医疗器械生产许可证图片或者相关电子证书的链接标识；③委托生产医疗器械的医疗器械注册人通过网络销售其注册产品的，展示医疗器械注册证图片或者相关电子证书的链接标识。其中，仅销售第一类医疗器械和免于经营备案第二类医疗器械的除外。

网络销售经营者应当在产品页面显著位置持续展示如下与医疗器械产品相关的信息：①展示网络销售医疗器械的医疗器械注册证或者第一类医疗器械备案信息表的图片或者相关电子证书的链接标识；②销售角膜接触镜、助听器等有特殊验配要求医疗器械的，应当展示“佩戴本产品，应由眼视光专业人士进行验配”“验配助听器前应经过专业的检查及听力测试，并在助听器验配师调试并试听试戴和验配师指导下使用”等警示信息；③以零售方式通过网络销售医疗器械的，应当展示“购买和使用前请仔细阅读产品说明书或者在医务人员的指导下购买和使用”等警示信息，产品说明书中对贮存、运输及安全使用有特别说明的，还应当以文本、图片或者链接标识等方式展示医疗器械产品说明书。

《规范》明确要求，网络销售经营者展示的医疗器械相关文本、图片、视频等信息，应当真实、完整、清晰，医疗器械注册证编号、第一类医疗器械备案编号、医疗器械生产经营许可证编号以及第二类医疗器械经营备案编号等信息应当以文本形式展示。网络销售经营者展示医疗器械的名称、注册人（备案人）名称、生产企业或者受托生产企业名称、进口医疗器械代理人名称以及产品型号、规格、结构及组成、适用范围、禁忌证等信息，应当与所售产品的医疗器械注册证或者备案信息表、医疗器械说明书和标签等载明的内容保持一致。若相关信息发生变更，则应当按规定及时更新。网络销售经营者应当加强对展示信息的审核和动态监测，发现不符合法律、法规、规章、规范等规定要求的，应当及时停止展示或者按要求更改，并保存相关记录。

《规范》明确规定，从事第二类、第三类医疗器械批发业务的网络销售经营者，应当按照《医疗器械经营质量管理规范》的要求对购货者证明文件、经营范围等进行核实，建立购货者档案，保证医疗器械销售流向真实、准确、完整和可追溯。网络销售经营者应当加强网络销售记录管理。网络销售记录除应当符合《医疗器械经营质量管理规范》的要求外，还应当记录网络销售订单号，妥善保存网络销售数据。同时，规定从事医疗器械零售的网络销售经营者，应当为购货者开具销售凭据。从事医疗器械批发的网络销售经营者，应当为购货者开具随货同行单。销售凭据、随货同行单内容除符合《医疗器械经营质量管理规范》的要求外，还应当包括网络销售订单号等信息。

根据《规范》，网络销售经营者应当按照相关制度以及运输操作规程要求运输医疗器械，按照所销售医疗器械说明书和标签标示的运输、贮存条件要求，选择合理的运输方式，做好运输过程的产品防护，确保运输过程医疗器械产品的质量安全，并做好运输记录。网络销售经营者委托其他具备质量保障能力的承运单位运输医疗器械的，应当签订委托运输质量保证协议，并定期对承运单位运输医疗器械的质量保障能力进行评估，确保运输过程的质量安全。网络销售医疗器械运输记录应当包括网络销售订单号、运输方式，医疗器械名称、型号、规格、注册证编号或者备案编号，以及生产批号或者序列号、单位、数量、发货地址、发货日期等内容。委托运输时还应当记录承运单位名称和运单号，自行运输时应当记录运输车辆车牌号和运输人员姓名。从事医疗器械批发的网络销售经营者，运输记录还应当包括收货单位名称、地址、联系方式等。

网络销售经营者应当在其网站首页或者从事经营活动的主页面显著位置，展示售后服务与客户投诉的联系方式，并对客户意见的处理和反馈情况进行记录。网络销售经营者应当重点关注和收集药品监管部门、医疗器械注册人（备案人）、供货者、购货者以及入驻电商平台经营者等发布和告知的医疗器械质量风险信息，及时对销售的医疗器械进行检查，发现存在质量问题或者安全隐患的，应当依法采取暂停产品信息展示、暂停销售等相应的风险控制措施。从事医疗器械网络销售的医疗器械注册人（备案人）以及第二类、第三类医疗器械经营企业按照规定开展质量管理体系自查的，其自查报告还应当包括医疗器械网络销售相关质量管理体系的运行情况。

（3）电商平台经营者质量管理　《规范》明确规定，电商平台经营者应当依法履行医疗器械网络销售质量安全管理责任，按照法律、法规、规章、规范等规定的要求为医疗器械网络交易提供电子商务平台服务，对入网的网络销售经营者进行实名登记，审查其医疗器械相关许可、备案等情况和网络销售医疗器械产品注册、备案情况，采取有效措施对平台内医疗器械经营者的经营行为进行管理。

电商平台经营者法定代表人或者主要负责人全面负责医疗器械网络销售质量安全，应当履行下列主要职责：①确保质量管理体系有效运行所需的人力资源、基础设施和工作环境等条件，保证质量安全管理负责人、质量安全管理人员有效履行职责；②确保电商平台按照法律、法规、规章、规范等规定的要求为医疗器械网络交易提供电子商务平台服务；③每季度至少听取一次质量安全管理负责人工作情况汇报，对平台医疗器械网络销售质量安全风险情况进行工作会商和总结，对重点工作作出调度安排，形成医疗器械网络销售质量安全风险会商会议纪要。电商平台经营者的质量安全管理负责人负责医疗器械网络销售质量安全管理工作，承担相应的质量安全管理责任。电商平台经营者应当确保质量安全管理负责人独立履行职责，在企业内部对医疗器械质量安全管理具有裁决权。

《规范》明确要求，电商平台经营者应当设立与医疗器械网络交易服务规模和医疗器械风险程度相适应的医疗器械质量安全管理机构，并设置相应工作岗位。未设立质量安全管理机构的，应当指定专门的医疗器械质量安全管理人员履行质量安全管理机构的职责。电商平台经营者医疗器械质量安全管理机构应当履行下列主要职责：①收集医疗器械网络交易服务相关的法律、法规、规章、规范等规定，对相关部门和岗位人员组织培训；②组织制定质量管理体系文件，指导、监督执行，并对质量管理体系文件的执行情况进行检查、纠正和持续改进；③对计算机系统质量控制功能进行确认；④对入网的网络销售经营者进行实名登记，审查其经营许可、备案情况和所经营医疗器械产品注册、备案情况；⑤对平台内网络销售经营者展示的信息进行检查和监控；⑥对平台内医疗器械网络销售违法违规行为进行识别与处置；⑦对医疗器械质量安全投诉进行管理和处置；⑧对平台内医疗器械产品质量安全风险进行监测与处置；⑨对质量管理记录进行管理；⑩配合药品监管部门、医疗器械注册人（备案人）以及平台内网络销售经营者实施医疗器械不良事件的收集和报告、产品召回等工作。

根据《规范》，电商平台经营者法定代表人、主要负责人、质量安全管理人员应当熟悉法律、法规、规章、规范等规定要求，不得有相关法律、法规禁止从业的情形。电商平台经营者应当对质量安全管理人员及相关岗位人员进行培训，根据岗位需求与能力制定适宜的培训计划，按计划开展培训并评估培训效果，做好相关记录。培训应当包括下列内容：①法律、法规、规章、规范等规定要求；②医疗器械相关专业知识；③平台质量管理制度、岗位职责等。电商平台经营者应当配备与医疗器械网络交易服务规模相适应的办公场所、软硬件设施设备或者技术条件，具备数据备份、故障恢复等功能，并制定网络安全事件的应急预案，相关信息系统和存储数据使用的服务器应当存放在中华人民共和国境内。电商平台经营者应当确保其网站、客户端、应用程序及相关软件系统至少具备下列管理功能，并记录相关功能变化情况：①展示平台证照信息；②展示网络销售经营者资质信息、网络销售医疗器械产品信息；③对入网的网络销售经营者医疗器械经营许可、备案情况和所经营医疗器械产品注册、备案情况进行审查和警示提醒；④对网络销售经营者展示的经营主体资质信息、网络销售医疗器械产品信息以及医疗器械相关文本、图片、视频等信息进行检查和监控；⑤对网络交易服务过程和医疗器械交易过程的各项信息记录进行生成、保存和备份；⑥对医疗器械网络销售相关违规行为进行制止，对严重违法行为停止提供网络交易服务；⑦为医疗器械批发业务提供网络交易服务的，还应当具备对购货者资格进行审核、信息记录等功能。

根据《规范》要求，电商平台经营者应当依照本《规范》建立健全覆盖医疗器械网络交易服务全过程的质量管理制度、工作程序和记录等质量管理体系文件。质量管理体系文件应当与医疗器械网络交易服务规模和医疗器械风险程度相适应并持续有效，至少应当包含如下内容：①机构设置与岗位质量管理职责；②人员培训管理；③质量管理体系文件审核批准管理；④质量记录管理；⑤入网医疗器械网络销售经营者资质审核管理；⑥平台内医疗器械信息检查监控管理；⑦平台内医疗器械信息发布、交易记录等数据管理；⑧平台内医疗器械网络交易数据安全保障；⑨平台内网络销售违法行为制止及报告；⑩平台内网络销售严重违法行为的停止提供网络交易服务；⑪平台内医疗器械质量安全投诉举报处理；⑫平台内医疗器械质量安全监测管理；⑬质量管理体系审核；⑭配合开展医疗器械不良事件调查和召回管理；⑮突发事件应急处置。提供运输服务的电商平台经营者，还应当建立医疗器械运输安全监测与保障制度。同时，电商平台经营者应当建立质量管理体系文件审核批准管理制度，对质量管理体系文件实施动态管理，系统设计、制定、审核、批准和发放质量管理体系文件，并至少包含如下内容：①文件的起草、修订、审核、批准、替换或者撤销、复制、保管和销毁等应当按照程序管理，并有相应的文件分发、替换或者撤销、复制和销毁记录；②文件更新或者修订时，应当按规定评审和批准，能够识别文件的更改和修订状态；③分发和使用的文件应当为受控的版本，已撤销或者作废的文件应当进行标识，防止误用。

此外，电商平台经营者还应当建立覆盖医疗器械网络交易服务全过程的质量管理记录，确保医疗器械网络交易服务活动可追溯。电商平台经营者应当采用信息化手段，对相关记录与数据进行管理，确保记录与数据的真实、准确和完整，保证创建、更改和删除原始数据的行为可追溯。电商平台经营者应当在其网站首页、客户端、应用程序主页面显著位置展示其医疗器械网络交易服务第三方平台备案编号。电商平台经营者应当制定并执行保障平台内医疗器械网络销售质量安全的平台规则，与入网的网络销售经营者签订书面协议，明确医疗器械网络销售质量管理要求，约定双方质量责任和义务。电商平台经营者应当在平台规则、入网协议等文件中明确对入网的网络销售经营者资质审核、展示经营资质信息和产品信息等有关管理要求，以及发生医疗器械质量投诉、不良事件、违法违规行为等情形时的处置措施。

根据《规范》中的相关规定，电商平台经营者应当对入网的网络销售经营者进行实名登记，查验其医疗器械经营许可、备案情况和所经营医疗器械产品注册、备案情况，并建立档案。档案至少应当涵盖如下内容：①网络销售经营者名称、统一社会信用代码、平台赋予的唯一身份标识、住所、经营地址、经营方式、经营范围、联系方式等基础信息；②网络销售经营者法定代表人或者企业负责人身份证明文件的复印件或者扫描件；③第二类、三类医疗器械注册证、第一类医疗器械备案信息表、医疗器械生产经营许可证、第二类医疗器械经营备案凭证等资质证件复印件、扫描件或者相关电子证书；④网络销售经营者店铺名称和链接；⑤网络销售经营者被平台实施违法行为制止、服务停止的情况记录（若有）。网络销售经营者档案至少每六个月核验更新一次。电商平台经营者应当保存平台内网络销售经营者发布的医疗器械产品信息、支付记录、物流快递、退换货以及售后服务等交易信息，并保证相关信息数据的完整性和安全性。电商平台经营者应当持续对平台内网络销售经营者展示的经营主体、产品信息及其经营行为进行检查和监控，并保存相关记录。检查和监控的重点包含如下内容：①网络销售经营者是否按照本规范要求展示资质信息；②网络销售经营者销售的医疗器械产品是否已取得医疗器械注册证或者备案；③网络销售经营者展示和发布的医疗器械产品销售信息是否与经注册或者备案的信息保持一致；④网络销售的产品和销售方式是否与网络销售经营者经许可或者备案的经营范围、经营方式保持一致。

《规范》中还规定，电商平台经营者应当建立平台内医疗器械网络销售违法违规行为发现处置制度，发现平台内网络销售经营者存在未按要求展示经营主体资质信息、未按要求展示产品信息等行为，应当要求网络销售经营者立即改正，并记录其违规行为和整改情况。未按要求改正的，应当立即向网络销售经营者所在地设区的市级药品监督管理部门报告。电商平台经营者发现平台内网络销售经营者可能存在未经许可或者备案销售医疗器械，销售未经注册或者未备案的医疗器械，超出许可或者备案的经营范围、经营方式销售医疗器械，以及销售药品监督管理部门公布的不得销售、使用的医疗器械等严重违法行为的，应当立即停止提供相应网络交易服务，停止展示医疗器械相关信息，并向网络销售经营者所在地设区的市级药品监督管理部门报告。

《规范》要求，电商平台经营者应当关注平台内网络销售经营者的售后服务情况，督促网络销售经营者畅通售后服务渠道，建立售后服务档案，对客户售后服务问题的处置过程、调查与评估、处理措施、反馈和事后跟踪等情况进行记录。电商平台经营者应当建立投诉举报管理制度，公开投诉举报方式等信息，督促平台内网络销售经营者对被投诉的医疗器械质量安全问题查明原因，采取有效措施及时处理和反馈，保存有关记录。必要时，电商平台经营者可以主动对相关的医疗器械质量安全问题投诉进行调查处置。电商平台经营者可以通过购货者投诉分析、质量检验等方式加强医疗器械质量安全风险监测。电商平台经营者发现平台内销售的医疗器械可能存在不符合强制性标准以及经注册或者备案的产品技术要求，或者其他严重质量安全隐患的，应当立即采取暂停展示医疗器械网络销售信息、暂停提供相应网络交易服务等风险控制措施，并向网络销售经营者所在地设区的市级药品监督管理部门报告。

《规范》还要求，电商平台经营者应当主动关注和收集药品监督管理部门网站发布的医疗器械监督检查、行政处罚、监督抽检、产品召回等监管动态信息，并及时开展自查。电商平台经营者发现平台内产品可能存在质量问题或者安全隐患的，应当及时督促相关网络销售经营者核实，依法采取自查整改、暂停发布产品信息、暂停销售等风险控制措施；电商平台经营者获知平台内网络销售经营者被药品监督管理部门责令停产停业、吊销许可证件、取消备案等处罚的信息，应当立即停止提供相关网络交易服务。电商平台经营者应当定期开展质量管理体系审核，当质量管理体系出现重大变化时，应当及时开展质量管理体系审核，审核内容至少应当涵盖以下方面：①质量管理制度与法律、法规、规章、规范等规定的符合性；②各项质量管理制度是否得到有效培训与实施；③质量管理记录的真实性、完整性与准确性以及数据记录的备份保存是否满足可追溯要求；④对平台实施的医疗器械质量安全风险监测、医疗器械网络销售违法行为制止、质量安全投诉管理和处置等情况是否进行分析并采取有效措施；⑤质量管理体系重要变更情况，包括：主要负责人、质量安全管理负责人、质量安全管理人员等重要岗位人员变更情况，网站、客户端、应用程序及相关软件系统名称变更，交易模式变更等；⑥药品监督管理部门发现的问题是否有效整改。电商平台经营者开展质量管理体系审核应当有记录，包括审核的基本情况、内容和结果等。针对审核发现的问题，电商平台经营者应当调查问题产生的原因，采取相应的纠正和预防措施，并对纠正和预防措施进行跟踪和评估。

8.5 医疗器械进口监督管理

8.5.1 医疗器械进口行业现状

我国的医疗器械行业起步较晚，过去与欧美发达国家相比相去甚远。我们国家在早期很长的一段时间里，许多医疗器械特别是高端的医疗器械完全依赖于进口。而随着我国经济的发展、科技的进步和国家对医疗器械行业鼓励自主研发的政策的支持，这种状况正在发生转变，我们的进口依赖程度逐渐下降。

2024 年，全球主要经济体增长乏力，导致医疗采购预算收紧，尤其对高端进口设备需求形成抑制；中美科技竞争加剧、区域贸易协定（如 RCEP）生效，推动全球医疗器械供应链向“区域化+本土化”转型；同时中美贸易摩擦、俄乌冲突等事件加剧了供应链的不确定性，倒逼中国加速关键零部件国产化替代。依据中国医药保健品进出口商会所公布的权威统计数据，2024 年全国医疗器械进口额为 358 亿美元，与上一年度相比，呈现出 4.7%的下滑态势。近年来，我国医疗器械行业在研发领域持续加大投入、深耕细作，展现出蓬勃的发展活力与强劲的创新动力，在高端影像设备（如 3.0T 磁共振）、心血管介入器械（如可降解支架）、体外诊断试剂等领域取得核心技术突破，直接替代了部分进口产品。例如，联影医疗的 CT 设备已占据国内中高端市场 30%以上的份额。通过“卡脖子”技术攻关，国产企业在超声探头、内窥镜光学系统等关键零部件上实现自产，进口依赖度由 2019 年的 65%下降至 2024 年的 48%。

在政策层面，我国持续推进医疗器械集采与国产替代政策，为技术水平相当、性价比更高的国产器械创造了更为广阔的市场空间，助力其进一步提升市场占有率。以冠脉支架为例，集采后进口品牌单价从 1.3 万元降至 700 元，迫使外资企业通过本土化生产维持竞争力。在政策推动下，县域医共体采购国产设备占比从 2020 年的 42%提升至 2024 年的 68%，形成差异化市场空间。与此同时，这些政策也促使外资企业积极调整战略布局，加大在中国本地化生产的投资力度，以更好地适应市场变化。例如，GE 医疗在成都投产的 CT 生产基地，国产化率达 85%；西门子医疗上海基地实现了磁共振系统核心部件 100%本土化。中国巨大的市场需求和发展潜力，正在吸引更多的海外力量进入中国，创新、转型、合作、共赢已成为这个时代发展的主旋律。在政策和市场双重作用下，自 2022 年起，我国医疗器械进口额已连续三年呈同比下降趋势。当前，我国医疗器械行业正处于从“跟跑”向“并跑”转变的关键期，需通过精准施策实现“技术突破—政策引导—市场反馈”的良性循环，在保障医疗安全的前提下，推动产业向全球价值链中高端攀升。

从进口市场的维度来审视，美国、德国、日本依旧稳坐我国医疗器械进口来源国的“前三把交椅”。2024 年，这三大市场为我国输送的医疗器械进口份额合计占比达 51.3%。然而，与上一年度相比，这一占比出现了 2.4 个百分点的下滑。进口集中度的降低，反映我国医疗器械供应链正朝着多元化方向稳步迈进。这主要是因为中国高端医学装备的进口替代加快以及跨国公司在中国本土化生产的不断投入。2024 年我国医疗器械前十大进口市场列表如表 8-2 所示。在进口前十大贸易伙伴当中，仅墨西哥和爱尔兰实现了进口增长，美国、德国、日本以及其余五大市场的进口亦出现不同程度的下降。值得关注的是，来自捷克、哥斯达黎加、越南、波多黎各等贸易伙伴国的进口额增幅超过 10%，显示出这些国家在我国医疗器械进口市场上逐渐崭露头角。

表 8-2 2024 年我国医疗器械前十大进口市场

伙伴国/地	出口额/亿美元	占比/%	同比/%
美国	85.2	23.8	−8.1
德国	64.1	17.9	−10.6
日本	34.3	9.6	−9.9
墨西哥	24.4	6.8	4.8
爱尔兰	15.9	4.5	4.5
瑞士	14.3	4.0	−5.6
英国	9.7	2.7	−13.3
新加坡	8.6	2.4	−5.7
法国	8.4	2.3	−0.6
荷兰	8.3	2.3	−14.9

8.5.2 医疗器械进口注册与备案

依照《条例》（国务院令第 739 号）相关规定，我国进口的医疗器械应当是已注册或者已备案的医疗器械。进口的医疗器械应当有中文说明书、中文标签。说明书、标签应当符合本《条例》规定以及相关强制性标准的要求，并在说明书中载明医疗器械的原产地以及境外医疗器械注册人、备案人指定的我国境内企业法人的名称、地址、联系方式。没有中文说明书、中文标签或者说明书、标签不符合本条规定的，不得进口。医疗机构因临床急需进口少量第二类、第三类医疗器械的，经国务院药品监督管理部门或者国务院授权的省、自治区、直辖市人民政府批准，可以进口。进口的医疗器械应当在指定医疗机构内用于特定医疗目的。禁止进口过期、失效、淘汰等已使用的医疗器械。负责药品监督管理的部门应当向社会及时公布注销医疗器械注册证和取消备案的情况。被注销医疗器械注册证或者取消备案的医疗器械不得继续进口。

在国家药监局发布的《进口医疗器械代理人监督管理办法（征求意见稿）》[8] 中，明确了进口医疗器械代理人（以下简称代理人）的定义，即“向我国境内出口医疗器械的境外医疗器械上市许可持有人在我国境内设立的代表机构或者授权的唯一我国境内的企业法人”。国家药监局负责指导全国代理人监管工作。省级药监部门负责本行政区域内代理人监管工作。同时，本《征求意见稿》已明确代理人需建立质量管理体系、不良事件监测及召回机制，并要求每年提交年度自查报告。北京市率先出台《北京市进口医疗器械代理人管理规定（试行）》，对代理人实施分级分类管理，将高风险产品代理人列为重点监管对象，要求其每季度提交产品风险评估报告。依照《医疗器械注册与备案管理办法》（国家市场监督管理总局令第 47 号）规定，境外申请人、备案人应当指定中国境内的企业法人作为代理人，办理相关医疗器械注册、备案事项。代理人应当依法协助注册人、备案人履行《条例》第二十条第一款规定的义务，并协助境外注册人、备案人落实相应法律责任。代理人名称、住所及联系方式等信息应当在医疗器械注册证或备案信息中载明。

8.5.3 医疗器械进口检验监管

《条例》第五十八条规定，出入境检验检疫机构依法对进口的医疗器械实施检验；检验不合格的，不得进口。国务院药品监督管理部门应当及时向国家出入境检验检疫部门通报进口医疗器械的注册和备案情况。进口口岸所在地出入境检验检疫机构应当及时向所在地设区的市级人民政府负责药品监督管理的部门通报进口医疗器械的通关情况。

为进一步加强进口医疗器械的检验监督管理，切实保障人体健康和生命安全，国家质检总局依据《中华人民共和国进出口商品检验法》及其实施条例和其他有关法律法规，制定了《进口医疗器械检验监督管理办法》，自 2007 年 12 月 1 日起正式施行。《进口医疗器械检验监督管理办法》明确了对医疗器械进口单位实施分类管理的原则，要求对进口医疗器械实施严格的检验监管，并建立了进口医疗器械风险预警及快速反应的管理机制。同时，《进口医疗器械检验监督管理办法》还明确了国家质检总局和各地出入境检验检疫机构在进口医疗器械检验监督管理中的职责。国家质检总局主管全国进口医疗器械检验监督管理工作，负责制定政策、标准和措施，组织协调全国范围内的监管工作。各地出入境检验检疫机构则负责所辖地区的具体监管工作，包括实施检验、收集风险信息、执行快速反应措施等。这种职责明确的协同监管模式有助于形成上下联动、左右协同的监管合力，提高监管效能。

8.5.3.1 医疗器械进口单位分类监管

依据医疗器械进口单位的管理水平、诚信度，以及进口医疗器械产品的风险等级、质量状况及进口规模，检验检疫机构对其实施分类监管，具体分为三类。医疗器械进口单位可依条件自愿申请分类管理。

（1）进口单位分类要求　根据《进口医疗器械检验监督管理办法》，一类进口单位需符合如下条件：

① 严格遵守《中华人民共和国进出口商品检验法》及其实施条例、国家相关法律法规及国家质检总局相关规定，诚信度高，连续 5 年无不良记录；

② 具备健全的质量管理体系，已获得 ISO 9000 质量体系认证，并建立完善的质量管理制度，包括进口报检、进货验收、仓储保管、质量跟踪和缺陷报告等；

③ 拥有 2 名以上经检验检疫机构培训合格的质量管理人员，熟悉产品技术、性能和结构，了解我国对进口医疗器械的检验监督管理；

④ 代理或经营实施强制性产品认证制度的进口医疗器械产品，需获得相应证明文件；

⑤ 代理或经营的进口医疗器械产品质量信誉良好，2 年内没有因为产品质量责任方面的问题而发生退货、索赔或其他事故；

⑥ 连续从事医疗器械进口业务不少于 6 年，并提供相应证明文件；

⑦ 近 2 年每年的进口批次不少于 30 批；

⑧ 收集并保存医疗器械相关的国家标准、行业标准、法规规章及专项规定，建立并保存完善的进口医疗器械资料档案，保存期不少于 10 年；

⑨ 具备与进口医疗器械产品相适应的技术培训和售后服务能力，或约定由第三方提供技术支持；

⑩ 拥有与进口医疗器械产品范围、规模相适应的、相对独立的经营场所和仓储条件。

根据《进口医疗器械检验监督管理办法》，二类进口单位需具备如下条件：

① 严格遵守相关法律法规及国家质检总局规定，诚信度较高，连续 3 年无不良记录；

② 具有健全的质量管理体系和质量管理制度，包含进口报检、进货验收、仓储保管、质量跟踪和缺陷报告等；

③ 拥有 1 名以上经检验检疫机构培训合格的质量管理人员，熟悉产品技术、性能和结构，了解我国对进口医疗器械的检验监督管理；

④ 代理或经营实施强制性产品认证制度的进口医疗器械产品，需获得相应证明文件；

⑤ 代理或经营的进口医疗器械产品质量信誉良好，1 年内无由于产品质量责任方面的退货、索赔或其他事故等的发生；

⑥ 连续从事医疗器械进口业务不少于 3 年，并能提供相应证明文件；

⑦ 近 2 年每年的进口批次不少于 10 批；

⑧ 收集并保存医疗器械相关的国家标准、行业标准、法规规章及专项规定，建立并保存较为完善的进口医疗器械资料档案，保存期不少于 10 年；

⑨ 具备与进口医疗器械产品相适应的技术培训和售后服务能力，或约定由第三方提供技术支持；

⑩ 具备与进口医疗器械产品范围和规模相适应的、相对独立的经营场所。

根据《进口医疗器械检验监督管理办法》，三类进口单位包含如下几类：

① 从事进口医疗器械业务不满 3 年；

② 从事进口医疗器械业务已满 3 年，但未提出分类管理申请；

③ 提出分类申请，但经考核不符合一、二类进口单位的条件，未被列入一、二类分类管理。

（2）申请一类、二类进口单位的审核流程　根据《进口医疗器械检验监督管理办法》规定，申请一类、二类进口单位的审核流程大体如下：

① 提交申请材料

申请成为一类或二类医疗器械进口单位时（以下简称申请单位），需向所在地直属检验检疫局提出申请并提交下列材料：带有授权人签字和单位盖章的书面申请书；法人营业执照、医疗器械经营企业许可证；质量管理体系认证证书、质量管理文件；质量管理人员参加检验检疫机构组织的培训并考核合格的证明文件；近 2 年的进口医疗器械批次的证明材料；遵守国家医疗器械相关的法律法规并提供资料真实性的承诺书（自我声明）。

② 审核

收到申请单位提交的申请材料后，直属检验检疫局需在 5 个工作日内完成书面审核。若申请材料不齐全，立即通知申请单位补正，确保材料完整性。

申请一类进口单位时，直属检验检疫局首先完成书面审核，审核通过后组织现场考核，考核合格后将考核结果报告及相关材料提交国家质检总局。国家质检总局复核并定期对外公布一类进口单位名单，名单具有权威性。

申请二类进口单位时，直属检验检疫局完成书面审核后，可自行或授权委托进口单位所在地检验检疫机构组织现场考核。考核合格后，由直属检验检疫局核准并报送国家质检总局备案，直属检验检疫局定期对外公布二类进口单位名单，确保信息透明。

8.5.3.2 进口医疗器械风险等级及检验监管

（1）进口医疗器械风险等级　依据进口医疗器械的结构特征、使用形式、使用状况、国家医疗器械分类的相关规则，以及进口检验管理的需要等因素，国家质检总局将进口医疗器械产品划分为三个风险等级：高风险、较高风险和一般风险。进口医疗器械产品风险等级划分的具体依据可参见表 8-3。进口医疗器械产品风险等级目录由国家质检总局负责确定和调整，并于实施之日前 60 日进行公布。

表 8-3　进口医疗器械产品风险等级的划分

风险等级	依据
高风险	①植入人体的医疗器械； ②介入人体的有源医疗器械； ③用于支持、维持生命的医疗器械； ④对人体有潜在危险的医学影像设备及能量治疗设备； ⑤产品质量不稳定，多次发生重大质量事故，对其安全性、有效性必须严格控制的医疗器械
较高风险	①介入人体的无源医疗器械； ②不属于高风险的其他与人体接触的有源医疗器械； ③产品质量较不稳定，多次发生质量问题，对其安全性、有效性必须严格控制的医疗器械
一般风险	未列入高风险、较高风险等级的进口医疗器械

检验检疫机构对进口医疗器械实施分类检验监管，依据风险等级（高风险、较高风险、一般风险）和进口单位分类（一类、二类、三类）设定不同的批次现场检验率，具体规定见表 8-4。

表 8-4　不同风险等级下对各类进口单位进口医疗器械的批次现场检验率

风险等级	批次现场检验率		
	一类进口单位	二类进口单位	三类进口单位
高风险	≥50%	100%	100%
较高风险	≥30%	≥50%	100%
一般风险	≥10%	≥30%	≥50%

根据需要，针对高风险的进口医疗器械，国家质检总局可以按照对外贸易合同的约定，组织实施监造、装运前检验和监装等措施。

（2）报检及报关　进口医疗器械在报关时需遵循严格的检验检疫流程，进口医疗器械的收货人或其代理人（以下简称报检人）需向报关地（入境口岸）的检验检疫机构报检，并提交以下文件：

① 报检规定要求提供的常规文件（如合同、发票、装箱单、提单等）；

② 若医疗器械属于《实施强制性产品认证的产品目录》内，需提供有效的中国强制性产品认证证书；

③ 国务院药品监督管理部门审批的进口医疗器械注册证；

④ 进口单位若属于一、二类管理类别，需提供检验检疫机构签发的分类证明文件。

由口岸检验检疫机构对提交的报检材料进行审核，不符合要求即通知报检人补正或说明；若符合要求即签发《入境货物通关单》，允许货物通关。货物凭《通关单》办理海关手续后，报检人需及时申请检验（不可擅自销售或使用未经检验的货物）。

（3）品质检验　我国对进口医疗器械的检验监管体系具有明确的法律依据和操作规范，主要依据《中华人民共和国进出口商品检验法》《医疗器械监督管理条例》等法规。原则上要求进口医疗器械在报检时申报的目的地实施检验，确保检验与产品实际使用场景衔接。针对需结合安装调试实施检验的进口医疗器械（例如大型影像设备、放疗设备等），必须在报检时明确具体使用地，由使用地检验检疫机构实施检验，此类进口医疗器械目录由国家质检总局对外公布。针对植入式医疗器械等特殊产品（如心脏起搏器、人工关节等），实行指定机构检验制度，由国家质检总局（现海关总署）动态公布目录。

检验检疫机构对进口医疗器械的监管依据和流程主要遵循以下规定：优先按照国家技术规范的强制性要求进行检验；若强制性国标尚未制定，可参照国家质检总局（现为国家市场监督管理总局）指定的国外标准（如 ISO、IEC 等国际标准或出口国标准）进行检验；对于纳入我国强制性产品认证（CCC 认证）目录的医疗器械，实施入境验证管理，查验 CCC 认证证书、进口许可文件等，必要时抽样送指定实验室，按 CCC 认证标准及相关国家标准进行检测。

检验检疫机构对进口医疗器械实施的现场检验和监督检验内容全面且严格，涵盖以下关键环节：

① 核查产品与注册证、合格证明等相关证书的一致性；

② 检查数量、规格型号、外观是否与申报相符；

③ 审查包装、标签、标志及中文说明书，如使用木质包装还须实施检疫；

④ 核查说明书及随机文件（如操作手册、保修单等）的完整性与准确性；

⑤ 机械强度、电气安全（如漏电流、接地电阻等）以及电磁兼容性等物理安全方面的检验；

⑥ 辐射剂量（如 X 射线设备）、噪声水平、生化污染等卫生安全方面的检验；

⑦ 有毒有害物质（如铅、汞）排放或残留、材料可回收性等环保安全方面的检验；

⑧ 涉及诊断、治疗类医疗器械的功能性测试方面的检验（如血糖仪准确度、超声设备成像清晰度）；

⑨ 核查产品标识、标志及中文说明书。

进口医疗器械经检验合格（符合中国强制性标准和技术规范）后，检验检疫机构会签发入境货物检验检疫证明，允许产品进入国内市场销售或使用。经检验属于一般不合格情形的，出具列明不合格项目及处理要求的检验检疫处理通知书；需索赔的，额外出具检验证书作为索赔依据。经检验属于涉及人身安全、健康、环保项目不合格，或技术处理后仍不合格等严重不合格情形的，由检验检疫机构责令销毁或退运，并书面通报海关，针对重大不合格情况还需逐级上报，确保全国监管联动。

8.5.3.3　进口捐赠医疗器械检验监管

进口捐赠的医疗器械禁止夹带列入我国《禁止进口货物目录》中的物品，且捐赠医疗器械必须为未经使用的全新产品。

境外捐赠机构或其中国代理机构需向国家质检总局（现海关总署/国家市场监督管理总局）备案捐赠机构及医疗器械信息。医疗器械受赠单位/代理人持批准文件向报关地检验检疫机构（属地海关）申报检验申请。检验检疫机构凭有效的相关批准文件接受报检，实施口岸查验，使用地检验。必要时（如高风险产品），国家质检总局可对进口捐赠的医疗器械实施装运前预检验。经检验合格的，海关出具入境货物检验检疫证明，受赠人方可使用；检验不合格的，按《商检法》处理（退运、销毁等）。

8.5.3.4 风险预警与快速反应

国家质检总局建立了针对进口医疗器械的风险预警机制。通过对缺陷进口医疗器械产品等信息的收集与监测评估，依照相关规定发布警示信息，并实施相应的风险预警措施及快速反应措施。对缺陷进口医疗器械的风险预警措施及快速反应措施详见表 8-5。

表 8-5　对缺陷进口医疗器械的风险预警措施及快速反应措施

风险预警措施	快速反应措施
①向检验检疫机构发布风险警示通报，加强对缺陷产品制造商生产的和进口单位进口的医疗器械的检验监管； ②向缺陷产品的制造商、进口单位发布风险警示通告，敦促其及时采取措施，消除风险； ③向消费者和使用单位发布风险警示通告，提醒其注意缺陷进口医疗器械的风险和危害； ④向国内有关部门、有关国家和地区驻华使馆或者联络处、有关国际组织和机构通报情况，建议其采取必要的措施	①建议暂停使用存在缺陷的医疗器械； ②调整缺陷进口医疗器械进口单位的分类管理的类别； ③停止缺陷医疗器械的进口； ④暂停或者撤销缺陷进口医疗器械的国家强制性产品认证证书； ⑤其他必要的措施

8.5.3.5 监督管理

检验检疫机构每年对一、二类进口单位至少开展一次监督审核，当进口单位满足下列任一情形时，检验检疫机构可依据情节轻重对其作降类处理：

① 存在不良诚信记录（如虚假申报、逃避监管等）；

② 所进口的医疗器械产品存在重大安全隐患或发生重大质量问题（如危及健康、引发召回等）；

③ 年进口批次中经检验检疫机构判定不合格的批次比例≥10%；

④ 年进口批次未达到分类管理对应的最低要求（具体标准需参照行业规定）；

⑤ 违反其他相关法律法规（如走私、伪造单证等）。

降类后的进口单位必须满 12 个月后方可申请恢复原分类管理类别，并且必须通过重新考核、核准并公布。

当进口医疗器械出现以下情形之一时，经检验检疫机构负责人批准后，可对其实施查封或扣押，但海关监管货物除外：

① 属于禁止进口的医疗器械；

② 存在安全卫生缺陷或健康隐患、环境污染风险；

③ 可能危害医患生命财产安全，且情况紧急的。

旧医疗器械进口仅允许下列两种情形：经国家质检总局及其他相关部门批准，用于科研等非患者用途的；符合国家规定，经原厂再制造且通过检验检疫机构合格评定，安全性能达到全新医疗器械标准。

8.5.4　医疗器械进口流程

我国医疗器械进口流程较为严格，需遵循多部门监管要求，关键环节如下：

① 境外企业需指定中国境内代理人，承担产品质量连带责任。代理人根据医疗器械产品的风险等级，向国家药品监督管理局申请办理注册或备案。部分进口企业需通过进口医疗器械的强制性产品认证（3C 认证），具体可参考《强制性产品认证目录》确认是否需 3C 认证。

② 国内医疗器械进口方与国外出口商应就产品规格、数量、价格、交货期、付款方式、质量标准、售后服务等条款进行充分协商，并签订正式的外贸合同。

③ 根据货物特性、交货期及成本等因素，境外出口方需按照合同要求及运输方式的规定，妥善包装货物，安排装运发货。

④ 进口收货人或其代理人需在货物到达报关地前，向当地检验检疫机构（现属海关管辖）提交报检申请及相关资料。

⑤ 进口收货人或其代理人需在货物到达进境地后，向当地海关提交报关申请及相关资料。

⑥ 进口收货人或代理人需按照海关核定的税费金额及时缴纳税费，海关在审核报关资料无误且税费已缴纳后，将对货物予以放行。

⑦ 在报检人报检时申报的目的地，检验检疫机构将对进口医疗器械进行品质检验。

⑧ 进口方需安排合适的运输方式将货物从进境地运输至最终目的地，并及时与进口商或其代理人办理交付手续，完成交付。

8.6　医疗器械出口监督管理

8.6.1　医疗器械出口行业现状

我国自 2001 年加入世界贸易组织（WTO）后，深度融入全球经济体系，医疗器械产品出口规模显著提升。初期，我国出口的医疗器械产品为基础医用耗材，凭借劳动力成本优势实现了出口规模的跨越式增长。后来，随着医疗器械国际市场需求疲软、国内生产成本上升和低端产品竞争日趋激烈等问题，我国出口的医疗器械产品比重逐步朝向具有一定技术壁垒的设备及耗材产品方向增加。2024 年，我国医疗器械出口呈现“逐季攀升、加速回暖”的态势。2024 年各季度出口额分别为 109.9 亿、119.8 亿、123.6 亿、134.4 亿美元，同比增速逐渐由一季度的 1.6％、二季度的 4.4％、三季度的 7.6％、加速至四季度的 14.8％，具体如图 8-7 所示。季度同比增速持续提升，表明出口动能持续增强，复苏态势显著。相比之下，2023 年可能因疫情需求退坡、全球供应链调整等因素导致出口承压，而 2024 年通过季度增长累积实现全年正增长，标志着行业彻底摆脱疫情后的“脉冲式波动”，进入常态化增长轨道。

从医疗器械主要细分领域的出口数据来看，五大类别均实现增长，反映出中国医疗器械产业在全球市场中的持续扩张态势，具体如图 8-8 和图 8-9 所示。其中，一次性耗材的表现尤为亮眼，其出口额一举突破百亿大关，高达 105.16 亿美元，在出口总额中占比 21.57％，占据近五分之一的份额。尤为值得一提的是，与上一年度相比，一次性耗材出口额实现了 13.91％的同比增长，这一增幅在医疗器械五大类产品中独占鳌头，彰显出强大的市场竞争力和蓬勃的发展活力。手套类产品的行情有所恢复，导管、插管等核心产品出口增幅显著是

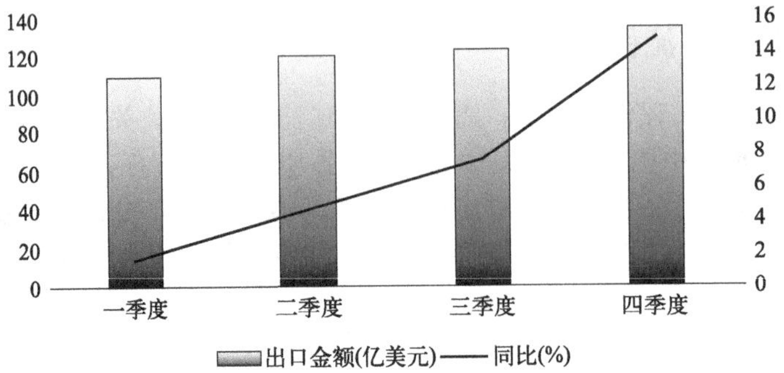

图 8-7　2024 年我国医疗器械季度出口走势图

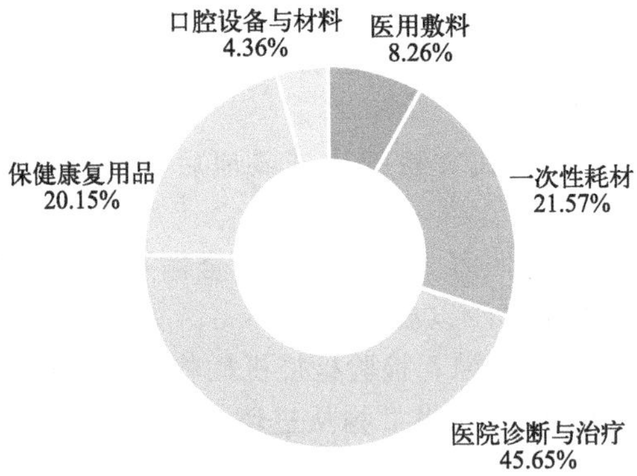

图 8-8　2024 年我国医疗器械出口细分类别占比图

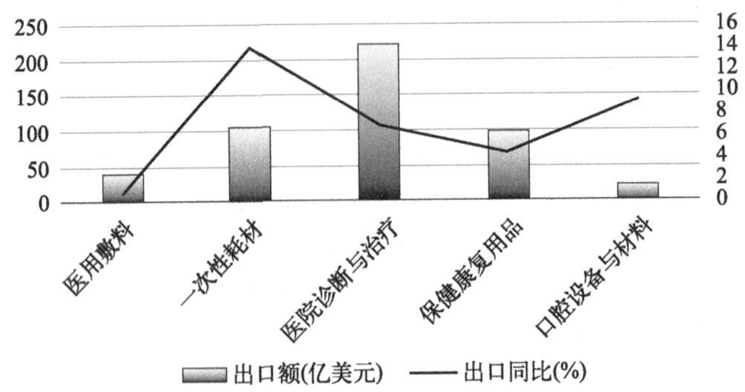

图 8-9　2024 年我国医疗器械出口细分类别统计图

拉动一次性耗材出口增长的驱动因素。

2024 年，医院诊断与治疗类产品的出口额达 222.57 亿美元，占比 45.65％，同比增长 6.87％。其中，内窥镜、体外诊断试剂、血压测量仪、成套核磁共振设备、麻醉设备等产品出口额实现两位数增长，表明这些细分领域在技术创新、产品质量、市场需求等方面具有突出优势，成为推动整体出口增长的重要动力。伴随医疗器械技术不断升级，高质量医学科技转化成果在出口中的比重持续提高，诊疗设备出口增长迅速，我国医疗器械产业正逐步向高端化、智能化、国际化方向发展，出口产品的附加值和技术含量不断提升。

保健康复用品的出口额为 98.25 亿美元，出口量占比为 20.15％，同比增长 18.6％。其中，尤其是小型按摩器具、矫形器具等细分品类国际需求旺盛，拉动出口明显。究其原因，一方面是全球健康意识提升，但经济下行压力下消费者更倾向于性价比高的产品（如小型按摩器替代高端按摩椅)；另一方面，国内企业产能过剩，通过降价抢占市场份额导致价格下滑。此外，由于国际老龄化，慢性病管理的需求增加，导致矫形或骨折用器具、残疾人用车等产品出口持续增长。

医用敷料类产品的出口额为40.26亿美元，同比微涨0.77%，基本持平，这是由于出口量占比8.26%，虽同比增长15.3%，但出口均价同比下滑12.6%。究其原因，一方面是因为全球疫情常态化后，防疫物资需求骤降，口罩作为低附加值产品价格竞争激烈，导致整体均价下行；另一方面常规敷料（如手术缝合、创伤护理等）仍是国际刚需，需求已逐渐恢复，但行业产能过剩导致低价竞争加剧。可喜的是，技术壁垒较高的新型敷料（如水胶体、泡沫敷料）出口逆势增长，成为结构性亮点。

2024年，口腔设备与材料出口维持良好增长势头，出口额达到21.27亿美元，同比增长9.05%。剖析其增长原因，主要得益于国内企业持续加大研发投入，技术实力显著提升，这是出口增长的重要内生动力。在数字化浪潮下，3D打印、AI等技术在口腔设备与材料领域广泛应用，推动产品升级。例如，部分企业研发的数字化口腔CBCT设备，成像更清晰、诊断更精准，达到了国际先进水平，从而吸引海外市场关注。与此同时，企业持续深耕国际市场，不断提升国产设备及材料的国际竞争力，进一步拉动了出口的快速增长。

2024年，在医疗器械全球贸易版图中，美国、欧洲及日本等发达国家和地区凭借其成熟的市场体系、先进的医疗技术和庞大的消费需求，依旧稳稳占据我国医疗器械主要出口市场的核心地位。从具体的出口市场排名来看，位列前十的依次为美国、日本、德国、俄罗斯、荷兰、印度、中国香港、英国、韩国以及澳大利亚，这一市场分布格局如表8-6所示。美国作为我国医疗器械最大的出口贸易国，2024年我国对其出口的医疗器械额度为117.6亿美元，在当年我国医疗器械出口总额中占据24.1%的市场份额，且与上一年度相比，实现了9.4%的同比增长。欧盟，作为仅次于美国的第二大医疗器械市场，始终是各大医疗器械厂商竞相角逐、拓展贸易出口的战略要地。据众成数科专业测算，2024年中国医疗器械出口欧盟的市场规模达到了739.83亿元，同比增长13.71%。欧盟国家中市场规模最大的是德国，2024年中国出口德国各类医疗器械209.08亿元，占整体规模的28.26%。市场增速最快的欧盟国家是波兰，2024年中国出口波兰各类医疗器械60.37亿元，同比增长22.43%。随着“一带一路”建设进程的不断加深，中国医疗器械出口市场逐步拓展至共建国家，这一战略布局为行业带来了显著的市场机遇与增长潜力。我国通过政策引导、产能合作及技术援助，推动医疗器械出口。例如，我国对东南亚、中东、非洲等地区的出口额显著增长，部分产品（如CT、MRI、超声设备）在当地市场份额快速提升。

表8-6　2024年我国医疗器械前十大出口市场

伙伴国/地	出口额/亿美元	占比/%	同比/%
美国	117.6	24.1	9.4
日本	27.0	5.5	−5.0
德国	25.9	5.3	8.0
俄罗斯	17.7	3.6	1.0
荷兰	15.1	3.1	12.6
印度	13.8	2.8	4.0
中国香港	13.5	2.8	−19.4
英国	13.3	2.7	11.9
韩国	13.1	2.7	3.7
澳大利亚	11.6	2.4	−1.2

8.6.2 医疗器械出口监管

随着我国对外医疗器械出口业务的增长，《条例》（国务院令第 739 号）针对出口医疗器械明确了多项规定。向我国境内出口第一类医疗器械的境外备案人，由其指定的我国境内企业法人向国务院药品监督管理部门提交备案资料和备案人所在国（地区）主管部门准许该医疗器械上市销售的证明文件。未在境外上市的创新医疗器械，可以不提交备案人所在国（地区）主管部门准许该医疗器械上市销售的证明文件。向我国境内出口第二类、第三类医疗器械的境外注册申请人，由其指定的我国境内企业法人向国务院药品监督管理部门提交注册申请资料和注册申请人所在国（地区）主管部门准许该医疗器械上市销售的证明文件。未在境外上市的创新医疗器械，可以不提交注册申请人所在国（地区）主管部门准许该医疗器械上市销售的证明文件。出口医疗器械的企业应当保证其出口的医疗器械符合进口国（地区）的要求（如通过美国 FDA、欧盟 CE 认证等），一般不实施商品检验。但在新冠疫情防控时期，中国为切实保障出口防疫物资的产品质量安全，进一步规范出口秩序，商务部、海关总署、国家药品监督管理局三部门迅速行动、协同合作，于 2020 年 3 月 31 日联合发布了《关于有序开展医疗物资出口的公告》（2020 年第 5 号）。其中明确规定，自 2020 年 4 月 1 日起，出口新型冠状病毒检测试剂、医用口罩、医用防护服、呼吸机、红外体温计等关键防疫物资的企业，在向海关报关时，必须向海关提交书面或电子声明，郑重承诺出口产品已成功取得中国医疗器械产品注册证书，并且明确保证产品完全符合进口国（地区）的质量标准要求。海关依据国家药监局批准的医疗器械产品注册证书对货物进行验放，确保每一批出口的防疫物资都质量过硬、安全可靠。2020 年 4 月 10 日，海关总署再度发力，发布了《海关总署公告 2020 年第 53 号》（对“6307900010”等海关商品编号项下的医疗物资实施出口商品检验）。这份公告进一步细化了监管措施，明确规定对“6307900010”等 11 个海关商品编号项下的 19 类医疗物资实施出口商品检验。这些商品涵盖了医用口罩、医用防护服、红外测温仪、呼吸机、医用手术帽、医用护目镜、医用手套、医用鞋套、病员监护仪、医用消毒巾、医用消毒剂等在抗疫过程中不可或缺的物资，从源头上把控了出口防疫物资的质量关。2020 年 4 月 25 日，商务部、海关总署、国家市场监督管理总局三部门再度携手，联合发布《商务部 海关总署 国家市场监督管理总局公告 2020 年第 12 号》（关于进一步加强防疫物资出口质量监管的公告）。该公告在前期的基础上，进一步强化了监管力度，明确规定自 4 月 26 日起：①出口的非医用口罩应当符合中国质量标准或国外质量标准，同时进口方需明确接受所购产品质量标准且承诺不将该产品用于医用用途，海关凭商务部提供的企业清单进行验放；②对于产品取得国外标准认证或注册的新型冠状病毒检测试剂、医用口罩、医用防护服、呼吸机、红外体温计的出口企业，报关时须提交电子或书面声明，承诺产品符合进口国（地区）质量标准和安全要求，海关凭商务部提供的取得国外标准认证或注册的生产企业清单进行验放。这一系列举措形成了一套严密的质量监管体系，为全球抗疫提供了有力的物资保障。但上述公告均只是全球疫情期间我国为规范防疫物资出口采取的临时监管措施，目前已动态废止。

8.7 医疗器械广告监督管理

随着我国医疗器械市场的蓬勃发展，医疗器械广告越来越多地进入了大众视野，成了企业推广产品、抢占市场先机的重要手段之一。医疗器械广告的宣传渠道也逐渐扩大，包括电视、网络、杂志、展览等，覆盖的人群更加广泛，尤其是数字化营销（短视频、直播电商等）更能精准触达目标用户群。医疗器械广告数量年年攀升，由于医疗器械直接关联公众健康安全，因而对医疗器械广告的合规监管相较一般商品广告更为严格。

8.7.1 医疗器械广告监管沿革

（1）医疗器械广告定义 《中华人民共和国广告法》中对广告的定义为，商品经营者或者服务提供者通过一定媒介和形式直接或者间接地介绍自己所推销的商品或者服务的商业广告活动。《医疗广告管理办法》规定，医疗广告指利用各种媒介或形式直接或间接介绍医疗机构或医疗服务的广告。《医疗器械广告审查办法》中对医疗器械广告的定义为，通过一定媒介和形式发布的，含有医疗器械名称、适用范围、性能和功能结构等信息的广告。

（2）医疗器械广告监管法规体系建设 我国医疗器械广告监管法规的沿革经历了从分散管理到系统化、专业化的发展过程，其沿革脉络如下。

1992 年 8 月 8 日，国家工商局与国家医管局联合颁布了第 9 号令，正式推出《医疗器械广告管理办法》，首次明确确立了医疗器械广告事先审查制度，要求发布广告需取得监管部门核发的医疗器械广告证明，这个阶段实行的是双部门监管机制，国家工商局监管广告内容，国家医管局进行广告技术审查，为后续监管奠定基础。

1994 年 10 月 27 日第八届全国人民代表大会常务委员会第十次会议通过了《中华人民共和国广告法》，该法是我国颁布的第一部对广告进行全面规制的法律，对广告活动做了总体规范，有利于维护消费者合法权益和我国社会主义市场经济秩序，对广告业的健康发展起到了促进作用。该法作为广告领域的核心立法，对医疗器械广告具有间接约束力，同期《广告管理条例》及实施细则中对违法广告的处罚规定同样适用于医疗器械领域，这些规定与后续专项法规形成互补。

1995 年，我国医疗器械广告监管领域迎来重要变革，两部具有关键意义的配套法规应运而生，为规范医疗器械广告市场筑牢了制度根基。其中，《医疗器械广告审查标准》对广告内容的真实性、科学性、合理性以及发布形式的规范性等方面提出了详尽且明确的具体要求，让广告主和媒体在制作与发布广告时有章可循、有据可依。而《医疗器械广告审查办法》则进一步细化了广告审查的流程，清晰界定了审查主体的职责与权限，明确了各环节的责任归属，确保审查工作严谨、公正、高效地开展。

2009 年，随着我国医疗器械行业的快速发展和广告市场的日益复杂，国家工商总局、卫生部、食药监局三部门联合发布了新版《医疗器械广告审查发布标准》与《医疗器械广告审查办法》，取代 1995 年颁布的旧规，强化了对医疗器械广告内容的限制，例如禁止利用专家、患者形象作推荐，并明确违法广告公告制度。

2018 年国务院机构改革后，国家市场监督管理总局统一承担广告审查与监管职责，终结了多头管理导致的主体不明、重点不清的局面。2019 年，《药品、医疗器械、保健食品、特殊医学用途配方食品广告审查管理暂行办法》正式发布，自 2020 年 3 月 1 日起施行[9]。该暂行办法为“三品一械”广告市场确立了清晰、统一的审查标准，对审查机关与监管机关的职能进行了有机整合，构建起审查与监管一体化的制度框架。

2021 年 6 月，我国在医疗器械监管领域再度发力，新版《条例》重磅施行。该《条例》从行政法规层面明确了审查机关、监管机关及违规处罚依据，尤其强调了未经审查的医疗器械广告严禁发布，彰显了监管的严肃性和权威性。更重要的是，该条例加大了对虚假广告的惩处力度，最高可处以广告费用 10 倍的罚款，对那些企图通过虚假宣传谋取不正当利益的不法分子形成了强大的威慑。2023 年 5 月，《互联网广告管理办法》应运而生并发布实施，针对互联网广告特性进一步细化了医疗器械广告的发布规则，要求互联网平台对医疗器械广告承担审核义务，填补了线上监管的空白。

8.7.2 医疗器械广告内容基本要求

新版《条例》规定，医疗器械广告的内容应当真实合法，以经负责药品监督管理的部门注册或者备案的医疗器械说明书为准，不得含有虚假、夸大、误导性的内容。省级以上人民政府药品监督管理部门责令暂停生产、进口、经营和使用的医疗器械，在暂停期间不得发布涉及该医疗器械的广告。医疗器械广告的审查办法由国务院市场监督管理部门制定。市场监督管理部门应当依照有关广告管理的法律、行政法规的规定，对医疗器械广告进行监督检查，查处违法行为。

《药品、医疗器械、保健食品、特殊医学用途配方食品广告审查管理暂行办法》规定，医疗器械广告应当真实、合法，不得含有虚假或者引人误解的内容。广告主应当对医疗器械广告内容的真实性和合法性负责。国家市场监督管理总局负责组织指导医疗器械广告审查工作。各省、自治区、直辖市的市场监督管理部门和药品监督管理部门（以下称广告审查机关）负责医疗器械广告审查，依法可以委托其他行政机关具体实施广告审查。医疗器械广告的内容应当以药品监督管理部门批准的注册证书或者备案凭证、注册或者备案的产品说明书内容为准。医疗器械广告涉及医疗器械名称、适用范围、作用机理或者结构及组成等内容的，不得超出注册证书或者备案凭证、注册或者备案的产品说明书范围。在医疗器械广告的内容上，有如下一些基本要求。

① 推荐给个人自用的医疗器械的广告，应当显著标明“请仔细阅读产品说明书或者在医务人员的指导下购买和使用”。医疗器械产品注册证书中有禁忌内容、注意事项的，广告应当显著标明“禁忌内容或者注意事项详见说明书”。

② 医疗器械广告应当显著标明广告批准文号。

③ 医疗器械广告中应当显著标明的内容，其字体和颜色必须清晰可见、易于辨认，在视频广告中应当持续显示。

④ 医疗器械广告不得违反《中华人民共和国广告法》，不得包含下列情形：

a. 使用或者变相使用国家机关、国家机关工作人员、军队单位或者军队人员的名义或者形象，或者利用军队装备、设施等从事广告宣传；

b. 使用科研单位、学术机构、行业协会或者专家、学者、医师、药师、临床营养师、患者等的名义或者形象作推荐、证明；

c. 违反科学规律，明示或者暗示可以治疗所有疾病、适应所有症状、适应所有人群，或者正常生活和治疗病症所必需等内容；

d. 引起公众对所处健康状况和所患疾病产生不必要的担忧和恐惧，或者使公众误解不使用该产品会患某种疾病或者加重病情的内容；

e. 含有“安全”“安全无毒副作用”“毒副作用小”；明示或者暗示成分“天然”，因而安全性有保证等内容；

f. 含有“热销、抢购、试用”“家庭必备、免费治疗、免费赠送”等诱导性内容，“评比、排序、推荐、指定、选用、获奖”等综合性评价内容，“无效退款、保险公司保险”等保证性内容，怂恿消费者任意、过量使用药品、保健食品和特殊医学用途配方食品的内容；

g. 含有医疗机构的名称、地址、联系方式、诊疗项目、诊疗方法，以及有关义诊、医疗咨询电话、开设特约门诊等医疗服务的内容；

h. 法律、行政法规规定不得含有的其他内容。

8.7.3　医疗器械广告申请和审批

发布医疗器械广告，应当在发布前由省、自治区、直辖市人民政府确定的广告审查机关对广告内容进行审查，并取得医疗器械广告批准文号；未经审查，不得发布。医疗器械注册证或者备案凭证持有人及其授权同意的生产、经营企业为广告申请人。申请人可以委托代理人办理医疗器械广告审查申请。

8.7.3.1　医疗器械广告申请

申请医疗器械广告审查时，应当依法提交广告审查表、与发布内容一致的广告样件，以及下列合法有效的材料：

① 申请人的主体资格相关材料，或者合法有效的登记文件；

② 产品注册证明文件或者备案凭证、注册或者备案的产品标签和说明书，以及生产许可文件；

③ 广告中涉及的知识产权相关有效证明材料。

经授权同意作为申请人的生产、经营企业，还应当提交合法的授权文件；委托代理人进行申请的，还应当提交委托书和代理人的主体资格相关材料。

8.7.3.2　医疗器械广告的审批与发布

（1）医疗器械广告的审批　医疗器械广告申请人可以到广告审查机关受理窗口提出申请，也可以通过信函、传真、电子邮件或者电子政务平台提交广告申请。

广告审查机关收到申请人提交的申请后，应当在5个工作日内作出受理或者不予受理的决定。申请材料齐全、符合法定形式的，应当予以受理，并出具广告审查受理通知书。申请材料不齐全、不符合法定形式的，应当一次性告知申请人需要补正的全部内容。

广告审查机关应当对申请人提交的材料进行审查，自受理之日起10个工作日内完成审查工作。经审查，对符合法律、行政法规和本办法规定的广告，应当作出审查批准的决定，编发广告批准文号。

对不符合法律、行政法规和本办法规定的广告，应当作出不予批准的决定，送达申请人并说明理由，同时告知其享有依法申请行政复议或者提起行政诉讼的权利。

仅宣传医疗器械产品名称的广告无须审查。

（2）医疗器械广告的发布与查询　经审查批准的医疗器械广告，广告审查机关应当通过本部门网站以及其他方便公众查询的方式，在十个工作日内向社会公开。公开的信息应当包括广告批准文号、申请人名称、广告发布内容、广告批准文号有效期、广告类别、产品名称、产品注册证明文件或者备案凭证编号等内容。现在，在国家市场监督管理总局网站广告数据库中，能查到医疗器械广告的审批内容。广告主、广告经营者、广告发布者应当严格按照审查通过的内容发布医疗器械广告，不得进行剪辑、拼接、修改。已经审查通过的广告内容需要改动的，应当重新申请广告审查。不得发布戒毒治疗的医疗器械广告。不得发布依法停止，或者禁止生产、销售或使用的医疗器械广告。

8.7.4　医疗器械广告批准文号

（1）医疗器械广告批准文号含义　医疗器械产品的广告批准文号有以下三种形式：

①“×医械广审（视）第 000000-00000 号”；②“×医械广审（声）第 000000-00000 号”；③“×医械广审（文）第 000000-00000 号”。其中，“×”代表各省、自治区、直辖市的简称；“0”由 11 位数字组成，前 6 位代表广告批准文号失效年月日（年份仅显示后 2 位），后 5 位，代表广告批准序号；“视”“声”“文”代表用于广告媒介形式的分类代号。医疗器械广告批准文号的有效期与产品注册证明文件、备案凭证或者生产许可文件最短的有效期一致。产品注册证明文件、备案凭证或者生产许可文件未规定有效期的，广告批准文号有效期为两年。

（2）医疗器械广告批准文号的注销　医疗器械广告申请人有下列情形的，不得继续发布审查批准的广告，并应当主动申请注销广告批准文号：

① 主体资格证照被吊销、撤销、注销的；

② 产品注册证明文件、备案凭证或者生产许可文件被撤销、注销的；

③ 法律、行政法规规定应当注销的其他情形。

广告审查机关发现申请人有前款情形的，应当依法注销医疗器械广告批准文号。

8.8 法律责任与案例分析

8.8.1 医疗器械经营销售相关法律责任

8.8.1.1 违反 2021 版《条例》相关规定的法律责任

① 经营未取得医疗器械注册证的第二类、第三类医疗器械，或者未经许可从事第三类医疗器械经营活动，由负责药品监督管理的部门没收违法所得、违法生产经营的医疗器械和用于违法生产经营的工具、设备、原材料等物品；违法生产经营的医疗器械货值金额不足 1 万元的，并处 5 万元以上 15 万元以下罚款；货值金额 1 万元以上的，并处货值金额 15 倍以上 30 倍以下罚款；情节严重的，责令停业，10 年内不受理相关责任人以及单位提出的医疗器械许可申请，对违法单位的法定代表人、主要负责人、直接负责的主管人员和其他责任人员，没收违法行为发生期间自本单位所获收入，并处所获收入 30%以上 3 倍以下罚款，终身禁止其从事医疗器械生产经营活动。经营未取得医疗器械注册证的第二类、第三类医疗器械，情节严重的，由原发证部门吊销医疗器械生产许可证或者医疗器械经营许可证。

② 在申请医疗器械行政许可时提供虚假资料或者采取其他欺骗手段的，不予行政许可，已经取得行政许可的，由作出行政许可决定的部门撤销行政许可，没收违法所得、违法生产经营使用的医疗器械，10 年内不受理相关责任人以及单位提出的医疗器械许可申请；违法生产经营使用的医疗器械货值金额不足 1 万元的，并处 5 万元以上 15 万元以下罚款；货值金额 1 万元以上的，并处货值金额 15 倍以上 30 倍以下罚款；情节严重的，责令停业，对违法单位的法定代表人、主要负责人、直接负责的主管人员和其他责任人员，没收违法行为发生期间自本单位所获收入，并处所获收入 30%以上 3 倍以下罚款，终身禁止其从事医疗器械生产经营活动。

③ 伪造、变造、买卖、出租、出借相关医疗器械许可证件的，由原发证部门予以收缴或者吊销，没收违法所得；违法所得不足 1 万元的，并处 5 万元以上 10 万元以下罚款；违法所得 1 万元以上的，并处违法所得 10 倍以上 20 倍以下罚款；构成违反治安管理行为的，由公安机关依法予以治安管理处罚。

④ 经营未经备案的第一类医疗器械，或者经营第二类医疗器械，应当备案但未备案，或者已经备案的资料不符合要求的，由负责药品监督管理的部门向社会公告单位和产品名

称，责令限期改正；逾期不改正的，没收违法所得、违法经营的医疗器械；违法经营的医疗器械货值金额不足1万元的，并处1万元以上5万元以下罚款；货值金额1万元以上的，并处货值金额5倍以上20倍以下罚款；情节严重的，对违法单位的法定代表人、主要负责人、直接负责的主管人员和其他责任人员，没收违法行为发生期间自本单位所获收入，并处所获收入30%以上2倍以下罚款，5年内禁止其从事医疗器械经营活动。

⑤ 备案时提供虚假资料的，由负责药品监督管理的部门向社会公告备案单位和产品名称，没收违法所得、违法经营的医疗器械；违法经营的医疗器械货值金额不足1万元的，并处2万元以上5万元以下罚款；货值金额1万元以上的，并处货值金额5倍以上20倍以下罚款；情节严重的，责令停业，对违法单位的法定代表人、主要负责人、直接负责的主管人员和其他责任人员，没收违法行为发生期间自本单位所获收入，并处所获收入30%以上3倍以下罚款，10年内禁止其从事医疗器械经营活动。

⑥ 经营不符合强制性标准或者不符合经注册或者备案的产品技术要求的医疗器械，或者未按照经注册或者备案的产品技术要求组织生产，或者未依照本条例规定建立质量管理体系并保持有效运行，影响产品安全、有效，或者经营无合格证明文件、过期、失效、淘汰的医疗器械，或者在负责药品监督管理的部门责令召回后仍拒不召回，或者在负责药品监督管理的部门责令停止或者暂停经营后，仍拒不停止经营医疗器械，或者进口过期、失效、淘汰等已使用过的医疗器械的，由负责药品监督管理的部门责令改正，没收违法经营的医疗器械；违法经营的医疗器械货值金额不足1万元的，并处2万元以上5万元以下罚款；货值金额1万元以上的，并处货值金额5倍以上20倍以下罚款；情节严重的，责令停业，直至由原发证部门吊销医疗器械经营许可证，对违法单位的法定代表人、主要负责人、直接负责的主管人员和其他责任人员，没收违法行为发生期间自本单位所获收入，并处所获收入30%以上3倍以下罚款，10年内禁止其从事医疗器械经营活动。

⑦ 医疗器械经营企业履行了2021版《条例》规定的进货查验等义务，有充分证据证明其不知道所经营的医疗器械为《医疗器械监督管理条例》第八十一条第一款第一项、第八十四条第一项、第八十六条第一项和第三项规定情形的医疗器械，并能如实说明其进货来源的，收缴其经营的不符合法定要求的医疗器械，可以免除行政处罚。

⑧ 经营说明书、标签不符合2021版《条例》规定的医疗器械，或者未按照医疗器械说明书和标签标示要求运输、贮存医疗器械，或者转让过期、失效、淘汰或者检验不合格的在用医疗器械的，由负责药品监督管理的部门责令改正，处1万元以上5万元以下罚款；拒不改正的，处5万元以上10万元以下罚款；情节严重的，责令停业，直至由原发证部门吊销医疗器械经营许可证，对违法单位的法定代表人、主要负责人、直接负责的主管人员和其他责任人员，没收违法行为发生期间自本单位所获收入，并处所获收入30%以上2倍以下罚款，5年内禁止其从事医疗器械经营活动。

⑨ 未按照要求提交质量管理体系自查报告；或者从不具备合法资质的供货者购进医疗器械；或者医疗器械经营企业未依照《医疗器械监督管理条例》规定建立并执行医疗器械进货查验记录制度；或者从事第二类、第三类医疗器械批发业务以及第三类医疗器械零售业务的经营企业未依照2021版《条例》规定建立并执行销售记录制度；或者医疗器械经营企业未依照《医疗器械监督管理条例》规定开展医疗器械不良事件监测，未按照要求报告不良事件；或者对医疗器械不良事件监测技术机构、负责药品监督管理的部门、卫生主管部门开展的不良事件调查不予配合；或者医疗器械经营企业从事医疗器械网络销售未按照规定告知负责药品监督管理的部门的，由负责药品监督管理的部门和卫生主管部门依据各自职责责令改正，给予警告。拒不改正的，处1万元以上10万元以下罚款；情节严重的，责令停业，直

至由原发证部门吊销医疗器械经营许可证，对违法单位的法定代表人、主要负责人、直接负责的主管人员和其他责任人员处 1 万元以上 3 万元以下罚款。

⑩ 医疗器械经营单位违反 2021 版《条例》规定使用禁止从事医疗器械生产经营活动、检验工作的人员的，由负责药品监督管理的部门责令改正，给予警告；拒不改正的，责令停产停业直至吊销许可证件。

8.8.1.2 违反《办法》相关规定的法律责任

在 2021 版《条例》的基础上，药品监督管理部门又在《办法》中进一步补充了一些处罚规定。

① 第三类医疗器械经营企业擅自变更经营场所、经营范围、经营方式、库房地址；或者医疗器械经营许可证有效期届满后，未依法办理延续手续仍继续从事医疗器械经营活动的，责令限期改正，并处 1 万元以上 5 万元以下罚款；情节严重的，处 5 万元以上 10 万元以下罚款；造成危害后果的，处 10 万元以上 20 万元以下罚款。

② 违反医疗器械经营质量管理规范有关要求的，由药品监督管理部门责令限期改正；影响医疗器械产品安全、有效的，依照 2021 版《条例》第八十六条的规定处罚。

③ 医疗器械经营企业未按照要求提交质量管理体系年度自查报告，或者违反本办法规定为其他医疗器械生产经营企业专门提供贮存、运输服务的，由药品监督管理部门责令限期改正；拒不改正的，处 1 万元以上 5 万元以下罚款；情节严重的，处 5 万元以上 10 万元以下罚款。

④ 第三类医疗器械经营企业未按照本《办法》规定办理企业名称、法定代表人、企业负责人变更的，由药品监督管理部门责令限期改正；拒不改正的，处 5000 元以上 3 万元以下罚款。

⑤ 药品监督管理部门工作人员违反本《办法》规定，滥用职权、玩忽职守、徇私舞弊的，依法给予处分。

8.8.1.3 医疗器械网络销售相关法律责任

从事医疗器械网络销售的企业、医疗器械网络交易服务第三方平台提供者违反法律法规有关规定从事销售或者交易服务，法律法规已有规定的，从其规定。构成犯罪的，移送公安机关处理。

① 未取得医疗器械经营许可从事网络第三类医疗器械销售的，依照 2021 版《条例》第八十一条的规定予以处罚；未取得第二类医疗器械经营备案凭证从事网络第二类医疗器械销售的，依照 2021 版《条例》第八十四条的规定予以处罚。

② 从事医疗器械网络销售的企业未按照《医疗器械网络销售监督管理办法》规定备案的，由县级以上地方食品药品监督管理部门责令限期改正，给予警告；拒不改正的，向社会公告，处 1 万元以下罚款。医疗器械网络交易服务第三方平台提供者未按《医疗器械网络销售监督管理办法》规定备案的，由省级食品药品监督管理部门责令限期改正；拒不改正的，向社会公告，处 3 万元以下罚款。

③ 从事医疗器械网络销售的企业未按照《医疗器械网络销售监督管理办法》要求展示医疗器械生产经营许可证或者备案凭证、医疗器械注册证或者备案凭证的，或者医疗器械网络交易服务第三方平台提供者未按照《医疗器械网络销售监督管理办法》要求展示医疗器械网络交易服务第三方平台备案凭证编号的，由县级以上地方食品药品监督管理部门责令改正，给予警告；拒不改正的，处 5000 元以上 1 万元以下罚款。

④ 从事医疗器械网络销售的企业备案信息发生变化，未按规定变更的，或者从事医疗器械网络销售的企业未按规定建立并执行质量管理制度的，或者医疗器械网络交易服务第三方平台提供者备案事项发生变化未按规定办理变更的，或者医疗器械网络交易服务第三方平台提供者未按规定要求设置与其规模相适应的质量安全管理机构或者配备质量安全管理人员的，或者医疗器械网络交易服务第三方平台提供者未按规定建立并执行质量管理制度的，由县级以上地方食品药品监督管理部门责令改正，给予警告；拒不改正的，处 5000 元以上 2 万元以下罚款。

⑤ 从事医疗器械网络销售的企业、医疗器械网络交易服务第三方平台条件发生变化，不再满足规定要求的，或者从事医疗器械网络销售的企业、医疗器械网络交易服务第三方平台提供者不配合食品药品监督管理部门的监督检查，或者拒绝、隐瞒、不如实提供相关材料和数据的，由县级以上地方食品药品监督管理部门责令改正，给予警告；拒不改正的，处 1 万元以上 3 万元以下罚款。

⑥ 从事医疗器械网络销售的企业超出经营范围销售的，或者医疗器械批发企业销售给不具有资质的经营企业、使用单位的，或者医疗器械零售企业将非消费者自行使用的医疗器械销售给消费者个人的，由县级以上地方食品药品监督管理部门责令改正，处 1 万元以上 3 万元以下罚款。

⑦ 从事医疗器械网络销售的企业未按照医疗器械说明书和标签标示要求运输、贮存医疗器械的，依照 2021 版《条例》第八十八条的规定予以处罚。

⑧ 医疗器械注册人、备案人、经营企业从事医疗器械网络销售未按照规定告知负责药品监督管理的部门的，由负责药品监督管理的部门责令改正，给予警告；拒不改正的，处 1 万元以上 10 万元以下罚款；情节严重的，责令停产停业，直至由原发证部门吊销医疗器械注册证、生产许可证、经营许可证，对违法单位的法定代表人、主要负责人、直接负责的主管人员和其他责任人员处 1 万元以上 3 万元以下罚款。

⑨ 对医疗器械网络交易提供服务的电子商务平台经营者违反 2021 版《条例》规定，未履行对入网医疗器械经营者进行实名登记，审查许可、注册、备案情况，制止并报告违法行为，停止提供网络交易平台服务等管理义务的，由负责药品监督管理的部门依照《中华人民共和国电子商务法》的规定给予处罚。

⑩ 医疗器械网络交易服务第三方平台提供者提供的医疗器械产品或者服务造成他人人身、财产损失的，根据相关法律法规的规定承担民事责任。负责监管医疗器械网络销售的食品药品监督管理部门工作人员不履行职责或者滥用职权、玩忽职守、徇私舞弊的，依法追究行政责任；构成犯罪的，移送司法机关追究刑事责任。

8.8.1.4 医疗器械进出口相关法律责任

（1）进口医疗器械　在负责药品监督管理的部门责令停止或者暂停进口医疗器械，仍拒不停止进口的；进口过期、失效、淘汰等已使用过的医疗器械的，由 2021 版《条例》第八十六条进行处罚。

违反进出口商品检验相关法律、行政法规进口医疗器械的，由出入境检验检疫机构依法处理。

进口医疗器械时，擅自销售未报检或未经检验的属于法定需要检验的进口医疗器械，或擅自销售应当申请进口验证而未申请的进口医疗器械的，没收违法所得，并处商品货值金额 5%以上 20%以下罚款；构成犯罪的，依法追究刑事责任。销售经法定检验、抽查检验或者验证不合格的进口医疗器械的，责令停止销售，没收违法所得和违法销售商品，并处违法销售的商品货值金额等值以上3倍以下罚款；构成犯罪的，依法追究刑事责任。进口国家禁止进口的旧医疗器械的，应予以退货或者销毁；进口旧医疗器械属机电产品的，情节严重的，并处100万元以下罚款。

（2）出口医疗器械　出口医疗器械时，企业应当保证所出口产品符合医疗器械进口国的相关要求，在出口过程中所发生的一切法律责任，由企业自行承担。根据《医疗器械产品出口销售证明管理规定》，对于通过提供虚假证明或者采取其他欺骗手段骗取《医疗器械产品出口销售证明》的，5年内不再为其出具《医疗器械产品出口销售证明》，并将企业名称、医疗器械生产许可证或备案凭证编号、医疗器械产品注册证或备案凭证编号、法定代表人和组织机构代码等信息予以通告。必须经检验检疫机构检验的出口商品未报经检验合格而擅自出口的，没收违法所得，并处货值金额5%以上20%以下的罚款，构成犯罪的，依法追究刑事责任。

8.8.1.5　医疗器械广告相关法律责任

① 违反2021版《条例》有关医疗器械广告管理规定的，依照《中华人民共和国广告法》的规定给予处罚。

② 根据《药品、医疗器械、保健食品、特殊医学用途配方食品广告审查管理暂行办法》的相关规定，未显著、清晰表示广告中应当显著标明内容的，按照《中华人民共和国广告法》第五十九条处罚。未经审查发布医疗器械广告，或者广告批准文号已超过有效期，仍继续发布医疗器械广告，或者未按照审查通过的内容发布医疗器械广告的，按照《中华人民共和国广告法》第五十八条处罚。违反本办法第十一条第二项至第五项规定，发布药品、医疗器械、保健食品和特殊医学用途配方食品广告的，依照《中华人民共和国广告法》第五十八条的规定处罚；构成虚假广告的，依照《中华人民共和国广告法》第五十五条的规定处罚。

③ 违反《药品、医疗器械、保健食品、特殊医学用途配方食品广告审查管理暂行办法》第十一条第六项至第八项规定，发布医疗器械广告的，《中华人民共和国广告法》及其他法律法规有规定的，依照相关规定处罚，没有规定的，由县级以上市场监督管理部门责令改正；对负有责任的广告主、广告经营者、广告发布者处以违法所得三倍以下罚款，但最高不超过三万元；没有违法所得的，可处一万元以下罚款。

④ 违反《药品、医疗器械、保健食品、特殊医学用途配方食品广告审查管理暂行办法》第十一条第一项、第二十一条、第二十二条规定的，按照《中华人民共和国广告法》第五十七条处罚。

⑤ 隐瞒真实情况或者提供虚假材料申请医疗器械广告审查的，或者以欺骗、贿赂等不正当手段取得医疗器械广告批准文号的，按照《中华人民共和国广告法》第六十五条处罚。

⑥ 市场监督管理部门对违反《药品、医疗器械、保健食品、特殊医学用途配方食品广告审查管理暂行办法》规定的行为作出行政处罚决定后，应当依法通过国家企业信用信息公示系统向社会公示。广告审查机关的工作人员玩忽职守、滥用职权、徇私舞弊的，依法给予处分。构成犯罪的，依法追究刑事责任。

⑦《中华人民共和国广告法》第五十五条规定，发布虚假广告的，由市场监督管理部门责令停止发布广告，责令广告主在相应范围内消除影响，处广告费用三倍以上五倍以下的罚款，广告费用无法计算或者明显偏低的，处二十万元以上一百万元以下的罚款；两年内有三次以上违法行为或者有其他严重情节的，处广告费用五倍以上十倍以下的罚款，广告费用无法计算或者明显偏低的，处一百万元以上二百万元以下的罚款，可以吊销营业执照，并由广告审查机关撤销广告审查批准文件、一年内不受理其广告审查申请。医疗机构有前款规定违

法行为，情节严重的，除由市场监督管理部门依照本法处罚外，卫生行政部门可以吊销诊疗科目或者吊销医疗机构执业许可证。广告经营者、广告发布者明知或者应知广告虚假仍设计、制作、代理、发布的，由市场监督管理部门没收广告费用，并处广告费用三倍以上五倍以下的罚款，广告费用无法计算或者明显偏低的，处二十万元以上一百万元以下的罚款；两年内有三次以上违法行为或者有其他严重情节的，处广告费用五倍以上十倍以下的罚款，广告费用无法计算或者明显偏低的，处一百万元以上二百万元以下的罚款，并可以由有关部门暂停广告发布业务、吊销营业执照。广告主、广告经营者、广告发布者有本条第一款、第三款规定行为，构成犯罪的，依法追究刑事责任。

⑧《中华人民共和国广告法》第五十七条规定，发布戒毒治疗的医疗器械广告的、在针对未成年人的大众传播媒介上发布医疗器械广告的，由市场监督管理部门责令停止发布广告，对广告主处二十万元以上一百万元以下的罚款，情节严重的，并可以吊销营业执照，由广告审查机关撤销广告审查批准文件、一年内不受理其广告审查申请；对广告经营者、广告发布者，由市场监督管理部门没收广告费用，处二十万元以上一百万元以下的罚款，情节严重的，并可以吊销营业执照、吊销广告发布登记证件。

⑨ 医疗器械广告不得含有如下内容：表示功效、安全性的断言或者保证；说明治愈率或者有效率；与其他医疗器械的功效和安全性或者其他医疗机构比较；利用广告代言人作推荐、证明；法律、行政法规规定禁止的其他内容。推荐给个人自用的医疗器械的广告，应当显著标明“请仔细阅读产品说明书或者在医务人员的指导下购买和使用”。医疗器械产品注册证明文件中有禁忌内容、注意事项的，广告中应当显著标明“禁忌内容或者注意事项详见说明书”。广播电台、电视台、报刊音像出版单位、互联网信息服务提供者不得以介绍健康、养生知识等形式变相发布医疗器械广告。上述规定如有违反，按照《中华人民共和国广告法》第五十八条的规定进行处罚，即由市场监督管理部门责令停止发布广告，责令广告主在相应范围内消除影响，处广告费用一倍以上三倍以下的罚款，广告费用无法计算或者明显偏低的，处十万元以上二十万元以下的罚款；情节严重的，处广告费用三倍以上五倍以下的罚款，广告费用无法计算或者明显偏低的，处二十万元以上一百万元以下的罚款，可以吊销营业执照，并由广告审查机关撤销广告审查批准文件、一年内不受理其广告审查申请；由市场监督管理部门没收广告代言人违法所得，并处违法所得一倍以上二倍以下的罚款；对于变相发布医疗器械广告的，由市场监督管理部门责令改正，对广告发布者处十万元以下的罚款。

⑩ 广播电台、电视台、报刊音像出版单位发布违法广告，或者以新闻报道形式变相发布广告，或者以介绍健康、养生知识等形式变相发布医疗器械广告，市场监督管理部门依照《中华人民共和国广告法》给予处罚的，应当通报新闻出版、广播电视主管部门以及其他有关部门。新闻出版、广播电视主管部门以及其他有关部门应当依法对负有责任的主管人员和直接责任人员给予处分；情节严重的，可以暂停媒体的广告发布业务。新闻出版、广播电视主管部门以及其他有关部门未依照此规定对广播电台、电视台、报刊音像出版单位进行处理的，对负有责任的主管人员和直接责任人员，依法给予处分。

8.8.2 医疗器械经营销售相关案例分析

【案件 1】提交医疗器械经营备案虚假资料案

2023 年 7 月 31 日，江苏省苏州市相城区市场监督管理局在对苏州某公司提交的第二类医疗器械经营备案资料开展核查工作时，发现该公司备案时所提交的法定代表人和质量负责人的个人资料为虚假资料。此行为已严重违反 2021 版《条例》第四十一条第一款的明确规定。基于此，该市场监督管理局于 2023 年 12 月 20 日，依据 2021 版《条例》第八十五条的相关规定，依法对当事人公司作出罚款人民币 20000 元的行政处罚决定。

【案件 2】未经许可从事第三类医疗器械经营案

2022 年 1 月 12 日，福州市仓山区市场监管局执法人员依法对福州某眼镜有限公司的经营场所展开检查，发现该公司正在出售 3 款隐形眼镜（均属第三类医疗器械），而当事人无法提供医疗器械经营许可证。进一步调查得知，该公司是在 2021 年 11 月 15 日从上门推销业务员处购进的这 3 款隐形眼镜，在购进环节，该公司既未严格查验供货者的相关资质，也未核实医疗器械的合格证明文件，同时尚未建立完善的进货查验记录制度。截至案发时，该公司已售出部分隐形眼镜，涉案货值金额累计达 4250 元，获取违法收入共计 545 元。针对该公司未建立进货查验记录制度的违规行为，仓山区市场监管局依据《医疗器械监督管理条例》第八十九条第三项的相关规定，责令当事人立即进行整改，并给予了正式警告。而对于该公司未经许可擅自从事第三类医疗器械销售的违法行为，市场监管局则根据 2021 版《条例》第八十一条第一款第三项以及《中华人民共和国行政处罚法》第二十八条第一款的相关规定，并结合《福州市市场监督管理机关行政处罚自由裁量权适用规则》第二十条的具体条款，对当事人作出了以下处罚决定：①责令当事人立即停止违法行为并进行整改；②依法没收已被扣押的 3 款隐形眼镜；③没收违法所得 545 元；④处以罚款 50000 元。综上，罚没款总额共计 50545 元。

【案件 3】经营说明书、标签不符合规定的进口医疗器械案

调查发现，××医疗器械有限公司经营的“一次性使用无菌胰岛素注射器带针”，存在说明书和产品标签的生产企业名称不一致的违法行为。具体为产品包装上生产企业名称为 B. Braun MeLsungen AG OPM，而使用说明书上生产企业名称为 B. Braun MeLsungen AG，二者不一致。当事人的上述行为，违反了《医疗器械说明书和标签管理规定》第四条第三款的相关规定。基于此，执法机构严格按照 2021 版《条例》第八十八条第二项的具体条款，对当事人作出了罚款 50000 元的行政处罚决定。

【案件 4】未按说明书要求贮存医疗器械案

2023 年 3 月 21 日，城中区市场监管局对广西某医疗美容有限公司展开了一场突击式的专项检查。在检查过程中，执法人员发现该公司仓库内标识为“术唯可”的货架上摆放有 6 盒医用透明质酸钠凝胶，其外包装明确标识有“避光，2～8℃冷藏，不能冷冻”等内容，但在检查仓库时并未发现设置有温湿度计，这意味着仓库内的实际温湿度情况无从直接确认。为准确掌握仓库环境条件，执法人员要求该公司从处置室拿了一个温湿度计放置在该仓库内，并静待 15 分钟后观察，结果显示，仓库温度为 23℃，湿度为 68%RH，这一环境状况明显不符合该医用透明质酸钠凝胶所要求的贮存条件。据此，城中区市场监管局认定，当事人公司未依照医疗器械标示的条件要求贮存医疗器械的行为，已然违反了 2021 版《条例》的相关规定。基于此，监管局依法责令当事人立即改正违规行为，并处以 1.2 万元的行政罚款。

【案件 5】经营过期的医疗器械案

2023 年 4 月 6 日，信阳市某区市场监督管理局的执法人员对辖区内某大药房展开了监督检查。该局执法人员检查其货架，发现正在销售的医用纱布敷料（型号规格为 A1 型 8cm×8cm×8 层，生产日期为 20210102，生产批号为 20210102，失效日期为 20230101），共计 21 包，存在过期情况。经严谨查证，确认该大药房经营过期医疗器械的行为严重违背了 2021 版《条例》第五十五条的明确规定。基于此，该市场监督管理局严格按照 2021 版《条例》

第八十六条第三项之规定，经过审慎研究，依法对当事人作出了严肃的处罚决定：一方面，没收该批过期的医用纱布敷料，杜绝其再次流入市场危害公众健康；另一方面，处以 30000 元的罚款，以起到警示和教育作用。

【案件 6】无证在朋友圈销售未经注册的医疗器械案

克拉玛依区市场监管局在进行例行督查时，发现董某在未取得第二类医疗器械经营备案凭证的情况下，于 2022 年 12 月 30 日从位于乌鲁木齐市的新疆某医疗器械有限公司以 85 元/盒的价格购买了 50 盒指夹型脉冲血氧仪，共计 4250 元。截至 2023 年 1 月 12 日，当事人通过微信朋友圈对外以 100 元/盒的价格给克拉玛依区聚友商行销售了 10 盒、以 110 元/盒价格销售给朋友 22 盒，8 盒送给了家人使用，7 盒因质量问题退回，3 盒因坏没有销售（当事人已自行销毁）。共销售了 32 盒，获利 700 元。当事人无法提供上述产品供货者的相关资质、进货票据以及上述产品的医疗器械注册证号、相关合格证明等文件。综合以上情况，本案所涉货值金额总计 5400 元，取得违法收入 700 元。董某的上述行为，严重背离了 2021 版《条例》第四十一条第一款以及《办法》第四十五条第一款的明确规定。基于此，该市场监管局严格按照《办法》第六十五条和 2021 版《条例》第八十一条第一款之相关规定，对当事人作出了如下处罚决定：①依法没收违法所得 700 元，剥夺其非法获利；②处以罚款人民币 20000 元，形成有力震慑，维护医疗器械市场的正常秩序。

【案件 7】通过网络将非消费者自行使用的医疗器械销售给消费者个人案

2024 年 9 月 23 日，广州市白云区市场监督管理局收到举报线索，迅速响应，于当日依法正式立案展开调查。经过一番调查工作，违法事实逐渐浮出水面：当事人于 2024 年 8 月 5 日起，无视该产品外包装明确标注了“供医疗机构及计划生育部门作妇产科检查使用”的提示，公然在互联网电商平台上，将本非消费者自行使用的医疗器械，违规销售给了消费者个人。直至 2024 年 9 月 23 日被白云区市场监督管理局查获时，当事人所采购的 34 支“永康洁”牌一次性使用无菌阴道扩张器已全部销售一空，无一留存。广州市白云区市场监督管理局在查清事实后，严格依据《医疗器械网络销售监督管理办法》第四十四条的明确规定：“医疗器械零售企业将非消费者自行使用的医疗器械销售给消费者个人的，由县级以上地方食品药品监督管理部门责令改正，处 1 万元以上 3 万元以下罚款。”经过审慎研究与综合考量，最终决定对当事人作出罚款人民币 10000 元的行政处罚决定，以示惩戒。

【案件 8】未经批准发布医疗器械广告及未在页面展示第一类医疗器械备案凭证案

2024 年 6 月，瑶海区市场监管局依据投诉举报线索，对某公司在第三方网络平台上销售医疗器械的行为进行了深入检查。经调查，当事人在其网店中发布涉案的第一类医疗器械广告时，并未按照规定向广告审查机关提出审查申请，也未取得相应的广告批准文号，这一行为使得广告内容缺乏必要的监管与审核。不仅如此，在网店页面展示环节，当事人同样未展示该第一类医疗器械产品的备案凭证，让消费者难以获取产品的合法合规信息，严重侵害了消费者的知情权。当事人的上述种种行为，已然严重违反了《药品、医疗器械、保健食品、特殊医学用途配方食品广告审查管理暂行办法》第二条第二款以及《医疗器械网络销售监督管理办法》第十条的明确规定。该市场监管局在充分收集证据、详细调查取证后，严格依照《药品、医疗器械、保健食品、特殊医学用途配方食品广告审查管理暂行办法》第二十六条、《中华人民共和国广告法》第五十八条以及《医疗器械网络销售监督管理办法》第四十条的相关规定，同时参照《合肥市市场监管领域轻微违法行为依法不予行政处罚和从轻、减轻行政处罚暂行办法》的具体条款，最终对当事人作出了如下处罚决定：①责令其立即改正违规行为，确保经营活动合法合规；②处以警告处分，起到警示教育作用；③罚款 1000 元人民币，以经济处罚强化其合规经营意识。

【案件 9】在自建网站宣传医疗器械产品但未展示互联网药品信息服务资格证信息案

2024 年 3 月，合肥市高新区市场监管局依据国家医疗器械网络销售监测平台提供的线索，对某公司进行了专项检查。经调查，执法人员发现该公司虽具备较为完备的经营资质，持有《互联网药品信息服务资格证书》（证书编号：皖-非经营性-2022-0083）、第二类医疗器械经营备案凭证（备案编号：皖合食药械经营备 20212488 号），且已完成医疗器械网络经营备案［备案编号：（皖）合药监械网备〔2022〕973 号］，然而在合规运营方面仍存在明显疏漏。具体而言，该公司在其自建网站的主页显著位置，并未按照相关法规的明确要求，标注互联网药品信息服务资格证书的编号。这一行为使得网站合规性存疑，也给消费者获取准确信息带来阻碍。当事人的上述行为，明显违反了《互联网药品信息服务管理办法》第八条的明确规定："提供互联网药品信息服务的网站，必须在其网站主页的显著位置标注互联网药品信息服务资格证书的编号。"基于此，该市场监管局严格依照《互联网药品信息服务管理办法》第二十三条的相关规定，责令该公司在接到整改通知后的三个工作日内，迅速完成整改工作，确保网站主页显著位置准确标注资格证书编号。同时，为起到警示作用，督促企业重视合规经营，市场监管局对该企业处以警告的处罚。

【案件 10】超经营范围网络销售第三类医疗器械案

2024 年 1 月，包河区市场监管局收到一条举报线索，线索直指某公司在网络销售医疗器械过程中存在违规嫌疑。经调查发现该公司存在如下违规事实：当事人的医疗器械经营许可证上明确标注的经营范围，并不包含"6840 体外诊断试剂"这一类别。然而，该公司却无视法规限制，通过网络渠道公然销售属于第三类医疗器械的体外诊断试剂——英诺特甲型流感病毒/乙型流感病毒/肺炎支原体抗原检测试剂盒。合肥市市场监管局在综合研判相关证据和事实后，明确认定该公司的上述行为严重违反了《医疗器械网络销售管理办法》第十三条的明确规定。为维护市场法治秩序、保障公众用械安全，合肥市市场监管局严格依照《医疗器械网络销售监督管理办法》第四十四条的相关规定，经过审慎研究，最终决定对当事人作出如下行政处罚：①责令其立即改正违规行为，确保后续经营活动合法合规；②处以 3000 元罚款，以经济处罚强化其合规经营意识，起到警示震慑作用。

【案件 11】发布虚假医疗器械广告案

2022 年 1 月，根据国家医疗器械网络交易监测平台提供的线索信息，市场监管执法人员对某电子商务有限公司京东商城店铺进行核查，当事人经营的第二类医疗器械透明质酸敷料宣传网页上标识有"修复肌肤、保湿补水、挡菌去炎""皮肤急救用修正、院线同款、敏感肌肤、痘痘肌肤、激光术后、皮炎痤疮、泛红血丝"等广告内容，与该产品医疗器械注册证的适用范围"适用于浅表创面防护"的内容不一致。当事人制作该违规广告，花费了 1000 元的成本。执法人员经过严谨的调查取证和法律研判，认定当事人的上述行为严重违反了《医疗器械监督管理条例》第六十条第一款以及《中华人民共和国广告法》第四条第一款的明确规定。市场监管部门严格依照《医疗器械监督管理条例》第九十七条及《中华人民共和国广告法》第五十五条第一款的相关规定，经过审慎研究，最终决定对当事人作出责令改正并罚款 3000 元的行政处罚决定。

参考文献

［1］ 佚名．国家食品药品监督管理总局关于修改部分规章的决定［J］．中华人民共和国国务院公报，2018（6）：30-32.
［2］ 张守钗．新旧《医疗器械经营监督管理办法》许可延续条款比较分析［J］．中国食品药品监管，2023（7）：92-97.
［3］ 杨志强，赵宇，路云，等．《医疗器械经营质量管理规范》修订核心要素浅析［J］．中国食品药品监管，2024（1）：52-57.

［4］ 卢忠．2022我国医疗器械产业发展现状［N］．医药经济报，2023-1-12（4）．
［5］ 岁正阳，孟佳惠．国家药监局：加强医疗器械生产经营分级监管［J］．中国信用，2022（10）：50.
［6］ 陈莉俐．医疗器械网络销售的监管现状与对策探讨［J］．中国食品药品监管，2022（4）：63-68.
［7］ 佚名．医疗器械网络销售监督管理办法［J］．中华人民共和国国务院公报，2018（9）：23-29.
［8］ 佚名．国家市场监督管理总局关于公开征求《进口医疗器械代理人监督管理办法（征求意见稿）》意见的通知［J］．中国对外经济贸易文告，2019（3）：64-69.
［9］ 佚名．市场监督管理总局《药品、医疗器械、保健食品、特殊医学用途配方食品广告审查管理暂行办法》［J］．中国食品，2020（2）：140-144.

第九章

医疗器械使用监督管理

作为确保医疗器械安全有效的首要责任主体，医疗器械生产经营企业肩负着对产品质量严格管控的重任。然而，在医疗器械的使用环节，使用单位无疑扮演着更为核心的质量管理角色，需切实履行日常维护与风险监测等关键职责，这些职责的履行状况直接关乎医疗成效与使用安全。医疗器械的使用环节不仅是其实现社会价值（发挥医疗效果）与经济价值（创造市场效益）的关键所在，更是保障医疗器械安全有效发挥其功能的核心环节。唯有合理使用医疗器械，保障医疗效果，才能切实维护人民群众的健康权益。因此，对医疗器械的使用实施科学化、法治化的监管，明确各相关方的责任，确保人民群众能够安全用械，不仅有助于推动医疗器械行业的良性发展，更是医疗器械监管工作中至关重要的一环。在法规建设方面，我国已取得了显著进展。例如，《医疗器械使用质量监督管理办法》（2015 年发布）详细规定了使用单位在质量管理制度、不良事件监测、追溯体系等方面的具体要求。而 2021 年修订的新版《医疗器械监督管理条例》第四章，更是对医疗器械的使用监管作出了明确的规定。此外，为进一步加强医疗器械临床使用的监管，国家还依据《医疗器械监督管理条例》制定了《医疗器械临床使用管理办法》，该办法聚焦临床使用，对医疗机构在诊疗活动中的医疗器械使用行为进行了详细规范。本章将全面介绍我国在医疗器械使用环节进行监督管理的现状，以期为相关从业者提供有益的参考与借鉴。

9.1 医疗器械使用监督管理概述

9.1.1 医疗器械使用单位定义

医疗器械使用领域的行政监管，其核心聚焦点在于医疗器械使用单位。在最新颁布的 2024 版《医疗器械监督管理条例》附则第一百零三条里，对医疗器械使用单位给出了极为清晰且精准的定义：“医疗器械使用单位，是指使用医疗器械为他人提供医疗等技术服务的机构，包括医疗机构、血站、单采血浆站、康复辅助器具适配机构等。”医疗器械使用单位在提供卫生服务时离不开医疗器械的支持，对医疗器械使用行为和使用质量的监管是确保其安全有效发挥作用的关键。

9.1.2 医疗器械使用监督管理的历史沿革

2000 年前，我国对于医疗器械使用环节的监管尚处于较为懵懂、薄弱的阶段，监管意识相对淡薄，尚未构建起系统完备的制度框架。直至 2000 年，这一局面迎来了重要转折点——

《医疗器械监督管理条例》首次正式颁布实施，不仅确立了医疗器械分类注册制度，而且创新性地打破了以往监管的局限，将医疗器械的使用环节与生产、经营环节统筹考量、合并规定，统一纳入条例的第三章内容之中。该《条例》首次明确提出了医疗机构在购进、使用、销毁等环节的合规性要求（例如禁止重复使用一次性使用的医疗器械等）。但随后，即使我国医疗器械不断高速发展，也始终未出台一部相关的部门规章来规范医疗器械的使用环节。

2011 年，卫生部出台的《医疗卫生机构医学装备管理办法》，着重规范了医疗机构在医学装备以及合理配置等方面的管理，但并未全面覆盖使用质量监管。2014 年，在对《医疗器械监督管理条例》进行修订时，相关部门采取了具有深远意义的整合举措——将医疗器械的经营环节与使用环节的相关规定加以梳理合并，统一编排为一章进行系统阐述，使得医疗器械从经营到使用的监管脉络更为清晰、连贯。此后，为进一步填补医疗器械使用质量监管领域的空白，2015 年 10 月 21 日，国家食品药品监督管理总局正式发布了《医疗器械使用质量监督管理办法》（以下简称《使用办法》），并明确该《使用办法》自 2016 年 2 月 1 日起开始施行[1]。《使用办法》首次专门针对使用环节的质量管理提出细则，明确了医疗机构在采购、验收、储存、维护等方面的全链条、全流程的管理制度，标志着我国对医疗器械使用监管的实质性推进。近年来，为积极响应“健康中国 2030”战略的号召，深入贯彻落实党的十九大报告中“质量强国”的战略要求，同时顺应“医疗器械质量标准逐步与国际接轨”等国家政策导向，医疗器械使用监管工作的重要性日益凸显，受到了社会各界的广泛关注与高度重视[2-3]。

2018 年，国家卫生健康委员会与国家药品监督管理局联合印发的《大型医用设备配置与使用管理办法（试行）》是我国医疗领域“放管服”改革的重要举措[4]，针对高值、高风险设备，建立配置许可、使用评价、费用控制三位一体的监管机制。2021 年，《医疗器械监督管理条例》迎来新一轮修订，此次修订紧扣时代发展脉搏，着重强化创新驱动理念，在篇章架构上延续了将经营与使用环节合并阐述的成熟模式，将“医疗器械经营与使用”单设章节进行规范，以更好满足人民群众对高质量医疗器械的期待。与此同时，国家卫生健康委员会颁布了《医疗器械临床使用管理办法》，首次从临床使用安全这一核心视角出发，对医疗器械的临床应用进行系统性规范，建立了不良事件监测、培训考核和应急管理等专项制度，填补了临床操作层面的监管空白。至此，我国医疗器械使用监管已从碎片化走向系统化，逐步建立起了比较完备的使用监管制度。

9.1.3　医疗器械使用监管的部门、人员与职责

医疗器械使用监管部门指的是对医疗器械使用环节实施行政监管的部门。新版《条例》第五十四条明确规定，负责药品监督管理的部门和卫生主管部门依据各自职责，分别对使用环节的医疗器械质量和医疗器械使用行为进行监督管理。其中，负责药品监督管理的部门主要依据风险管理原则，对使用环节的医疗器械质量实施监督管理；卫生主管部门主要负责对医疗机构的医疗器械使用行为进行监督检查，并对大型医用设备的使用状况进行监督和评估，一旦发现医疗机构在使用医疗器械过程中存在违规使用情形，以及在使用大型医用设备过程中存在过度检查、过度治疗等违规行为，应当立即纠正并依法予以处理。

《使用办法》第三条规定，国家卫生健康委统筹全国医疗器械临床使用监督管理工作；县级以上地方卫生健康主管部门负责本行政区域内的医疗器械临床使用监督管理工作。医疗机构主要负责人是本机构医疗器械临床使用管理的第一责任人。医疗机构需建立并完善本机构医疗器械临床使用管理制度，确保医疗器械合理使用。国家卫生健康委成立国家医疗器械

临床使用专家委员会。该国家专家委员会负责分析全国医疗器械临床使用情况、研究临床使用中的重点问题、为政策制定提供科学依据、指导医疗机构合理使用医疗器械。省级卫生健康主管部门组织成立省级医疗器械临床使用专家委员会或者委托相关组织、机构负责本行政区域内医疗器械临床使用的监测、评价等工作。二级以上医疗机构必须设立医疗器械临床使用管理委员会，其他医疗机构应当根据规模配备负责医疗器械临床使用管理的专（兼）职人员。医疗器械临床使用管理委员会由本机构负责医疗管理、质量控制、医院感染管理、医学工程、信息等工作的相关职能部门负责人以及相关临床、医技等科室负责人组成，负责指导和监督本机构医疗器械临床使用行为，日常管理工作依托本机构相关部门负责。

同时，根据《使用办法》相关规定，医疗机构内设的管理委员会及配备的专（兼）职人员对本机构医疗器械临床使用管理需承担以下五大核心职责：①依法拟订医疗器械临床使用工作制度并组织实施；②组织开展医疗器械临床使用安全管理、技术评估与论证；③监测、评价医疗器械临床使用情况，分析临床科室使用效能并反馈；监督、指导高风险医疗器械的临床使用与安全管理；提出干预和改进医疗器械临床使用的措施，指导临床合理使用；④监测识别医疗器械临床使用安全风险，分析、评估使用安全事件，并提供咨询与指导；⑤组织开展医疗器械管理法律法规及合理使用相关制度、规范的业务知识培训，宣传医疗器械临床使用安全知识。

二级以上医疗机构应当明确本机构各相关职能部门和各相关科室的医疗器械临床使用管理职责，相关职能部门、科室应当指定专人负责本部门或者本科室的医疗器械临床使用管理工作。其他医疗机构应当根据本机构的实际情况，明确相关部门、科室和人员的职责。二级以上医疗机构应当配备与其功能、任务、规模相适应的医学工程及其他专业技术人员、设备和设施。医疗器械使用科室负责医疗器械的日常管理工作，做好医疗器械的登记、定期核对、日常使用、维护保养等工作。医疗机构从事医疗器械相关工作的卫生专业技术人员，应当具备相应的专业学历、卫生专业技术职务任职资格或者依法取得相应资格。医疗机构应当组织开展医疗器械临床使用管理的继续教育和培训工作，开展医疗器械临床使用范围、质量控制、操作规程、效果评价等培训工作。医疗机构应当加强医疗器械信息管理，建立医疗器械及其使用信息档案。医疗机构应当每年开展医疗器械临床使用管理自查、评估、评价工作，以确保医疗器械临床使用的安全、有效。

针对大型医用设备，新版《条例》与《大型医用设备配置与使用管理办法》均明确界定：大型医用设备是指那些使用技术复杂、资金投入量大、运行成本高、对医疗费用影响大且纳入目录管理的大型医疗器械。国家卫生健康委员会负责制定大型医用设备配置与使用的管理制度并组织实施，积极指导开展对大型医用设备配置与使用行为的评价和监督工作。县级以上地方卫生健康行政部门则聚焦于本区域内的具体监管工作，切实履行对大型医用设备配置与使用行为的监督管理职责。国家卫生健康委员会专门成立了大型医用设备管理专家咨询委员会，为确定和动态调整管理目录、精准制定和有效实施配置规划，以及配置与使用全过程管理提供专业的评审、咨询和论证等技术支持。与此同时，省级卫生健康行政部门可根据实际工作需要，成立相应的专家组。

9.2 医疗器械使用管理

9.2.1 医疗器械使用准入管理

9.2.1.1 医疗器械采购要求及进货查验制度

医疗器械的采购形式分为集中采购（集采）、带量采购（量价挂钩）和招标采购三种。集中采购，是指医疗机构采购医用耗材时不直接联系企业，而是将需求的数据报送到省（市）平台，平台汇总需求后再采用一定的模式集中采购。带量采购是集中采购的模式之一，指的是在集中采购过程中开展招投标或谈判议价时，明确采购数量，让企业按量报价的一种采购形式。招标采购是医院采购医疗设备的主要方式，通过公开招标或邀请招标确定供应商。招标采购又分为政府采购和自行采购两种形式，政府采购包含公开招标（一般针对医院大型设备的采购）、邀请招标、竞争性谈判（一般用于紧急需求）、询价采购和单一来源采购（多适用于专利设备）等方式；在医疗器械采购领域，小型设备通常由医院依据自身需求与流程自主组织采购。

2019 年 7 月 31 日，国务院办公厅重磅发布《关于印发治理高值医用耗材改革方案的通知》（国办发〔2019〕37 号），明确要求，要遵循带量采购、量价挂钩、促进市场竞争等核心原则，积极探索高值医用耗材的分类集中采购模式[5]。这意味着，所有公立医疗机构在采购高值医用耗材时，必须严格在省级或国家级采购平台上进行公开交易、阳光采购[5]，杜绝线下采购的灰色地带，从源头上增强采购过程的透明度。针对那些临床用量庞大、采购金额高昂，且临床使用技术已相当成熟（例如心脏支架、人工关节等），同时有多家企业参与生产的高值医用耗材，通知倡导按类别深入探索集中采购路径。鼓励医疗机构打破地域限制，开展联合谈判，甚至组建跨省采购联盟，通过整合资源、凝聚合力，进一步扩大议价能力，争取更优惠的采购价格，为患者减轻医疗负担。而对于那些已明确医保支付标准、价格稳定的高值医用耗材，则实行直接挂网采购的便捷方式，大幅简化流程，提高采购效率。同时借助医保支付标准的杠杆作用，引导高值医用耗材价格回归合理区间，促进医疗市场的健康有序发展。通过信息化手段监控实际采购量，打击“带金销售”和过度使用，推动合理诊疗。虽然文件聚焦高值耗材，但低值耗材的集采也在地方层面逐步展开，主要聚焦基础卫生材料（如纱布、口罩）、体外诊断试剂（如血糖试纸）、注输穿刺类（如输液器、注射器）等，共涉及 3 个大类，7 个品种。各省市公立医院的政府集中采购目录及相应标准均由地方政府依据本地实际情况精心制定并正式颁布实施。截至 2022 年，全国高值医用耗材带量采购工作在医疗改革的浪潮中取得了令人瞩目的显著进展，主要聚焦于血管介入与骨科耗材这两大关键领域。其覆盖范围广泛，共涉及 11 个大类，24 个品种。具体而言，血管介入治疗用耗材的代表品种有弹簧圈类、冠脉导引导管类和冠脉导引导丝类等；骨科耗材则主要以骨科脊柱类和骨科创伤类为代表品种。未来，高值医用耗材集采工作将覆盖更多品种，如人工晶体、运动医学类耗材等。国产企业将依托集采机遇，加大研发投入，突破技术瓶颈，实现从“跟跑”到“并跑”乃至“领跑”的华丽跨越。

新版《条例》第四十五条规定，医疗器械使用单位应当从具备合法资质的医疗器械注册人、备案人、生产经营企业购进医疗器械。购进医疗器械时，应当查验供货者的资质和医疗器械的合格证明文件，建立进货查验记录制度。记录事项包括：①医疗器械的名称、型号、规格、数量；②医疗器械的生产批号、使用期限或者失效日期、销售日期；③医疗器械注册人、备案人和受托生产企业的名称；④供货者或者购货者的名称、地址以及联系方式；⑤相关许可证明文件编号等。

进货查验记录应当真实、准确、完整和可追溯，并按照国务院药品监督管理部门规定的期限予以保存。国家鼓励采用先进技术手段进行记录。根据《医疗器械使用质量监督管理办法》第八条的规定，医疗器械使用单位应当从具有资质的医疗器械生产经营企业购进医疗器械，索取、查验供货者的资质、医疗器械注册证或者备案凭证等证明文件。对购进的医疗器械应当验明产品合格证明文件，并按规定进行验收。对有特殊储运要求的医疗器械，还应当核实储运条件是否符合产品说明书和标签标示的要求。

《医疗器械临床使用管理办法》规定，医疗机构应当建立医疗器械临床使用技术评估与论证制度并组织实施，开展技术需求分析和成本效益评估，确保医疗器械满足临床需求。并规定，医疗机构购进医疗器械，应当查验供货者的资质和医疗器械的合格证明文件，建立进货查验记录制度。对于医疗器械的安装，该办法指出，医疗器械的安装应当由生产厂家或者其授权的具备相关服务资质的单位、医疗机构负责医学工程工作的部门依据国家有关标准实施。医疗机构应当对医疗器械相关硬件、软件的安装、更新、升级情况进行登记和审核，并应当进行临床验证和技术评估。同时还规定，医疗机构应当建立医疗器械验收验证制度，保证医疗器械的功能、性能、配置要求符合购置合同以及临床诊疗的要求。医疗器械经验收验证合格后方可应用于临床。

9.2.1.2 使用及转让要求

新版《条例》明确规定，医疗器械使用单位不得使用未依法注册或者备案、无合格证明文件以及过期、失效、淘汰的医疗器械。医疗器械使用单位之间转让在用医疗器械的，转让方应当确保所转让的医疗器械安全、有效，不得转让过期、失效、淘汰以及检验不合格的医疗器械。《大型医用设备配置与使用管理办法》第三十七条也规定，医疗器械使用单位不得使用无合格证明、过期、失效、淘汰的大型医用设备，不得以升级等名义擅自提高设备配置性能或规格，规避大型医用设备配置管理。严禁医疗器械使用单位引进境外研制但境外尚未配置使用的大型医用设备。

9.2.1.3 大型医用设备的配置要求

根据新版《条例》第四十八条第二款之规定，医疗器械使用单位配置大型医用设备，应当符合国务院卫生主管部门制定的大型医用设备配置规划，与其功能定位、临床服务需求相适应，具有相应的技术条件、配套设施和具备相应资质、能力的专业技术人员，并经省级以上人民政府卫生主管部门批准，取得大型医用设备配置许可证。第三款规定，大型医用设备配置管理办法由国务院卫生主管部门会同国务院有关部门制定。大型医用设备目录由国务院卫生主管部门商国务院有关部门提出，报国务院批准后执行。

根据《大型医用设备配置与使用管理办法》，大型医用设备目录由国家卫生健康委员会向国务院有关部门提出，报国务院批准后公布执行。国家按照目录对大型医用设备实行分级分类配置规划和配置许可证管理。医疗器械使用单位申请配置大型医用设备，应当符合大型医用设备配置规划，与其功能定位、临床服务需求相适应，具有相应的技术条件、配套设施和具备相应资质、能力的专业技术人员。

大型医用设备配置管理目录分为甲、乙两类。甲类大型医用设备由国家卫生健康委员会负责配置管理并核发配置许可证；乙类大型医用设备由省级卫生健康行政部门负责配置管理并核发配置许可证。国家卫生健康委员会应当对大型医疗器械使用的安全性、有效性、经济性、适宜性等进行评估，适时提出大型医用设备管理目录的调整建议。申请配置甲类大型医用设备的，向国家卫生健康委员会提出申请；申请配置乙类大型医用设备的，向所在地省级卫生健康行政部门提出申请。医疗器械使用单位申请配置大型医用设备，应当如实、准确提交下列材料：①大型医用设备配置申请表；②医疗器械使用单位执业许可证复印件（或医疗器械使用单位设置批准书复印件，或符合相关规定要求的从事医疗服务的其他法人资质证明复印件）；③统一社会信用代码证（或组织机构代码证）复印件；④与申请配置大型医用设备相应的技术条件、配套设施和专业技术人员资质、能力证明材料。

2024年1月30日，在北京召开了全国卫生健康财务工作会议。会议指出，要做好大型医用设备配置管理，支持医疗机构科学合理配置大型医用设备，推动高端医疗设备在高水平医院合理使用，服务优质医疗资源扩容下沉和区域均衡布局。对由甲类调整到乙类的设备要“接得住”“管得好”，确保不出现质量安全问题。

9.2.2　大型医用设备使用管理

《大型医用设备配置与使用管理办法》第五章第三十条至第三十七条对大型医用设备的使用管理进行了规定。大型医用设备使用应当遵循安全、有效、合理和必需的原则。医疗器械使用单位应当建立大型医用设备管理档案，记录其采购、安装、验收、使用、维护、维修、质量控制等事项，并如实记载相关信息。医疗器械使用单位应当按照大型医用设备产品说明书等要求，进行定期检查、检验、校准、保养、维护，确保大型医用设备处于良好状态。大型医用设备必须达到计（剂）量准确、辐射防护安全、性能指标合格后方可使用。医疗器械使用单位应当按照国家法律法规的要求，建立完善大型医用设备使用信息安全防护措施，确保相关信息系统运行安全和医疗数据安全。卫生健康行政部门应当对大型医用设备的使用状况进行监督和评估。医疗器械使用单位承担使用主体责任，应当建立健全大型医用设备使用评价制度，加强评估分析，促进合理应用，定期向县级以上卫生健康行政部门报送使用情况。大型医用设备使用人员应当具备相应的资质、能力，按照产品说明书、技术操作规范等使用大型医用设备。医疗器械使用单位发现大型医用设备不良事件或者可疑不良事件，应当按照规定及时报告医疗器械不良事件监测技术机构。医疗器械使用单位发现大型医用设备使用存在安全隐患的，或者外部环境、使用人员、技术等条件发生变化，不能保障使用安全质量的，应当立即停止使用。经检修仍不能达到使用安全标准的，不得继续使用。

9.2.3　医疗器械临床使用管理

9.2.3.1　资质和人员要求

（1）设施场所要求　新版《条例》第四十七条规定，运输、贮存医疗器械，应当符合医疗器械说明书和标签标示的要求；对温度、湿度等环境条件有特殊要求的，应当采取相应措施，保证医疗器械的安全、有效。第四十八条第一款规定，医疗器械使用单位应当有与在用医疗器械品种、数量相适应的贮存场所和条件。《医疗器械临床使用管理办法》第三十四条规定，医疗机构应当具备与医疗器械品种、数量相适应的贮存场所和条件。对温度、湿度等环境条件有特殊要求的，应当采取相应措施，保证医疗器械安全、有效。

（2）人员的要求　根据新版《条例》第四十八条第一款的要求，医疗器械使用单位应当加强对工作人员的技术培训，按照产品说明书、技术操作规范等要求使用医疗器械。根据《医疗器械临床使用管理办法》第十二条和第十四条的要求，二级以上医疗机构应当配备与其功能、任务、规模相适应的医学工程及其他专业技术人员、设备和设施。医疗机构从事医疗器械相关工作的卫生专业技术人员，应当具备相应的专业学历、卫生专业技术职务任职资格或者依法取得相应资格。《医疗器械临床使用管理办法》第二十二条和第二十三条规定，医疗机构及其医务人员临床使用医疗器械，应当遵循安全、有效、经济的原则，采用与患者疾病相适应的医疗器械进行诊疗活动。需要向患者说明医疗器械临床使用相关事项的，应当如实告知，不得隐瞒或者虚假宣传，误导患者。医疗机构及其医务人员临床使用医疗器械，应当按照诊疗规范、操作指南、医疗器械使用说明书等，遵守医疗器械适用范围、禁忌证及注意事项，注意主要风险和关键性能指标。

《大型医用设备配置与使用管理办法》也规定，医疗器械使用单位申请配置大型医用设备，应当具有相应的技术条件、配套设施和具备相应资质、能力的专业技术人员。大型医用设备使用人员应当具备相应的资质、能力，按照产品说明书、技术操作规范等使用大型医用设备。医疗器械使用单位如果不按照操作规程、诊疗规范合理使用，以及聘用不具有相应资质、能力的人员使用大型医用设备，不能保障医疗质量安全的，由县级以上卫生健康行政部门依法予以处理。医疗器械使用单位应当将管理目录内同品目但未实行配置许可的大型医疗器械使用人员技术条件、使用信息向所在地县级以上地方卫生健康行政部门备案并向社会公示。

9.2.3.2 医疗器械使用过程中及使用后的要求

（1）日常维护保养要求　新版《条例》第五十条规定，医疗器械使用单位对需要定期检查、检验、校准、保养、维护的医疗器械，应当按照产品说明书的要求进行检查、检验、校准、保养、维护并予以记录，及时进行分析、评估，确保医疗器械处于良好状态，保障使用质量；对使用期限长的大型医疗器械/设备，通过定期检查、检验、校准、保养和维护，使得设备必须达到计（剂）量准确、辐射防护安全、性能指标合格后方可使用，并且应当逐台建立使用档案，记录其使用、维护、转让、实际使用时间等事项。记录保存期限不得少于医疗器械规定使用期限终止后 5 年。《医疗器械临床使用管理办法》第三十一条至第三十三条规定，医疗器械保障维护管理应当重点进行检测和预防性维护。通过开展性能检测和安全监测，验证医疗器械性能的适当性和使用的安全性；通过开展部件更换、清洁等预防性维护，延长医疗器械使用寿命并预防故障发生。医疗机构应当监测医疗器械的运行状态，对维护与维修的全过程进行跟踪记录，并定期分析评价医疗器械整体维护情况。医疗机构应当遵照国家有关医疗器械标准、规程、技术指南等，确保系统环境电源、温湿度、辐射防护、磁场屏蔽、光照亮度等因素与医疗器械相适应，并定期对医疗器械使用环境进行测试、评估和维护。医疗器械使用科室负责医疗器械的日常管理工作，以及医疗器械的登记、定期核对、日常使用、维护保养等工作。医疗机构应当组织开展医疗器械临床使用管理的继续教育和培训，开展医疗器械临床使用范围、质量控制、操作规程、效果评价等培训工作。医疗机构应当加强医疗器械信息管理，建立医疗器械及其使用信息档案。医疗机构应当每年开展医疗器械临床使用管理自查、评估、评价工作，确保医疗器械临床使用的安全、有效。

（2）使用中止要求　新版《条例》第五十二条、《医疗器械临床使用管理办法》第二十七条和《大型医用设备与使用管理办法》规定，发现使用的医疗器械和大型医用设备存在安全隐患的，医疗器械使用单位应当立即停止使用，并通知医疗器械注册人、备案人或者其他负责产品质量的机构进行检修；经检修仍不能达到使用安全标准的医疗器械，不得继续使用。《大型医用设备与使用管理办法》还规定，当大型医用设备外部环境、使用人员、技术等条件发生变化，不能保障使用安全质量的，同样应当立即停止使用。新版《条例》第七十二条还规定，对人体造成伤害或者有证据证明可能危害人体健康的医疗器械，负责药品监督管理的部门可以采取责令暂停生产、进口、经营、使用的紧急控制措施，并发布安全警示信息。

（3）消毒销毁要求　新版《条例》第四十九条和《医疗器械临床使用管理办法》第二十八条均指出，医疗机构应当严格执行医院感染管理有关法律法规的规定，使用符合国家规定的消毒器械和一次性使用医疗器械。按规定可以重复使用的医疗器械，应当严格按照规定清洗、消毒或者灭菌，并进行效果监测；一次性使用的医疗器械不得重复使用，使用过的应当按照国家有关规定销毁并记录。新版《条例》第四十九条还指出，一次性使用的医疗器械目录由国务院药品监督管理部门会同国务院卫生主管部门制定、调整并公布。列入一次性使用的医疗器械目录，应当具有充足的无法重复使用的证据理由。重复使用可以保证安全、有效的医疗器械，不列入一次性使用的医疗器械目录。对因设计、生产工艺、消毒灭菌技术等改进后重复使用可以保证安全、有效的医疗器械，应当调整出一次性使用的医疗器械目录，允许重复使用。《医疗器械临床使用管理办法》第二十八条还特别强调，使用无菌医疗器械前，应当对直接接触医疗器械的包装及其有效期进行常规检查，认真核对其规格、型号、消毒或者灭菌的有效日期等。包装破损、标示不清、超过有效期或者可能影响使用安全的，不得使用。

(4) 信息保存及记录要求　按照新版《条例》第五十一条和《医疗器械临床使用管理办法》第二十九条要求，临床使用大型医疗器械以及植入和介入类医疗器械的，应当将医疗器械的名称、关键性技术参数等信息以及与使用质量安全密切相关的必要信息记载到病历等相关记录中。《医疗器械监督管理条例》第五十一条还强调，医疗器械使用单位应当妥善保存购入第三类医疗器械的原始资料，并确保信息具有可追溯性。《医疗器械临床使用管理办法》第三十五条规定，医疗机构应当真实记录医疗器械保障情况并存入医疗器械信息档案，档案保存期限不得少于医疗器械规定使用期限终止后五年。

9.2.3.3 医疗器械临床使用安全事件处理

按照《医疗器械临床使用管理办法》第三十六条至第四十条的相关规定，医疗机构应当对医疗器械使用安全事件进行收集、分析、评价及控制，遵循可疑即报的原则，及时报告。发生或者发现医疗器械使用安全事件或者可疑医疗器械使用安全事件时，医疗机构及其医务人员应当立即采取有效措施，避免或者减轻对患者身体健康的损害，防止损害扩大，并向所在地县级卫生健康主管部门报告。发生或者发现因医疗器械使用行为导致或者可能导致患者死亡、残疾或者二人以上人身损害时，医疗机构应当在24小时内报告所在地县级卫生健康主管部门，必要时可以同时向上级卫生健康主管部门报告。医疗机构应当立即对医疗器械使用行为进行调查、核实；必要时，应当对发生使用安全事件的医疗器械同批次同规格型号库存产品暂缓使用，对剩余产品进行登记封存。县级及设区的市级卫生健康主管部门获知医疗机构医疗器械使用安全事件或者可疑医疗器械使用安全事件后，应当进行核实，必要时应当进行调查；对医疗机构医疗器械使用行为导致或者可能导致患者死亡、残疾或者二人以上人身损害的，应当进行现场调查，并将调查结果逐级上报至省级卫生健康主管部门。省级以上卫生健康主管部门获知医疗机构医疗器械使用安全事件或者可疑医疗器械使用安全事件，认为应当开展现场调查的，应当组织开展调查。省级卫生健康主管部门开展相关调查的，应当将调查结果及时报送国家卫生健康委。对卫生健康主管部门开展的医疗器械使用安全事件调查，医疗机构应当配合。县级以上地方卫生健康主管部门在医疗器械使用安全事件调查结果确定前，对可疑医疗器械质量问题造成患者损害的，应当根据影响采取相应措施；对影响较大的，可以采取风险提示、暂停辖区内医疗机构使用同批次同规格型号的医疗器械等措施，以有效降低风险，并通报同级药品监督管理部门。经调查不属于医疗器械使用安全事件的，卫生健康主管部门应当移交同级药品监督管理部门处理。

9.2.3.4 医疗器械临床使用监督检查管理

《医疗器械临床使用管理办法》第四十一条至第四十三条规定，县级以上地方卫生健康主管部门应当编制并实施本行政区域医疗机构医疗器械使用年度监督检查计划，确定监督检查的重点、频次和覆盖率。对使用风险较高、有特殊保存管理要求的医疗器械的医疗机构，应当实施重点监管。县级以上地方卫生健康主管部门应当加强对医疗机构医疗器械临床使用行为的监督管理，并在监督检查中有权行使以下职责：①进入现场实施检查、抽取样品；②查阅、复制有关档案、记录及其他有关资料；③法律法规规定的其他职责。医疗机构应当积极配合卫生健康主管部门的监督检查，并对检查中发现的问题及时进行整改。县级以上地方卫生健康主管部门应当组织对医疗机构医疗器械临床使用管理情况进行定期或者不定期抽查，并将抽查结果纳入医疗机构监督管理档案。

根据《大型医用设备与使用管理办法》的规定，卫生健康行政部门需要对包括：①大型医用设备配置规划执行情况；②大型医用设备配置许可证持证和使用情况；③大型医用设备的使用情况和使用信息安全情况；④大型医用设备使用人员配备情况；⑤医疗器械使用单位按照规定报送使用情况；⑥省级以上卫生健康行政部门规定的其他情形等事项实施监督检查。对医疗器械使用单位配置与使用大型医用设备的监督检查，实行随机抽取检查对象、随机选派执法检查人员，抽查情况及查处结果及时向社会公开。可以采取如下方式：①定期检查和不定期抽查；②查阅复印管理文件、记录、档案、病历等有关资料，或要求提供相关数据和材料；③现场检查，进行验证性检验和测量；④实时在线监管；⑤法律法规规定的其他监督检查措施。医疗器械使用单位和个人应当配合相关监督检查，不得虚报、瞒报相关情况。县级以上卫生健康行政部门应当建立配置与使用大型医用设备的单位及其使用人员的信用档案。对有不良信用记录的，增加监督检查频次。医疗器械使用单位在大型医用设备配置许可申请和大型医用设备使用中虚报、瞒报相关情况的，卫生健康行政部门应当将医疗器械使用单位负责人和直接责任人的违法记录通报有关部门，记入相关人员的信用档案。国家鼓励行业协会建立和完善自我约束机制，加强行业自律和相互监督，促进大型医用设备安全合理使用。

9.2.3.5 医疗器械的转让与捐赠要求

根据新版《条例》第五十六条规定，医疗器械使用单位之间转让在用医疗器械，转让方应当确保所转让的医疗器械安全、有效，不得转让过期、失效、淘汰以及检验不合格的医疗器械。《医疗器械使用质量监督管理办法》第二十条及第二十一条也规定，医疗器械使用单位之间转让在用医疗器械，转让方应当确保所转让的医疗器械安全、有效，并提供产品合法证明文件。转让双方应当签订协议，移交产品说明书、使用和维修记录档案复印件等资料，并经有资质的检验机构检验合格后方可转让。受让方应当参照进货查验的规定进行查验，符合要求后方可使用。不得转让未依法注册或者备案、无合格证明文件或者检验不合格，以及过期、失效、淘汰的医疗器械。医疗器械使用单位接受医疗器械生产经营企业或者其他机构、个人捐赠医疗器械的，捐赠方应当提供医疗器械的相关合法证明文件，受赠方按进货查验的规定进行查验，符合要求后方可使用。不得转让、捐赠未依法注册或者备案、无合格证明文件或者检验不合格，以及过期、失效、淘汰的医疗器械。新版《条例》和《医疗器械使用质量监督管理办法》中所指的“在用医疗器械”可以在医疗器械使用单位之间，也可以是与医疗器械经营单位之间进行转让。也就是说，交易的双方都必须是具备医疗器械经营资质或者是医疗器械使用资质的医疗机构，禁止在不具备医疗器械经营资质的个人、生活美容机构等之间进行转让。医疗器械捐赠指医药类企业及其他组织和个人，出于公益目的，自愿无偿地将其合法拥有的医疗器械提供给医疗机构、医疗基金会、公益性社会团体等卫生计生单位的行为。医疗器械的捐赠行为不得掺杂任何的营利动机，捐赠方在提供医疗器械时，不得以此作为对特定产品进行推荐或销售激励的手段。并且医疗器械的捐赠行为必须充分体现自愿性和无偿性的原则，尤其是受赠方在主动请求捐赠方捐赠医疗器械时，应严格避免可能存在的变相商业贿赂风险，保证捐赠行为的纯洁性。

9.3 医疗器械使用相关法律责任与案例分析

随着现代医疗科技的发展，各种医疗器械不断涌现，新型医疗设备在医学诊断与治疗等活动中的使用频率也大大提高，在给临床带来极大便利的同时，也伴随潜在的风险和挑战。在提供医疗技术服务的过程中，部分医疗器械使用单位因管理疏漏或故意违规，导致设备故障、操作失误等事件频发，严重威胁患者的生命健康安全。因此，从多个层面加强对医疗器械使用的监管和规范已成为保障医疗安全、维护患者权益的当务之急。本节所阐述的法律责任，聚焦于医疗器械使用单位在未严格执行新版《条例》《使用办法》《医疗器械临床使用管理办法》等相关法规时所需承担的后果。

（1）对使用不合规医疗器械的法律责任　新版《条例》第八十六条规定，存在使用不符合强制性标准或者不符合经注册或者备案的产品技术要求的医疗器械的情形；或者使用无合格证明文件、过期、失效、淘汰的医疗器械，或者使用未依法注册的医疗器械等情形的，由负责药品监督管理的部门责令改正，没收违法使用的医疗器械；违法使用的医疗器械货值金额不足 1 万元的，并处 2 万元以上 5 万元以下罚款；货值金额 1 万元以上的，并处货值金额 5 倍以上 20 倍以下罚款；情节严重的，责令停产停业，直至由原发证部门吊销医疗器械注册证、医疗器械生产许可证、医疗器械经营许可证，对违法单位的法定代表人、主要负责人、直接负责的主管人员和其他责任人员，没收违法行为发生期间自本单位所获收入，并处所获收入 30%以上 3 倍以下罚款，10 年内禁止其从事医疗器械生产经营活动。

【案例 1】使用未依法注册的医疗器械

2023 年 6 月，延安市市场监督管理局的执法人员依照常规程序对某医院的医疗美容治疗区进行例行检查时，发现该医院使用的“电子注射器”机身上所贴的进口医疗器械注册证系上游经营企业伪造，该医院的行为涉嫌使用未依法注册的医疗器械。本案中，该医院使用的“电子注射器”用于注射透明质酸等高风险操作，属于第三类医疗器械，在生产或进口前，需经过国家药品监督管理局的严格审批，依法获取医疗器械注册证后方可生产、销售和使用。然而，作为医疗器械使用单位，该医院却未能严格履行法定职责，其行为明显违反了新版《条例》第四十五条的规定。对此，延安市市场监督管理局迅速行动，依据新版《条例》第八十六条第三项的规定，对该医院作出了严肃的行政处罚：没收涉案的电子注射器，并处以 137500 元的罚款。同时，对其上游公司伪造医疗器械注册证及经营未依法注册医疗器械的违法问题，依法进行了另案查处。

【案例 2】使用过期医疗器械

2025 年 4 月 8 日，来安县市场监管局执法人员在对独山镇某村卫生室实施监督检查时，发现其药房内阴凉柜上方放置有一袋已过保质期的“莲花”牌一次性使用输液器（规格 20 支/袋，已拆封剩余 9 支），当事人存在使用过期医疗器械的行为，违反了《医疗器械监督管理条例》第五十五条的规定。鉴于当事人为初次违法，且涉案产品数量少、货值金额低，无证据表明造成人员伤害后果，且案发后当事人积极整改，主动消除危害后果。执法部门依据《医疗器械监督管理条例》第八十六条第一款第三项的规定，并参照《安徽省医疗器械行政处罚裁量基准》第二十三条的规定，责令当事人立即改正，对当事人作出减轻行政处罚决定，没收涉案的过期医疗器械，罚款 4000 元。

（2）对未经许可擅自配置使用大型医用设备的法律责任　新版《条例》第八十二条规定：未经许可擅自配置使用大型医用设备的，由县级以上人民政府卫生主管部门责令停止使用，给予警告，没收违法所得；违法所得不足 1 万元的，并处 5 万元以上 10 万元以下罚款；违法所得 1 万元以上的，并处违法所得 10 倍以上 30 倍以下罚款；情节严重的，5 年内不受理相关责任人以及单位提出的大型医用设备配置许可申请，对违法单位的法定代表人、主要负责人、直接负责的主管人员和其他责任人员，没收违法行为发生期间自本单位所获收入，并处所获收入 30%以上 3 倍以下罚款，依法给予处分。

【案例】配置大型设备未取得大型医用设备配置许可证

2022 年 4 月 11 日，河南省周口市淮阳区的卫生监督员对一家医院进行监督检查，发现该院西侧悬挂“××医院 1.5T 磁共振”标识牌的门前和室内，贴着操作规范和相关的警示标识，且正在对患者实施核磁共振检查，但深入核查后发现该医院竟然未取得大型医用设备配置许可证。该医院这种未经许可擅自配置使用大型医用设备的行为，是对医疗秩序和法规权威的公然挑战。这一行为涉嫌严重违反新版《条例》第四十八条、《大型医用设备配置与使用管理办法（试行）》第二十八条的相关规定。因此，依照新版《条例》第八十二条及本《办法（试行）》第四十四条规定，果断对该医院作出了严肃的行政处罚：给予警告处分；没收违法所得3555元；并处以60000元的罚款。

《大型医用设备配置与使用管理办法（试行）》第二十八条规定，医疗器械使用单位配置的大型医用设备应当依法取得医疗器械注册证或备案凭证。

《大型医用设备配置与使用管理办法（试行）》第四十四条规定，违反本办法规定，超规划、越权或违法实施大型医用设备配置许可的，依据《行政许可法》、新版《条例》等有关规定予以处理。

（3）对医疗器械使用单位购进、查验、记录等制度不合规的法律责任　新版《条例》第八十九条规定，针对从不具备合法资质的供货者购进医疗器械；或者医疗器械使用单位未依照本条例规定建立并执行医疗器械进货查验记录制度；或者对需要定期检查、检验、校准、保养、维护的医疗器械，医疗器械使用单位未按照产品说明书要求进行检查、检验、校准、保养、维护并予以记录，及时进行分析、评估，确保医疗器械处于良好状态；或者医疗器械使用单位未妥善保存购入第三类医疗器械的原始资料等情形的，由负责药品监督管理的部门和卫生主管部门依据各自职责责令改正，给予警告；拒不改正的，处1万元以上10万元以下罚款；情节严重的，责令停产停业，直至由原发证部门吊销医疗器械注册证、医疗器械生产许可证、医疗器械经营许可证，对违法单位的法定代表人、主要负责人、直接负责的主管人员和其他责任人员处1万元以上3万元以下罚款。

【案例1】不能提供医疗器械维护、保养记录

2023年5月23日，定兴县执法人员在某口腔诊所监督检查时发现，该单位正在使用“牙科综合治疗机”，但不能当场提供上述医疗器械产品的维护、保养记录，其行为违反了新版《条例》第五十条规定。于检查当日，执法人员做出“责令该单位于2023年5月30日之前完成改正”的要求。但是，2023年6月1日，执法人员再次检查该口腔诊所时发现，该单位仍不能提供上述医疗器械的维护、保养记录，未能在规定期限内完成整改工作。根据新版《条例》第八十九条第九款规定，行政机关给予其罚款1万元的行政处罚。

【案例2】未妥善保存医疗器械购买各文件记录且逾期仍未做出改正

2023年4月12日，大竹县某卫生室购进一次性使用无菌注射器100支。12月8日在对其进行现场检查时，大竹县市场监管局执法人员发现当事人存在如下违规行为：①未对该批次医疗器械的供货商资质进行查验；②虽查验了该批次医疗器械的合格证但未妥善保存；③未按规定对该批次注射器的记录事项进行记录。执法人员当场给予了当事人警告、责令其于2023年12月25日之前完成整改的决定。但12月22日，当事人又购进一次性使用袋式输液器3包共75支，12月26日，大竹县市场监管局再次现场检查当事人整改情况时，发现当事人对该批次输液器仍未按规定记录事项进行记录，仍不能提供供货商资质，且仍未对该批次输液器的合格证妥善保存。当事人这种“未按照规定建立并执行医疗器械进货查验记录制度、未妥善保存购入第三类医疗器械的原始资料，以及在被执法人员当场给予警告并责令限期整改之后，逾期仍未做出改正”的行为涉嫌违反新版《条例》第四十五条、第五十一条的相关规定。因此，大竹县市场监管局以新版《条例》第八十九条规定为依据，给予了当事人罚款20000元的行政处罚。

（4）对医疗器械具体使用过程不合规的法律责任　新版《条例》第九十条规定存在如下

情形之一的，由县级以上人民政府卫生主管部门责令改正，给予警告；拒不改正的，处 5 万元以上 10 万元以下罚款；情节严重的，处 10 万元以上 30 万元以下罚款，责令暂停相关医疗器械使用活动，直至由原发证部门吊销执业许可证，依法责令相关责任人员暂停 6 个月以上 1 年以下执业活动，直至由原发证部门吊销相关人员执业证书，对违法单位的法定代表人、主要负责人、直接负责的主管人员和其他责任人员，没收违法行为发生期间自本单位所获收入，并处所获收入 30%以上 3 倍以下罚款，依法给予处分：

① 对重复使用的医疗器械，医疗器械使用单位未按照消毒和管理的规定进行处理；

② 医疗器械使用单位重复使用一次性使用的医疗器械，或者未按照规定销毁使用过的一次性使用的医疗器械；

③ 医疗器械使用单位未按照规定将大型医疗器械以及植入和介入类医疗器械的信息记载到病历等相关记录中；

④ 医疗器械使用单位发现使用的医疗器械存在安全隐患，未立即停止使用、通知检修，或者继续使用经检修仍不能达到使用安全标准的医疗器械；

⑤ 医疗器械使用单位违规使用大型医用设备，不能保障医疗质量安全。

【案例】违规重复使用一次性耗材

据咸阳市医疗保障局曝光，通城县某医院泌尿外科存在反复使用一次性医用耗材并重复收费的违规行为，涉及医保违规金额达 325920 元。该医院行为涉嫌违反新版《条例》第四十九条，《中华人民共和国传染病防治法》第五十一条、《医疗器械临床使用管理办法》第二十八条、《医疗机构医用耗材管理办法（试行）》等相关条款的规定。通城县医保局以新版《条例》第九十条为依据，对该医院做出责令限期整改、将违规使用的医保基金 325920 元全额退回，以及罚款 651840 元（系违规金额两倍）的行政处罚。

本案所涉及的《中华人民共和国传染病防治法》第五十一条明确规定，医疗机构应当按照规定对使用的医疗器械进行消毒；对按照规定一次性使用的医疗器具，应当在使用后予以销毁。

《医疗机构医用耗材管理办法（试行）》也提出了明确要求，医疗机构应当在医用耗材临床使用过程中严格落实医院感染管理有关规定。一次性使用的医用耗材不得重复使用。

(5) 对转让过期、失效、淘汰或者检验不合格的在用医疗器械的法律责任　根据新版《条例》第八十八条的规定，对于未按照医疗器械说明书和标签标示要求运输、贮存医疗器械以及转让过期、失效、淘汰或者检验不合格的在用医疗器械的，由负责药品监督管理的部门责令改正，处 1 万元以上 5 万元以下罚款；拒不改正的，处 5 万元以上 10 万元以下罚款；情节严重的，责令停产停业，直至由原发证部门吊销医疗器械生产许可证、医疗器械经营许可证，对违法单位的法定代表人、主要负责人、直接负责的主管人员和其他责任人员，没收违法行为发生期间自本单位所获收入，并处所获收入 30%以上 2 倍以下罚款，5 年内禁止其从事医疗器械生产经营活动。

【案例】未查验和保存转让医疗器械的证明材料

乐清市市场监管局在对其辖区内某医疗美容诊所进行现场检查时，发现该诊所内的 2 台医疗器械只有外文标识而无任何中文标识。调查后得知这 2 台设备是该诊所从其他企业处整体资产转让时一并转让而来的，在转让过程中，清单、发票、产品合格证明文件等部分台账已遗失，该诊所未能提供保障上述产品合法性的证明材料。市监局基于该诊所这种未查验、保存转让的医疗器械相关资料以及无法证明所转让医疗器械产品合法性的行为，以新版《条例》第八十六条第三项的规定为依据，对涉案诊所作出没收违法生产经营使用的医疗器械并处以罚款的行政处罚决定。

(6) 医疗器械使用单位在不知情的情况下使用了不合格医疗器械的法律责任　新版《条

例》第八十七条规定：医疗器械使用单位履行了本条例规定的进货查验等义务，有充分证据证明其不知道所使用的医疗器械为本条例第八十六条第一项和第三项规定情形的医疗器械，并能如实说明其进货来源的，收缴其使用的不符合法定要求的医疗器械，可以免除行政处罚。

【案例】使用质量不合格的医疗器械

2023 年 1 月 11 日，毕节市市场监管局执法人员对威宁自治县某医院使用的“医用外科口罩”进行了抽样检验，检验结果显示，该批次口罩不符合医疗器械产品技术要求，存在质量问题。调查发现，当事人共购进该批次口罩 12000 个，截至检查时已使用 11500 个。该医院这一行为涉嫌严重违反新版《条例》第八十六条第一项的规定。但是鉴于当事人购进该批次口罩时查验并索要了供货方资质、检验检测报告等证明材料，履行了进货查验的主体义务，有证据能充分证明其不知道所使用的医疗器械为不合格产品，符合新版《条例》第八十七条所规定的情形。基于此，毕节市市场监管局给予了当事人免除行政处罚的决定，但同时依法没收了剩余的 500 个不符合技术要求的“医用外科口罩”。

（7）违反《医疗器械临床使用管理办法》的相关法律责任　根据《医疗器械临床使用管理办法》第四十五条的规定，医疗机构违反本办法规定，存在下列情形之一的，由县级以上地方卫生健康主管部门责令改正，给予警告；情节严重的，可以并处五千元以上三万元以下罚款：

① 未按照规定建立医疗器械临床使用管理工作制度的；

② 未按照规定设立医疗器械临床使用管理委员会或者配备专（兼）职人员负责本机构医疗器械临床使用管理工作的；

③ 未按照规定建立医疗器械验收验证制度的；

④ 未按照规定报告医疗器械使用安全事件的；

⑤ 不配合卫生健康主管部门开展的医疗器械使用安全事件调查和临床使用行为的监督检查的；

⑥ 其他违反本办法规定的行为。

【案例 1】未配备专（兼）职人员负责医疗器械临床使用管理工作

2023 年 6 月 1 日，温岭市卫生健康局执法人员对温岭市某门诊部进行了现场检查，在检查过程中，发现该门诊部存在医疗器械临床使用管理方面的违规行为。具体情况为当时一名患者正在该门诊部接受输液治疗，对于注射室内存在的一次性使用无菌注射针和一次性使用静脉输液针等医疗器械，该门诊部未能出示医疗器械临床使用管理工作制度，并且据负责人陈某承认，该门诊部未配备专（兼）职人员负责医疗器械临床使用管理工作。该门诊部的行为违反了《医疗器械临床使用管理办法》第九条第一款的规定。2023 年 6 月 6 日，温岭市卫生健康局以本《办法》第四十五条规定为依据，同时与《关于在浙江省卫生健康监管领域推行初次轻微违法行为不予处罚的意见》所列情形相结合，对该门诊部作出了不予行政处罚的决定，但责令其立即改正上述违法行为。

【案例 2】超范围使用医疗器械

2022 年 8 月 16 日，天津市河西区市场监督管理局执法人员对河西区某医院进行检查时，发现该医院存在超适用范围使用医疗器械的严重违规行为。具体为，医院一楼冰箱内存有“术唯可”和“碧萃诗”医用透明质酸钠凝胶及其使用说明书，说明书明确标注其适用范围为预防或减少腹（盆）腔手术的术后粘连，然而，现场提取病历使用记录发现该医院使用上述产品用于面部注射。经过严谨的调查和认定，该医院的行为违反了《医疗器械临床使用管理办法》第二十三条的明确规定。该市场监督管理局以本《办法》第四十五条第六项规定为依据，对该医院作出了严肃的行政处罚：责令该医院限期改正其违法行为，同时给予警告的行政处罚，以儆效尤。

根据《医疗器械临床使用管理办法》第四十七条的规定，县级以上地方卫生健康主管部门工作人员不履行医疗机构医疗器械临床使用监督管理职责或者滥用职权、玩忽职守、徇私舞弊的，上级卫生健康主管部门可以建议有管理权限的监察机关或者任免机关对直接负责的主管人员和其他直接责任人员依法给予处分；构成犯罪的，依法追究刑事责任。

参考文献

[1] 佚名．食品药品监管总局发布医疗器械使用质量监督管理办法［J］．中国医疗设备，2015（11）：182.

[2] 邓剑锋，杨冰，张和华，等．探讨医疗器械合理使用监管系统的构建［J］．医疗卫生装备，2016，37（6）：141-143，146.

[3] 陈薇薇，许锋．医疗器械使用监管发展趋势与应对策略［J］．医疗卫生装备，2020，41（1）：70-73.

[4] 国家卫生健康委员会，国家药品监督管理局．关于印发大型医用设备配置与使用管理办法（试行）的通知［J］．中华人民共和国国家卫生和计划生育委员会公报，2018（5）：31-43.

[5] 安媛媛，阮艺宏，周辉，等．我国药品采购制度的演变及当前带量采购制度的实施与完善［J］．中国药事，2021（8）：847-855.

第十章

医疗器械不良事件监测与再评价

医疗器械在经过严格的审批后方能上市销售，到达消费者手中发挥其价值。但是依法合规上市的医疗器械并不意味着在使用过程中就完全安全有效，如果在使用中发现医疗器械存在不良问题，必须及时处理，保障公众的安全，促进行业的进步。医疗器械上市后的不良事件监测与再评价机制是一项保障公众用械安全的重要机制。随着我国近年来在网络基础设施方面的增强，目前我国已建成覆盖全国的医疗器械不良事件监测网络，从早期被动应急到如今主动预警，实现了医疗器械上市后的监管从“事后处置”向“全生命周期风险管理”的转型。本章将对医疗器械行业监管中的医疗器械不良事件监测与再评价机制进行介绍。

10.1 医疗器械不良事件的定义及现状

10.1.1 医疗器械不良事件的有关定义

医疗器械不良事件，指的是已获准上市、质量合格的医疗器械，在正常使用情况下发生的，导致或可能导致人体伤害的各种有害事件。医疗器械经营与使用单位需要对医疗器械不良事件进行收集，并及时报告；同时，应当配合持有人进行不良事件的调查、评价以及再评价工作。医疗器械不良事件监测，指的是对医疗器械不良事件的发现、报告、评价和控制的全过程。医疗器械不良事件的监测和再评价等相关工作由药品监督管理部门负责。医疗器械严重伤害的标准为满足以下三个条件之一：①直接危及生命；②造成机体功能的永久性伤害或机体结构的不可逆损伤；③须采取医疗干预才能避免上述永久性伤害或损伤。

医疗器械不良事件报告涉及的内容和资料统计仅作为加强医疗器械监督管理、指导开展产品再评价工作的重要依据，并不能作为医疗纠纷、医疗诉讼或处理医疗器械质量事故的依据。

10.1.2 医疗器械不良事件的产生原因

医疗器械不良事件的产生原因众多，涉及多种因素[1]，其主要原因如下：

① 医疗器械上市前研究的局限性：尽管上市前医疗器械需经过一系列安全评价，但临床评价存在样本量小、时间短、针对性强但应用定位不精确等问题，导致部分不良事件在试验阶段未能被发现。

② 产品本身存在风险：a. 设计缺陷，受限于当下的科学技术条件、研发人员的认知水

平以及生产工艺的成熟度等诸多因素，医疗器械的设计难免会出现一些先天不足。部分医疗器械在研发时，由于设计目的过于简单，对实际使用场景和复杂需求的考虑不够周全，从而留下了难以避免的设计缺陷。据相关统计数据，因设计缺陷引发的不良事件在全部不良事件中占比高达 14%，这一数字足以引起我们对产品设计环节的高度重视；b. 原材料问题，生产医疗器械的原材料大多源自工业领域，这些原材料在进入医疗器械生产环节之前，常面临生物相容性不佳、化学物质残留超标、微生物污染、生物降解等问题，进而对产品的安全性产生负面影响；c. 使用因素，医疗器械的使用是一个复杂的过程，涉及多个环节和众多参与者，使用者手术操作不当、与其他医疗器械的协同配合出现问题、应用人群的特殊性，以及医师对新医疗器械的性能和使用方法不熟悉等任何一个环节出现失误都可能导致不良事件的发生。产品本身的风险是导致不良事件发生的直接原因之一。

③ 标签和使用说明书问题：医疗器械产品的标签、使用说明书的准确性和完整性对于确保医疗器械的安全使用至关重要。由于产品的标签、使用说明书不可避免地存在出现错误、缺陷或使用者未按要求使用等问题的可能性，并可能导致不良事件的发生，因此该问题造成不良事件发生的比例高达 65%左右。

④ 医疗器械安装后性能退化或发生故障：医疗器械安装后可能因性能退化或发生故障而无法达到预期的临床效果，亦可能导致患者受到伤害，引发不良事件。例如，人工关节磨损产生的颗粒可能诱发骨溶解等。

⑤ 医院对医疗器械的维护不足：不少医院对医疗器械重购置轻维护，缺乏科学系统的测试流程与全面深入的风险评估机制，难以精准洞察设备潜在的安全隐患。而且，许多医院在使用医疗器械后，极少开展预防性维修工作，也未形成定期巡检的常态化制度。这种维护不足的状况，极有可能导致医疗器械在使用过程中突发故障，或者性能逐渐下降，无法达到预期的治疗效果，增加不良事件发生的风险。

⑥ 外在因素：电磁干扰、雷电、电击、因故停电，甚至环境温度、湿度等外在因素亦可能对医疗器械的正常运行造成严重影响，导致医疗器械对病人产生伤害，进而引发不良事件。

10.2 医疗器械不良事件的监测管理

10.2.1 医疗器械不良事件监测的目的

医疗器械产业作为关乎人类生命健康安全的关键新兴产业，其重要性不言而喻。医疗器械产品堪称现代科技的集大成者，巧妙融合了众多现代科学技术的前沿发现与最新成果，是医学与材料科学等多学科深度交叉融合孕育出的高技术结晶。其复杂性与高技术性，从根本上决定了医疗器械监管工作具有特殊性与举足轻重的重要性。并且由于医疗器械直接作用于人体，很多产品（例如人工心脏瓣膜、血管支架等）存在一定的潜在风险，包括使用过程中的不良反应、长期使用的副作用等。因而，对上市医疗器械产品进行风险管理及质量监测，有助于及时发现并处理潜在的医疗器械安全隐患，进而保障公众用械安全[2]。其中，医疗器械不良事件监测工作是医疗器械产品上市后保障其持续安全性的最为重要的措施之一。

作为医疗器械上市后风险管理的关键手段[3]，医疗器械不良事件监测旨在通过广泛收集、及时报告、深入分析和科学评价医疗器械产品在使用过程中出现的可疑不良事件，系统地监控、识别上市后产品的风险，实现风险防控和患者保护。对医疗器械不良事件的监测和评价，能够为其提供丰富而翔实的数据支持，助力监管部门优化监管策略；通过采取相应的监管措施（例如对高风险产品采取警示、召回等控制措施），防止伤害重复发生；通过反馈不良事件案例，为医务人员提供宝贵的经验教训，指导他们规范操作，促进科学、合理地使用医疗器械，提高医疗服务的质量和安全性。同时，企业根据监测结果优化产品性能，推动行业标准提升，最终形成上市前评价与上市后监测的闭环全链条监管模式，为我国医疗器械产业的持续、健康发展注入强大动力，推动产业迈向更加辉煌的未来。

10.2.2 医疗器械不良事件监测的现状

在医疗器械不良事件监测领域，以美国为代表的西方国家已然构建起一套成熟且高效的监测体系，为公众用械安全提供了坚实保障。与之形成鲜明对比的是，我国医疗器械不良事件监测工作起步相对较晚，整体发展进程滞后于西方国家约 20 年。这一差距使得我国在该领域尚存在诸多亟待解决的不足之处[4-5]，需要投入更多的精力和资源去完善和优化。对医疗器械监测数据进行系统性的梳理、深入透彻的分析以及全面精准的总结，能够帮助我们清晰洞察潜在风险的分布与变化趋势，从而有的放矢地采取有效措施，将安全风险出现的概率以及对患者造成的危害降至最低[6]。

据《我国医疗器械不良事件监测现状研究》报道[7]，在 2016 年至 2020 年这 5 年间，我国医疗器械不良事件报告数呈现出稳步增长的态势，年复合平均增长率高达 10.99%；与此同时，每百万人口平均报告数量也呈现出同步增长的趋势，年复合平均增长率达到 11.09%，这一数据反映出我国医疗器械不良事件监测工作的覆盖面和敏感性在不断提升。尤为值得关注的是，在 2019 年至 2020 年期间，报告数量的增长幅度最为显著，彰显出我国在该领域监测工作的强劲发展势头和巨大潜力，详见图 10-1。

图 10-1 全国医疗器械不良事件报告数和每百万人口平均报告数

根据国家药品不良反应监测中心编撰的《国家医疗器械不良事件监测年度报告（2023）》所呈现的数据，在 2019—2023 年这五年时间里，全国可疑医疗器械不良事件报告数量呈现出持续且快速的增长态势，具体增长情况详见图 10-2。2023 年，国家医疗器械不良事件监测信息系统共接收到 86.7 万余份医疗器械不良事件报告，这一庞大的数字背后，是无数潜在风险的警示信号。进一步从人口覆盖维度来看，每百万人口平均医疗器械不良事件报告数量达到了 615 份，与 2022 年相比，增长了 24.75%，增长趋势的直观呈现可参见图 10-3。

截至 2023 年 12 月 31 日，国家医疗器械不良事件监测信息系统中注册的基层用户数量[涵盖注册人和备案人（以下统称注册人）、经营企业以及使用单位]已累计达 415158 家，相较于 2022 年，这一数字增长了 4.43%。其中，注册人 34711 家，占比用户总数的 8.36%，与 2022 年相比增长了 9.68%；经营企业 246184 家，占比用户总数的 59.30%，相比 2022

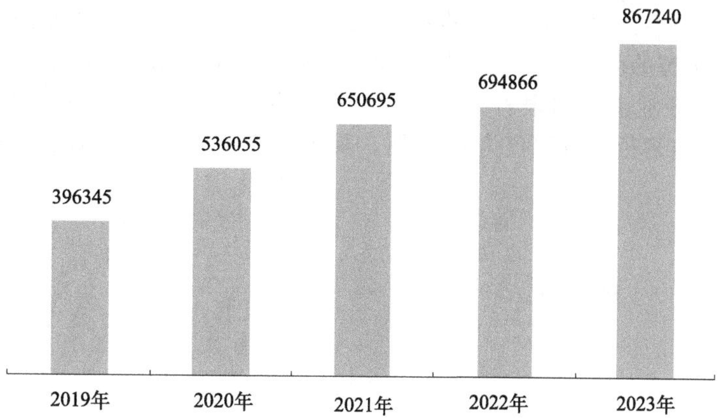

图 10-2　2019—2023 年全国可疑医疗器械不良事件报告数量（份）

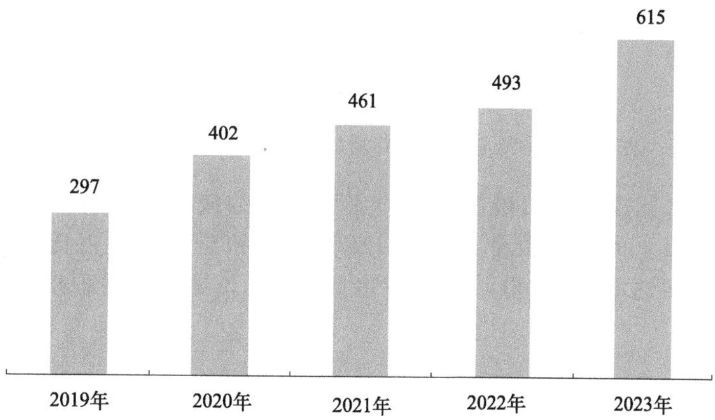

图 10-3　2019—2023 年全国每百万人口平均医疗器械不良事件报告数量（份）

年增长了 4.83%；使用单位 134263 家，占比用户总数的 32.34%，相较于 2022 年增长了 2.43%，如图 10-4 所示。

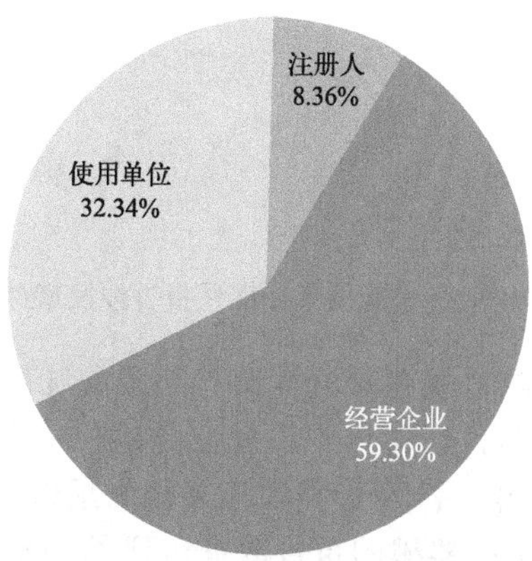

图 10-4　2023 年国家医疗器械不良事件监测信息系统注册基层用户数量情况

从报告来源这一关键视角展开深度剖析与统计可知，2023 年，国家药品不良反应监测中心全年累计接收了867240份医疗器械不良事件报告。在这些海量报告中，使用单位无疑是“报告大军”中的主力军。其上报的报告数量多达775173份，在报告总数中占比高达89.38%，在报告来源的版图中占据着绝对主导地位。注册人上报的报告数量为18717份，占比2.16%；经营企业上报的报告共计73000份，占比8.42%；此外，还有350份报告源自个人上报以及其他途径，占比仅为0.04%。具体报告来源的分布情况详见图10-5。

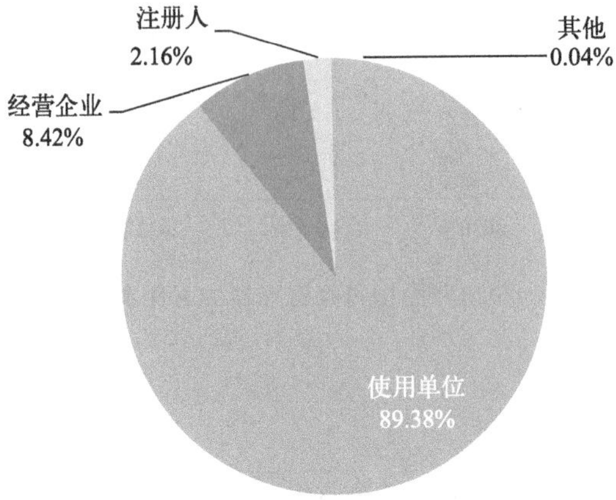

图10-5　2023年我国医疗器械不良事件报告来源情况

从不良事件伤害程度这一关键维度进行细致入微的统计剖析可知，2023年，伤害程度达到严重伤害及以上的报告数量共计65018份，在报告总数中占比7.50%；其他伤害程度的报告数量则多达802222份，占比高达92.50%。具体伤害程度报告的分布情况可见图10-6。

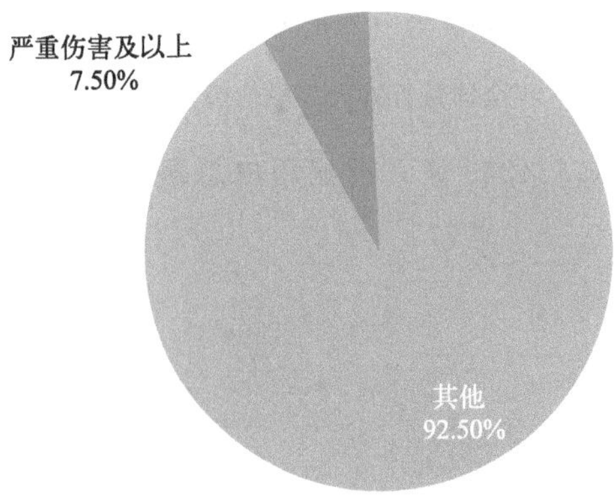

图10-6　2023年我国医疗器械不良事件报告涉及事件的伤害程度情况

从医疗器械管理类别这一核心视角展开深度且细致的统计分析，能够清晰地发现，Ⅱ类和Ⅲ类医疗器械所引发的不良事件在整体中占据主导地位，在医疗器械不良事件的“地貌”中格外突出。具体而言，2023年，涉及Ⅲ类医疗器械的报告数量多达320171份，在报告总数中占比36.92%；涉及Ⅱ类医疗器械的报告数量达到了418628份，占比高达48.27%，近乎占据了报告总数的半壁江山；相比之下，涉及Ⅰ类医疗器械的报告数量则少得多，共计59691份，占比仅为6.88%；此外，还有68750份报告未填写医疗器械管理类别，占比7.93%。具体各类别医疗器械不良事件报告的分布情况可见图10-7。

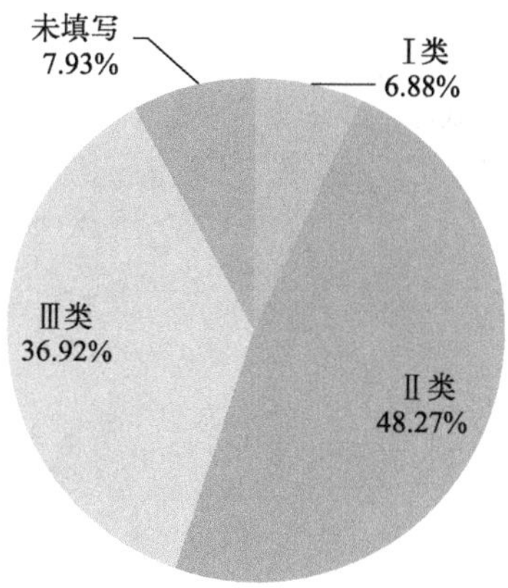

图 10-7 2023 年我国医疗器械不良事件报告涉及医疗器械管理类别情况

从医疗器械分类目录这一维度展开全面而深入的统计分析，可以观察到 2023 年医疗器械不良事件报告的全貌。在这一整年里，国家药品不良反应监测中心接收的医疗器械不良事件报告，覆盖了医疗器械分类目录中的所有类别，充分展现出监测工作的广泛性与全面性。在众多类别中，位列报告数量前十名的医疗器械分类目录，在全部不良事件报告中占据着重要地位，具体情况如表 10-1 所示，占比高达报告总数的 84.49%，凸显出对这些重点类别医疗器械加强监管和深入研究的重要性和紧迫性。

表 10-1 2023 年医疗器械不良事件报告涉及医疗器械分类目录情况

排名	医疗器械分类目录	报告数	占总报告数百分比/%
1	14 注输、护理和防护器械	395241	45.57
2	07 医用诊察和监护器械	82457	9.51
3	09 物理治疗器械	54061	6.23
4	08 呼吸、麻醉和急救器械	47195	5.44
5	22 临床检验器械	46817	5.40
6	06 医用成像器械	32036	3.69
7	10 输血、透析和体外循环器械	24205	2.79
8	02 无源手术器械	19457	2.24
9	18 妇产科、辅助生殖和避孕器械	18554	2.14
10	20 中医器械	12853	1.48

从医疗器械结构特征这一关键维度进行抽丝剥茧般的统计分析，可以清晰地看见 2023 年医疗器械不良事件报告的结构分布全貌。在这些报告中，涉及有源医疗器械的报告数量共计 235307 份，在报告总数中占比 27.13%；涉及无源医疗器械的报告数量多达 556792 份，占比高达 64.20%；涉及体外诊断试剂的报告数量相对较少，共计 6378 份，占比为 0.74%；此外，还有 68763 份报告未填写医疗器械结构特征，占比达 7.93%。具体各类结构特征医疗器械不良事件报告的分布情况可见图 10-8。

从报告所关联的实际使用场所这一现实视角展开细致入微的统计分析，可以清晰地勾勒出 2023 年医疗器械不良事件在不同场景下的分布轮廓。在众多使用场所中，“医疗机构”无疑是最主要的“事件发生地”，其上报的报告数量共计 785064 份，在报告总数中占比高达 90.52%；相比之下，以“家庭”为使用场所的报告数量共计 67112 份，占比 7.74%；而以“其他”为使用场所的报告数量相对较少，共计 15064 份，占比 1.74%。

总体而言，我国医疗器械不良事件监测工作虽然已经取得了一定进展，但仍处于发展阶

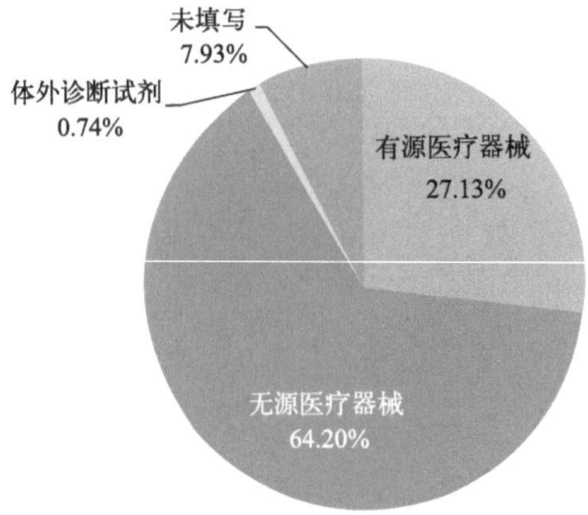

图 10-8　2023 年我国医疗器械不良事件报告涉及医疗器械结构特征情况

段，仍然面临着诸多挑战，需要清醒地认识到现状与不足之处：

① 报告数量和质量有待提升：相比于医疗器械的实际使用量和市场规模，目前所报告的医疗器械不良事件数量仍然较少。仍然有部分企业和医疗机构存在漏报和瞒报现象，致使大量不良事件信息未能及时统计入监测系统，对全面评估医疗器械产品的安全风险造成影响。此外，部分不良事件报告存在内容不完整、不准确等情况，甚至缺乏患者基本信息、医疗器械使用情况、不良事件发生经过和后果等关键性信息，使得监管部门在对不良事件数据进行深入分析和评价过程中存在难度，导致难以准确判断医疗器械的安全风险。

② 监测主体责任落实不到位：一些医疗器械注册人、经营企业对不良事件的监测工作重视程度不够，未设立专门的人员和机构负责此项工作，其内部监测管理制度也不健全，对产品的安全风险缺乏及时有效的跟踪、评估。甚至有部分企业把不良事件的监测工作视为负担，存有抵触情绪。此外，作为医疗器械的主要使用场所，医疗机构无疑在不良事件的监测中占据着重要地位。然而时至今日，仍有部分医疗机构对不良事件的监测工作认识不到位、关注度不够、资源投入不足。调查还发现，一些医院的医护人员并不了解医疗器械不良事件监测的具体含义，存在担心报告不良事件就是暴露工作中的问题和缺陷，会影响个人、科室、单位的效益、声誉和形象等错误认知，导致漏报、迟报现象普遍存在，严重影响医疗工作的推进。

③ 监测技术手段相对落后：虽然我们国家已经建立了医疗器械不良事件监测信息系统，但是系统功能尚不完善，数据的采集、传输、存储和分析能力尚需提升，部分地区和企业仍然采用纸质报告进行监测，严重影响信息传递的及时性和准确性，进而影响监测工作的效率和质量。此外，目前依然主要采用传统的统计方法对不良事件的数据进行分析评价，大数据、人工智能等 AI 辅助监测系统的覆盖率不足 30%，致使对医疗器械安全风险的预测及预警能力不足，难以及时有效地发现潜在的安全隐患。

④ 监测结果应用不够充分：尽管对不良事件数据的分析评价能够精准识别医疗器械存在的潜在安全风险，但当前对监测结果的应用还存在明显不足。比如，部分监管部门重视程度不够，未能及时采取有效监管措施，致使安全隐患长期留存；同时，监测结果反馈不及时、不有效，使得医疗器械注册人、经营企业和使用单位无法基于监测结果做出相应改进与调整，严重影响监测工作的实际成效。

⑤ 公众认知度较低：公众对医疗器械不良事件监测的意义、流程和渠道了解程度较低，存在知识盲区；同时，对监管部门存在信任缺失，担心报告后无人处理或得不到及时处理，

再或者因报告流程复杂而放弃上报。

在当前阶段，通过深入剖析我国医疗器械不良事件监测工作的实际状况，我们既要清醒地认识到自身存在的短板与不足，也应秉持开放学习的态度，积极借鉴美国等西方国家在该领域的先进经验与成熟做法。基于此，为推动我国医疗器械不良事件监测工作迈向更高水平，现提出以下几方面的针对性建议：

① 完善医疗器械不良事件监测法规体系，强化监管执行力度：美国在医疗器械不良事件监测方面构建了一套完备且细致的法律框架，为监测工作的高效开展提供了坚实的制度保障。例如，其《联邦食品、药品和化妆品法案》等核心法律对医疗器械不良事件监测的各个环节均作出了详尽且明确的规定，涵盖了从报告主体、报告内容到报告时限等方面，确保了监测工作的规范性和系统性。不仅如此，美国食品药品监督管理局（FDA）还专门制定了《医疗器械报告》（MDR）制度。这一制度具有强制性，明确要求医疗器械制造商、进口商以及使用医疗器械的医疗机构等相关主体，在发现医疗器械不良事件后，必须及时、准确地上报相关信息。针对延迟报告的行为，监管十分严格。基于此，我国应当对现有医疗器械不良事件监测工作相关的法律法规进一步细化和完善，提升现有法规的层级、增强其约束力，进一步细化和明确医疗器械注册人、经营企业、使用单位和监管部门各方在不良事件监测工作中的权利、义务以及法律责任，使得监测工作有法可依、有章可循。同时，我国还应当进一步加大对瞒报、迟报行为的处罚力度，督促企业、医疗机构等积极主动履行上报义务。

② 强化组织机构与职责分工：FDA 下设有医疗器械不良事件监测机构，借鉴此经验，我国应加强建设国家级、省级、市级和县级四级联动的医疗器械不良事件监测机构，优化监测信息系统。同时，应当明确各级监测机构的职责分工，形成上下联动、分工协作的监测网络。

③ 提升监测技术与信息化水平：借鉴国外先进的医疗器械不良事件监测技术和方法，我国应加大研发投入，加强对数据挖掘、人工智能和大数据分析等相关新技术的研究，提升不良事件监测工作的及时性和准确性。同时，我国应持续推进信息化建设，加强信息监测平台与医疗器械注册人、经营企业、使用单位之间的信息对接，提升监测数据的实时共享与交互水平。

④ 加强对医疗器械不良事件监测的宣传教育与培训工作：全方位、多层次地加强对医疗器械不良事件监测的宣传教育与培训工作，是提升监测效能、构建全社会共同参与监测工作的关键举措。在宣传教育层面，要精心策划并开展形式多样、内容丰富的宣传教育活动。同时，深入解读相关法律法规，让公众清晰了解自身在医疗器械不良事件监测中的权利和义务，激发公众参与监测的积极性和主动性，促使公众在发现不良事件时能够及时、主动地上报。在专业培训方面，要针对医疗器械注册人、经营企业、使用单位以及监管机构的相关工作人员，开展系统、深入且具有针对性的不良事件监测专业培训。不断提升从业人员的业务水平和综合素质，为医疗器械不良事件监测工作提供坚实的人才支撑。

⑤ 推动国际交流与合作：我国应积极主动地参与国际医疗器械监管机构论坛（IMDRF）等国际组织的工作，充分发挥自身优势，为国际医疗器械监管规则的制定和完善贡献中国智慧和中国方案。同时，加强与国际监管机构在医疗器械不良事件监测方面的交流合作，建立常态化的信息共享机制。积极参与全球医疗器械安全监测网络，与各国监管机构携手应对跨国医疗器械安全挑战。通过国际合作，引进国外优质资源，不断提升我国医疗器械不良事件监测工作的整体水平，在国际医疗器械监管领域发挥更加重要的作用。

10.2.3 医疗器械不良事件监测相关法规体系建设

我国医疗器械不良事件监测体系的建设历程，最早可追溯至2000年。彼时，2000年版《医疗器械监督管理条例》首次明确提出“国家对医疗器械实施再评价及淘汰制度”。这是第一次将医疗器械上市后的评价制度写入法规，虽然此时并没有直接提及“不良事件监测”，但是所提出的再评价制度为后续的监测体系建设工作奠定了基础、提供了框架。

2002年9月17日，随着《关于开展医疗器械不良事件监测试点工作的通知》（国药监械〔2002〕400号）的发布，我国正式拉开了医疗器械不良事件监测工作的序幕。

2004年，国家药品不良反应监测中心应运而生，并专门设立了医疗器械监测部门，承担起全国范围内不良事件数据的收集与分析重任，推动医疗器械不良事件监测工作在全国全面铺开。

2008年12月29日，国家食品药品监督管理局联合卫生部共同印发了《医疗器械不良事件监测和再评价管理办法（试行）》（国食药监械〔2008〕766号），并自发布之日起正式施行。这部试行办法首次构建起医疗器械不良事件监测和再评价的系统化机制，为我国医疗器械不良事件监测工作迈向规范化、制度化开辟了崭新道路。自此以后，每一次法规文件的发布或修订，均成为推动医疗器械不良事件监测工作不断前进的重要力量。

2011年9月，我国正式颁布了《医疗器械不良事件监测工作指南（试行）》，这部《指南》对医疗器械生产企业、经营企业以及使用单位在不良事件监测工作中的具体职责，公众、法人及其他相关组织报告医疗器械不良事件的规范流程[8]，还有医疗器械不良事件监测技术机构的工作标准等，均进行了细致入微、条理清晰的说明，为各方参与监测工作筑牢了坚实的制度基础。

2013年10月，国家食品药品监督管理总局发布《关于进一步加强医疗器械不良事件监测体系建设的指导意见》。该意见高瞻远瞩地提出，要在约3年的时间里，全方位、系统地建立健全监测技术机构和监测网络。同时，持续完善工作机制、切实将责任落实到每个环节、健全各项规章制度、规范工作流程，以此不断提升风险预警能力，最终构建起一个较为完备、高效运转的监测体系。这是我国首次专门聚焦医疗器械不良事件监测体系建设而发布的指导意见，标志着我国医疗器械不良事件监测体系正式迈入实质性建设阶段。

2014年6月1日，修订版的《医疗器械监督管理条例》正式施行。此次修订新增了“不良事件的处理与医疗器械的召回”这一重要章节。其中，明确了“医疗器械不良事件”的定义，规定了企业应当主动监测、报告并采取风险控制措施，同时，对医疗器械不良事件监测和再评价工作提出了更为明确、具体的要求。

2017年10月，中共中央办公厅和国务院办公厅联合发布《关于深化审评审批制度改革鼓励药品医疗器械创新的意见》[9]，要求上市许可持有人（包含境外持有人指定的境内代理人）构建完善的医疗器械不良事件监测体系，直接向监管部门报告不良事件信息，这一举措取代了原由经营企业或医疗机构集中报告的模式，提高了信息报告的及时性和准确性。同时，要求上市许可持有人主动对已上市医疗器械开展再评价，持续关注医疗器械的安全性和有效性，为公众的健康保驾护航。

2018年8月，国家市场监督管理总局与国家卫生健康委员会携手，联合发布了《医疗器械不良事件监测和再评价管理办法》（国家市场监督管理总局令第1号）[10]。这部办法自2019年1月1日起正式落地实施。它以强硬的姿态确立了医疗器械不良事件监测制度的强制性地位；清晰明确地落实了医疗器械上市许可持有人在不良事件监测和再评价工作中的主体责任；同时，精准划分了各级药品监督管理部门和卫生行政部门对该项工作的监督管理职责。这一办法的出台，在我国医疗器械不良事件监测体系的建设征程中留下了浓墨重彩的一笔。

2018 年 12 月，国家药品不良反应监测中心发布《关于“国家医疗器械不良事件监测信息系统”过渡期上线运行的通知》。这一通知宣告国家医疗器械不良事件监测信息系统的开发建设大功告成。该系统于 2019 年 1 月 1 日正式上线试运行，标志着我国医疗器械不良事件监测工作正式踏入信息化、规范化的崭新阶段，实现了从传统人工监测向信息化智能监测的转变，为监测工作的高效开展注入了强大动力。

2020 年，我国医疗器械不良事件监测领域迎来了一场“法规盛宴”。《医疗器械注册人开展不良事件监测工作指南》《医疗器械定期风险评价报告撰写规范》《医疗器械注册人开展产品不良事件风险评价指导原则》等一系列配套法规及指南相继发布。这些法规和指南持续对不良事件监测、报告及再评价报告的质量和规范化进行改进和强化，推动监测工作朝着更加科学、严谨、高效的方向迈进。

2021 年 4 月，为进一步加强医疗器械不良事件监测检查工作，国家药监局精心组织制定并发布了《医疗器械注册人备案人开展不良事件监测工作检查要点》。这一检查要点对医疗器械注册人、备案人的质量管理体系检查、不良事件监测专项检查以及日常监督检查等工作进行了全面规范和细致指导。它不仅为监管工作提供了有力的依据和支撑，还同步提升了不良事件监测工作的监管能力，为保障医疗器械的安全使用筑牢了一道坚实的防线。

2021 年 6 月 1 日，新修订的《医疗器械监督管理条例》正式施行。该条例明确要求医疗器械注册人、备案人切实履行开展不良事件监测和再评价的法定义务；细致入微地界定了医疗器械注册人、备案人、生产经营企业、使用单位以及国家药品监督管理部门等各方主体在医疗器械不良事件监测领域的责任与义务。同时，条例高瞻远瞩地提出国家应构建完善的医疗器械不良事件监测制度，确保对医疗器械不良事件能够做到及时收集、精准分析、科学评价和有效控制，为保障公众用械安全提供了坚实的制度保障。

2024 年，国家药监局发布《中华人民共和国医疗器械管理法（草案征求意见稿）》，该草案征求意见稿全方位覆盖了医疗器械从研制、生产、经营到使用的各个环节，同时对标准制定、分类管理、警戒机制与召回制度等多方面内容进行了深入规范。值得注意的是，它将医疗器械不良事件监测制度进一步升级为医疗器械警戒制度，上升至法律层面，在鼓励创新的同时强化全生命周期监管。

10.2.4 医疗器械不良事件监测的监测机构及职责

我国医疗器械不良事件监测的监测机构主要包括国家药品监督管理局、国家药品监督管理局药品评价中心（国家药品不良反应监测中心）、省级及以下药品监督管理部门及其指定的监测机构，以及医疗器械上市许可持有人、经营企业和使用单位，其各自职责如下：

（1）国家药品监督管理局（NMPA） 职责概述：负责全国医疗器械不良事件监测和再评价的监督管理工作，其内设机构医疗器械监督管理司的职责之一就是组织开展不良事件监测并依法处置。医疗器械监督管理司下设的监测抽验处，负责拟订医疗器械不良事件监测管理制度，组织开展不良事件监测并依法处置；负责组织质量抽查检验，定期发布质量公告；以及组织开展医疗器械再评价工作。

具体职责：会同国务院卫生行政部门组织开展全国范围内影响较大并造成严重伤害或者死亡以及其他严重后果的群体医疗器械不良事件的调查和处理；依法采取紧急控制措施，以保障公众用械安全；建立国家医疗器械不良事件监测信息系统，加强医疗器械不良事件监测信息网络和数据库建设。

(2) 国家药品监督管理局药品评价中心（国家药品不良反应监测中心） 职责概述：直属 NMPA，为 NMPA 所属公益一类事业单位（保留正处级），是具体执行监测工作的技术机构。

国家药品不良反应监测中心的职责中事关医疗器械的主要包括：

① 组织制定、修订医疗器械不良事件与上市后安全性评价的监测技术标准和规范；

② 组织开展医疗器械不良事件监测工作；

③ 开展医疗器械的上市后安全性评价工作；

④ 指导地方相关监测与上市后安全性评价工作；组织开展相关监测与上市后安全性评价的方法研究、技术咨询和国际（地区）交流合作；

⑤ 承办国家局交办的其他事项。

其下设的医疗器械监测和评价部，负责承担医疗器械不良事件监测与上市后安全性评价工作以及承办中心交办的其他事项。

(3) 省级及以下药品监督管理部门及其指定的监测机构 职责概述：负责本行政区域内医疗器械不良事件监测和再评价的监督管理工作，并指定相应的监测机构协助开展技术工作。

具体职责包括：

① 建立医疗器械不良事件监测体系，完善相关制度；

② 配备相应监测机构和人员，开展医疗器械不良事件监测工作；

③ 会同同级卫生行政部门和相关部门组织开展本行政区域内发生的群体医疗器械不良事件的调查和处理；

④ 依法采取紧急控制措施，以保障本行政区域内公众用械安全；

⑤ 省级监测机构还承担本行政区域内注册或者备案的医疗器械不良事件的调查、评价和反馈工作。

(4) 医疗器械上市许可持有人、经营企业和使用单位 职责概述：医疗器械上市许可持有人、经营企业和使用单位是医疗器械不良事件监测的责任主体，应当建立相应的监测制度，配备人员开展监测工作。

具体职责包括：

上市许可持有人负责建立包含医疗器械不良事件监测和再评价工作制度的医疗器械质量管理体系；配备与其产品相适应的机构和人员从事医疗器械不良事件监测相关工作；主动收集并按照规定时限要求及时将医疗器械不良事件如实上报给监测机构；对于发生的医疗器械不良事件及时开展调查、分析、评价，必要时采取控制风险的措施，及时发布风险信息；持续研究已上市医疗器械的安全性，按照要求撰写定期风险评价报告；主动开展医疗器械再评价，并积极配合药品监督管理部门和监测机构组织开展的不良事件相关调查工作。除履行上述义务外，境外持有人还需要与其指定的代理人之间建立信息传递机制，对医疗器械不良事件监测和再评价相关的信息进行互通和共享。

经营企业和使用单位负责建立本单位医疗器械不良事件监测工作制度，医疗机构还应当把医疗器械不良事件监测工作纳入医疗机构质量安全管理的重点工作；配备与其经营或使用规模相适应的机构或人员从事医疗器械不良事件监测相关工作；收集医疗器械不良事件，并及时报告持有人和监测机构；配合持有人对医疗器械不良事件的调查、评价和再评价工作；对药品监督管理部门和监测机构组织开展的不良事件调查进行积极配合。

10.2.5 医疗器械不良事件的分类与上报要求

根据《医疗器械不良事件监测和再评价管理办法》，医疗器械不良事件分为个例不良事件和群体不良事件两种，二者的上报要求有所差异。

（1）个例医疗器械不良事件 个例医疗器械不良事件指的是单一或少量医疗器械在正常使用过程中发生的，可能导致或者已经导致患者或使用者严重伤害甚至死亡的事件。持有人发现或者获知可疑医疗器械不良事件的，应当立即调查原因，导致死亡的应当在7日内报告；导致严重伤害、可能导致严重伤害或者死亡的，应当在20日内报告。医疗器械经营企业、使用单位发现或者获知可疑医疗器械不良事件的，应当及时告知持有人。其中，导致死亡的还应当在7日内，导致严重伤害、可能导致严重伤害或者死亡的在20日内，通过国家医疗器械不良事件监测信息系统报告。除持有人、经营企业、使用单位以外的其他单位和个人发现导致或者可能导致严重伤害或者死亡的医疗器械不良事件的，可以向监测机构报告，也可以向持有人、经营企业或者经治的医疗机构报告，必要时提供相关的病历资料。

进口医疗器械的境外持有人和在境外销售国产医疗器械的持有人，应当主动收集其产品在境外发生的医疗器械不良事件。其中，导致或者可能导致严重伤害或者死亡的，境外持有人指定的代理人和国产医疗器械持有人应当自发现或者获知之日起30日内报告。设区的市级监测机构应当自收到医疗器械不良事件报告之日起10日内，对报告的真实性、完整性和准确性进行审核，并实时反馈相关持有人。

持有人在报告医疗器械不良事件后或者通过国家医疗器械不良事件监测信息系统获知相关医疗器械不良事件后，应当按要求开展后续调查、分析和评价，导致死亡的事件应当在30日内，导致严重伤害、可能导致严重伤害或者死亡的事件应当在45日内向持有人所在地省级监测机构报告评价结果。对于事件情况和评价结果有新的发现或者认知的，应当补充报告。持有人所在地省级监测机构应当在收到持有人评价结果10日内完成对评价结果的审核，必要时可以委托或者会同不良事件发生地省级监测机构对导致或者可能导致严重伤害或者死亡的不良事件开展现场调查。其中，对于国家药品监督管理局批准注册的医疗器械，国家监测机构还应当对省级监测机构作出的评价审核结果进行复核，必要时可以组织对导致死亡的不良事件开展调查。审核和复核结果应当反馈给持有人。对持有人的评价结果存在异议的，可以要求持有人重新开展评价。具体流程图如图10-9所示。

（2）群体医疗器械不良事件 群体医疗器械不良事件，指的是同一医疗器械在使用过程中，在相对集中的时间、区域内发生，对一定数量人群的身体健康或者生命安全造成损害或者威胁的事件。

持有人、经营企业、使用单位发现或者获知群体医疗器械不良事件后，应当在12小时内通过电话或者传真等方式报告不良事件发生地省、自治区、直辖市药品监督管理部门和卫生行政部门，必要时可以越级报告，同时通过国家医疗器械不良事件监测信息系统报告群体医疗器械不良事件基本信息，对每一事件还应当在24小时内按个例事件报告。不良事件发生地省、自治区、直辖市药品监督管理部门应当及时向持有人所在地省、自治区、直辖市药品监督管理部门通报相关信息。

持有人发现或者获知其产品的群体医疗器械不良事件后，应当立即暂停生产、销售，通知使用单位停止使用相关医疗器械，同时开展调查及生产质量管理体系自查，并于7日内向所在地及不良事件发生地省、自治区、直辖市药品监督管理部门和监测机构报告。调查应当包括产品质量状况、伤害与产品的关联性、使用环节操作和流通过程的合规性等。自查应当

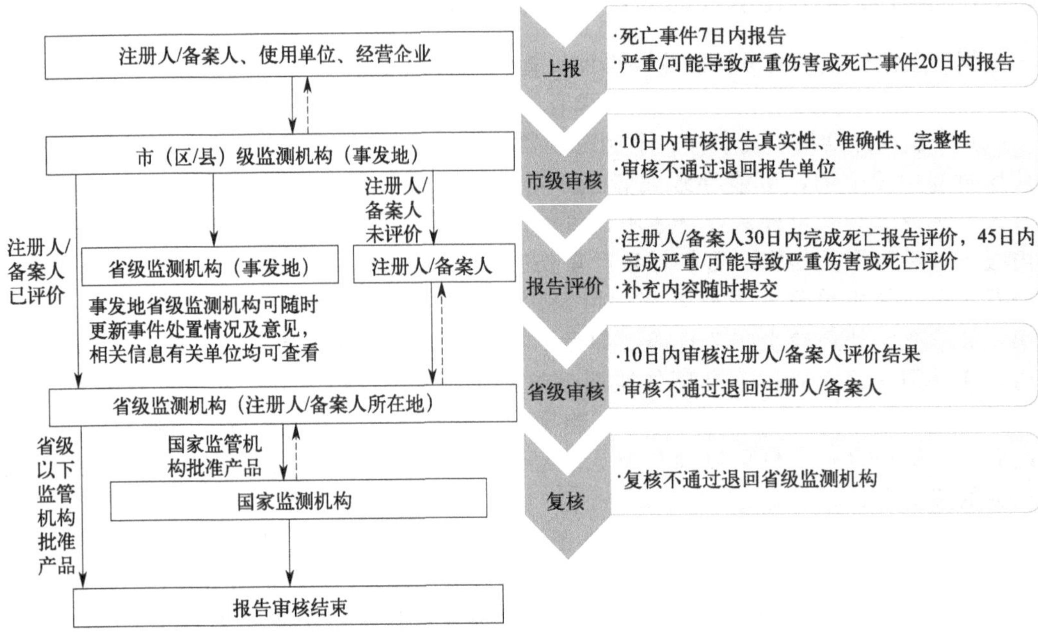

图 10-9 个例医疗器械不良事件报告流程图

包括采购、生产管理、质量控制、同型号同批次产品追踪等。持有人应当分析事件发生的原因，及时发布风险信息，将自查情况和所采取的控制措施报所在地及不良事件发生地省、自治区、直辖市药品监督管理部门，必要时应当召回相关医疗器械。

医疗器械经营企业、使用单位发现或者获知群体医疗器械不良事件的，应当在 12 小时内告知持有人，同时迅速开展自查，并配合持有人开展调查。自查应当包括产品贮存、流通过程追溯、同型号同批次产品追踪等；使用单位自查还应当包括使用过程是否符合操作规范和产品说明书要求等。必要时，医疗器械经营企业、使用单位应当暂停医疗器械的销售、使用，并协助相关单位采取控制措施。省、自治区、直辖市药品监督管理部门在获知本行政区域内发生的群体医疗器械不良事件后，应当会同同级卫生行政部门及时开展现场调查，相关省、自治区、直辖市药品监督管理部门应当配合。调查、评价和处理结果应当及时报国家药品监督管理局和国务院卫生行政部门，抄送持有人所在地省、自治区、直辖市药品监督管理部门。

对全国范围内影响较大并造成严重伤害或者死亡以及其他严重后果的群体医疗器械不良事件，国家药品监督管理局应当会同国务院卫生行政部门组织调查和处理。国家监测机构负责现场调查，相关省、自治区、直辖市药品监督管理部门、卫生行政部门应当配合。调查内容应当包括医疗器械不良事件发生情况、医疗器械使用情况、患者诊治情况、既往类似不良事件、产品生产过程、产品贮存流通情况以及同型号同批次产品追踪等。

国家监测机构和相关省、自治区、直辖市药品监督管理部门、卫生行政部门应当在调查结束后 5 日内，根据调查情况对产品风险进行技术评价并提出控制措施建议，形成调查报告报国家药品监督管理局和国务院卫生行政部门。持有人所在地省、自治区、直辖市药品监督管理部门可以对群体不良事件涉及的持有人开展现场检查。必要时，国家药品监督管理局可以对群体不良事件涉及的境外持有人开展现场检查。现场检查应当包括生产质量管理体系运行情况、产品质量状况、生产过程、同型号同批次产品追踪等。具体流程图如图 10-10 所示。

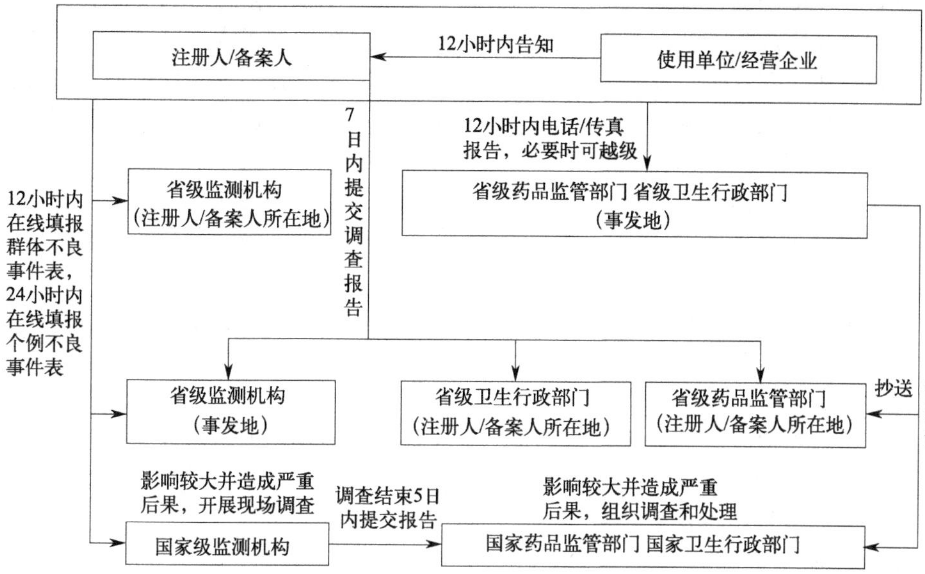

图 10-10 群体医疗器械不良事件报告流程图

10.3 医疗器械不良事件的定期风险评价与风险控制

10.3.1 医疗器械不良事件的定期风险评价制度

医疗器械不良事件的定期风险评价是指持有人需对上市医疗器械安全性持续研究，汇总分析不良事件报告、监测资料及国内外风险信息，评价产品风险和受益，记录风险控制措施，撰写上市后的定期风险评价报告。其目的是保障医疗器械上市后的安全性，及时发现与控制潜在的风险。

对于报告的提交，持有人应当自产品首次批准注册或备案之日起，每满一年后的 60 日内完成上年度产品上市后的定期风险评价报告。其中，对于由国家药品监督管理局审核注册的产品，报告应当提交给国家监测机构；对于由省、自治区、直辖市药品监督管理部门审核注册的产品，应当提交报告给所在地省级监测机构；对于第一类医疗器械，其定期风险评价报告应当由持有人留存备查；对于获得延续注册的产品，需要在下一次延续注册申请时完成本注册周期的报告并留存备查。

省级以上监测机构需要组织审核所收到的医疗器械产品上市后定期风险评价报告，如有必要还需要将审核意见及时反馈给持有人。省级监测机构需要综合分析所收到的上市后定期风险评价报告，于每年的 5 月 1 日之前将上一年度的上市后定期风险评价报告统计情况及分析评价结果报送至国家监测机构以及所在地省、自治区、直辖市药品监督管理部门。

对于所收到的上市后定期风险评价报告以及省级监测机构提交的报告统计情况和分析评价结果，国家监测机构需要对其开展综合分析，并于每年的 7 月 1 日之前将上一年度的上市后定期风险评价报告统计情况以及分析评价结果报送给国家药品监督管理局。

10.3.2 医疗器械不良事件的重点监测制度

省级以上的药品监督管理部门可以组织开展医疗器械重点监测，以强化医疗器械产品上市后的风险研究。

医疗器械重点监测的品种由国家药品监督管理局会同国务院卫生行政部门联合确定，并由其组织制定和监督实施重点监测工作方案。在确定国家医疗器械重点监测品种时，应当综合考虑医疗器械注册、不良事件监测、监督检查、检验等因素，并结合考虑产品的风险程度和具体使用情况。国家监测机构负责组织、实施医疗器械的重点监测工作，并完成相关的技术报告。药品监督管理部门则依据监测过程中发现的风险，采取适当的管理措施。

省、自治区、直辖市药品监督管理部门可依据其行政区域内的医疗器械监管工作需求，对该行政区内注册的Ⅱ类医疗器械以及备案的Ⅰ类医疗器械实施省级医疗器械重点监测工作。

对于医疗器械重点监测品种所涉及的持有人，需要其依照医疗器械重点监测工作方案要求开展工作，具体包括产品不良事件报告等相关的风险信息的主动收集、风险评价报告的撰写以及资料的报送。

省级以上药品监督管理部门通过指定具备一定条件的单位作为监测哨点这一举措，主动收集重点监测数据。监测哨点需要详细记录并反馈医疗器械重点监测品种的使用情况，主动收集和报告重点监测数据和不良事件监测信息，组织或推荐专家开展或配合监测机构开展与风险评价相关的科学研究工作。

创新医疗器械持有人需要加强主动监测创新医疗器械的工作，需制定产品监测计划，建立主动收集机制，涵盖不良事件、用户投诉等数据来源，并确保及时开展调查、分析和评价。在首个注册周期内，创新医疗器械持有人需要每半年向国家监测机构提交一次产品不良事件监测分析评价汇总报告。一旦发现医疗器械可能存在严重缺陷（如设计缺陷、系统性风险等），国家监测机构需要立即报送至国家药品监督管理局。

10.3.3 医疗器械不良事件的风险控制

当持有人在实施医疗器械不良事件监测时，如果发现存在可能危及人体健康和生命安全的不合理风险的医疗器械，需依据情况采取如下一系列风险控制措施，并及时向所在地省、自治区、直辖市药品监督管理部门报告：

a. 停止生产、销售相关产品；

b. 通知医疗器械经营企业、使用单位暂停销售和使用；

c. 实施产品召回；

d. 发布风险信息；

e. 对生产质量管理体系进行自查，并对相关问题进行整改；

f. 修改说明书、标签、操作手册等；

g. 改进生产工艺、设计、产品技术要求等；

h. 开展医疗器械再评价；

i. 按规定进行变更注册或者备案；

j. 其他需要采取的风险控制措施。

针对与用械安全相关的风险和处置情况，持有人需及时向社会公布。

药品监督管理部门当发现持有人所采取的控制措施不足以有效防范相关风险时，可依法采取发布警示信息、暂停生产销售和使用、责令召回、要求修改说明书和标签、组织开展再评价等多项强有力的监管措施，除此之外，还可以组织对持有人进行监督检查。

在面对群体医疗器械不良事件时，省级以上药品监督管理部门有权依据风险评估结果，迅速采取暂停生产、销售、使用等紧急控制措施，组织对持有人进行全面的监督检查，并及时向社会发布相关的警示信息和处置进展。在得出技术评价结论后，省级以上药品监督管理部门需依据相关法规要求，对涉事医疗器械及其持有人采取进一步的监管措施，并强化对同类医疗器械产品的不良事件监测。

同时，同级卫生行政部门需在本行政区域内暂停医疗机构对相关涉事医疗器械的使用，采取措施并积极组织对患者的救治，并要求相关持有人给予积极配合。

省级以上监测机构在对医疗器械不良事件报告进行评价和审核、开展不良事件报告的季度和年度汇总分析、对群体不良事件进行评价、实施重点监测、编制定期风险评价报告等的过程中，如发现医疗器械存在不合理风险时，需提出风险管理意见，及时将意见反馈给持有人，并向相应的药品监督管理部门报告，省级监测机构还需向国家监测机构报告。根据收到的风险管理意见，持有人需制定并实施相应的风险控制措施。

必要时，各级药品监督管理部门与卫生行政部门需委托有资质的检验机构对医疗器械不良事件所涉及的产品开展检验。检验机构则需要及时实施相关检验，并出具检验报告。

针对进口医疗器械在境外发生的医疗器械不良事件，或者国产医疗器械在境外发生的医疗器械不良事件，并被采取了控制措施的，境外持有人所指定的境内代理人或国产医疗器械持有人需要在获知事件后 24 小时之内，将境外医疗器械不良事件详情、境外采取的控制措施以及在中国境内拟采取的控制措施等情况报送国家药品监督管理局及国家监测机构，同步抄送所在地省级药品监督管理部门，后续还需及时报告调查进展和处置结果。

针对由医疗器械产品质量原因造成的可疑医疗器械不良事件，药品监督管理部门需依据医疗器械相关法规予以处理；针对由医疗器械使用行为造成的不良事件，需由卫生行政部门介入调查并予以处置。

10.4 医疗器械不良事件的再评价

针对如下三种情形之一，医疗器械持有人需主动开展再评价，并根据再评价结果采取相应措施：①科学研究发展导致对医疗器械的安全有效性认知改变的；②医疗器械不良事件监测、评估结果提示产品存在潜在缺陷的；③国家药品监督管理局强制要求开展再评价的其他情形。

医疗器械再评价是确保产品上市后持续安全有效的重要环节。持有人开展医疗器械再评价时，需依据产品上市后收集和掌握的产品安全有效信息、临床数据和使用经验等，对产品原始注册资料中的综述资料、研究资料、临床评价资料、产品风险分析资料、产品技术要求、说明书、标签等技术数据和内容开展重新评价。再评价报告需包含产品风险受益评估、社会经济效益评估、技术演进趋势评估、拟采取的措施建议等内容。

持有人若主动开展医疗器械再评价，需自主制定再评价工作方案。若再评价结论显示需采取控制措施，须在形成再评价结论之后 15 日内提交再评价报告。其中，对于由国家药品监督管理局批准注册或备案的医疗器械，持有人需将报告提交至国家监测机构；对于其他医疗器械，持有人需将报告提交至所在地省级监测机构。针对未按规定主动履行医疗器械再评价义务的，省级以上药品监督管理部门需责令持有人开展再评价。必要时，省级以上药监部门还可直接组织再评价。对于省级以上药品监督管理部门责令再评价的，要求持有人需在再评价实施前和结束后 30 日之内，向相应药品监督管理部门及监测机构提交再评价方案和报告。若再评价的实施期限超过 1 年，持有人需每年对年度进展情况进行报告。监测机构应对收到的持有人再评价报告开展审核，并向相应的药品监督管理部门报送审核意见。如若药品监督管理部门对持有人开展的再评价结论有异议，持有人需依照要求重新确认再评价结果或重新开展再评价活动。

药品监督管理部门组织开展医疗器械再评价时，由指定的监测机构制定再评价方案，报监管部门批准后组织实施，再评价完成后形成报告，并提交至相应药品监督管理部门。若再评价结论表明已注册或备案的医疗器械存在危及人身安全的缺陷，并且通过技术改进、说明书和标签修改等措施无法消除或控制风险，或者风险受益比无法被接受时，持有人需主动申请注销医疗器械注册证或取消备案；若持有人未主动申请注销，原发证部门有权直接注销医疗器械注册证或取消备案。药品监督管理部门需向社会公布注销注册证或取消备案的相关信息，以确保公众的知情权。

根据再评价结论，国家药品监督管理局有权对医疗器械品种作出淘汰决定。被淘汰医疗器械产品的注册证或备案凭证由原发证部门予以强制性注销或取消，并禁止其继续生产、进口、经营和使用。

10.5 法律责任与案例分析

10.5.1 医疗器械经营企业、使用单位与持有人的相关法律责任

医疗器械不良事件监测与再评价，涉及医疗器械经营企业、使用单位、上市许可持有人（以下简称持有人）等主体，各主体需承担不同的法律责任。

① 持有人存在未主动收集并按照时限要求报告医疗器械不良事件的；或者瞒报、漏报、虚假报告的；或者未按照时限要求报告评价结果或提交群体医疗器械不良事件调查报告的；或不配合药品监督管理部门和监测机构开展的医疗器械不良事件相关调查和采取的控制措施的情形时，可依照2021版《条例》第六十八条规定，由县级以上药品监督管理部门责令改正，给予警告；拒不改正的，处5000元以上2万元以下罚款；情节严重的，责令停产停业，直至由发证部门吊销相关证明文件。

② 医疗器械经营企业、使用单位存在未主动收集并按照时限要求报告医疗器械不良事件的；或者瞒报、漏报、虚假报告的；或者不配合药品监督管理部门和监测机构开展的医疗器械不良事件相关调查和采取的控制措施的情形时，可依照2021版《条例》第六十八条规定，由县级以上药品监督管理部门和卫生行政部门依据各自职责责令改正，给予警告；拒不改正的，处5000元以上2万元以下罚款；情节严重的，责令停产停业，直至由发证部门吊销相关证明文件。

③ 持有人未按照要求开展再评价、隐匿再评价结果、应当提出注销申请而未提出的，由省级以上药品监督管理部门责令改正，给予警告，可以并处1万元以上3万元以下罚款。

④ 持有人存在未按照规定建立医疗器械不良事件监测和再评价工作制度的；或者未按照要求配备与其产品相适应的机构和人员从事医疗器械不良事件监测相关工作的；或者未保存不良事件监测记录或者保存年限不足的；或者应当注册而未注册为医疗器械不良事件监测信息系统用户的；或者未主动维护用户信息，或者未持续跟踪和处理监测信息的；或者未根据不良事件情况采取相应控制措施并向社会公布的；或者未按照要求撰写、提交或者留存上市后定期风险评价报告的；或者未按照要求报告境外医疗器械不良事件和境外控制措施的；或者未按照要求提交创新医疗器械产品分析评价汇总报告的；或者未公布联系方式、主动收集不良事件信息的；或者未按照要求开展医疗器械重点监测的；或者其他违反《医疗器械不良事件监测和再评价管理办法》规定的情形时，由县级以上药品监督管理部门责令改正，给

予警告；拒不改正的，处 5000 元以上 2 万元以下罚款。

⑤ 医疗器械经营企业、使用单位存在未按照要求建立医疗器械不良事件监测工作制度的；或者未按照要求配备与其经营或者使用规模相适应的机构或者人员从事医疗器械不良事件监测相关工作的；或者未保存不良事件监测记录或者保存年限不足的；或者应当注册而未注册为国家医疗器械不良事件监测信息系统用户的；或者未及时向持有人报告所收集或者获知的医疗器械不良事件的；或者未配合持有人对医疗器械不良事件进行调查和评价的；或者其他违反《医疗器械不良事件监测和再评价管理办法》规定的情形时，由县级以上药品监督管理部门和卫生行政部门依据各自职责责令改正，给予警告；拒不改正的，处 5000 元以上 2 万元以下罚款。此外，药品监督管理部门发现使用单位存在上述规定行为的，应当移交同级卫生行政部门处理。卫生行政部门对使用单位作出行政处罚决定的，应当及时通报同级药品监督管理部门。

⑥ 持有人、经营企业、使用单位按照《医疗器械不良事件监测和再评价管理办法》的要求报告、调查、评价、处置医疗器械不良事件，主动消除或者减轻危害后果的，对其相关违法行为，依照《中华人民共和国行政处罚法》的规定从轻或者减轻处罚。违法行为轻微并及时纠正，没有造成危害后果的，不予处罚，但不免除其依法应当承担的其他法律责任。

⑦ 持有人、经营企业、使用单位违反相关规定，给医疗器械使用者造成损害的，依法承担赔偿责任。

10.5.2　监测管理部门及其工作人员的相关法律责任

各级药品监督管理部门、卫生行政部门、监测机构及其工作人员，不按规定履行职责的，依照 2021 版《条例》第七十二条和第七十四条的规定予以处理。

2021 版《条例》第七十二条规定，医疗器械生产经营过程中存在产品质量安全隐患，未及时采取措施消除的，负责药品监督管理的部门可以采取告诫、责任约谈、责令限期整改等措施。对人体造成伤害或者有证据证明可能危害人体健康的医疗器械，负责药品监督管理的部门可以采取责令暂停生产、进口、经营、使用的紧急控制措施，并发布安全警示信息。

2021 版《条例》第七十四条规定，负责药品监督管理的部门未及时发现医疗器械安全系统性风险，未及时消除监督管理区域内医疗器械安全隐患的，本级人民政府或者上级人民政府负责药品监督管理的部门应当对其主要负责人进行约谈。地方人民政府未履行医疗器械安全职责，未及时消除区域性重大医疗器械安全隐患的，上级人民政府或者上级人民政府负责药品监督管理的部门应当对其主要负责人进行约谈。被约谈的部门和地方人民政府应当立即采取措施，对医疗器械监督管理工作进行整改。

10.5.3　案例分析

【案例 1】诊所工作未涵盖医疗器械不良事件监测工作制度

青浦区市场监督管理局在进行某次医疗器械不良事件专项检查时，发现辖区内某口腔诊所的《管理制度》里未涵盖“医疗器械不良事件监测工作制度”这一重要内容。调查发现，该口腔诊所的《管理制度》中未制定“医疗器械不良事件监测工作制度”，且在其他各类文件中，也均未发现涉及医疗器械不良事件监测的相关内容，对不良事件的收集、报告、调查、分析、评价和控制等环节的文件记录也存在明显缺失。依据《医疗器械不良事件监测和再评价管理办法》第十六条第一款第一项的明确规定，医疗器械经营企业、使用单位应当建立本单位医疗器械不良事件监测工作制度，医疗机构还应当将医疗器械不良事件监测纳入医疗机构质量安全管理重点工作。基于此，该市场监督管理局严格依照《医疗器械不良事件监测和再评价管理办法》第七十四条第一款第一项的相关规定，将其作为执法依据，针对当事人未建立医疗器械不良事件监测工作制度这一违规行为，依法作出了行政处罚决定。

【案例 2】企业未按时限要求提交不良事件评价结果

在崇明区市场监管局常态化开展的辖区企业监督检查行动中，执法人员对各企业的经营合规情况展开细致排查，发现辖区内某家医疗器械经营企业 A 公司作为医疗器械上市许可持有人，在履行医疗器械不良事件监测义务时，存在多条不良事件报告显示为“待评价”状态，涉嫌未按时限要求提交评价结果。经过细致调查后，执法人员认定 A 公司的行为确凿无疑地违反了《医疗器械不良事件监测和再评价管理办法》第二十九条中关于持有人需及时调查、评价并报告不良事件结果的法定要求。基于以上调查结果和法规依据，崇明区市场监管局严格按照《医疗器械不良事件监测和再评价管理办法》第七十条第三项规定，果断采取执法行为：一方面责令当事人立即改正；另一方面给予警告处罚。

参考文献

[1] 刘新武，吴立顺．浅谈医院医疗器械不良事件监测与风险管理［J］．中国医疗器械信息，2022，28（5）：129-132.

[2] 赵丽娜．风险管理在医院医疗器械检验管理中的应用分析［J］．中国医疗器械信息，2020，26（4）：188-190.

[3] 张纳，格根塔娜，李伟，等．从不良事件监测角度探讨医疗器械风险管理［J］．北方药学，2020，17（8）：193-196.

[4] 袁勋．浅谈医院医疗器械不良事件监测与风险管理［J］．中国医院建筑与装备，2020，21（9）：99-100.

[5] 王者雄．加强医疗器械上市后监管，保障公众用械质量安全［J］．中国食品药品监管，2019（11）：65-72.

[6] 宋来全，王鑫．我院可疑医疗器械不良事件上报情况分析及思考［J］．中国医疗设备，2019，34（3）：149-151.

[7] 王东京，吴维民．我国医疗器械不良事件监测现状研究［J］．中国医疗设备，2022，37（3）：127-130.

[8] 金京．中美医疗器械不良事件监测管理比较与启示［J］．智慧健康，2015，1（03）：17-20.

[9] 佚名．中共中央办公厅 国务院办公厅印发《关于深化审评审批制度改革鼓励药品医疗器械创新的意见》［J］．中国食品药品监管，2017（10）：8-13.

[10] 佚名．两部门联合发布《医疗器械不良事件监测和再评价管理办法》［J］．中国医院建筑与装备，2018，19（9）：18.

第十一章

医疗器械召回监督管理

随着我国医疗器械行业规模突破亿元大关，市场上的医疗器械产品新颖性和复杂性显著提升，随之而来的是我国医疗器械不良事件报告数量逐年攀升。作为保障公众健康与生命安全的关键产品，部分医疗器械可能存在潜在风险，给使用者带来严重危害。在此背景下，参考国际先进经验，我国建立了科学规范的医疗器械召回监管制度。这一制度明确了各方的主体责任，让企业将问题产品及时从市场中回收并妥善处理，有效化解重大质量隐患，守住安全用械底线，推动医疗器械行业健康、可持续发展。医疗器械召回制度作为保障产品质量和安全的重要防线，是及时消除缺陷产品风险、维护公众健康权益的关键举措。

11.1 医疗器械召回概述

11.1.1 医疗器械召回的定义

医疗器械召回指医疗器械生产企业按照规定的程序，对其已上市销售的某一类别、型号或批次的存在缺陷的医疗器械产品，采取警示、检查、修理、重新标签、修改并完善说明书、软件更新、替换、收回、销毁等方式进行处理的行为[1]。

这里提到的医疗器械生产企业指的是境内医疗器械产品的注册人或备案人、进口医疗器械的境外制造厂商在中国境内指定的代理人。

作为控制与消除产品缺陷的责任主体，医疗器械生产企业需主动对缺陷产品实施召回。

这里提到的存在缺陷的医疗器械产品包括：①正常使用情况下存在可能危及人体健康和生命安全的不合理风险的产品；②不符合强制性标准、经注册或者备案的产品技术要求的产品；③不符合医疗器械生产、经营质量管理有关规定导致可能存在不合理风险的产品；④其他需要召回的产品。

11.1.2 医疗器械召回的各方职责

医疗器械生产企业需要建立健全医疗器械召回管理制度，收集医疗器械安全信息，对可能的缺陷产品进行调查、评估，并及时召回。

进口医疗器械的境外制造厂商指定的中国境内代理人需要及时向国家食品药品监督管理总局报告仅在境外实施的医疗器械召回的相关信息；如果召回涉及在中国境内实施，那么中国境内指定的代理人就需要严格按照《医疗器械召回管理办法》相关规定组织实施召回工作。

医疗器械经营企业及使用单位应协助生产企业调查、评估缺陷产品，配合生产企业履行召回义务，并及时传达、反馈医疗器械召回信息，对缺陷产品进行控制和收回。

国家食品药品监督管理总局负责对全国范围内的医疗器械召回工作进行监督管理。召回医疗器械的生产企业所在地的省、自治区、直辖市食品药品监督管理部门负责具体实施本辖区内医疗器械召回的监督管理工作。其他省、自治区、直辖市食品药品监督管理部门需要积极配合做好本行政区域内医疗器械召回的相关工作。

国家食品药品监督管理总局与省、自治区、直辖市食品药品监督管理部门需依照医疗器械召回信息通报及信息公开的相关制度，及时、准确地向社会公布缺陷产品信息以及召回信息，如有必要，监管部门还会向同级卫生行政部门通报相关信息。

11.1.3 医疗器械召回的法规体系建设

我国医疗器械召回的法规体系建设经历了从无到有、逐步完善的过程。如今，我国已成功构建起一个以《医疗器械监督管理条例》为核心，以《医疗器械召回管理办法》为主体，广泛涵盖法规、规章、规范性文件以及地方性法规等多层次、全方位的法规体系，为医疗器械召回管理工作提供了坚实有力的法律支撑和制度保障。

为了进一步强化医疗器械召回管理，筑牢公众用械安全的坚固防线，2011 年，中华人民共和国卫生部正式发布了《医疗器械召回管理办法（试行）》（卫生部令第 82 号），并自 2011 年 7 月 1 日起施行。该办法内容丰富全面、结构严谨合理，涵盖了总则、医疗器械缺陷的调查与评估、主动召回、责令召回、法律责任和附则等六大章节，共计 38 条具体规定。不仅如此，该办法还首次对医疗器械召回的概念进行了清晰明确的界定，同时对产品缺陷的定义作出了科学精准的阐释，为医疗器械召回管理工作的规范化、标准化开展奠定了坚实基础。

2014 年版的《医疗器械监督管理条例》特别开辟了“不良事件的处理及医疗器械的召回”这一独立章节，明确提出构建涵盖医疗器械不良事件监测、再评价以及召回等环节的上市后监管制度体系。这是首次将医疗器械召回制度纳入行政法规层面，也成了该版《条例》的一大亮点。为了进一步强化对医疗器械召回的监督管理力度，确保注册人、备案人切实履行召回主体责任，国家食品药品监管总局颁布了《医疗器械召回管理办法》，并于 2017 年 5 月 1 日起正式施行。该管理办法结构严谨、内容翔实，共分为 6 章 37 条。值得一提的是，其各个章节名称与 2011 年颁布的《医疗器械召回管理办法（试行）》保持一致。

2021 年版新修订的《医疗器械监督管理条例》（本章内简称 2021 版《条例》）再次以创新之姿，设立专章对医疗器械的召回事宜作出详尽规定。该条例明确指出，当医疗器械注册人、备案人发现所生产的医疗器械不符合强制性标准、经注册或者备案的产品技术要求，或者存在其他缺陷时，应当立即采取果断措施，停止生产活动，并及时通知相关经营企业、使用单位以及消费者停止经营和使用该医疗器械。同时，要迅速召回已经上市销售的医疗器械，采取补救、销毁等有效措施，详细记录相关情况，及时发布相关信息，并将医疗器械召回和处理情况如实向负责药品监督管理的部门和卫生主管部门报告。当医疗器械受托生产企业、经营企业发现生产、经营的医疗器械存在前款规定情形时，应当立即停止生产、经营活动，第一时间通知医疗器械注册人、备案人，并记录停止生产、经营和通知的相关情况。若医疗器械注册人、备案人认为属于依照前款规定需要召回的医疗器械，应当立即启动召回程序。而对于医疗器械注册人、备案人、受托生产企业、经营企业未依照本条规定实施召回或者停止生产、经营的，负责药品监督管理的部门将依法行使权力，责令其召回或者停止生产、经营。

11.1.4 我国医疗器械召回的行业现状

自2011年起，我国正式实施医疗器械召回管理制度，并于2016年构建起覆盖全生命周期的医疗器械管理体系，这一系列举措标志着我国在医疗器械监管领域实现了重大跨越。医疗器械召回管理的初步成效显著，特别是随着2017年新《医疗器械召回管理办法》的施行，监管力度与效果得到了进一步加强。

依据《2010—2018年我国医疗器械召回情况分析》[1] 这一研究所揭示的数据，在2010年5月至2018年12月这段时期内，国家药品监督管理局官方网站公布的医疗器械有效召回事件多达1533例。对这些召回事件进行深入剖析，从召回医疗器械所属国别的分布情况来看，进口医疗器械共计1251例，占据召回总数的81.06%；而国产医疗器械召回数量为282例，占18.40%。在进口医疗器械召回的国别榜单中，美国、德国、荷兰、日本、英国位居前五。其中，美国以799例的召回数量独占鳌头，占比达召回器械总数的52.12%；德国以124例紧随其后，占8.09%；荷兰109例，占7.11%；日本53例，占3.46%；英国51例，占3.33%。从召回原因的维度进行分类，主要可归结为设计缺陷、制造缺陷、警示缺陷以及其他（涵盖界定模糊、无法归入等情况）。2018年相关数据显示，企业主动召回占98.7%（2014年仅为82%），其中跨国企业如美敦力、雅培的召回响应速度较实施前平均加快3～5个工作日。

2019年起，我国发生召回的医疗器械数量逐年减少[2]，下降比例达71.5%。2019—2024年发生召回的医疗器械共2488个，每年平均发生召回的医疗器械415个；其中，三级召回医疗器械1409个（56.7%），二级召回931个（37.4%），一级召回148个（5.9%）[3]。在医疗器械召回风险发现途径方面，2019—2024年国产医疗器械召回原因中，61.6%是监管部门监测发现不合格后召回；在进口医疗器械召回原因中，91.4%是企业自行发现潜在风险后召回[3]，详见表11-1。

表11-1 2019—2024年医疗器械召回风险发现途径（$n=2488$）

风险发现途径	国产医疗器械($n=620$)		进口医疗器械($n=1868$)		合计($n=2488$)	
	数量/个	占比/%	数量/个	占比/%	数量/个	占比/%
企业自行发现	230	37.1	1707	91.4	1937	77.9
监管部门监测发现	382	61.6	51	2.7	433	17.4
客户投诉发现	8	1.3	110	5.9	118	4.7

从产地维度进行分类统计，进口医疗器械的召回数量在总召回量中占比达75.1%，这一比例显著高于国产医疗器械的召回占比。在国产医疗器械召回中发生最多的是三级召回，占比达94.2%；在进口医疗器械召回中发生最多的是二级召回，占比达48.2%。在一级召回和二级召回中，进口医疗器械比国产医疗器械发生召回的可能性更高（$p<0.05$）[3]，详见表11-2。

表11-2 2019—2024年医疗器械召回级别及产地特征（$n=2488$）

项目		医疗器械召回总数量/个	一级召回($n=148$)		二级召回($n=931$)		三级召回($n=1409$)	
			数量/个	占比/%	数量/个	占比/%	数量/个	占比/%
年份	2019	610	33	5.4	234	38.4	343	56.2
	2020	498	10	2.0	194	39	294	59
	2021	703	26	3.7	267	38	410	58.3
	2022	249	5	2.0	63	25.3	181	72.7
	2023	255	40	15.7	105	41.2	110	43.7
	2024	173	34	19.7	68	39.3	71	41
类别	国产	620	4	0.6	32	5.2	584	94.2
	进口	1868	144	7.6	899	48.2	825	44.2

从医疗器械的管理类别维度进行剖析，在已召回的医疗器械群体中，Ⅲ类医疗器械的召回占比位居首位，展现出较高的召回比例；Ⅱ类医疗器械召回占比次之；Ⅰ类医疗器械召回占比最低。具体而言，Ⅲ类、Ⅱ类、Ⅰ类医疗器械召回占比分别为50.4%、43.5%、6.1%。从召回级别看，Ⅲ类医疗器械比Ⅱ类医疗器械以及Ⅰ类医疗器械更有可能发生一级召回和二级召回（$p<0.001$）[3]，详见表11-3。

表11-3　2019—2024年医疗器械管理类别及召回级别（$n=2488$）

召回级别	器械召回数量/个	Ⅲ类器械（$n=1253$）		Ⅱ类器械（$n=1084$）		Ⅰ类器械（$n=151$）	
		数量/个	占比/%	数量/个	占比/%	数量/个	占比/%
一级	148	115	9.2	32	3.0	1	0.7
二级	931	616	49.1	276	25.4	39	25.8
三级	1409	522	41.7	776	71.6	111	73.5

依据2017年国家食品药品监督管理总局修订的《医疗器械分类目录》以及2024年国家药品监督管理局修订的《体外诊断试剂分类目录》对产品类别进行精准划分后发现，在医疗器械召回情况中，医用成像器械，注输、护理和防护器械，以及体外诊断试剂这三类产品的召回数量占比位居前列，分别占16.6%、14.8%、12.5%。进一步细分国产与进口医疗器械召回情况可知，国产医疗器械召回数量最多的产品类别是注输、护理和防护器械类产品；而进口医疗器械召回数量最多的是医用成像器械类产品[3]，详见图11-1。

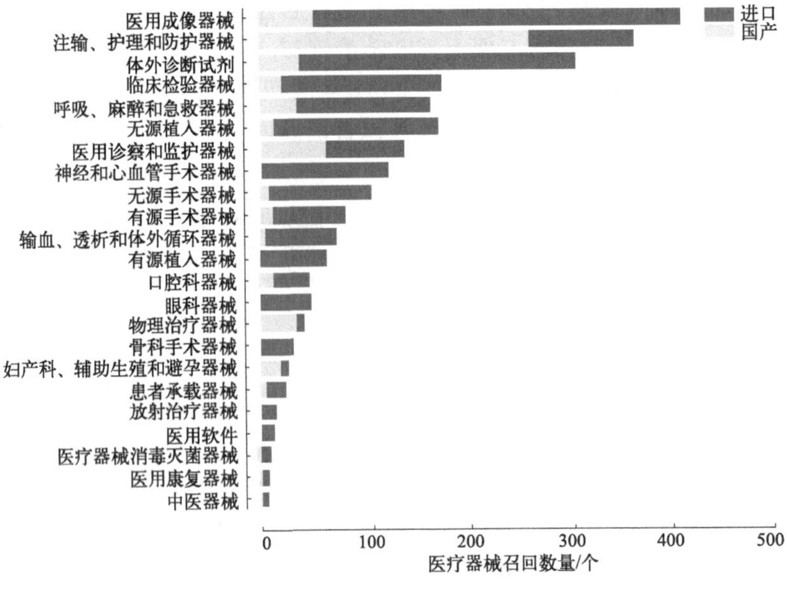

图11-1　2019—2024年间我国进口和国产医疗器械召回产品类别

11.2　医疗器械缺陷的调查与评估

根据2017年版《医疗器械召回管理办法》，医疗器械生产企业应当按照规定建立健全医疗器械质量管理体系和医疗器械不良事件监测系统，收集、记录医疗器械的质量投诉信息和医疗器械不良事件信息，对收集的信息进行分析，对可能存在的缺陷进行调查和评估。

医疗器械经营企业、使用单位应当配合医疗器械生产企业对有关医疗器械缺陷进行调查，并提供有关资料。

医疗器械生产企业应当按照规定及时将收集的医疗器械不良事件信息向食品药品监督管

理部门报告。食品药品监督管理部门可以对医疗器械不良事件或者可能存在的缺陷进行分析和调查，医疗器械生产企业、经营企业、使用单位应当予以配合。

对存在缺陷的医疗器械产品进行评估的主要内容包括：

① 产品是否符合强制性标准、经注册或者备案的产品技术要求；

② 在使用医疗器械过程中是否发生过故障或者伤害；

③ 在现有使用环境里是否会造成伤害，是否有科学文献、研究、相关试验或者验证能够解释伤害发生的原因；

④ 伤害所涉及的地区范围和人群特点；

⑤ 对人体健康造成的伤害程度；

⑥ 伤害发生的概率；

⑦ 发生伤害的短期和长期后果；

⑧ 其他可能对人体造成伤害的因素。

11.3　医疗器械召回的分级

医疗器械生产企业应当根据具体情况确定召回级别，并根据召回级别与医疗器械的销售和使用情况，科学地设计召回计划并组织实施。

根据医疗器械缺陷的严重程度，医疗器械召回分为三级：

一级召回：使用该医疗器械可能或者已经引起严重健康危害的；

二级召回：使用该医疗器械可能或者已经引起暂时的或者可逆的健康危害的；

三级召回：使用该医疗器械引起危害的可能性较小但仍需要召回的。

11.4　医疗器械召回的分类

根据医疗器械召回的启动主体不同，医疗器械召回分为主动召回和责令召回两种。

11.4.1　主动召回

主动召回是指医疗器械生产企业按照有关要求或根据产品不良事件等信息，对其生产的医疗器械产品进行调查评估后，确定医疗器械产品存在缺陷，主动决定并实施的召回。

实施一级召回的，医疗器械召回公告应当在国家食品药品监督管理总局网站和中央主要媒体上发布；实施二级、三级召回的，医疗器械召回公告应当在省、自治区、直辖市食品药品监督管理部门网站发布，省、自治区、直辖市食品药品监督管理部门网站发布的召回公告应当与国家食品药品监督管理总局网站链接。

医疗器械生产企业作出医疗器械召回决定的，一级召回应当在 1 日内，二级召回应当在 3 日内，三级召回应当在 7 日内，通知到有关医疗器械经营企业、使用单位或者告知使用者。

召回通知应当包括：①召回医疗器械名称、型号规格、批次等基本信息；②召回的原因；③召回的要求，如立即暂停销售和使用该产品、将召回通知转发到相关经营企业或者使用单位等；④召回医疗器械的处理方式等。

医疗器械生产企业作出医疗器械召回决定的，应当立即向所在地省、自治区、直辖市食品药品监督管理部门和批准该产品注册或者办理备案的食品药品监督管理部门提交医疗器械召回事件报告表，并在5个工作日内将调查评估报告和召回计划提交至所在地省、自治区、直辖市食品药品监督管理部门和批准注册或者办理备案的食品药品监督管理部门备案。

医疗器械生产企业所在地省、自治区、直辖市食品药品监督管理部门应当在收到召回事件报告表后1个工作日内将召回的有关情况报告国家食品药品监督管理总局。

调查评估报告应当包括以下内容：①召回医疗器械的具体情况，包括名称、型号规格、批次等基本信息；②实施召回的原因；③调查评估结果；④召回分级。

召回计划应当包括以下内容：①医疗器械生产销售情况及拟召回的数量；②召回措施的具体内容，包括实施的组织、范围和时限等；③召回信息的公布途径与范围；④召回的预期效果；⑤医疗器械召回后的处理措施。

医疗器械生产企业所在地省、自治区、直辖市食品药品监督管理部门可以对生产企业提交的召回计划进行评估，认为生产企业所采取的措施不能有效消除产品缺陷或者控制产品风险的，应当书面要求其采取提高召回等级、扩大召回范围、缩短召回时间或者改变召回产品的处理方式等更为有效的措施进行处理。医疗器械生产企业应当按照食品药品监督管理部门的要求修改召回计划并组织实施。

医疗器械生产企业对上报的召回计划进行变更的，应当及时报所在地省、自治区、直辖市食品药品监督管理部门备案。

医疗器械生产企业在实施召回的过程中，应当根据召回计划定期向所在地省、自治区、直辖市食品药品监督管理部门提交召回计划的实施情况报告。

医疗器械生产企业对召回医疗器械的处理应当有详细的记录，并向医疗器械生产企业所在地省、自治区、直辖市食品药品监督管理部门报告，记录应当保存至医疗器械注册证失效后5年，第一类医疗器械召回的处理记录应当保存5年。对通过警示、检查、修理、重新贴标签、修改并完善说明书、软件更新、替换、销毁等方式能够消除产品缺陷的，可以在产品所在地完成上述行为。需要销毁的，应当在食品药品监督管理部门的监督下销毁。

医疗器械生产企业应当在召回完成后10个工作日内对召回效果进行评估，并向所在地省、自治区、直辖市食品药品监督管理部门提交医疗器械召回总结评估报告。

医疗器械生产企业所在地省、自治区、直辖市食品药品监督管理部门应当自收到总结评估报告之日起10个工作日内对报告进行审查，并对召回效果进行评估；认为召回尚未有效消除产品缺陷或者控制产品风险的，应当书面要求生产企业重新召回。医疗器械生产企业应当按照食品药品监督管理部门的要求进行重新召回。主动召回流程图如图11-2所示。

11.4.2 责令召回

责令召回是指食品药品监督管理部门经过调查评估，认为医疗器械生产企业应当召回存在缺陷的医疗器械产品而未主动召回的，应当责令医疗器械生产企业召回医疗器械。

责令召回的决定可以由医疗器械生产企业所在地省、自治区、直辖市食品药品监督管理部门作出，也可以由批准该医疗器械注册或者办理备案的食品药品监督管理部门作出。作出该决定的食品药品监督管理部门，应当在其网站向社会公布责令召回信息。

医疗器械生产企业应当按照食品药品监督管理部门的要求进行召回，并按照《医疗器械召回管理办法》的规定向社会公布产品召回信息。必要时，食品药品监督管理部门可以要求医疗器械生产企业、经营企业和使用单位立即暂停生产、销售和使用，并告知使用者立即暂停使用该缺陷产品。

食品药品监督管理部门作出责令召回决定，应当将责令召回通知书送达医疗器械生产企业，通知书包括以下内容：①召回医疗器械的具体情况，包括名称、型号规格、批次等基本

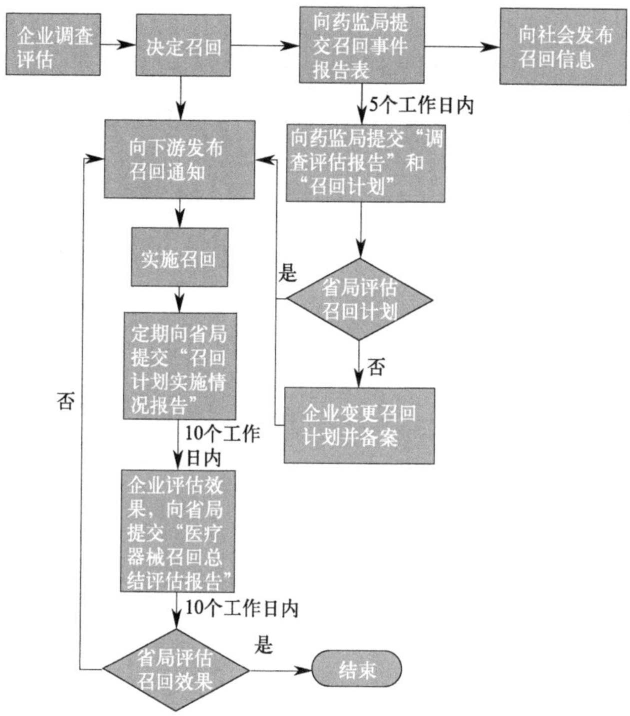

图 11-2　医疗器械主动召回流程图

信息；②实施召回的原因；③调查评估结果；④召回要求，包括范围和时限等。

医疗器械生产企业收到责令召回通知书后，应当按照《医疗器械召回管理办法》相关规定通知医疗器械经营企业和使用单位或者告知使用者，制定、提交召回计划，并组织实施。

医疗器械生产企业应当按照《医疗器械召回管理办法》相关规定，向食品药品监督管理部门报告医疗器械召回的相关情况，进行召回医疗器械的后续处理。

食品药品监督管理部门应当按照《医疗器械召回管理办法》相关规定，对医疗器械生产企业提交的医疗器械召回总结评估报告进行审查，并对召回效果进行评价，必要时通报同级卫生行政部门。经过审查和评价，认为召回不彻底、尚未有效消除产品缺陷或者控制产品风险的，食品药品监督管理部门应当书面要求医疗器械生产企业重新召回。医疗器械生产企业应当按照食品药品监督管理部门的要求进行重新召回。责令召回流程图如图 11-3 所示。

11.5　法律责任与案例分析

11.5.1　违反 2021 版《条例》的法律责任

医疗器械生产企业未按照负责药品监督管理部门作出的责令召回要求后执行，或拒绝召回医疗器械的，由负责药品监督管理的部门责令改正，没收违法生产经营使用的医疗器械；违法生产经营使用的医疗器械货值金额不足 1 万元的，并处 2 万元以上 5 万元以下罚款；货值金额 1 万元以上的，并处货值金额 5 倍以上 20 倍以下罚款；情节严重的，责令停产停业，直至由原发证部门吊销医疗器械注册证、医疗器械生产许可证、医疗器械经营许可证，对违法单位的法定代表人、主要负责人、直接负责的主管人员和其他责任人员，没收违法行为发生期间自本单位所获收入，并处所获收入 30%以上 3 倍以下罚款，10 年内禁止其从事医疗器械生产经营活动。

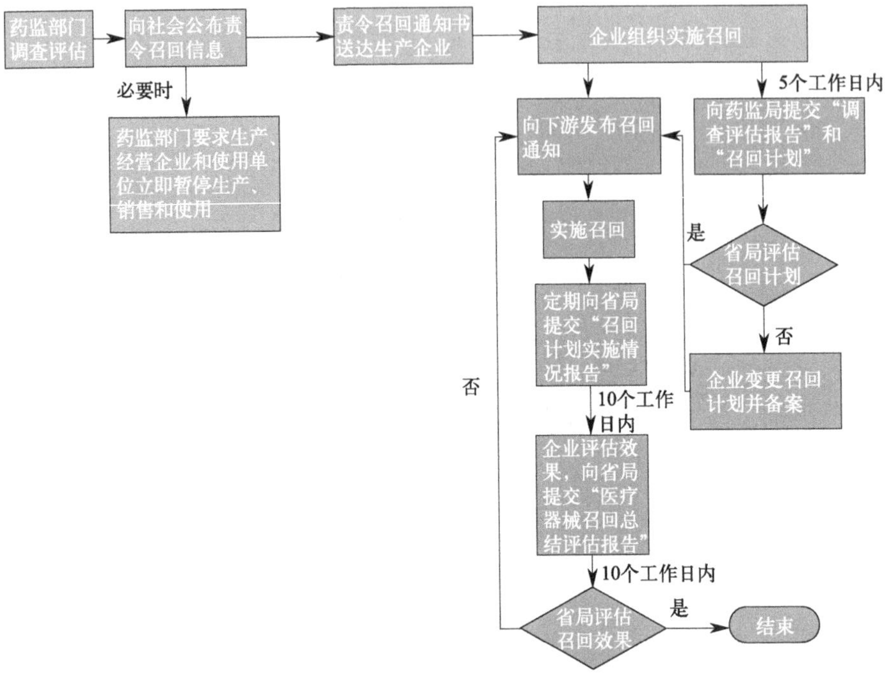

图 11-3　医疗器械责令召回流程图

医疗器械经营企业、使用单位拒绝配合有关医疗器械缺陷调查、拒绝协助注册人、备案人召回医疗器械的，予以警告，责令限期改正；逾期拒不改正的，处 3 万元以下罚款。

11.5.2　违反《医疗器械召回管理办法》的法律责任

医疗器械生产企业未按照要求及时向社会发布产品召回信息的；或者未在规定时间内将召回医疗器械的决定通知医疗器械经营企业、使用单位或告知使用者的；或者未按照食品药品监督管理部门要求采取改正措施或者重新召回医疗器械的；又或者未对召回医疗器械的处理作详细记录或者未向食品药品监督管理部门报告的，将予以警告，责令限期改正，并处 3 万元以下罚款。

医疗器械生产企业未按照《医疗器械召回管理办法》的规定建立医疗器械召回管理制度的；或者拒绝配合食品药品监督管理部门开展调查的；或者未按照本办法规定提交医疗器械召回事件报告表、调查评估报告和召回计划、医疗器械召回计划实施情况和总结评估报告的；又或者变更召回计划，未报食品药品监督管理部门备案的，将予以警告，责令限期改正；逾期未改正的，处 3 万元以下罚款。

医疗器械经营企业、使用单位违反《医疗器械召回管理办法》有关规定的，责令停止销售、使用存在缺陷的医疗器械，并处 5000 元以上 3 万元以下罚款；造成严重后果的，由原发证部门吊销医疗器械经营许可证。

药品监督管理部门及其工作人员不履行医疗器械监督管理职责或者滥用职权、玩忽职守，有下列情形之一的，由监察机关或者任免机关根据情节轻重，对直接负责的主管人员和其他直接责任人员给予批评教育，或者依法给予警告、记过或者记大过的处分；造成严重后果的，给予降级、撤职或者开除的处分：

① 未按规定向社会发布召回信息的；

② 未按规定向相关部门报告或者通报有关召回信息的；

③ 应当责令召回而未采取责令召回措施的；

④ 违反《医疗器械召回管理办法》有关规定，未能督促医疗器械生产企业有效实施召回的。

另外，《医疗器械召回管理办法》规定，医疗器械生产企业因违反法律、法规、规章规定造成上市医疗器械存在缺陷，依法应当给予行政处罚，但该企业已经采取召回措施主动消除或者减轻危害后果的，药品监督管理部门依照《中华人民共和国行政处罚法》的规定给予从轻或者减轻处罚；违法行为轻微并及时纠正，没有造成危害后果的，不予行政处罚。但医疗器械生产企业召回医疗器械的，不免除其依法应当承担的其他法律责任。

召回的医疗器械已经植入人体的，注册人应当与医疗机构和患者协商，根据召回的不同原因，提出对患者的处理意见和应当采取的预防措施。召回的医疗器械给患者造成损害的，患者可以向注册人、备案人要求赔偿，也可以向医疗器械经营企业、使用单位要求赔偿。患者向医疗器械经营企业、使用单位要求赔偿的，医疗器械经营企业、使用单位赔偿后，有权向负有责任的注册人、备案人追偿。

11.5.3　案例分析

【案例】未按规定及时召回医疗器械

2023 年 8 月 1 日，莆田市涵江区华丰塑胶有限公司针对福建省药监局报告的 8 批次电子体温计实施召回程序，按照法规规定，该公司本应在规定时限内，将召回医疗器械的这一决定精准传达至相关医疗器械经营企业、使用单位，或者直接告知使用者。然而，在实际执行过程中，当事人严重偏离了法规轨道，其不仅未能在规定时间内，将电子体温计的召回决定及时告知相关经营企业、使用单位和使用者，致使召回信息传递受阻，甚至还蓄意伪造并提交了与实际情况严重背离的虚假报告，妄图以此蒙混过关，掩盖自身的违规事实。该公司的上述行为，公然违反了《医疗器械召回管理办法》第十五条第一款的明确规定，该条款清晰指出“医疗器械生产企业作出医疗器械召回决定的，一级召回应当在 1 日内，二级召回应当在 3 日内，三级召回应当在 7 日内，通知到有关医疗器械经营企业、使用单位或者告知使用者。”鉴于莆田市涵江区华丰塑胶有限公司的上述违法行为，相关部门对其作出如下行政处罚：①予以警告；②没收违法所得 1113 元；③没收不符合强制性标准的电子体温计（规格型号为 XHF2001，产品批号为 202210F001）；④处以 64000 元罚款。

参考文献

[1] 张焕，洪源，何宇卿，等．2010～2018 年我国医疗器械召回情况分析［J］．中国医药导报，2020，17（2）：48-51.

[2] 聂艳艳，郭大为，刘东岩，等．基于人因工程学的 761 例医疗器械召回事件分析与探讨［J］．医疗卫生装备，2021，42（11）：80-82.

[3] 刘云鹏，徐杨，过其祥，等．2019—2024 年我国医疗器械上市与召回风险分析及对策研究［J］．健康发展与政策研究，2025，28（1）：89-97.

第十二章

体外诊断试剂监督管理

随着医疗技术的快速发展和临床需求的日益增长，体外诊断试剂在疾病定义、病情评估、治疗方案选择及预后判断中发挥着不可替代的作用[1]。规范体外诊断试剂的管理，已然成为保障医疗质量、守护患者安全的关键环节。然而，体外诊断试剂领域的情况错综复杂，其种类繁多，涵盖了化学试剂、生化试剂、生物制品、细胞制剂以及基因检测产品等。而且，其监管横跨药品和医疗器械两大领域，这一特殊性使得其生产、流通和使用环节的监管面临较大挑战。为了顺应体外诊断试剂行业蓬勃发展的需求，适应不断变化的市场环境和监管要求，新修订的《医疗器械监督管理条例》（以下简称新《条例》）于 2021 年 6 月 1 日正式实施。在此基础上，国家市场监管总局于 2021 年 8 月 26 日发布了《体外诊断试剂注册与备案管理办法》[2]（以下简称新《办法》），并于同年 10 月 1 日起正式施行。新《办法》是在 2017 版修正案的基础上进行的一次全面而深入的修订，条款由 90 条扩充至 125 条，重点优化了分类规则、临床评价、临床试验管理、变更注册及标准品检验等关键环节，并细化了对不同包装规格的检验要求、检验报告规范、国家标准品的使用条件以及临床评价路径等方面的具体要求。本章将围绕我国体外诊断试剂的定义、分类、行业现状、发展趋势、命名规则及注册、备案、生产、经营、使用监管等核心内容展开分析，以期探讨出如何进一步完善体外诊断试剂的监督管理体系，让体外诊断试剂更好地服务于医疗事业，造福广大患者。

12.1 体外诊断试剂概述

12.1.1 体外诊断试剂的定义

根据新《办法》第一章第三条规定，体外诊断试剂（in vitro diagnostic products，IVD）是指按医疗器械管理的体外诊断试剂，包括在疾病的预测、预防、诊断、治疗监测、预后观察和健康状态评价的过程中，用于人体样本体外检测的试剂、试剂盒、校准品、质控品等产品，可以单独使用，也可以与仪器、器具、设备或者系统组合使用。而按照药品管理的用于血源筛查的体外诊断试剂、采用放射性核素标记的体外诊断试剂则不属于本办法管理范围。

12.1.2 体外诊断试剂的分类

为推动体外诊断试剂分类管理迈向更高水平的科学化与规范化的新征程，国家药品监督管理局以新《条例》（国务院令第 739 号）为坚实依据，正式发布了《体外诊断试剂分类规则》(以下简称新《规则》)。这一规则自2021年10月29日起正式施行，为体外诊断试剂的分类管理提供了明确、细致且权威的指引。新《规则》第四条明确规定，体外诊断试剂的管理类别需基于产品风险程度进行综合判定，其风险评估要素包括但不限于以下核心维度：①产品预期用途、适应证以及预期使用环境和使用者的专业知识；②检验结果信息对医学诊断和治疗的影响程度；③检验结果对个人和/或公共健康的影响[3]。

新《规则》第五条规定，体外诊断试剂管理类别按照产品风险程度由低到高依次划分为第一类、第二类和第三类。第六条明确指出，体外诊断试剂的分类判定需遵循以下内容：

(1) 第一类体外诊断试剂　第一类体外诊断试剂是指具有较低的个人风险，没有公共健康风险，实行常规管理可以保证其安全、有效的体外诊断试剂，通常为检验辅助试剂。具体包括：①不用于微生物鉴别或药敏试验的微生物培养基，以及仅用于细胞增殖培养，不具备对细胞的选择、诱导、分化功能，且培养的细胞用于体外诊断的细胞培养基；②样本处理用产品，如溶血剂、稀释液、染色液、核酸提取试剂等；③反应体系通用试剂，如缓冲液、底物液、增强液等。

(2) 第二类体外诊断试剂　第二类体外诊断试剂是指具有中等的个人风险和/或公共健康风险，检验结果通常是几个决定因素之一，出现错误的结果不会危及生命或导致重大残疾，需要严格控制管理以保证其安全、有效的体外诊断试剂。除已明确为第一类、第三类的体外诊断试剂，其他均归为第二类体外诊断试剂，具体包括：①用于蛋白质检测的试剂；②用于糖类检测的试剂；③用于激素检测的试剂；④用于酶类检测的试剂；⑤用于酯类检测的试剂；⑥用于维生素检测的试剂；⑦用于无机离子检测的试剂；⑧用于药物及药物代谢物检测的试剂；⑨用于自身抗体检测的试剂；⑩用于微生物鉴别或者药敏试验的试剂，以及用于细胞增殖培养，对细胞具有选择、诱导、分化功能，且培养的细胞用于体外诊断的细胞培养基；⑪用于变态反应(过敏原)检测的试剂；⑫用于其他生理、生化或者免疫功能指标检测的试剂。

(3) 第三类体外诊断试剂　第三类体外诊断试剂是指具有较高的个人风险和/或公共健康风险，为临床诊断提供关键的信息，出现错误的结果会对个人和/或公共健康安全造成严重威胁，需要采取特别措施严格控制管理以保证其安全、有效的体外诊断试剂。具体包括：①与致病性病原体抗原、抗体以及核酸等检测相关的试剂；②与血型、组织配型相关的试剂；③与人类基因检测相关的试剂；④与遗传性疾病检测相关的试剂；⑤与麻醉药品、精神药品、医疗用毒性药品检测相关的试剂；⑥与治疗药物作用靶点检测相关的试剂和伴随诊断用试剂；伴随诊断用试剂是用于评价相关医疗产品安全有效性的工具，主要用于在治疗前和/或治疗中识别出最有可能从相关医疗产品获益的患者和因治疗可能导致严重不良反应风险增加的患者；用于药物及药物代谢物检测的试剂不属于伴随诊断用试剂[3]；⑦与肿瘤筛查、诊断、辅助诊断、分期等相关的试剂。

新《规则》第七条明确，体外诊断试剂分类判定除遵循第六条外，尚需结合以下特殊情形进行综合评估：①第六条所列第二类体外诊断试剂中，若用于肿瘤筛查、诊断、辅助诊断、分期或遗传性疾病检测的，应当按照第三类体外诊断试剂管理；②用于药物及药物代谢物检测的试剂，若该药物属于麻醉药品、精神药品或医疗用毒性药品范围的，直接纳入第三类体外诊断试剂管理范畴；③与第一类体外诊断试剂配套使用的校准品、质控品，按第二类体外诊断试剂管理；与第二类、第三类体外诊断试剂配套使用的校准品、质控品按与试剂相同的类别管理；多项校准品、质控品，依据其中最高风险类别执行；④具有明确诊断价值的流式细胞仪用抗体试剂、免疫组化用抗体试剂和原位杂交用探针试剂，流式细胞仪用淋巴细胞亚群分析试剂盒，根据其临床预期用途，按照第六条分别纳入第二类或第三类体外诊断试剂管理；仅为专业医生提供辅助诊断信息的流式细胞仪用单一抗体试剂、免疫组化用单一抗体试剂和原位杂交用单一探针试剂，以及流式细胞仪用同型对照抗体试剂，按照第一类体外诊断试剂管理；⑤第六条所列第一类体外诊断试剂中的样本处理用产品，若为非通用产品，或直接参与反应过程且影响检验结果，其管理类别应当与相应检测试剂一致。

国家药品监督管理局负责《体外诊断试剂分类目录》的制定与发布，并基于体外诊断试剂的生产、经营、使用情况，定期开展对体外诊断试剂风险变化的分析与评价，对《体外诊断试剂分类目录》实施动态更新调整。

对于新研制、尚未纳入《体外诊断试剂分类目录》的体外诊断试剂，申请人可直接申请第三类体外诊断试剂产品注册，也可依据本分类规则判定产品类别并按照医疗器械分类界定工作流程申请技术审评与类别确认。

12.1.3 体外诊断试剂的行业现状

（1）全球体外诊断试剂行业现状　体外诊断（IVD）试剂通过体外分析人体样本（如血液、尿液、体液等），为疾病诊断、疗效监测及健康风险评估提供关键依据，其检测结果直接影响超过70%的临床医疗决策，是现代精准医疗体系的核心支撑。体外诊断行业主要由诊断设备（仪器）、诊断试剂和体外诊断服务这三大核心板块协同驱动。2023年全球IVD行业市场规模达1078亿美元，2018—2023年复合增速为7.05%，如图12-1所示。数据显示，2023年全球IVD行业细分市场主要是以IVD试剂产品为主导，市场份额占比超过65%，如图12-2所示。据Marketsand Markets™的权威报告，2024年全球IVD试剂市场规模已达690.2亿美元，且预计到2029年将成功突破874.09亿美元，2024—2029年的复合增长率为7.7%，驱动因素包括分子诊断技术普及、POCT（即时诊断）场景拓展及新兴市场医疗支出提升。全球IVD市场的竞争格局，呈现出高度集中的显著特征。罗氏、雅培、丹纳赫、西门子这四大龙头企业凭借技术含量高、产品质量稳定、检测结果精准以及设备制造精密等突出优势，稳稳占据第一梯队，引领着全球IVD市场的发展方向。而第二梯队则汇聚了在体外诊断细分领域占据优势的赛默飞、希森美康、Becton、PerkinElmer等企业，为全球IVD市场的多元化发展贡献着重要力量[4]。

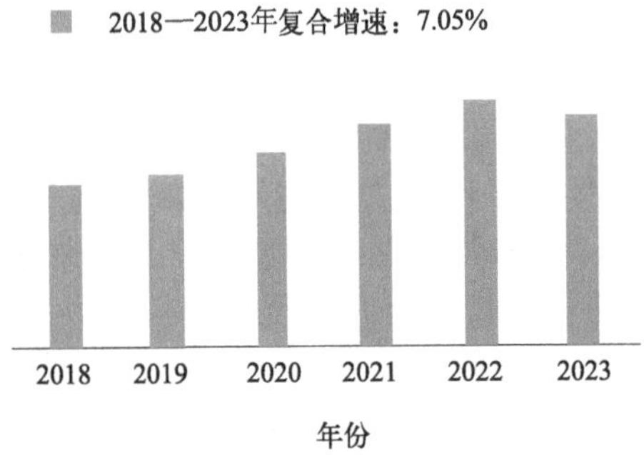

图12-1　2018—2023年全球体外诊断行业市场规模

资料来源于前瞻产业研究院

（2）中国体外诊断试剂行业现状　在中国人口老龄化进程加速、医疗卫生支出持续增

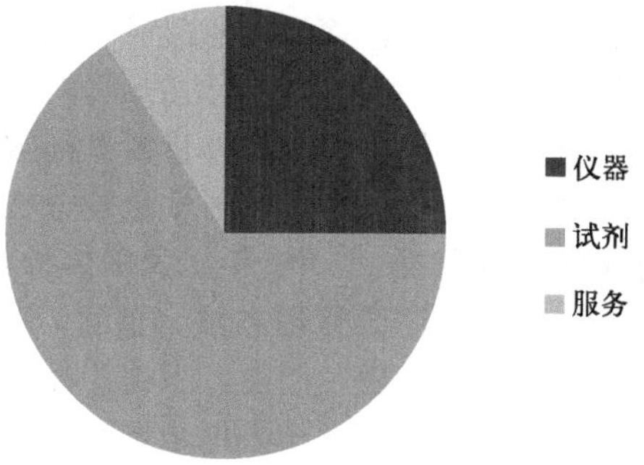

图 12-2　2023 年全球体外诊断行业细分产品结构
资料来源于前瞻产业研究院

长，以及生物标志物创新发现与诊断技术迭代升级的多重因素推动下，我国 IVD 市场规模呈现出高速增长的态势。体外诊断行业被国家列为战略性新兴产业。根据《中国医疗器械行业蓝皮书（2024）》所呈现的数据，我国体外诊断市场规模已从 2016 年的 430 亿元一路跃升至 2023 年的 1185 亿元，年均复合增长率高达 15.58%，这一数据彰显了行业强劲的发展活力和巨大的增长潜力。展望未来，预计到 2029 年中国体外诊断市场规模将超 1900 亿元，较 2023 年的复合增长率达 8.2%，具体数据如图 12-3 所示。

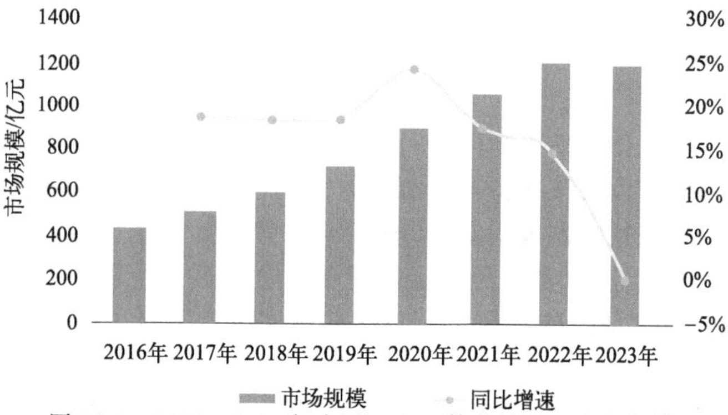

图 12-3　2016—2023 年中国 IVD（体外诊断）市场规模
资料来源于前瞻产业研究院

从检测原理与方法这一维度深入剖析，体外诊断可清晰划分为生化诊断、免疫诊断、分子诊断、微生物诊断、血液诊断及 POCT（即时诊断）这六大各具特色的类别。在这六大类别中，生化诊断、免疫诊断与分子诊断构成了当前市场的核心主力阵营，合计在国内 IVD 市场中占据了超过 70%的份额。根据《中国医疗器械行业蓝皮书（2024）》等数据，2023 年各细分市场呈现差异化发展格局：免疫诊断以 503 亿元的规模领跑市场，占比达 42.45%，稳居行业第一；生化诊断市场规模达到 190 亿元，占比 16.03%，保持稳定；POCT 领域实现 160.7 亿元的规模，占比 13.67%，较发达国家 30%以上的渗透率仍具有显著提升空间；分子诊断以 148 亿元的规模占据 12.49%的市场份额，展现技术驱动型特征。值得高度关注的是，当前体外诊断行业正经历着一场深刻而全面的结构性变革：传统生化诊断及以酶联免疫为代表的低端免疫诊断技术增速明显放缓，市场趋于饱和；而化学发光免疫检测、POCT 解决方案，以及分子诊断中的高通量测序技术，正凭借其技术创新优势成为推动行业发展的新引擎。

（3）国内体外诊断试剂行业监管的发展　我国体外诊断试剂监管体系建设始于 20 世纪

80 年代末 90 年代初，较欧美发达国家起步稍晚。随着国家药品监督管理局的成立，监管力度持续强化，通过一系列法规政策的出台，逐步构建起科学完善的监管框架。2001 年 7 月，国家药监局颁布的《关于规范体外诊断试剂管理意见的通知》（国药监办〔2001〕357 号），首次以法规形式确立了分类管理原则：随机专用体外诊断试剂被纳入医疗器械管理范畴；其他诊断试剂则按照药品管理模式进行监管；对于放射性免疫分析药盒等特殊产品，实施特殊药品管理，体现了监管的精准性与针对性。2007 年，我国体外诊断试剂监管体系迎来重大升级，国家药监局发布《体外诊断试剂注册管理办法（试行）》等系列文件，在监管制度上实现了多项重大突破：确立“分类注册管理”制度，根据产品的风险程度和特性进行分类管理，提高了监管效率；明确血源筛查和放射性核素标记试剂按药品管理，保障了特殊产品的质量安全；将医疗器械类试剂按风险等级划分为第一类、第二类、第三类分别管理，实现了监管的精细化和差异化。

与此同时，一系列配套规范同步出台，为监管体系的落实实施提供了有力支撑。《体外诊断试剂生产实施细则（试行）》规范了生产环节的操作流程和质量标准；《体外诊断试剂质量管理体系考核实施规定（试行）》《体外诊断试剂生产企业质量管理体系考核评定标准（试行）》（国食药监械〔2007〕239 号）强化了对生产企业质量管理体系的考核与监督；《体外诊断试剂临床研究技术指导原则》为临床研究提供了科学指导；《体外诊断试剂说明书编写指导原则》（国食药监械〔2007〕240 号）确保了产品说明书的准确性和规范性；《体外诊断试剂经营企业（批发）验收标准和开办申请程序》（国食药监市〔2007〕299 号）规范了经营企业的市场准入和运营管理。这一系列法规政策的出台，标志着我国体外诊断试剂监管体系迈入了更加成熟、完善的阶段，为行业的可持续发展提供了坚实的制度保障。

为持续赋能并系统优化体外诊断试剂行业的监管生态，推动监管体系向更深层次、更高水平迈进，国家进一步加大政策扶持与资源投入力度，密集出台了一系列具有战略意义的政策举措，为行业健康发展筑牢制度根基。2014 年 10 月 1 日，修订后的首部正式法规《体外诊断试剂注册管理办法》（国家食品药品监督管理总局令第 5 号）正式落地实施。这部继承 2007 年试行版精髓并深度革新的法规，以系统性制度设计确立了我国体外诊断试剂注册管理的核心框架，标志着行业监管迈入规范化、精细化的新阶段。其主要特点为进一步细化了注册分类和流程；新增了临床试验等关键环节的要求；建立了完整的产品备案制度。同时，作为《医疗器械监督管理条例》（国务院令第 650 号）的配套规章，该办法以国家部门规章的最高法律效力，终结了试行阶段法规效力层级偏低的局面，为行业提供了稳定可预期的制度环境。在质量监管领域，国家药监部门持续发力。2015 年 4 月 7 日，国家食品药品监督管理总局印发《体外诊断试剂质量评估和综合治理方案》，通过建立覆盖生产、经营、使用全环节的质量评估体系，实施精准化风险防控，严厉打击各类违法违规行为，有效净化了市场环境。同年 7 月 10 日，配套发布的《医疗器械生产质量管理规范附录体外诊断试剂》进一步明确，生产企业必须同时满足《医疗器械生产质量管理规范》通用要求与体外诊断试剂专项要求，构建起“通用标准＋行业规范”的双轨质量管控体系。这些政策组合拳的精准实施，不仅倒逼生产企业提升质量管理水平，更推动行业从规模扩张向质量优先的战略转型。

随着注册人制度的实施和新形势发展的需要，也为了更好地规范体外诊断试剂注册与备案行为，保证体外诊断试剂的安全、有效和质量可控，2021 年 7 月 22 日，国家市场监督管理总局依据《医疗器械监督管理条例》（国务院令第 739 号），精心制定并正式发布了《医疗器械注册与备案管理办法》和《体外诊断试剂注册与备案管理办法》（以下简称两个新《办法》），自 2021 年 10 月 1 日起正式生效施行。两个新《办法》积极响应时代发展需求，全面落实“四个最严”的监管要求，大力推行注册人制度创新，强化企业主体责任，优化监管流程，显著提升监管效率，为体外诊断试剂行业的健康发展营造良好的政策环境。2024 年，中国体外诊断行业在政策与环境方面更是面临多重挑战与机遇。医保控费政策的持续深化、集中采购范围的不断扩大进一步加剧了行业的竞争态势，促使企业不断提升自身核心竞争力以应对市场变化。与此同时，国家在医疗器械管理法修订、LDT（实验室自建检测方法）政策推进等方面也释放出积极信号，为体外诊断行业创新提供了政策支持。

回首往昔，我国体外诊断试剂监管体系历经三十余年的风雨兼程与砥砺前行，在不断探索与实践中已基本实现与国际先进水平接轨，展现出了强大的生命力和适应性。未来还需持续完善监管制度设计、创新监管方式方法、强化全生命周期管理，以更好地保障产品质量安全，促进行业高质量发展。

12.2　体外诊断试剂研发的监督管理

12.2.1　体外诊断试剂的研发鼓励政策

近年来，我国健康体检市场呈现快速增长态势，2016 年市场规模成功突破千亿元。与此同时，我国庞大的人口基数、日益加剧的老龄化趋势以及慢性疾病诊断需求的持续攀升，都为体外诊断试剂市场创造了巨大的发展空间。国家为鼓励体外诊断试剂的研究与创新，在政策端医疗体制改革方面动作频频，为体外诊断行业打造了优越的发展环境。早在 2006 年 2 月，国务院颁布的《国家中长期科学和技术发展规划纲要》首次将疾病早期诊断技术提升至国家战略高度，为体外诊断行业的发展指明了清晰的方向。2017 年 4 月，科技部在《“十三五”生物技术创新专项规划》中，明确将体外诊断产品列为重点发展领域，有力地推动了体外诊断产品向更高水平迈进。2020 年后疫情时代，在《2020 年政府工作报告》中，国家明确将加大检测技术研发投入。2021 年，新版《体外诊断试剂注册与备案管理办法》正式实施，国家积极鼓励 IVD 试剂的研究与创新，对创新 IVD 试剂实行特别审批制度，为新技术的推广与应用开辟了绿色通道，有力地推动了医疗器械产业向高质量发展阶段迈进。同时，对临床急需的 IVD 试剂实行优先审批，确保这些关键试剂能够及时满足临床需求，为患者带来福音。2021 年 12 月 20 日，国家发展改革委印发《“十四五”生物经济发展规划》，明确提出开发分子诊断、化学发光免疫诊断等先进技术，以高通量基因测序等技术开展肿瘤早期筛查，推动诊断技术向精准化、智能化升级。2021 年 12 月 28 日，工业和信息化部、国家卫生健康委等十部门联合印发《“十四五”医疗装备产业发展规划》，强调发展新型 IVD 装备，攻关先进细胞分析装备，提升多功能集成化检验分析装备性能，为高端 IVD 设备研发提供政策支持。2025 年 6 月，国家药监局发布《免于进行临床试验体外诊断试剂目录》，进一步规范了 IVD 试剂注册流程，优化行业准入环境，降低企业研发和注册成本，加快产品上市速度，鼓励企业将研发重心投向临床需求更大、创新性更高的产品。

未来，随着“健康中国 2030”战略的深入推进，以及分级诊疗制度的逐步完善，IVD 行业将迎来更广阔的发展空间。特别是在精准医疗、智慧医疗等新兴领域，技术创新与政策支持的双轮驱动，将持续为行业发展注入新动能。

12.2.2　体外诊断试剂的产品研制

根据新《办法》相关规定，体外诊断试剂研制应当遵循风险管理原则，考虑现有公认技术水平，确保产品所有已知和可预见的风险以及非预期影响最小化并可接受，保证产品在正常使用中受益大于风险。从事体外诊断试剂产品研制实验活动，应当符合我国相关法律、法规和强制性标准等的要求。体外诊断试剂研制，应当根据产品预期用途和技术特征开展体外诊断试剂的非临床研究。非临床研究是指在实验室条件下对体外诊断试剂进行的试验或者评价，包括主要原材料的选择及制备、产品生产工艺、产品分析性能、阳性判断值或者参考区间、产品稳定性等的研究。申请注册或者进行备案，应当提交研制活动中产生的非临床证据。体外诊断试剂非临床研究过程中确定的功能性、安全性指标及方法应当与产品预期使用条件、目的相适应，研究样本应当具有代表性和典型性。必要时，应当进行方法学验证、统计学分析。

12.2.3 体外诊断试剂的临床评价

根据新《办法》第三十五条，体外诊断试剂临床评价是指采用科学合理的方法对临床数据进行分析、评价，对产品是否满足使用要求或者预期用途进行确认，以证明体外诊断试剂的安全性、有效性的过程。第三十六条规定，体外诊断试剂临床试验是指在相应的临床环境中，对体外诊断试剂的临床性能进行的系统性研究。临床试验的目的在于证明体外诊断试剂能够满足预期用途要求，并确定产品的适用人群及适应证。临床试验结果为体外诊断试剂安全有效性的确认和风险受益分析提供有效的科学证据。

国家药品监督管理局制定体外诊断试剂临床试验指南，明确开展临床试验的要求、临床试验报告的撰写要求等。同时，在新《条例》、新《办法》和《医疗器械临床试验质量管理规范》的法规框架下制定了《体外诊断试剂临床试验技术指导原则》。该指导原则旨在明确临床试验的基本原则和临床试验中需要考虑的关键因素，并对临床试验质量管理提出基本要求，用于指导申办者的临床试验工作，也为技术审评部门对临床试验资料的审评提供参考。

体外诊断试剂通过体外检测人体样本提供检测结果，用于单独或与其他信息共同辅助判断受试者的目标状态（健康状态、疾病状态、疾病进程或其他可用于指导临床处置的疾病/健康状态等）。体外诊断试剂的“临床性能”即指体外诊断试剂由预期使用者在预期使用环境中使用，针对目标人群获得与受试者目标状态相关的检测结果的能力。

新《办法》第三十七条规定，开展体外诊断试剂临床评价，应当进行临床试验证明体外诊断试剂的安全性、有效性。但符合以下情形的，可以免于进行临床试验：①反应原理明确、设计定型、生产工艺成熟，已上市的同品种体外诊断试剂临床应用多年且无严重不良事件记录，不改变常规用途的；②通过进行同品种方法学比对的方式能够证明该体外诊断试剂安全、有效。免于进行临床试验的第二类、第三类体外诊断试剂目录由国家药品监督管理局制定、调整并公布。

新《办法》第三十八条规定，免于进行临床试验的体外诊断试剂，申请人应当通过对符合预期用途的临床样本进行同品种方法学比对的方式证明产品的安全性、有效性。国家药品监督管理局制定免于进行临床试验的体外诊断试剂临床评价相关指南。

新《办法》第三十九条规定，体外诊断试剂临床评价资料是指申请人进行临床评价所形成的文件。开展临床试验的，临床试验资料包括临床试验方案、伦理委员会意见、知情同意书、临床试验报告以及相关数据等。而列入免于进行临床试验目录的体外诊断试剂，临床评价资料包括与同类已上市产品的对比分析、方法学比对数据、相关文献数据分析和经验数据分析等。

新《办法》第四十条规定，同一注册申请包括不同包装规格时，可以只采用一种包装规格的产品进行临床评价，临床评价用产品应当能代表申请注册或者进行备案产品的安全性和有效性。校准品、质控品单独申请注册，不需要提交临床评价资料。

《体外诊断试剂临床试验技术指导原则》规定，体外诊断试剂临床试验的开展应符合相关法规、规章的要求。

（1）临床试验机构和人员　开展体外诊断试剂临床试验，必须严格遵循医疗器械临床试验质量管理规范及相关法规要求，在具备相应条件且按规定备案的医疗器械临床试验机构内进行。临床试验开始前，临床试验申办者应当向所在地省、自治区、直辖市药品监督管理部门进行临床试验备案。临床试验用体外诊断试剂的生产应当符合医疗器械生产质量管理规范的相关要求。

体外诊断试剂临床试验须采用同一方案，在多家临床试验机构同步开展。申办者负责选择并确定体外诊断试剂临床试验的协调研究者，协调研究者供职的医疗机构为组长单位。协调研究者承担临床试验中各中心的协调工作。

组长单位伦理委员会作为首要审查主体，需对试验方案的伦理性和科学性进行全面评估。参加临床试验的其他临床试验机构伦理委员会在接受牵头单位伦理委员会审查意见的前提下，针对本机构执行可行性进行二次审查，审查要点包括研究者的资格与经验、设备与条件等，一般情况下不再对试验方案设计提出修改意见，但有权拒绝批准在其临床试验机构开展试验。

体外诊断试剂临床试验机构应当具备临床试验所需的专业技术水平、组织管理能力，并能够开展伦理审查工作，具有与所开展临床试验相适应的人员、设施和条件等。具体包括但不限于：常规开展相关检测项目和/或疾病诊疗项目，具有相关诊断结果解读和疾病处置的能力，具有防范和处理临床试验中突发事件和严重不良事件的应急机制和处置能力；具有能够满足临床试验需要的受试人群；具有必备的实验室检测条件，满足相关的检测实验室资质认定要求（如有）等。临床试验机构应能够确保临床试验严格按照方案实施，并能够配合产品注册申报过程，包括进行必要的补充试验、配合申办者组织的监查和稽查，以及配合药品监督管理部门、卫生健康管理部门开展的检查等。

临床试验主要研究者应具有设计并实施相关临床试验的能力，具有试验体外诊断试剂临床试验所要求的专业知识和经验，应熟悉相关的临床试验法规要求。参与临床试验的人员经培训后应熟悉相关检测技术的原理、适用范围、操作方法等，并能够对检测结果进行正确判读。临床试验统计学负责人应为具有相关专业背景和专业能力的人员。

对于体外诊断试剂临床试验期间出现的临床试验体外诊断试剂相关严重不良事件，或者其他严重安全性风险信息，临床试验申办者应当按照相关要求，分别向所在地和临床试验机构所在地省、自治区、直辖市药品监督管理部门报告，并采取风险控制措施。未采取风险控制措施的，省、自治区、直辖市药品监督管理部门依法责令申办者采取相应的风险控制措施。

体外诊断试剂临床试验中出现大范围临床试验体外诊断试剂相关严重不良事件，或者其他重大安全性问题时，申办者应当暂停或者终止体外诊断试剂临床试验，分别向所在地和临床试验机构所在地省、自治区、直辖市药品监督管理部门报告。未暂停或者终止的，省、自治区、直辖市药品监督管理部门依法责令申办者采取相应的风险控制措施。

对预期供消费者个人自行使用的体外诊断试剂开展临床评价时，申请人还应当进行无医学背景的消费者对产品说明书认知能力的评价。

对正在开展临床试验的用于诊断严重危及生命且尚无有效诊断手段的疾病的体外诊断试

剂，经医学观察可能使患者获益，经伦理审查、知情同意后，可以在开展体外诊断试剂临床试验的机构内免费用于其他病情相同的患者，其安全性数据可以用于体外诊断试剂的注册申请。

（2）临床试验方案和报告

① 临床试验方案：开展体外诊断试剂临床试验，申办者应根据试验目的，综合考虑试验体外诊断试剂的预期用途、产品特征和预期风险等，组织制定科学、合理的临床试验方案。临床试验方案经伦理委员会批准后，应在临床试验全过程中严格遵循。

各临床试验机构应执行同一临床试验方案，方案中对试验设计类型、对比方法选择、受试者选择、评价指标、统计分析方法、样本量估算和质量控制要求等做出明确的规定，并根据各机构情况合理确定样本量分配计划。

有关临床试验方案的具体要求参见《医疗器械临床试验质量管理规范》及其附件体外诊断试剂临床试验方案范本。

② 临床试验小结与报告：临床试验结束后应分别总结各临床试验机构的临床试验数据，出具临床试验小结，并附临床试验数据表、临床试验中所采用的其他试验方法或其他体外诊断试剂等产品的基本信息等资料。临床试验小结正文应包括如下内容：a. 临床试验概述（试验体外诊断试剂信息、试验流程图、对比方法信息、其他相关检测方法/试剂信息、受试者入组情况、样本采集和保存、检测仪器、纳入统计的样本量、样本剔除情况说明、试验数据的总结和描述性分析等）；b. 执行方案的版本号及版本日期，临床试验人员信息，试验开始时间和结束时间；c. 临床试验质量管理情况，包括临床试验前培训、临床试验过程质控、偏倚的控制措施、记录管理、数据管理，以及样本、试剂和仪器管理情况等；d. 临床试验伦理情况的说明；e. 不良事件和器械故障的发生以及处理情况；f. 方案偏离、方案修改情况说明等。

临床试验数据表内容至少包括唯一可追溯的样本编号、人口学信息（性别、年龄）、受试者临床诊断背景信息、样本类型、检测结果等。必要时附临床试验原始图谱等。临床试验数据表应由临床试验操作者、复核者签字，并由临床试验机构盖章（封面章和骑缝章）。

申办者、协调研究者对所有临床试验数据进行汇总和统计分析后，完成临床试验报告。有关临床试验报告内容的具体要求参见《医疗器械临床试验质量管理规范》及其附件《体外诊断试剂临床试验报告范本》。

③ 临床试验方案、临床试验小结应当由主要研究者签名、注明日期，经医疗器械临床试验机构审核签章后交申办者。临床试验报告应当由协调研究者签名、注明日期，经组长单位医疗器械临床试验机构审核签章后交申办者。临床试验所有资料均应由申办者签章。

12.2.4 体外诊断试剂的命名原则

新《办法》第一百一十一条明确规定，体外诊断试剂的命名应遵循以下原则：体外诊断试剂的产品名称一般由三部分组成。第一部分：被测物质的名称；第二部分：用途，如测定试剂盒、质控品等；第三部分：方法或者原理，如磁微粒化学发光免疫分析法、荧光 PCR 法、荧光原位杂交法等，本部分应当在括号中列出。

如果被测物组分较多或者有其他特殊情况，可以采用与产品相关的适应证名称或者其他替代名称。第一类产品和校准品、质控品，依据其预期用途进行命名。

12.2.5　体外诊断试剂的说明书和标签编写原则

新《办法》第二十八条明确规定，申请人、备案人应当编制申请注册或者进行备案的体外诊断试剂的产品说明书和标签。产品说明书和标签的编写应当符合新《条例》第三十九条的要求以及相关规定。

新《条例》第三十九条明确规定，医疗器械应当有说明书、标签。说明书、标签的内容应当与经注册或者备案的相关内容一致，确保真实、准确。

医疗器械的说明书、标签应当标明以下事项：①通用名称、型号、规格；②医疗器械注册人、备案人，以及受托生产企业的名称、地址以及联系方式；③生产日期，以及使用期限或者失效日期；④产品性能、主要结构、适用范围；⑤禁忌、注意事项，以及其他需要警示或者提示的内容；⑥安装和使用说明或者图示；⑦维护和保养方法，以及特殊运输、贮存的条件、方法；⑧产品技术要求规定应当标明的其他内容。

此外，第二类、第三类医疗器械还应当标明医疗器械注册证编号。由消费者个人自行使用的医疗器械还应当具有安全使用的特别说明。

12.2.6　体外诊断试剂的产品技术要求与检验

新《办法》第二十七条明确规定，申请人、备案人应当编制申请注册或者进行备案的体外诊断试剂的产品技术要求。产品技术要求主要包括体外诊断试剂成品的可进行客观判定的功能性指标、安全性指标和检测方法。第三类体外诊断试剂的产品技术要求中应当以附录形式明确主要原材料以及生产工艺要求。体外诊断试剂应当符合经注册或者备案的产品技术要求。

新《办法》第三十一条至第三十四条明确规定，申请注册或者进行备案，应当按照产品技术要求进行检验，并提交检验报告。检验合格的，方可开展临床试验或者申请注册、进行备案。同一注册申请包括不同包装规格时，可以只进行一种包装规格产品的检验，检验用产品应当能够代表申请注册或者进行备案产品的安全性和有效性，其生产应当符合医疗器械生产质量管理规范的相关要求。申请注册或者进行备案时提交的检验报告可以是申请人、备案人的自检报告，也可以是委托有资质的医疗器械检验机构出具的检验报告。第三类体外诊断试剂应当提供3个不同生产批次产品的检验报告。对于有适用的国家标准品的，应当使用国家标准品对试剂进行检验。中国食品药品检定研究院负责组织国家标准品的制备和标定工作。

12.3　体外诊断试剂的注册体系核查

新《办法》第三章第三节中，第四十六条至第五十条对体外诊断试剂的注册体系核查做出了明确规定。

申请人应当在申请注册时提交与产品研制、生产有关的质量管理体系相关资料，受理注册申请的药品监督管理部门在产品技术审评时认为有必要对质量管理体系进行核查的，应当组织开展质量管理体系核查，可以根据需要调阅原始资料。境内第三类体外诊断试剂质量管理体系核查，由国家局器械审评中心通知申请人所在地的省、自治区、直辖市药品监督管理部门开展。境内第二类体外诊断试剂质量管理体系核查，由申请人所在地省、自治区、直辖市药品监督管理部门组织开展。省、自治区、直辖市药品监督管理部门按照医疗器械生产质量管理规范的要求开展质量管理体系核查，重点对申请人是否按照医疗器械生产质量管理规范的要求建立与产品相适应的质量管理体系，以及与产品研制、生产有关的设计开发、生产管理、质量控制等内容进行核查。在核查过程中，应当同时对检验用产品和临床试验产品的真实性进行核查，重点查阅设计与开发过程的相关记录，以及检验用产品和临床试验产品生产过程的相关记录。提交自检报告的，药品监督管理部门应当对申请人、备案人或者受托机构研制过程中的检验能力、检验结果等进行重点核查。省、自治区、直辖市药品监督管理部门可以通过资料审查或者现场检查的方式开展质量管理体系核查。根据申请人的具体情况、监督检查情况、本次申请注册产品与既往已通过核查产品生产条件及工艺对比情况等，确定是否现场检查以及检查内容，避免重复检查。国家局器械审评中心对进口第二类、第三类体外诊断试剂开展技术审评时，认为有必要进行质量管理体系核查的，通知国家局审核查验中心根据相关要求开展核查。

12.4 体外诊断试剂的注册与备案监督管理

12.4.1 体外诊断试剂的产品注册管理程序

依据新《办法》第一章第四条规定，体外诊断试剂注册是指体外诊断试剂注册申请人（以下简称申请人）依照法定程序和要求提出体外诊断试剂注册申请，药品监督管理部门依据法律法规，基于科学认知，进行安全性、有效性和质量可控性等审查，决定是否同意其申请的活动。

新《办法》第九条规定，第二类、第三类体外诊断试剂实行产品注册管理。其中，境内第二类体外诊断试剂由省、自治区、直辖市药品监督管理部门审查，批准后发放医疗器械注册证；境内第三类体外诊断试剂由国家药品监督管理局审查，批准后发放医疗器械注册证；进口第二类、第三类体外诊断试剂由国家药品监督管理局审查，批准后发放医疗器械注册证。

新《办法》第三章第四节中，第五十一条至第六十六条是对体外诊断试剂的产品注册程序做出的规定，内容如下：

申请人应当在完成支持体外诊断试剂注册的安全性、有效性研究，做好接受质量管理体系核查的准备后，提出体外诊断试剂注册申请，并按照相关要求，通过在线注册申请等途径向药品监督管理部门提交如下注册申请资料：①产品风险分析资料；②产品技术要求；③产品检验报告；④临床评价资料；⑤产品说明书以及标签样稿；⑥与产品研制、生产有关的质量管理体系文件；⑦证明产品安全、有效的其他资料。

药品监督管理部门收到申请后对申请资料进行审核，并根据如下情况分别作出处理：①申请事项属于本行政机关职权范围，申请资料齐全、符合形式审核要求的，予以受理；②申请资料存在可以当场更正的错误的，应当允许申请人当场更正；③申请资料不齐全或者不符合法定形式的，应当当场或者在5日内一次告知申请人需要补正的全部内容，逾期不告知的，自收到申请资料之日起即为受理；④申请事项依法不属于本行政机关职权范围的，应当即时作出不予受理的决定，并告知申请人向有关行政机关申请。

药品监督管理部门受理或者不予受理体外诊断试剂注册申请，应当出具加盖本行政机关专用印章和注明日期的受理或者不予受理的通知书。体外诊断试剂注册申请受理后，需要申请人缴纳费用的，申请人应当按规定缴纳费用。申请人未在规定期限内缴纳费用的，视为申请人主动撤回申请，药品监督管理部门终止其注册程序。

技术审评过程中需要申请人补正资料的，技术审评机构应当一次告知需要补正的全部内容。申请人应当在收到补正通知1年内，按照补正通知要求一次性提供补充资料；技术审评机构收到补充资料后，在规定的时限内完成技术审评。申请人对补正通知的内容有异议的，可以向相应的技术审评机构提出书面意见，说明理由并提供相应的技术支持资料。申请人逾期未提交补充资料的，技术审评机构终止技术审评，药品监督管理部门作出不予注册的决定。

对于已受理的注册申请，申请人可以在行政许可决定作出前，向受理该申请的药品监督管理部门申请撤回注册申请及相关资料，并说明理由。同意撤回申请的，药品监督管理部门终止其注册程序。审评、核查、审批过程中发现申请人涉嫌存在隐瞒真实情况或者提供虚假信息等违法行为的，依法处理，申请人不得撤回注册申请。对于已受理的注册申请，有证据表明注册申请资料可能虚假的，药品监督管理部门可以中止审评审批。经核实后，根据核实结论继续审查或者作出不予注册的决定。

体外诊断试剂注册申请审评期间，对于拟作出不通过的审评结论的，技术审评机构应当告知申请人不通过的理由，申请人可以在15日内向技术审评机构提出异议，异议内容仅限于原申请事项和原申请资料。技术审评机构结合申请人的异议意见进行综合评估并反馈给申请人。异议处理时间不计入审评时限。

受理注册申请的药品监督管理部门应当在技术审评结束后，作出是否批准的决定。对符合安全、有效、质量可控要求的，准予注册，发放医疗器械注册证，经过核准的产品技术要求和产品说明书以附件形式发给申请人。医疗器械注册证有效期为5年。对不予注册的，应当书面说明理由，并同时告知申请人享有依法申请行政复议或者提起行政诉讼的权利。

对于已受理的注册申请，如若存在如下情形之一，药品监督管理部门作出不予注册的决定，并告知申请人：①申请人对拟上市销售体外诊断试剂的安全性、有效性、质量可控性进行的研究及其结果无法证明产品安全、有效、质量可控的；②质量管理体系核查不通过，以及申请人拒绝接受质量管理体系现场检查的；③注册申请资料虚假的；④注册申请资料内容混乱、矛盾，注册申请资料内容与申请项目明显不符，不能证明产品安全、有效、质量可控的；⑤不予注册的其他情形。

法律、法规、规章规定实施行政许可应当听证的事项，或者药品监督管理部门认为需要听证的其他涉及公共利益的重大行政许可事项，药品监督管理部门应当向社会公告，并举行听证。医疗器械注册申请直接涉及申请人与他人之间重大利益关系的，药品监督管理部门在作出行政许可决定前，应当告知申请人、利害关系人享有要求听证的权利。

针对用于罕见疾病、严重危及生命且尚无有效诊断手段的疾病和应对公共卫生事件等急需的体外诊断试剂，药品监督管理部门可以作出附条件批准决定，并在医疗器械注册证中载明有效期、上市后需要继续完成的研究工作及完成时限等相关事项。针对附条件批准的体外诊断试剂，注册人应当在体外诊断试剂上市后收集受益和风险相关数据，持续对产品的受益和风险开展监测与评估，采取有效措施主动管控风险，并在规定期限内按照要求完成研究并提交相关资料。针对附条件批准的体外诊断试剂，注册人逾期未按照要求完成研究或者不能证明其受益大于风险的，注册人应当及时申请办理医疗器械注册证注销手续，药品监督管理部门可以依法注销医疗器械注册证。

针对新研制的尚未列入体外诊断试剂分类目录的体外诊断试剂，申请人可以直接申请第三类体外诊断试剂产品注册，也可以依据分类规则判断产品类别并向国家药品监督管理局申请类别确认后，申请产品注册或者进行产品备案。直接申请第三类体外诊断试剂注册的，由国家药品监督管理局按照风险程度确定类别。境内体外诊断试剂确定为第二类或者第一类的，应当告知申请人向相应的药品监督管理部门申请注册或者进行备案。

对于已注册的体外诊断试剂，当其管理类别由高类别调整为低类别时，其医疗器械注册证在有效期内继续有效。有效期届满需要延续的，注册人应当在医疗器械注册证有效期届满6个月前，按照调整后的类别向相应的药品监督管理部门申请延续注册或者进行备案。当体外诊断试剂管理类别由低类别调整为高类别时，注册人应当按照改变后的类别向相应的药品监督管理部门申请注册。国家药品监督管理局在管理类别调整通知中，应当对完成调整的时限作出规定。

医疗器械注册证及其附件遗失、损毁的，注册人应当向原发证机关申请补发，原发证机关核实后予以补发。

体外诊断试剂的注册具体流程（图 12-4）与第六章 6.2.1.4“医疗器械注册基本流程”相关内容大致相同。

新《办法》第七章中，第九十条至第九十八条是对体外诊断试剂注册审评审批工作中的具体时间节点做出的明确规定。

体外诊断试剂注册工作时限是指注册的受理、技术审评、核查、审批等工作的最长时间。国家局器械审评中心等专业技术机构应当明确本单位工作程序和时限，并向社会公布。

药品监督管理部门收到体外诊断试剂注册申请后，应当自受理之日起 3 日内将申请资料转交技术审评机构。体外诊断试剂注册技术审评时限，按照如下规定执行：①第二类体外诊断试剂注册申请、变更注册申请、延续注册申请的技术审评时限为 60 日，申请资料补正后的技术审评时限为 60 日；②第三类体外诊断试剂注册申请、变更注册申请、延续注册申请的技术审评时限为 90 日，申请资料补正后的技术审评时限为 60 日。

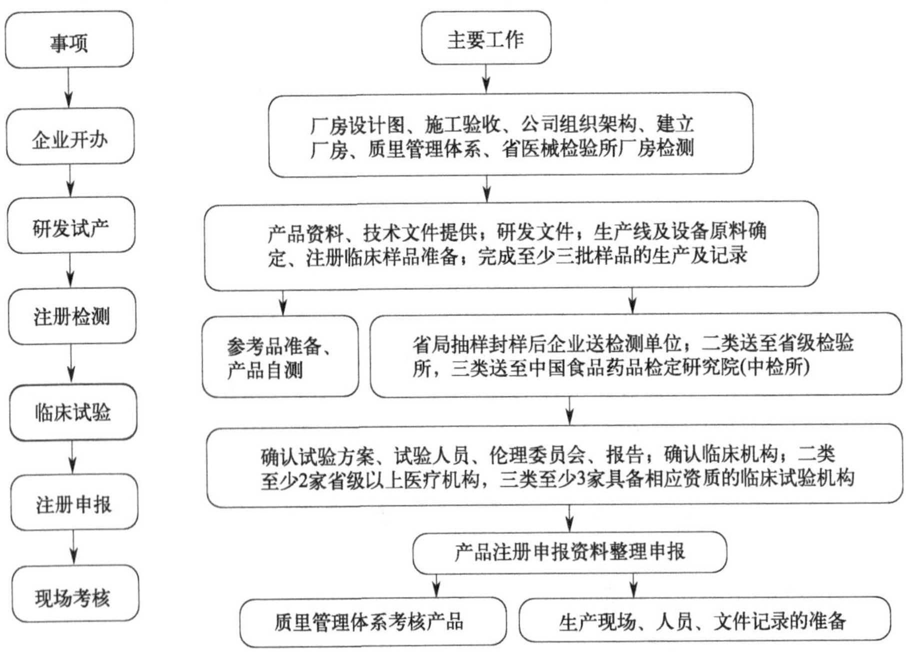

图 12-4　体外诊断试剂注册流程以及对应工作的开展梳理图

境内第三类体外诊断试剂质量管理体系核查时限，按照如下规定执行：①国家局器械审评中心应当在体外诊断试剂注册申请受理后 10 日内通知相关省、自治区、直辖市药品监督管理部门启动核查；②省、自治区、直辖市药品监督管理部门原则上在接到核查通知后 30 日内完成核查，并将核查情况、核查结果等相关材料反馈至国家局器械审评中心。

受理注册申请的药品监督管理部门应当自收到审评意见之日起 20 日内作出决定。药品监督管理部门应当自作出体外诊断试剂注册审批决定之日起10日内颁发、送达有关行政许可证件。因产品特性以及技术审评、核查等工作遇到特殊情况确需延长时限的，延长时限不得超过原时限的二分之一，经医疗器械技术审评、核查等相关技术机构负责人批准后，由延长时限的技术机构书面告知申请人，并通知其他相关技术机构。原发证机关应当自收到医疗器械注册证补办申请之日起20日内予以补发。在上述过程中，以下时间不计入相关工作时限：①申请人补充资料、核查后整改等所占用的时间；②因申请人原因延迟核查的时间；③外聘专家咨询、召开专家咨询会、需要与药品审评机构联合审评的时间；④根据规定中止审评审批程序的，中止审评审批程序期间所占用的时间；⑤质量管理体系核查所占用的时间。

12.4.2　体外诊断试剂的特殊注册程序

（1）创新产品注册程序　新《办法》第四章第一节中，第六十七至第七十一条是对体外诊断试剂产品的创新注册程序作出的明确规定。

符合如下要求的体外诊断试剂，申请人可以申请适用创新产品注册程序：①申请人通过其主导的技术创新活动，在中国依法拥有产品核心技术发明专利权，或者依法通过受让取得在中国的发明专利权或其使用权，且申请适用创新产品注册程序的时间在专利授权公告日起5年内；或者核心技术发明专利的申请已由国务院专利行政部门公开，并由国家知识产权局专利检索咨询中心出具检索报告，载明产品核心技术方案具备新颖性和创造性；②申请人已完成产品的前期研究并具有基本定型产品，研究过程真实和受控，研究数据完整和可溯源；③产品主要工作原理或者作用机理为国内首创，产品性能或者安全性与同类产品比较有根本性改进，技术上处于国际领先水平，且具有显著的临床应用价值。

对于申请适用创新产品注册程序的，申请人应当在产品基本定型后，向国家药品监督管理局提出创新医疗器械审查申请。国家药品监督管理局组织专家进行审查，符合要求的，纳入创新产品注册程序。对于适用创新产品注册程序的体外诊断试剂注册申请，国家药品监督管理局以及承担相关技术工作的机构，根据各自职责指定专人负责，及时沟通，提供指导。纳入创新产品注册程序的体外诊断试剂，国家局器械审评中心可与申请人在注册申请受理前以及技术审评过程中就产品研制中的重大技术问题、重大安全性问题、临床试验方案、阶段性临床试验结果的总结与评价等问题进行沟通交流。纳入创新产品注册程序的体外诊断试剂，申请人主动要求终止或者国家药品监督管理局发现其不再符合创新产品注册程序要求的，国家药品监督管理局可终止相关产品的创新产品注册程序并告知申请人。纳入创新产品注册程序的体外诊断试剂，申请人在规定期限内未提出注册申请的，不再适用创新产品注册程序。

（2）优先注册程序　新《办法》第四章第二节中，第七十二至第七十四条是对体外诊断试剂产品的优先注册程序作出的明确规定。

满足如下情形之一的体外诊断试剂，可以申请适用优先注册程序：①诊断罕见病、恶性肿瘤，且具有明显临床优势，诊断老年人特有和多发疾病且目前尚无有效诊断手段，专用于儿童且具有明显临床优势，或者临床急需且在我国尚无同品种产品获准注册的医疗器械；②列入国家科技重大专项或者国家重点研发计划的医疗器械；③国家药品监督管理局规定的其他可以适用优先注册程序的医疗器械。

申请适用优先注册程序的，申请人应当在提出体外诊断试剂注册申请时，向国家药品监督管理局提出适用优先注册程序的申请。属于申请适用优先注册程序情形①的，由国家药品监督管理局组织专家进行审核，符合的，纳入优先注册程序；属于情形②的，由国家局器械审评中心进行审核，符合条件的，纳入优先注册程序；属于情形③的，由国家药品监督管理局广泛听取意见，并组织专家论证后确定是否纳入优先注册程序。

对纳入优先注册程序的体外诊断试剂注册申请，国家药品监督管理局优先进行审评审批，省、自治区、直辖市药品监督管理部门优先安排注册质量管理体系核查。国家局器械审评中心在对纳入优先注册程序的医疗器械产品开展技术审评的过程中，应当按照相关规定积极与申请人进行沟通交流，必要时，可以安排专项交流。

(3) 应急注册程序　新《办法》第四章第三节中，第七十五至第七十七条是对体外诊断试剂的应急注册程序作出的明确规定。

国家药品监督管理局可以依法对突发公共卫生事件应急所需且在我国境内尚无同类产品上市，或者虽在我国境内已有同类产品上市但产品供应不能满足突发公共卫生事件应急处理需要的体外诊断试剂实施应急注册。

申请适用应急注册程序的，申请人应当向国家药品监督管理局提出应急注册申请。符合条件的，纳入应急注册程序。对实施应急注册的体外诊断试剂注册申请，国家药品监督管理局按照统一指挥、早期介入、随到随审、科学审批的要求办理，并行开展体外诊断试剂产品检验、体系核查、技术审评等工作。

12.4.3 体外诊断试剂的变更注册与延续注册程序

(1) 变更注册程序　新《办法》第五章第一节，第七十八至第八十一条是对体外诊断试剂的变更注册程序做出的明确说明。

第七十八条规定：注册人应当主动开展体外诊断试剂上市后研究，对体外诊断试剂的安全性、有效性和质量可控性进行进一步确认，加强对已上市体外诊断试剂的持续管理。

已注册的第二类、第三类体外诊断试剂产品，其设计、原材料、生产工艺、适用范围、使用方法等发生实质性变化，有可能影响该体外诊断试剂安全、有效的，注册人应当向原注册部门申请办理变更注册手续；发生其他变化的，应当在变化之日起 30 日内向原注册部门备案。

注册证载明的产品名称、包装规格、主要组成成分、预期用途、产品技术要求、产品说明书、进口体外诊断试剂的生产地址等，属于前款规定的需要办理变更注册的事项。注册人名称和住所、代理人名称和住所等，属于前款规定的需要备案的事项。境内体外诊断试剂生产地址变更的，注册人应当在办理相应的生产许可变更后办理备案。

发生其他变化的，注册人应当按照质量管理体系要求做好相关工作，并按照规定向药品监督管理部门报告。

第七十九条至第八十一条规定：已注册的第二类、第三类体外诊断试剂，产品的核心技术原理等发生实质性改变，或者发生其他重大改变、对产品安全有效性产生重大影响，实质上构成新的产品的，不属于本节规定的变更申请事项，应当按照注册申请的规定办理。对于变更注册申请，技术审评机构应当重点针对变化部分进行审评，对变化后产品是否安全、有效、质量可控形成审评意见。在对变更注册申请进行技术审评时，认为有必要对质量管理体系进行核查的，药品监督管理部门应当组织开展质量管理体系核查。医疗器械变更注册文件与原医疗器械注册证合并使用，有效期截止日期与原医疗器械注册证相同。

(2) 延续注册程序　新《办法》第五章第二节，第八十二至第八十四条是对体外诊断试剂的延续注册程序做出的明确说明。

医疗器械注册证有效期届满需要延续注册的，注册人应当在医疗器械注册证有效期届满前 6 个月，向原注册部门申请延续注册，并按照相关要求提交申请资料。

当存在如下情形之一时，不予延续注册：①未在规定期限内提出延续注册申请；②新的体外诊断试剂强制性标准或者国家标准品发布实施，申请延续注册的体外诊断试剂不能达到新要求；③附条件批准的体外诊断试剂，未在规定期限内完成医疗器械注册证载明事项。但除有上述规定情形外，接到延续注册申请的药品监督管理部门应当在医疗器械注册证有效期届满前作出准予延续的决定。逾期未作出决定的，视为准予延续。延续注册的批准时间在原注册证有效期内的，延续注册的注册证有效期起始日为原注册证到期日次日；批准时间不在原注册证有效期内的，延续注册的注册证有效期起始日为批准延续注册的日期。

12.4.4　体外诊断试剂的注册证编号含义与注册查询

（1）注册证编号含义　新《办法》第十章第一百一十六条规定，医疗器械注册证格式由国家药品监督管理局统一制定。

注册证编号的编排方式如下：

×1 械注×2××××3×4××5××××6。其中：

×1 为注册审批部门所在地的简称：

境内第三类体外诊断试剂，以及进口第二类、第三类体外诊断试剂为“国”字，境内第二类体外诊断试剂为注册审批部门所在地省、自治区、直辖市简称；

×2 为注册形式：

“准”字适用于境内体外诊断试剂，“进”字适用于进口体外诊断试剂，“许”字适用于香港、澳门、台湾地区的体外诊断试剂；

××××3 为首次注册年份；

×4 为产品管理类别；

××5 为产品分类编码；

××××6 为首次注册流水号。

延续注册的，××××3 和××××6 数字不变。产品管理类别调整的体外诊断试剂，应当重新编号。

（2）注册查询　国家药品监督管理局主管全国医疗器械注册管理工作，依法及时公布医疗器械注册相关信息。申请人可以查询审批进度和结果，公众也可以查阅审批结果。具体可通过访问国家药品监督管理局数据查询系统，选择“医疗器械”类别下的“境内医疗器械（注册）”“进口医疗器械（注册）”等数据库，输入注册证编号、注册人名称、产品名称等关键词进行查询。或者也可以通过进入国家医保信息业务编码标准数据库动态维护，下拉页面找到“数据查询”中的“体外诊断试剂信息”，输入“耗材企业”“注册证号”等即可查询。

12.4.5　体外诊断试剂产品的备案管理程序

依据新《办法》第一章第四条规定，体外诊断试剂备案是指体外诊断试剂备案人（以下简称备案人）依照法定程序和要求向药品监督管理部门提交备案资料，药品监督管理部门对提交的备案资料存档备查的活动。

新《办法》第二章第十四条规定，体外诊断试剂备案，应当遵守相关法律、法规、规章、强制性标准，遵循体外诊断试剂安全和性能基本原则，参照相关技术指导原则，证明注册、备案的体外诊断试剂安全、有效、质量可控，保证信息真实、准确、完整和可追溯。

新《办法》第六章第八十六条规定，第一类体外诊断试剂生产前，应当进行产品备案。

办理体外诊断试剂备案，备案人应当按照新《条例》规定向药品监督管理部门提交备案资料，获取备案编号。新《办法》第一章第九条也规定，对第一类体外诊断试剂实行备案管理：境内第一类体外诊断试剂备案，备案人向设区的市级负责药品监督管理部门提交备案资料；进口第一类体外诊断试剂备案，备案人向国家药品监督管理局提交备案资料。

其中备案人和备案资料等内容均需要满足一些基本要求。

备案人基本要求：①备案人指的是能够承担相应法律责任的企业或者研制机构；境外备案人则应当指定中国境内的企业法人作为代理人，办理相关体外诊断试剂的备案事项；且代理人应当依法协助备案人履行建立与产品相适应的质量管理体系并保持有效运行的义务，并协助境外备案人落实相应法律责任；②体外诊断试剂备案人应当建立与产品研制、生产有关的质量管理体系，并保持有效运行；③办理体外诊断试剂备案事项的人员应当具有相关专业知识，熟悉体外诊断试剂备案管理的法律、法规、规章和注册管理相关规定。

备案资料基本要求：①进行体外诊断试剂备案，应当按照国家药品监督管理局有关备案的要求提交相关资料，备案人需要对资料的真实性负责；②所提交的备案资料应当使用中文；根据外文资料翻译的，应当同时提供原文；引用未公开发表的文献资料时，应当提供资料权利人许可使用的文件；③办理进口体外诊断试剂备案，应当提交备案人注册地或者生产地所在国家（地区）主管部门准许上市销售的证明文件；备案人注册地或者生产地所在国家（地区）未将该产品作为医疗器械管理的，备案人需提供相关文件，包括注册地或者生产地所在国家（地区）准许该产品上市销售的证明文件；未在备案人注册地或者生产地所在国家（地区）上市的按照创新产品注册程序审批的体外诊断试剂，无须提交相关文件；④体外诊断试剂应当符合适用的强制性标准；产品结构特征、技术原理、预期用途、使用方式等与强制性标准的适用范围不一致的，备案人应当提出不适用强制性标准的说明，并提供相关资料；没有强制性标准的，鼓励申请人、备案人采用推荐性标准；⑤体外诊断试剂备案工作还应当遵循体外诊断试剂分类规则和分类目录的有关要求。

对于已备案的体外诊断试剂，备案信息表中登载内容及备案的产品技术要求发生变化的，备案人应当提交变化情况的说明及相关证明文件，向原备案部门提出变更备案。备案资料符合形式要求的，药品监督管理部门应当将变更情况登载于变更备案信息中，将备案资料存档。

对于已备案的体外诊断试剂管理类别调整为第二类或者第三类体外诊断试剂的，按照新《办法》相关规定重新申请注册。

12.4.6 体外诊断试剂的备案凭证编号含义与备案查询

(1) 备案凭证编号含义　新《办法》第一百一十七条明确规定，第一类医疗器械（含体外诊断试剂）备案编号的编排方式如下：×1 械备××××2××××3。其中：

×1 为备案部门所在地的简称：

进口第一类体外诊断试剂为“国”字，境内第一类体外诊断试剂为备案部门所在地省、自治区、直辖市简称加所在地设区的市级行政区域的简称（无相应设区的市级行政区域时，仅为省、自治区、直辖市的简称）；

××××2 为备案年份；

××××3 为备案流水号。

(2) 备案查询　新《办法》第一章第十三条规定，药品监督管理部门依法及时公开体外诊断试剂备案相关信息，申请人可以查询审批进度和结果，公众可以查阅审批结果。具体可通过访问国家药品监督管理局数据查询系统，选择“境内医疗器械（备案）”或“进口医疗器械（备案）”数据库，输入备案号、备案人名称、产品名称等关键词进行搜索。

12.5 体外诊断试剂的生产监督管理

12.5.1 体外诊断试剂生产监管的相关法规文件

在医疗器械监管法规体系中，体外诊断试剂的生产管理遵循多层次的规范要求。

在法规层面，新《条例》作为整个医疗器械监管领域的基石性法规，具有统领全局的关键作用，确立了包括体外诊断试剂在内的医疗器械全生命周期监管框架，对研制、生产、经营、使用等环节的监管职责和要求作出了系统性规定，为体外诊断试剂的生产监督管理提供了总体框架和法律依据。

在规章层面，《医疗器械生产监督管理办法》详细规范了生产企业的资质条件、质量管理、许可备案及监督检查等要求，为体外诊断试剂生产企业提供了明确的生产行为准则。新《办法》着重规定产品准入管理，同时明确了注册人/备案人在生产环节的质量管理责任，确保产品全过程的合规性。

在规范性文件层面，《医疗器械生产质量管理规范》作为核心标准，要求体外诊断试剂生产企业建立一套涵盖人员、设施、设备、文件、生产控制等多个要素的完整质量管理体系，确保每一个环节都能得到有效控制，从而保障产品的质量稳定可靠。在此基础上，针对体外诊断试剂的特点和特殊要求，《医疗器械生产质量管理规范附录 体外诊断试剂》进一步细化监管要求，在原材料管控、生产环境、工艺流程、质量检验等关键环节制定了专项技术要求。此外，《医疗器械生产质量管理规范现场检查指导原则》为药品监督管理部门开展监管工作提供了统一的“标尺”。它详细规定了检查的内容、方法和评分标准，使监管部门在对医疗器械生产企业（包括体外诊断试剂生产企业）进行现场检查时，能够做到标准统一、评估客观，确保监管工作的规范性和有效性，有力维护了市场秩序。

关于医疗器械生产环节的监管要求，第七章“医疗器械生产监督管理”已对《医疗器械监督管理条例》《医疗器械生产监督管理办法》《医疗器械生产质量管理规范》及其配套的《现场检查指导原则》等法规文件进行了系统阐述。基于此，本节将聚焦于《医疗器械生产质量管理规范附录 体外诊断试剂》，对其具体内容进行深入细致的说明，以期为体外诊断试剂生产企业提供更具针对性的指导，助力行业高质量发展。

12.5.2 体外诊断试剂的生产质量监管

为切实推动《医疗器械监督管理条例》（国务院令第 650 号）与《医疗器械生产监督管理办法》（国家食品药品监督管理总局令第 7 号）中的各项要求落地生根，全方位加强医疗器械生产领域的监管力度，着力构建更为完备、科学的质量管理规范体系，国家食品药品监督管理总局于 2015 年 7 月 10 日郑重发布《医疗器械生产质量管理规范附录 体外诊断试剂》（以下简称《规范附录》），并明确规定自 2015 年 10 月 1 日起施行。体外诊断试剂作为一种在人体外发挥关键作用的特殊医疗器械，其使用场景和产品特性决定了它在生产过程中有着区别于其他医疗器械的独特要求。基于此，本《规范附录》以《医疗器械生产质量管理规范》为坚实基石，紧密结合体外诊断试剂生产的实际特点与内在规律，量身定制了一系列专项管理要求。具体内容包括但不限于：生产人员资质要求、厂房设施标准、设备配置规范、产品设计开发流程、原材料采购管控、生产过程管理以及质量控制标准等关键环节，全面规范体外诊断试剂的生产质量管理。

(1) 人员要求 本《规范附录》第二部分第 2.1 款对体外诊断试剂生产相关人员提出具体要求：

① 体外诊断试剂生产、技术和质量管理人员应当具有医学、检验学、生物学、免疫学或药学等与所生产产品相关的专业知识，并具有相应的实践经验，以确保具备在生产、质量管理中履行职责的能力。

② 凡在洁净室（区）工作的人员，应当定期进行卫生和微生物学基础知识、洁净作业等方面培训。临时进入洁净室（区）的人员，应当对其进行指导和监督。

③ 从事体外诊断试剂生产的全体人员，包括清洁、维修等人员均应当根据其产品和所从事的生产操作进行专业和安全防护培训。

④ 应当建立对人员的清洁要求，制定洁净室（区）工作人员卫生守则。人员进入洁净室（区）应当按照程序进行净化，并穿戴工作帽、口罩、洁净工作服、工作鞋。裸手接触产品的操作人员，每隔一定时间应当对手再次进行消毒。裸手消毒剂的种类应当定期更换。

⑤ 应当制定人员健康要求，建立人员健康档案。直接接触物料和产品的操作人员每年至少体检一次。患有传染性和感染性疾病的人员不得从事直接接触产品的工作。

⑥ 应当明确人员服装要求，制定洁净和无菌工作服的管理规定。工作服及其质量应当与生产操作的要求及操作区的洁净度级别相适应，其式样和穿着方式应当能够满足保护产品和人员的要求。洁净工作服和无菌工作服不得脱落纤维和颗粒性物质，无菌工作服应当能够包盖全部头发、胡须及脚部，并能阻留人体脱落物。

(2) 厂房与设施要求 本《规范附录》第二部分第 2.2 款对体外诊断试剂生产相关厂房与设施提出具体要求：

① 应当有整洁的生产环境。厂区的地面、路面、周围环境及运输等不应对产品的生产造成污染。行政区、生活区和辅助区的总体布局应合理，不得对生产区产生不良影响。厂区应当远离有污染的空气和水等污染源的区域。

② 生产厂房应当设置防尘、防昆虫和其他动物进入的设施。洁净室（区）的门、窗及安全门应当密闭，洁净室（区）的门应当向洁净度高的方向开启。

③ 应当根据体外诊断试剂的生产过程控制，确定在相应级别的洁净室（区）内进行生产的过程，避免生产中的污染。空气洁净级别不同的洁净室（区）之间的静压差应当大于 5Pa，洁净室（区）与室外大气的静压差应大于 10Pa，并应当有指示压差的装置。相同级别洁净室间的压差梯度应当合理。

④ 酶联免疫吸附试验试剂、免疫荧光试剂、免疫发光试剂、聚合酶链反应（PCR）试剂、金标试剂、干化学法试剂、细胞培养基、校准品与质控品、酶类、抗原、抗体和其他活性类组分的配制及分装等产品的配液、包被、分装、点膜、干燥、切割、贴膜以及内包装等，其生产区域应当不低于 100000 级洁净度级别。

⑤ 阴性或阳性血清、质粒或血液制品等的处理操作，其生产区域应当不低于 10000 级洁净度级别，并应当与相邻区域保持相对负压。

⑥ 无菌物料等分装处理操作，操作区域应当符合局部 100 级洁净度级别要求。

⑦ 普通类化学试剂的生产应当在清洁环境中进行。

⑧ 洁净室（区）空气洁净度级别应当符合表 12-1 规定。

表 12-1　洁净室（区）空气洁净度级别

洁净度级别	尘粒最大允许数/m³		微生物最大允许数	
	≥0.5μm	≥5μm	浮游菌/m³	沉降菌/皿
100 级	3500	0	5	1
10000 级	350000	2000	100	3
100000 级	3500000	20000	500	10
300000 级	10500000	60000	1000	15

⑨ 洁净室（区）应当按照体外诊断试剂的生产工艺流程及所要求的空气洁净度级别进行合理布局，人流、物流走向应当合理。同一洁净室（区）内或相邻洁净室（区）间的生产操作不得互相交叉污染。

⑩ 进入洁净室（区）的管道、进回风口布局应当合理，水、电、气输送线路与墙体接口处应当可靠密封，照明灯具不得悬吊。

⑪ 洁净室（区）的温度和相对湿度应当与产品生产工艺要求相适应。无特殊要求时，温度应当控制在 18～28℃，相对湿度控制在 45%～65%。

⑫ 洁净室（区）和非洁净室（区）之间应有缓冲设施。

⑬ 洁净室（区）的内表面（墙面、地面、天棚、操作台等）应当平整光滑、无裂缝、接口严密、无颗粒物脱落，避免积尘，并便于清洁处理和消毒。

⑭ 洁净室（区）的空气如循环使用，应当采取有效措施避免污染和交叉污染。

⑮ 洁净室（区）内的水池、地漏应安装防止倒灌的装置，避免对环境和物料造成污染。100 级的洁净室（区）内不得设置地漏。

⑯ 产尘操作间应当保持相对负压或采取有效措施，防止粉尘扩散，避免交叉污染。

⑰ 对具有污染性、传染性和高生物活性的物料应当在受控条件下进行处理，避免造成传染、污染或泄漏等。

⑱ 生产激素类、操作有致病性病原体或芽孢菌制品的，应当使用单独的空气净化系统，与相邻区域保持负压，排出的空气不能循环使用。

⑲ 进行危险度二级及以上的病原体操作，应当配备生物安全柜，空气应当进行过滤处理后方可排出。应当对过滤器的性能进行定期检查，以保证其有效性。使用病原体类检测试剂的阳性血清时，应当有相应的防护措施。

⑳ 对于特殊的高致病性病原体的采集、制备，应当按照有关部门颁布的行业标准，如《人间传染的病原微生物目录》《实验室 生物安全通用要求》等相关规定，配备相应的生物安全设施。

㉑ 生产聚合酶链反应（PCR）试剂的，其生产和检验应当在独立的建筑物或空间内进行，保证空气不直接连通，防止扩增时形成的气溶胶造成交叉污染。其生产和质检的器具不得混用，用后应严格清洗和消毒。

㉒ 洁净室（区）内的人数应当与洁净室（区）面积相适应。

㉓ 对生产环境没有空气净化要求的体外诊断试剂，应当在清洁环境内进行生产。

清洁条件的基本要求：要有防尘、通风、防止昆虫或其他动物以及异物混入等措施；人流、物流分开，人员进入生产车间前应当有换鞋、更衣、佩戴口罩和帽子、洗手、消毒手等清洁措施；生产场地的地面应当便于清洁，墙、顶部应平整、光滑，无颗粒物脱落；操作台应当光滑、平整、无缝隙、耐腐蚀，便于清洗、消毒；应当对生产区域进行定期清洁、清洗和消毒；应当根据生产要求对生产车间的温湿度进行控制。

㉔ 易燃、易爆、有毒、有害、具有污染性或传染性、具有生物活性或来源于生物体的物料的管理应当符合国家相关规定。所涉及的物料应当列出清单，专区存放、专人保管和发

放，并制定相应的防护规程。

㉕ 动物室应当在隔离良好的建筑体内，与生产区、质检区分开，不得对生产造成污染。

（3）设备要求　本《规范附录》第二部分第 2.3 款对体外诊断试剂生产相关设备提出具体要求：

① 洁净室（区）空气净化系统应当经过确认并保持连续运行，维持相应的洁净度级别，并在一定周期后进行再确认。若停机后再次开启空气净化系统，应当进行必要的测试或验证，以确认其仍能达到规定的洁净度级别要求。

② 应当确定所需要的工艺用水。当生产过程中使用工艺用水时，应当配备相应的制水设备，并有防止污染的措施，用量较大时应当通过管道输送至洁净室（区）的用水点。工艺用水应当满足产品质量的要求。

③ 应当制定工艺用水的管理文件，工艺用水的储罐和输送管道应当满足所生产的产品对于水质的要求，并定期清洗、消毒。

④ 配料罐容器与设备连接的主要固定管道应当标明内存的物料名称、流向，定期清洗和维护，并标明设备运行状态。

⑤ 与物料或产品直接接触的设备、容器及管道表面应当光洁、平整、无颗粒物质脱落、无毒、耐腐蚀，不与物料或产品发生化学反应和粘连，易于清洁处理和消毒或灭菌。

⑥ 需要冷藏、冷冻的原料、半成品、成品，应当配备相应的冷藏、冷冻储存设备，并按规定监测设备运行状况，记录储存温度。冷藏、冷冻体外诊断试剂应当配备符合其温度要求的运输设施设备。

（4）设计开发要求　本《规范附录》第二部分第 2.4 款对体外诊断试剂生产相关设计开发工作提出了具体要求：

① 研制条件，包括配合使用的设备、仪器和试剂应当满足研究所需，研制所用的设备、仪器和试剂应当保存使用记录。

② 研制过程中主要原料、中间体、重要辅料应当明确来源，其数量、使用量及其剩余量应当保存记录。

③ 工艺研究、技术要求/分析性能研究、稳定性研究、检验、临床试验/评价（包括预实验）研究、参考值研究等各个阶段的样品数量、贮存条件、留样、使用或销毁情况应当保存记录，样品试制量应当满足研究所需要的数量。

（5）采购要求　本《规范附录》第二部分第 2.5 款对体外诊断试剂生产相关采购工作提出具体要求：

外购的标准品、校准品、质控品、生产用或质控用血液的采购应满足可追溯要求；应当由企业或提供机构测定病原微生物及明确定值范围；应当对其来源地、定值范围、灭活状态、数量、保存、使用状态等信息有明确记录，并由专人负责。

（6）生产管理要求　本《规范附录》第二部分第 2.6 款对体外诊断试剂生产相关管理工作提出具体要求：

① 洁净室（区）内使用的压缩空气等工艺用气应当经过净化处理。与产品使用表面直接接触的气体，其对产品的影响程度应当进行验证和控制，以适应所生产产品的要求。

② 生产设备、容器等应当符合洁净环境控制和工艺文件的要求。

③ 应当按照物料的性状和储存要求进行分类存放管理，应当明确规定中间品的储存条件和期限。物料应当在规定的使用期限内，按照先进先出的原则使用。无规定使用期限的，应当根据物料的稳定性数据确定储存期限。储存期内发现储存条件变化且可能影响产品质量时，应及时进行复验。

④ 进入洁净室（区）的物品应当按程序进行净化处理。

⑤ 在生产过程中，应当建立产品标识和生产状态标识控制程序，对现场各类物料和生产区域、设备、管路的状态进行识别和管理。

⑥ 应当对每批产品中的关键物料进行物料平衡核查。如有显著差异，必须查明原因，再得出合理解释，确认无潜在质量事故后，方可按正常产品处理。

⑦ 应当制定批号管理制度，对主要物料、中间品和成品按规定进行批号管理，并保存和提供可追溯的记录。同一试剂盒内各组分批号不同时，应当尽量将生产日期接近的组分进行组合，在每个组分的容器上均标明各自的批号和有效期。整个试剂盒的有效期应当以最先到有效期的组分的有效期为准。

⑧ 不同品种产品的生产应当做到有效隔离，以避免相互混淆和污染。有数条包装线同时进行包装时，应当采取隔离或其他有效防止混淆的措施。

⑨ 应当制定洁净室（区）的卫生管理文件，按照规定对洁净室（区）进行清洁处理和消毒，并做好记录。所用的消毒剂或消毒方法不得对设备、容器、物料和产品造成污染。消毒剂品种应当定期更换，防止产生耐药菌株。

⑩ 生产设备所用的润滑剂、清洗剂均不得对产品造成污染。

⑪ 应当建立清场的管理规定。前一道工艺结束后或前一种产品生产结束后必须进行清场，确认合格后才可以入场进行其他生产，并保存清场记录。相关的配制和分装器具必须专用，使用后进行清洗、干燥等洁净处理。

⑫ 应当建立可追溯性程序并形成文件，应当规定可追溯的范围、程度、标识和记录。记录应当包括生产过程所用的原材料、生产过程、生产设备、操作人员和生产环境等内容。

⑬ 生产一定周期后，应当对关键项目进行再验证。当影响产品质量的主要因素，如工艺、质量控制方法、主要原料和辅料、主要生产设备等需要开展重新验证的条件发生改变时，应当进行相关内容的重新验证。应当根据不同产品特性提出验证的时间。

⑭ 生产车间连续停产一年以上的，重新组织生产前应当对生产环境及设施设备、主要原辅材料、关键工序、检验设备及质量控制方法等重新进行验证。连续停产不足一年的，如有必要，也应当重新对生产环境和设施设备进行验证。

⑮ 应当对生产用需要灭活的血清或血浆建立灭活处理的操作规程，并按照操作规程的要求，对生产用灭活前后的血清或血浆状态进行明显的区分和标识。

⑯ 生产中的废液、废物等应当进行无害化处理，并符合相关的环保要求。

（7）质量控制要求 本《规范附录》第二部分第 2.7 款对体外诊断试剂生产相关质量控制工作提出具体要求：

① 应当建立校准品、参考品量值溯源程序。对每批生产的校准品、参考品进行赋值。

② 生产和检验用的菌毒种应当标明来源，验收、储存、保管、使用、销毁应执行国家有关医学微生物菌种保管的规定和《病原微生物实验室生物安全管理条例》。应当建立生产用菌毒种的原始种子批、主代种子批和工作种子批系统。

③ 生产用细胞应当建立原始细胞库、主代细胞库和工作细胞库。应当建立细胞库档案资料和细胞操作日志。自行制备抗原或抗体，应当对所用原料的来源和性质有详细的记录并可追溯。

④ 应当对检验过程中使用的标准品、校准品、质控品建立台账及使用记录。应当记录其来源、批号、有效期、溯源途径、主要技术指标、保存状态等信息，按照规定进行复验并保存记录。

⑤ 留样应当在规定的条件下储存。应当建立留样台账，及时记录留样检验信息，留样

检验报告应当注明留样批号、有效期、检验日期、检验人、检验结果等。留样期满后，应当对留样检验报告进行汇总、分析并归档。

12.6 体外诊断试剂的经营监督管理

12.6.1 体外诊断试剂经营监管的相关法规文件

在医疗器械监管的精密法规体系网络中，体外诊断试剂的经营监督管理遵循着多层次且严谨有序的规范要求，各层级法规相互衔接、协同发力，共同为体外诊断试剂经营活动的合规开展保驾护航。

在行政法规层面，《医疗器械监督管理条例》作为监管体系的顶层设计，确立了涵盖体外诊断试剂在内的医疗器械基本监管框架、规范了经营许可与备案制度、制定了监督管理的基本规范，为监管部门行使职权、开展监督检查提供了坚实的法律依据，从宏观层面为体外诊断试剂经营监管奠定了稳固的基石。

在部门规章层面，《医疗器械经营监督管理办法》详细规定了医疗器械经营企业的经营条件、经营许可与备案流程、经营行为准则和监督管理要求等内容，为体外诊断试剂经营企业的规范运营提供了全面、系统的基础性框架，使企业在经营过程中有章可循、有据可依。《医疗器械经营质量管理规范》聚焦于医疗器械经营质量管理这一关键领域，明确了基本要求，并从机构与人员配置、设施与设备配备，到采购、收货与验收、储存与养护、销售、出库与运输等各业务环节，再到售后服务与质量追溯等方面，均作出了具体、明确的规定，以此确保体外诊断试剂在经营全流程中的质量可控。《医疗器械经营质量管理规范现场检查指导原则》为监管部门提供了明确的检查标准和操作指南。该原则明确界定了针对医疗器械经营企业（涵盖体外诊断试剂经营企业）现场检查的具体内容、检查方法以及判定标准等，使监管部门能够科学、客观地评价企业的经营质量管理情况。《体外诊断试剂注册与备案管理办法》则精准聚焦于体外诊断试剂的注册与备案行为，通过严格规范相关流程，确保市场上经营的体外诊断试剂均为合法注册或备案的产品，从源头把控体外诊断试剂的质量安全。

在规范性文件层面，《关于医疗器械经营企业跨行政区域设置库房办理事项的通告》精准聚焦医疗器械经营企业跨行政区域设置库房这一关键事项，并作出了细致规定。鉴于体外诊断试剂经营企业在业务拓展中常面临跨区域设置库房的需求，该通告的相关规定为这类企业合理规划库房布局、合规开展经营活动提供了明确指引。《关于发布医疗器械冷链（运输、贮存）管理指南的公告》着重对医疗器械冷链运输与贮存管理进行了系统规范。由于体外诊断试剂中的众多产品对温度条件极为敏感，需要依托严格的冷链运输和贮存来保障其质量稳定。因此，该指南对于体外诊断试剂经营过程中的冷链管理具有极其重要的实践指导价值，能够有效确保产品在流通过程中的质量安全。《关于发布〈医疗器械经营质量管理规范附录：专门提供医疗器械运输贮存服务的企业质量管理〉的公告》，针对专门提供医疗器械运输贮存服务这一特定类型企业的质量管理需求，量身定制了详细规范，涵盖从运输贮存流程到质量监控等各个环节。在体外诊断试剂经营产业链中，不少企业会选择将运输、贮存环节委托给专业的第三方企业。此公告的出台，为承接体外诊断试剂运输贮存业务的企业提供了质量管理准则，有助于提升整个体外诊断试剂运输贮存服务的质量水平，保障行业健康有序发展。

就医疗器械经营环节的监管要求而言，第八章“医疗器械经营流通监督管理”已然对《医疗器械监督管理条例》《医疗器械经营监督管理办法》《医疗器械经营质量管理规范》及其配套的《现场检查指导原则》等法规文件进行了详尽的阐述，本节将聚焦于体外诊断试剂这一细分领域，着重围绕《体外诊断试剂（医疗器械）经营企业验收标准》的具体内容，展开细致说明，以期为体外诊断试剂经营企业的验收工作提供精准、实用的参考依据。

12.6.2 体外诊断试剂经营企业验收标准

为切实强化对体外诊断试剂（医疗器械）经营企业的监督管理工作，确保相关产品经营行为合法合规、规范有序，依据《医疗器械监督管理条例》（国务院令第 650 号）以及《医疗器械经营企业许可证管理办法》（原国家食品药品监督管理局令第 15 号）的相关规定，针对第二类、第三类体外诊断试剂（医疗器械）的经营许可事宜，原国家食品药品监督管理总局制定了《体外诊断试剂（医疗器械）经营企业验收标准》。该标准从多个关键维度对体外诊断试剂经营企业提出了细致且明确的要求，涵盖企业的相关机构设置与人员配备、制度建设与管理模式、设施规划与设备配置等方面，具体要求如下。

（1）体外诊断试剂经营企业机构与人员要求

① 体外诊断试剂经营企业的法定代表人或企业负责人、质量管理人员无《医疗器械监督管理条例》（2000 年版）第四十条规定的情形。企业负责人应具有大专以上学历，熟悉国家有关体外诊断试剂管理的法律、法规、规章和所经营体外诊断试剂的知识。

② 应有与经营规模相适应的质量管理人员，质量管理人员应行使质量管理职能，对诊断试剂质量具有裁决权。其中 1 人为主管检验师，或具有检验学相关专业大学以上学历和从事检验相关工作 3 年以上的工作经历。质量管理人员应在职在岗，不得兼职。

③ 验收、售后服务人员应具有检验学中专以上学历；企业保管、销售等工作人员，应具有高中或中专以上文化程度。

④ 质量管理、验收、保管、销售等岗位的人员，应接受上岗培训，考试合格后，方可上岗。

（2）体外诊断试剂经营企业制度与管理要求　企业应根据医疗器械管理的法律法规和相关文件制定符合企业实际的质量管理文件，包括质量管理制度、职责、工作程序。

① 质量管理制度应包括质量管理文件的管理，内部评审的规定，质量否决的规定，诊断试剂购进、验收、储存、销售、出库、运输、售后服务的管理，诊断试剂有效期的管理，不合格诊断试剂的管理，退货诊断试剂的管理，设施设备的管理，人员培训的管理，人员健康状况的管理，计算机信息化管理。

② 质量管理职责应包括质量管理、采购、验收、储存、销售、运输、售后服务、信息技术等岗位的职责。

③ 工作程序应包括质量管理文件管理的程序，诊断试剂购进、验收、储存、销售、出库、运输、售后服务等程序，诊断试剂销后退回的程序，不合格诊断试剂的确认及处理程序。应建立购进、验收、销售、出库、运输等内容的质量管理记录。

（3）体外诊断试剂经营企业设施与设备要求

① 应有明亮整洁的办公、营业场所，其面积应与经营规模相适应，但不得少于 100 平方米。

② 应设置符合诊断试剂储存要求的仓库，其面积应与经营规模相适应，但不得少于 60 平方米，且库区环境整洁，无污染源；诊断试剂储存作业区应与经营、办公等其他区域有效隔离；库房内墙、顶和地面应光洁、平整，门窗结构严密。

③ 住宅用房不得用作仓库。

④ 应设置储存诊断试剂的冷库，其容积应与经营规模相适应，但不得小于 20 立方米。

冷库应配有自动监测、调控、显示、记录温度状况和自动报警的设备，备用发电机组或安装双路电路，备用制冷机组。

⑤ 储存诊断试剂的仓库应有以下设施和设备：

a. 诊断试剂与地面之间有效隔离的设备；

b. 通风及避免阳光直射的设备；

c. 有效调控、检测温湿度的设备；

d. 符合储存作业要求的照明设备；

e. 不合格诊断试剂、退货诊断试剂专用存放区域或设施设备；

f. 包装物料的储存场所和设备；

g. 诊断试剂的质量状态应实行色标管理，待确定诊断试剂为黄色，合格诊断试剂为绿色，不合格诊断试剂为红色。

⑥ 应有与经营规模和经营品种相适应，符合诊断试剂储存温度等特性要求的运输设施设备。

⑦ 应有计算机管理信息系统，能满足诊断试剂经营管理全过程及质量控制的有关要求，并有可以实现当地食品药品监督管理部门监管的条件。

⑧ 应对所用设施和设备的检查、保养、校准、维修、清洁建立档案。

12.7 法律责任与案例分析

12.7.1 法律责任

违反《体外诊断试剂注册与备案管理办法》第七十八条的规定，未按照要求对发生变化进行备案的，责令限期改正；逾期不改正的，处1万元以上3万元以下罚款。

医疗器械临床试验机构开展体外诊断试剂临床试验未遵守临床试验质量管理规范的，由负责药品监督管理的部门责令改正或者立即停止临床试验，处5万元以上10万元以下罚款；造成严重后果的，5年内禁止其开展相关专业医疗器械临床试验，由卫生主管部门对违法单位的法定代表人、主要负责人、直接负责的主管人员和其他责任人员，没收违法行为发生期间自本单位所获收入，并处所获收入30%以上3倍以下罚款，依法给予处分。

医疗器械技术审评机构未依照《体外诊断试剂注册与备案管理办法》规定履行职责，致使审评工作出现重大失误的，由负责药品监督管理的部门责令改正，通报批评，给予警告；造成严重后果的，对违法单位的法定代表人、主要负责人、直接负责的主管人员和其他责任人员，依法给予处分。

负责药品监督管理的部门工作人员违反规定，滥用职权、玩忽职守、徇私舞弊的，依法给予处分。

12.7.2 案例分析

【案例1】体外诊断试剂注册时提供虚假信息

2024年4月15日，国家药品监督管理局正式对外发布了一则关于医疗器械临床试验监督抽查情况的通告。通告指出，广东某健康科技有限公司在申报注册呼吸道合胞病毒、甲型流感病毒、乙型流感病毒、腺病毒抗原联合检测试剂盒（流式细胞仪法-FITC/PE/Cy5/PC7）的过程中，暴露出临床试验产品存在严重的真实性问题。具体而言，在该产品的临床试验环节，318例样本的临床试验数据汇总表所记录的检测时间，与原始仪器记录的检测时间存在明显出入；同时，临床试验总结报告中呈现的病毒鉴定结果数据，也和原始文件记录的数据不一致。依照《中华人民共和国行政许可法》第七十八条以及《体外诊断试剂注册管理办法》第四十九条之相关规定，监管部门经过审慎研究和综合考量，作出了如下处罚决定：对该注册申请项目作出不予注册的决定，并且自作出决定之日起的一年内，不再受理该项目的注册申请。这一处罚决定，不仅是对违规企业的严厉惩戒，更是对整个医疗器械行业的警示，提醒所有企业必须严格遵守法规，确保临床试验数据的真实性和可靠性。

【案例2】违规使用过期体外诊断试剂

近日，江苏省市场监督管理局调查核实发现，大丰某医院有限公司在使用体外诊断试剂的过程中，未能严格遵守相关法规要求，使用了过期的产品。此行为公然违背了《医疗器械监督管理条例》第五十五条的明确规定，该条款清晰指出："医疗器械经营企业、使用单位不得经营、使用未依法注册或者备案、无合格证明文件以及过期、失效、淘汰的医疗器械。"鉴于大丰斗龙医院有限公司的违规事实确凿无疑，盐城市大丰区市场监督管理局秉持依法依规、公正严明的原则，依据《医疗器械监督管理条例》第八十六条的相关规定，果断作出处罚决定：对大丰斗龙医院有限公司处以20000元的罚款，并依法没收其违法所得765元，以彰显法律的严肃性和监管的权威性。

参考文献

[1] 张正付，吕术超，宁靖．我国体外诊断试剂临床试验存在的问题及分析［J］．中国临床药理学杂志，2020，36（16）：2582-2586.

[2] 佚名．体外诊断试剂注册与备案管理办法［J］．中华人民共和国国务院公报，2021，68（33）：76-88.

[3] 崔乐，郭世富，刘可君．我国与国际医疗器械监管者论坛关于体外诊断医疗器械分类原则的对比分析［J］．中国药事，2023，37（4）：382-388.

[4] 高倩，江洪，陈禹保．我国体外诊断行业发展现状与对策建议［J］．中国生物工程杂志，2022，42（10）：105-111.

第十三章

国际医疗器械行业管理

医疗器械产业的迅速发展使其在国际贸易中扮演着愈加重要的角色。在经济全球化的今天，我们在深刻了解自己国家医疗器械情况的同时，也应该把目光投向国际。了解国际上，特别是欧美发达国家和地区的医疗器械行业发展和管理状况，将有助于我国医疗器械的管理与国际市场接轨，促进国产医疗器械进一步走出国门，走向世界，服务全球健康事业。同时，随着我国医疗器械产业实力的不断提升，我们正日益深度参与国际医疗器械监管事务，在国际组织中逐渐发挥主导作用，在全球医疗器械行业拥有越来越多的话语权。本章将介绍国际上重要的医疗器械合作监管组织的运行机制和医疗器械产业发达的美国和欧盟地区的医疗器械监管概况。

13.1 国际医疗器械监管组织

虽然经济的高速发展促进了经济全球化，然而在医疗器械的监管方面不同国家和地区存在显著差异，因此医疗器械产品在进入不同的市场时的准入速度和认可程度也各不相同。在全球医疗器械行业快速发展与各市场监管体系间的结构性矛盾的背景下，催生了国际医疗器械监管协调机构。本节将重点介绍两大国际医疗器械监管协调组织：国际医疗器械监管机构论坛（International Medical Device Regulators Forum，IMDRF）和全球医疗器械法规协调会（Global Harmonization Working Party，GHWP）。

13.1.1 国际医疗器械监管机构论坛

IMDRF［前身为全球医疗器械协调工作组（GHTF）］成立于 2011 年 10 月，是由多个国家和地区的官方监管部门自发组建的跨国医疗器械行业协调组织。该组织旨在通过国际协作，加快国际医疗器械监管标准的战略性趋同，构建更为高效的全球医疗器械监管模式，共同应对新兴技术的挑战，保护和提高公众用械安全。

（1）IMDRF 的组织结构　IMDRF 按照其章程，由管理委员会（Management Committee）、官方观察员（Official Observer）、秘书处（Secretariat）、分委会（Sub-committee）、工作组（Work Group）、区域协调组织（Regional Harmony Initiative）及附属成员（Affiliate Members）组成。

IMDRF 管理委员会是整个组织的决策机构，目前由其 10 个成员国/地区（欧盟、美国、日本、加拿大、澳大利亚、巴西、中国、俄罗斯、新加坡和韩国）选派代表组成，具有表决权，指导组织的战略、政策、方向、成员和活动等，并监督工作组的工作。IMDRF 主席国（地区）每年由成员国（地区）轮流担任，管理委员会成员必须参加 2/3 或以上 IMDRF 工作组的工作[1]。

IMDRF 管理委员会可根据对 IMDRF 的贡献或价值的评估，从世界卫生组织和其他监管机构里邀请数量有限的官方观察员到委员会列席，但官方观察员不参与决策过程。官方观察员必须得到管理委员会成员的一致同意，并且必须与成员一样充分了解 IMDRF 的事项。目前 IMDRF 的观察员包括世界卫生组织（WHO）、阿根廷国家药品/食品/医疗器械管理局、瑞士药监局等。这些官方观察员可以委派 2 名代表列席 IMDRF 管理委员会会议，但不享有表决权。

IMDRF 采用工作组制度开展工作，通过对具体事项有针对性地组建团队来高效落实各项重点工作任务。工作组可由管理委员会设立，并根据 IMDRF 工作计划中确定的特定活动，在有针对性的授权下开展工作。工作组的大小和代表性由管委会确定，负责制定技术文件。工作组通常会广泛吸纳医疗器械开发、制造或使用的利益相关者参与，涵盖受监管的企业、跨国组织和行业协会、学术界、患者和消费者团体、医疗专业人员和其他监管机构等。值得特别注意的是，如果工作组负责制定涉及敏感或机密信息交换或涉及监管机构内部流程的技术文件，其成员将完全由监管机构的代表组成。这种工作组的设置方式既保证了技术制定的专业性和包容性，又通过权限分级确保了敏感信息的安全可控。当仅由监管机构组成的工作组成立时，管理委员会将为工作组成员的工作限制性提供明确透明的理由。如果工作组要吸纳利益相关方参与，则应根据其在具体方面的专业知识及能为工作组活动做出积极贡献的能力来提名。IMDRF 亦寻求与在医疗器械监管活动中具有共同利益的区域协调组织和其他国际实体保持工作关系，以共同促进医疗器械行业融合，更好地利用资源，在全球范围内提供安全有效的医疗器械。这些组织经邀请可以观察员的身份出席 IMDRF 管理委员会会议，但其加入必须先征得管理委员会全体成员的同意。目前 IMDRF 的区域协调组织有泛美卫生组织（PAHO）、非洲医疗器械论坛（AMDF）、全球协调工作组（GHWP）和亚太经合组织 LSIF 监管协调指导委员会（APEC LSIF），每个区域协调组织可派 1～2 名代表参会。

附属成员是希望与 IMDRF 合作，但不愿或不能成为官方观察员的监管机构。作为附属成员，监管机构将通过参加“公开”会议并使用部分或全部 IMDRF 文件作为其自身监管框架的基础来参与 IMDRF。附属成员也可以参加公开工作组。目前有智利公共卫生研究所、古巴-医疗、设备和处置控制中心（CECMED）等十多个附属成员。

（2）IMDRF 的工作模式　IMDRF 采用共识决策机制，各重大决议均由管理委员会正式成员集体协商达成一致后方能生效实施，而未获共识的提案则不会通过。IMDRF 为达到协调国际医疗器械监管工作的目标，主要工作包括制定有优先顺序的工作计划，开展实施优先项目，加强信息共享，实施、维护、修改和完善现有文件，制定指导文件，完善组织的宗旨和目标[1]。

IMDRF 管理委员会采用年度双例会制，每年在轮值主席国举办两次线下全体会议，汇报和讨论 IMDRF 优先开展的工作项目，审议和论证拟开展的项目提案，确定相关工作计划等。会议可分为闭门会议和开放会议两种形式。闭门会议仅限正式成员和官方观察员参与，特定议题邀请区域协调组织和经管理委员会同意的主席特邀观察员参与。对于涉及表决的决策性闭门会议，官方观察员、特邀观察员和区域协调组织则不参与或仅能列席。开放会议的主要内容由 IMDRF 相关成员国（地区）和工作组介绍相关监管法规更新情况和汇报项目的实施进展，并听取业界对研究项目进展的反馈和新项目选择的意见。开放会议的参与者范围更广，除了能参加闭门会议的代表外，还包括业界代表，如生产企业、行业组织、科研机构以及非管理委员会成员的官方代表等。同时，IMDRF 管理委员会主席国（地区）还会在每年 2 次面对面会议前后，负责召开由管理委员会成员参加的电话会议，以沟通协调 2 次会议期间的工作进度[1]。

IMDRF 以设立工作组的方式来完成相应工作。工作组在 IMDRF 的战略规划里选择工作方向，确定具体协调项目，经管理委员会全体同意后组建专项工作组。工作组的主席人选由管委会指派代表或委任专家担任，工作组成员由主席提名后报管委会核准。工作组的工作方式根据工作需要而定，可以是会议（电话会议、面对面会议）等。工作组根据不同性质分成两类：一类是仅由管理委员会成员和官方观察员参加的闭门工作组，另一类是吸纳业界代表共同参与的开放工作组。当工作任务完成后，经 IMDRF 管理委员会批准解散工作组[1]。

截至目前，IMDRF 已经先后建立了 15 个工作组。其中，目前正在工作的工作组有 7 个（基本信息见表 13-1）[1]，已关闭的工作组有 15 个，按照关闭时间从近到远排列的工作组基本信息见表 13-2。

表 13-1 IMDRF 现行工作组[1]

现有工作组	工作组成员	工作组主席国/地区
不良事件术语工作组	监管机构	美国、欧盟、英国
人工智能/启用机器学习工作组	监管机构、利益相关者	加拿大、美国
良好监管审查规范工作组	监管机构	美国、新加坡
个性化医疗器械工作组	监管机构、区域协调组织、官方观察员	澳大利亚
质量管理体系工作组	监管机构、利益相关者	美国、欧盟
监管产品申报规范工作组	监管机构	美国、加拿大
软件医疗器械工作组(2017 年建)	监管机构、利益相关者	加拿大、美国

表 13-2 IMDRF 已关闭工作组

已关闭工作组	工作组成员	工作组主席国/地区
UDI 应用指南工作组	监管机构、利益相关者成员	欧盟
提升用于法规的国际标准质量工作组	监管机构、利益相关者成员	美国
软件医疗器械工作组	监管机构、利益相关者成员	美国
UDI 系统实施路线工作组	监管机构、利益相关者成员	欧盟
IVD 医疗器械分类工作组	监管机构、利益相关者成员	俄罗斯
医疗器械单一审核程序工作组	监管机构	美国
医疗器械网络安全指南工作组	监管机构、利益相关者成员	美国、加拿大
医疗器械临床评价工作组	监管机构、利益相关者成员	中国
集成患者登记和增强医疗器械评估和追踪创新工具工作组	监管机构、利益相关者成员	美国
IMDRF 认可标准工作组	监管机构、利益相关者成员	欧盟
IMDRF 管理委员会工作组	监管机构、利益相关者成员	IMDRF 管理委员会成员轮值
IVD 医疗器械的临床证据工作组	TBC(待确认)	俄罗斯
人工智能医疗器械工作组	监管机构、企业、区域协调组织	韩国
NCAR 系统评价工作组	仅监管机构	欧盟
软件医疗器械工作组(旧)	监管机构、利益相关者	加拿大、美国

从各工作组主席国的分布情况可以看出，医疗器械产业发达的欧美国家在医疗器械监管

研究中具有明显的引领作用，与此同时，新兴经济体正以积极的姿态参与国际医疗器械法规协调工作，反映出全球医疗器械行业与监管体系正在形成多元化发展的新格局，全球医疗器械监管协作迈向更高水平。

（3）IMDRF 项目工作组成果形式　IMDRF 以项目工作组的方式开展工作后形成的成果包括技术指南、程序文件和信息文件等 3 种类型的成果文件。技术指南，主要是协调医疗器械监管法规后所形成的相关研究成果，目前由各国根据情况采纳，不具有强制性；程序文件，主要是 IMDRF 内部运作的管理文件，包括章程、工作程序和工作文件模板等，在 IMDRF 内部强制实施；信息文件，是作为技术文件的解释说明文件，不具有强制性[1]。

IMDRF 的成果文件的制订和修改需要按照相关工程程序进行。工作流程按以下环节进行：①提出新项目或新扩展项目建议；②起草文件，形成草案；③将草案完善为正式提案；④征求意见；⑤根据反馈修订形成终版文件；⑥提交管理委员会批准发布；⑦实施[1]。

（4）中国参加 IMDRF 的主要情况　随着医疗器械产业水平的提高，我国于 2013 年正式加入 IMDRF，积极参加该组织的各项会议及各项目工作组工作，持续深化国际协作。2018 年担任 IMDRF 轮值主席国期间，我国高效完成了承担的秘书处运转工作：进行了官网维护和文件交换等日常工作；分别在上海、北京举办了 2 次 IMDRF 管理委员会面对面会议和 2 次电话会议。与此同时，我国在 IMDRF 第 13 次管理委员会上倡导组建“医疗器械临床评价”新项目工作组，以全面研究和协调国际医疗器械临床评价相应法规要求，顺利通过并立项，由我国领导工作组工作。在 2019 年 IMDRF 第 16 次管理委员会审议并通过了该小组编制的《临床证据-关键定义和概念》《临床评价》和《临床试验》3 份指南文件，这是我国自加入 IMDRF 以来首次主导完成的国际指南制定工作。这些里程碑式的成果充分表明，中国医疗器械监管已逐步实现从参与者到部分引领者的角色转换[1]。

在加入 IMDRF 后，我国不断地吸收和转化 IMDRF 的成果，既尽了我国作为 IMDRF 成员国（地区）应尽的责任和义务，也提升了我国医疗器械监管能力，获得了 IMDRF 各成员国（地区）的肯定与尊重。而随着一系列 IMDRF 国际指南文件的实施，我国医疗器械的监管要求与国际更加趋同，有利于我国相关企业适应国际监管需求，促进我国医疗器械行业国际化发展，顺应经济全球化、贸易自由化和规则一体化的新时代趋势[1]。

13.1.2 全球医疗器械法规协调会

全球医疗器械法规协调会（GHWP）是一个具有近三十年历史的非营利国际组织，也是目前世界范围内唯一一个吸纳医疗器械监管官方机构代表和产业界专业人士的国际性法规协调交流平台。该组织始建于 1997 年，原为亚洲医疗器械法规协调会（AHWP），初期主要聚焦于亚太地区的医疗器械监管协调工作。近年来，该组织的全球成员数量不断增加，从亚洲扩展到南美洲和非洲，覆盖 30 余个国家和地区，涉及全球一半的人口，从区域性国际组织发展成为全球性国际组织，在 2021 年 12 月更名为 GHWP[2]。

（1）GHWP 的目标与组织结构　GHWP 的愿景是协调各医疗器械监管机构的监管法规，促进实现医疗器械监管协同统一，努力使全球监管机构和行业基于开放和信任而合作共赢[2]。

GHWP 的使命是立足监管科学的前沿发展，致力于促进形成灵活、精准且高效的医疗器械监管模式，以战略性举措加快医疗器械监管标准的协同统一；依托新兴技术的驱动，领导和建设面向未来的医疗器械监管专业人才的培育体系，确保患者安全并及时获得安全有效的医疗器械[2]。

GHWP 的目标是制定并推广国际医疗器械监管标准趋同化实施方案；推动监管机构和产业界之间的专业知识和专业技能的交流，共同构建统一的标准；加强成员的专业能力培养，实施战略性成员扩展计划；深化与诸如 IMDRF、WHO、ISO、IEC 等国际组织的合作[2]。

GHWP 下设机构有技术委员会（TC）、战略咨询委员会（SAB）、能力建设委员会（CBC）、秘书处（Secretariat）和 GHWP 管理服务有限公司（ASL）[2]。TC 积极围绕前沿创新技术和最佳监管实践制定 GHWP 指导文件，并不断完善起草、征求公众意见、修订和批准 GHWP 指导文件的工作机制，这是实现国际医疗器械监管标准协同、统一与互认的关键。当前 TC 由 1 名监管机构代表担任主席，同时设有 2 位副主席（分别来自监管方和产业界），并配有 4 位来自产业界的秘书人员，有 9 个工作组和 1 个可靠性评估特殊任务小组，开展相关工作。GHWP 技术委员会应积极围绕前沿创新技术和最佳监管实践制定 GHWP 指导文件，并不断完善起草 GHWP 指导文件、征求公众意见、修订和批准 GHWP 指导文件的工作机制。此外，GHWP 技术委员会还应进一步鼓励 GHWP 成员的参与，提高 GHWP 指导文件的质量，并持续加强与相关国际组织的合作。

（2）中国参加 GHWP 的主要情况　随着医疗器械产业的蓬勃发展，我国在 GHWP 中的影响力显著提升。2023 年 2 月，国家药监局副局长徐景和博士成功当选第 27 届 GHWP 主席，领导团队制订了任期战略发展目标和工作计划，引领 GHWP 组织发展。为了应对新形势下全球医疗器械监管的新挑战，GHWP 在 2023 年成立了全球首个学院——GHWP（广州）学院，由王迎军院士担任学院院长。2024 年，学院在广州开办了以“创新医疗器械走向世界”为主题的首期培训。培训综合采用丰富多样的形式，围绕 GHWP 促进全球医疗器械监管趋同、协调、信赖，全球医疗器械产业创新发展及展望，全球医疗器械注册上市法律制度，中国创新医疗器械企业实地参观等进行，旨在进一步提升 GHWP 成员国家和地区的监管能力，助力创新医疗器械产品惠及全球公众。

可见，中国在 GHWP 中扮演着越来越重要的角色。中国在医疗器械领域构建的完善的监管制度以及成效显著的监管工作举措赢得了国际同行的赞誉与普遍认可。中国在全球医疗器械监管舞台上的话语权不断增强。

13.2 美国医疗器械监管现状

13.2.1 美国医疗器械行业现状

美国是医疗器械行业的先行者，长期引领全球医疗器械行业的发展。美国占据全球医疗器械市场的主导地位，行业的市场规模非常大，也是全球医疗器械生产和消费大国[3]。受人口老龄化加剧、慢性疾病增多及医疗技术不断创新等因素推动，美国医疗器械需求保持稳定增长，2017 年市场约 1560 亿美元，2019 年市场增至 1772 亿美元，2020 年受到疫情冲击，行业营收规模收缩至 1300 亿美元，2021 年随着疫情恢复，行业营收规模达到 1407.1 亿美元，恢复至疫情前情况，2023 年达到了 1791.13 亿美元，2024 年增加到 1886.8 亿美元。

美国医疗器械市场对医疗器械产品质量和技术要求较高，美国凭借强劲的经济实力和领先的科学技术，汇聚了全球众多实力雄厚的医疗器械制造商，包括许多行业巨头和大型跨国企业，因此美国也是医疗器械产业竞争最为激烈的市场。美国的医疗器械市场高度集中。据研究数据统计，2016 年全球医疗器械前 20 强公司占据了全球医疗器械市场份额的 54%，在这 20 家公司中，有 12 家属于美国；全球医疗器械前 10 强公司占据市场份额的 37.9%，在这 10 家公司中，就有 7 家属于美国。其余榜上有名的公司所属国家分别是瑞士、法国、荷兰、日本、英国。可以看到，美国的公司不仅数量多，在排名上更是占有绝对优势[4]。美国著名的综合性医疗器械公司如表 13-3 所示。

表 13-3　美国著名的综合性医疗器械公司

公司名称	所在地	核心领域
美敦力(Medtronic)	1949 年成立于美国明尼苏达州。现注册总部为爱尔兰都柏林，但实际运营总部仍为美国明尼苏达州	心脏起搏器、脊柱植入物、胰岛素泵、手术导航系统(1957 年发明首台便携式体外心脏起搏器)
强生医疗(Johnson&Johnson)	1886 年成立于美国新泽西州新布朗斯维克市	微创手术器械、骨科植入物、电生理设备
雅培(Abbott)	1888 年创立，法定注册地位于美国伊利诺伊州	心脏瓣膜介入器械、血糖监测系统、分子诊断设备
GE 医疗(GE Healthcare)	1892 年创立，总部位于美国波士顿	医学影像设备(超声/MRI)、患者监护系统
史赛克(Stryker)	1941 年创立，总部位于美国密歇根州卡拉马祖市	骨科植入物、手术机器人、神经外科设备

美国超过 8200 个医疗器械厂家生产 87000 到 140000 种不同种类的医疗器械，大概有 1000 家医疗器械企业仍处于初级阶段，并未生产产品。诚然，大公司在销售额和收入方面主导着市场，就像制药公司一样，但小公司主导着创新[5]。美国在医疗器械的创新能力居于全球领先地位。根据美国商务部国际贸易管理局 2022 年发布的《An Overview of the U. S. Medical Devices and Biopharmaceutical Industries》报告，2020 年美国医疗器械行业雇佣了超过 32.9 万人，雇员年工资约为 258 亿美元。在医疗器械行业的细分行业中，外科和医疗器械制造业在 2020 年的销售额、出货量或收入最高（约 363 亿美元），雇佣员工最多（11.1 万人），年工资最高（77 亿美元）。

美国的医疗器械产业也呈现明显的区域聚集特征，产业集群主要分布在明尼苏达州、印第安纳州和加利福尼亚州。这三个州在 2019 年的从业人数分别为 4.9 万人、1.5 万人和 1.5 万人。明尼苏达州双子城，也被称为“医疗设备产业的硅谷”，拥有美敦力和 3M 等众多医疗器械知名企业。明尼苏达州的医疗产业和美敦力密不可分，在这里诞生了第一台心脏起搏器，明尼苏达州也因此成为以心脏设备为核心的产业中心。

13.2.2　美国医疗器械监管机构

1906 年，美国国会通过立法，授权成立美国食品药品管理局（Food and Drug Administration，FDA），对食品、药品、化妆品、医疗器械等多个领域进行监督和管理。但当时对医疗器械的监管重视程度仍然不够，直至 1982 年，医疗器械管理局和放射健康管理局及生物制品管理局对医疗器械的监管职责明确，将医疗器械管理局和放射健康管理局合并为 FDA 下的器械和放射健康中心（Center for Devices and Radiological Health，CDRH），用于监管医疗器械。这一变革标志着美国医疗器械监管进入了新阶段，自此，美国对医疗器械的监管日趋重视，为公众健康筑起一道更坚实的防线。

FDA 是美国政府在健康与人类服务部（DHHS）和公共卫生部（PHS）中设立的执行机构之一，其核心职责是保护和提升公众卫生健康水平。FDA 下属 8 个职能部门：食品安全和营养应用中心（CFSAN）、烟草制品中心（CTB）、生物制品评估和研究中心（CBER）、药品评估和研究中心（CDER）、器械和放射保护健康中心（CDRH）、兽用药品中心（CVM）、卓越肿瘤中心（OCE）和日常事务办公室（ORA）[6]。其中，CDRH 既是 FDA 的一个执行机构也是一个科学组织，专门负责按照法规要求对医疗器械开展上市前评审和上市后监管的工作，以保证美国市场上医疗器械产品的安全性和有效性[7]。

根据 CDRH 的网站，CDRH 的使命是保护和促进公众健康，保证患者和提供商能够及时、持续地获得安全、有效和高质量的医疗设备以及安全的辐射发射产品；为消费者、患者、护理人员和提供商提供关于所监督产品的可理解和可访问的科学信息；通过发展科学的监管体系，为医疗器械行业建立稳定、规范、公开且高效的监管流程，增强消费者对美国市场医疗器械产品的信任，推动行业创新发展[6]。

CDRH 的愿景：美国的患者可以获得高质量的、安全有效的公共卫生重要医疗器械，在世界上处于首位；美国在监管科学、医疗器械创新和制造以及辐射产品安全方面处于世界领先地位；美国医疗器械上市后的监管可以快速识别性能不佳的器械，准确表征真实世界的性能，促进设备的批准或审批；医疗器械在美国合法销售，并保持安全、有效和高质量；消费者、患者、护理人员和提供商可以获得有关医疗设备的可理解的科学信息，并使用这些信息做出医疗保健决策[8]。

为了应对新的发展需要，构建更加灵活有效的组织架构，CDRH 于 2016 年起筹备重大的机构改革方案，并于 2019 年 3 月正式启动实施，经过半年完成了机构重组工作[7]。根据 FDA 的网站，现在的 CDRH 组织机构由中心主任办公室（OCD）、交流和教育办公室、管理办公室（OM）、政策办公室（OP）、科学和工程试验办公室（OSEL）、战略伙伴与技术创新办公室（OST）及产品评估和质量办公室（OPEQ）等 7 个办公室组成[6-8]。OCD 由中心主任办公室、CDRH 国际项目和质量管理人员组成，主要为领导 CDRH 制订愿景和战略方向。交流和教育办公室管理与外部受众有关的医疗器械和辐射发射产品的交流、受监管行业的教育以及 CDRH 员工的对外交流和培训，由交流处、员工培训与发展处、工业和消费者教育处、信息发布处、数字通信媒体工作室（FDA TV Studio）组成。OM 负责规划、开发和执行 CDRH 范围内的管理运作和行政服务、计划和政策，以推进中心的公共卫生使命，由采购服务处、财务管理处、管理服务处、人力资源处、规划和项目分析成员室组成。OP 领导中心的所有政策相关活动，下面无下设机构。OSEL 致力于促进创新，加快新型医疗器械的开发，领导设备与放射卫生中心的所有科学合作和新兴技术相关活动，由来自不同领域的科学家组成，该办公室分为大约 20 个项目领域，通过应用力学（DAM），生物医学物理（DBP），生物、化学和材料科学（DBCMS）以及成像、诊断和软件可靠性（DIDSR）等四个主要技术部门运行大约 150 个研究项目。OST 负责 CDRH 的所有科学合作和新兴技术相关活动，由准备和响应办公室、公平与创新发展办公室、卓越数字健康中心、技术和数据服务办公室、供应链适应办公室组成。OPEQ 是个超级办公室，全面负责医疗器械产品上市前和上市后的全生命周期监管工作，以确保医疗器械产品质量可靠和安全有效。

CDRH 依据产品类型和技术特征组建专家评审团队，汇集了产品审评、质量管理及市场监管等相关领域的专家，使得监管工作更有针对性地关注医疗器械产品、生产企业和行业的发展需求。OPEQ 下设 OPEQ 直属办公室、法规项目办公室（Office of Regulatory Programs，ORP）、临床证据和分析办公室（Office of Clinical Evidence and Analysis，OCEA）以及 8 个卫生技术办公室（OHT）[6]。OHT1 为眼科、麻醉科、呼吸科、耳鼻喉科和牙科医疗器械办公室；OHT2 为心血管科医疗器械办公室；OHT3 为消化内科、妇产科、泌尿科医疗器械办公室；OHT4 为手术和感染控制医疗器械办公室；OHT5 为神经和物理医学医疗器械办公室；OHT6 为骨科医疗器械办公室；OHT7 为体外诊断试剂办公室；OHT8 为放射卫生办公室[6]。

13.2.3 美国医疗器械监管法规发展

美国是世界上最早对医疗器械进行立法规范化管理的国家，世界各地均向美国学习进行自己国家的医疗器械监管。美国是联邦制的普通法系国家。美国现行法律体系形成 5 种法律渊源：宪法、制定法、条约、行政法律法规和普通法。美国在其 FDA 网站上，列出了其医疗器械监管的重要变革法规。

FDA 对食品和药品的监管始于 1906 年，这一年罗斯福总统签署了具有里程碑意义的《纯净食品和药品法案》(Pure Food and Drugs Act) 也称《联邦食品和药品法案》(Federal Food and Drugs Act)，标志着现代食品药品监管制度的开端。从那时起，美国国会强化了 FDA 在保护与促进人类和兽药、生物制品、医疗器械和辐射产品、人类和动物食品以及化妆品发展等方面的监管职能。

1938 年，美国国会通过《联邦食品、药品和化妆品法案》(FD&C 法案) (Federal Food, Drug and Cosmetic Act, FD&C Act)。该法规是授权 FDA 对医疗产品进行监管和监督的主要法规，该法规扩大了对假冒伪劣化妆品和治疗性医疗器械的州际贸易禁令，确立了对医疗器械生产工厂的检查监督管理。

1944 年，美国国会通过《公共卫生服务法》(Public Health Service Act)，对已建立的实验室进行认证，并扩大对生物制品相关器械的监督。

1968 年，美国国会通过《健康与安全辐射控制法》(Radiation Control for Health and Safety Act)，该法案的核心目标是有效控制和降低电子设备产生的辐射及高强度电磁场对人体健康造成的潜在危害，为辐射发射产品制定了性能标准，如诊断 X 射线机、核磁共振成像仪、微波、超声或透热装置、紫外线装置和激光装置等。

1970 年，美国总统尼克松成立库珀委员会，由 Theodore Cooper 医学博士（时任国家心肺研究所所长）主持，研究医疗器械立法的必要性。建议任何新的相关立法都应专门针对医疗器械，因为医疗器械与药品存在不同的问题。引入基于风险的医疗器械分类的概念。

1976 年，美国国会通过了 FD&C 法案的医疗器械修正案 (Medical Device Amendments to the FD&C Act)，旨在立法保证医疗器械的安全性和有效性，创建了将所有医疗器械基于风险分为三类的分类监管系统，建立了新医疗器械上市的监管途径：上市前批准 (Pre-Market Approval, PMA) 和上市前通知 [510 (k)]。该修正案创建了为患者研究的新型试验性医疗器械的监管途径（试验性器械豁免，Investigational Device Exemption, IDE），要求医疗器械产品在 FDA 注册或列名，医疗器械生产厂商要遵循良好生产规范 (GMP) 并报告涉及医疗器械的不良事件，授权 FDA 禁止使用医疗器械的权限。

1977 年，医疗器械和诊断产品局 (Bureau of Medical Devices and Diagnostic Products) 更名为医疗器械局 (Bureau of Medical Devices)。

1990 年，美国国会通过《安全医疗器械法》(Safe Medical Devices Act, SMDA)。通过要求医院和疗养院等医疗器械使用机构报告涉及医疗器械的不良事件和授权 FDA 要求制造商对可能导致永久性伤害或死亡的植入类医疗器械进行上市后监测，提升对设备的上市后监测能力。该法案授权 FDA 下令医疗器械召回，并对违反 FD&C 法案的行为处以民事处罚；定义实质等同 [通过 510 (k) 计划上市器械的标准]；修改标准的制定、修订和撤销程序；创建了人道主义器械 (Humanitarian Use Device, HUD) /人道主义器械豁免 (Humanitarian Device Exemption，HDE）计划，以鼓励开发针对罕见病的医疗器械。

1992年，美国国会通过《乳腺X射线摄影质量规范法案》（Mammography Quality Standards Act，MQSA），规定用于乳房摄影检查的设备要通过鉴定并获得符合质量标准的联邦证书。在通过首次认证之后，这类设备还需要通过联邦或州检查员的年检。

1997年，美国国会通过了《食品药品监督管理局现代化法案》（Food and Drug Administration Modernization Act，FDAMA），该法案为医疗器械上市前审查制定了“负担最小”的规定，创建了允许经认证的第三方对某些医疗器械进行初步上市前审查的条款。其允许新版器械在上市前所提交的研究中使用早期版器械的数据，为扩大试验性医疗器械的获取途径提供便利。同时，该法案建立了“De Novo”计划，使新型低至中度风险器械可以被分为Ⅰ类或Ⅱ类，而不是自动划分为Ⅲ类。

2002年，美国国会通过《医疗器械使用费和现代化法案》（Medical Device User Fee and Modernization Act，MDUFMA），授予FDA对特定医疗器械上市前审查收取申请费用的权利，以帮助FDA提高医疗器械上市前审查的效率、质量和可预测性。并且，该法案颁布了小企业规定（Small Business Determination，SBD）计划，降低符合条件的小企业的上市前审批费用；对某些医疗器械上市前审批制订FDA绩效目标；对“再加工”医疗器械制定了新的监管要求；要求医疗器械公司进行电子注册。

2007年，美国通过了《食品药品监督管理局修正案》（Food and Drug Administration Amendments Act，FDAAA），重新规定医疗器械申请费（MDUFA Ⅱ），包括缩短上市前审查时间，要求所有产品注册和列名均以电子方式进行，要求FDA为医疗器械建立UDI系统，要求医疗器械标签上带有唯一的标识符。

2012年，美国通过《食品药品监督管理局安全与创新法案》（Food and Drug Administration Safety and Innovation Act，FDASIA），重新制订了医疗器械申请付费计划（MDUFA Ⅲ），包括缩短上市前审查时间，并增加了与行业的共同结果目标。该法案创建了直接De Novo（重新审查）途径，允许将新型低至中度风险器械分类为Ⅰ类或Ⅱ类（而不是Ⅲ类），而无须首先提交510（k）；更改不批准与IDE相关的标准；允许FDA与外国政府合作，协调监管要求；要求FDA根据医疗器械持有人在提交文件作出重大决定时的要求提供实质性摘要，在上市前审查中扩大应用“负担最小”原则。

2016年，美国通过《21世纪治愈法案》（21st Century Cures Act），授权制定或修订使患者更快获得新医疗器械的政策和流程，包括将FDA快速审查突破性医疗器械的计划编入法律；上市前审查中扩大“负担最小”原则的应用；简化豁免医疗器械上市前通知[510（k）]流程；将美国人道主义医疗器械（HUD）所需的人口资格从每年“少于4000人”增加到“不超过8000人”；在进行IDE和HDE活动时，允许使用中央伦理审查委员会（Institutional Review Board，IRB）进行监督，而不仅仅使用地方伦理审查委员会；要求FDA修订药械组合产品法规；将关于标准认可/不认可的提交请求程序编入法律。通过定义能和不能作为医疗器械进行监管的医疗软件的分类，界定了数字健康产品的监管范围。

2017年，美国通过了《食品和药物管理局重新授权法案》（Food and Drug Administration Reauthorization Act，FDARA），重新授权医疗器械用户费用计划（MDUFA Ⅳ），包括缩短上市前审查时间以及对诸如国家卫生技术评估系统（NEST）和患者投入等战略举措的投资。该法案授权建立对医疗器械公司基于风险的检查计划，并可改进和提高其他与检查相关的流程；将医疗器械主机和附件分别分类；要求FDA至少开展一个试点项目，以探索真实世界证据如何提高医疗器械上市后的监管。

2020 年，美国通过了针对新冠疫情的《冠状病毒援助、救济和经济安全法案》（Coronavirus Aid，Relief，and Economic Security Act，CARES 法案）。通过要求某些医疗器械制造商在公共卫生紧急事件期间或之前向 FDA 提交制造中断或永久中断的通知，提高 FDA 识别、预防和缓解医疗器械供应链可能短缺的能力，澄清了 FDA 可以为运往另一个国家的在国外生产的医疗器械颁发认证证书。

2022 年，美国通过《美国食品药品监督管理局用户费再授权 2022 法案》（FDA User Fee Reauthorization Act of 2022，FDAUFRA），重新授权医疗器械用户费用计划（MDUFA Ⅴ），包括上市前审批流程改进和绩效目标（如产品注册前的沟通，在患者科学和患者参与以及国际协调工作等战略举措方面的投资）。根据实现绩效目标和招聘基准要求，重新调整了 MDUFA Ⅴ 后期费用，为 MDUFA 结转余额设定 13 周的上限，并单独资助新的产品全生命周期（TPLC）咨询计划（TAP）试点。

2022 年，美国通过《食品和药品综合改革 2022 法案》（Food and Drug Omnibus Reform Act of 2022，FDORA），采用包括建立新机构对医疗器械制造商进行远程审计监管和对研发医疗器械的设施进行检查等方式，加强对医疗器械制造商的监管；赋予 FDA 明示授权同意或清除变更医疗器械（PCCP）；要求提交“网络器械”的医疗器械中提供网络安全信息；明确 FDA 可以禁止非法销售的有一种或多种预期用途的医疗器械；要求某些器械临床研究的发起者从 FDA 就受试者发布最终指导意见后 180 天开始，提交一份多元化行动计划，其中需要包含入组目标和实现这些目标的计划；为在国外制造并出口其他国家但也在美国销售并且符合相关标准的医疗器械进行许可认证。从 2025 财年开始，对有财务困难的小企业实行注册费减免。

2022 年，美国通过《准备和应对现有病毒、新出现的威胁和流行病法案》（Preparing for and Responding to Existing Viruses，Emerging New Threats，and Pandemics Act），简称《预防流行病法案》（PREVENT Pandemics Act），对假冒医疗器械进行更严厉的处罚；明确 FDA 可以在公共卫生紧急事件之外的情况下接受器械短缺的自愿通知，并指示专门机构创建一份受强制约束通知的器械类型列表；明确 FDA 可以依靠符合资质的第三方机构来审查体外诊断试剂的紧急使用授权（EUA）请求。

可见，美国的医疗器械监管法规制订历史悠久，相关法案都由国会通过，级别较高。随着时代的变化不断调整改进，这对世界各国而言都有良好的借鉴意义。

此外，《美国联邦法典》（Code of Federal Regulations，CFR）是美国具有普遍适用性和法律效力的法律合集，该法典第 21 篇中从第 800 到第 1050 列出了医疗器械监管的相关法规。

13.2.4　美国医疗器械上市前后的监管

（1）美国医疗器械的分类　美国医疗器械的定义如第一章所述。美国食品药品监督管理局（FDA）将大约 1700 种不同类型的医疗器械按医学专业领域划分为 16 个分类（如心血管医疗器械、耳鼻喉医疗器械等），并集中收录于《美国联邦法典》（CFR）第 21 篇第 862 至第 892 部分。为了科学地监管，确保对器械安全性和有效性的必要控制水平，FDA 将这些器械分配到三个监管类别。这三个类别及其适用的要求如下。

ClassⅠ，是Ⅰ类医疗器械，属于低风险类别。这类医疗器械采用常规监管措施进行控制就能保证其安全性与有效性；或虽无充分证据证明常规监管能确保其安全有效，或尚未建立特殊控制措施监管保证其安全有效，但该器械不用于生命支持或功能维持，不用于预防健康损害的关键用途，不会引发不合理的疾病或伤害风险。

这类器械受到的一般控制是《联邦食品、药品和化妆品法案》下的第501条（掺杂掺假质量不合格）、502条（错误标识）、510条（注册、列名和上市前通知）、516条（禁用器械）、518条（通告及其他补救措施）、519条（记录、报告和器械唯一标识）、520条（通用规定）等条款的约束。一些Ⅰ类设备免于提交上市前通知和/或部分优良制造规范规定。

ClassⅡ，是Ⅱ类医疗器械，属于中等风险类别，仅靠常规管控措施不足以确保其安全性和有效性，需要采取特殊措施进行控制。这些特殊管控措施建立于充分的信息基础上，包含颁布性能标准、实施上市后监测、建立患者登记系统、制定并发布指南［含依据《联邦食品、药品和化妆品法案》第510（k）条提交上市前通报的临床数据指南］、发布建议书，以及为确保安全有效性所需的其他适当措施。对于用于维持或支持生命的器械，应审查并确定必要的特殊控制措施（若有），且须阐明这些措施如何实现该保证。

Class Ⅲ，是Ⅲ类医疗器械，属于高风险类别，必须通过严格的上市前审批（PMA）。这类产品依据现有信息不足以证明仅用常规监管措施或结合Ⅱ类医疗器械特殊的监管措施能确保其安全性和有效性，且其是用于生命支持或生命维持，或者用于关键性人类健康损害的预防，或存在显著的潜在不合理疾病或伤害风险。

美国是世界上最早将医疗器械按照风险等级进行分类管理的国家。这种分类管理的方式在医疗器械监管过程中有利于节约成本，有利于实现科学监管，被全世界学习借鉴。FDA网站上的医疗器械数据库（如Classification Database）中可查询到当前医疗器械的分类。医疗器械的分类对于制造商而言非常重要，因为不同类别的医疗器械在申请和审批流程上有所不同。制造商需要准确确定自己的产品分类，并根据相应的要求和规定进行申请和审核。

Class Ⅰ，是风险较低、对人体影响较小的医疗器械，如听诊器、压舌板、绷带等，通常仅需遵守FDA的一般控制管理，多数产品免于上市前通知［510（k）］，约占全部医疗器械的30%。Class Ⅱ，是中等风险的医疗器械，如血糖仪、血压计、隐形眼镜等，实行特殊控制管理（如性能标准、上市后监测）及上市前市场准入通知，即证明器械与已获得FDA批准的类似器械具有相似性，符合安全性和有效性要求。这类器械约占全部医疗器械的62%。Class Ⅲ，是风险较高、危害较大或属于维持生命的医疗器械，如人工心脏起搏器、人工晶体、心脏瓣膜等，这类医疗器械约占全部医疗器械的8%[8]。这些器械需要进行PMA（前期市场批准）程序，提交临床试验数据和其他技术信息来证明其安全性和有效性。

(2) 医疗器械510（k）上市前通告制度　对于美国市场的任何医疗器械产品，企业都需在FDA进行企业注册（establishment registration）和产品列名（device listing）。企业（包括制造商、分销商等）注册需要每年更新，外国企业必须指定本土代理人。企业注册和产品列名只是在美国市场上销售医疗器械的基本要求，但产品上市还需要根据产品的分类，确定是可直接销售（豁免）还是完成510（k）、PMA或其他豁免途径等不同的手续后方能上市。

美国的510（k）上市前通告制度（Pre-Marking Notification，PMN）是医疗器械获得FDA批准上市的主要途径之一，源自美国《联邦食品、药品和化妆品法案》第510条（k）款。PMN适用于大部分Ⅱ类医疗器械和少部分Ⅰ类和Ⅲ类医疗器械。该制度不是注册制度，也不是上市前批准，而是上市前的通告。其要求企业证明新产品与已合法上市的“同等设备”（predicate device）具有“实质等同性”（Substantial Equivalence，SE），进行安全性和有效性的等价性比较，也就是在预期用途、技术特性和性能等方面基本相同，从而无须进行全面的临床试验。

企业首次上市新医疗器械，或对已上市的器械进行重大修改（如设计、材料、用途变化），或重新激活已停产医疗器械的销售等情况发生时，需要提交510（k）申请。大部分Ⅰ类器械（如普通医用钳、非电子体温计）和少部分Ⅱ类器械（FDA定期更新豁免清单）可豁免510（k）申请。在510（k）申请中需要首先确定产品分类和参照的同类器械，再准备申请材料。根据不同的审查要求和风险等级，510（k）的类型如表13-4所示。

510（k）审核具有3个特点：文件审核；只针对产品，不涉及质量体系考核；主要进行产品本身的相关论证和参照医疗器械的安全性和有效性论证[9]。2023年起，510（k）申请提交文件强制通过电子提交门户（eSTAR）提交材料。510（k）的审核周期通常为90天，但也可能因为数据不足而延长。其中可以加快的有简化510（k）和特殊510（k）程序。前者是用FDA认可的标准（如ISO）简化审查。后者适用于设计变更较小的器械，审核周期短（约30天）。在510（k）申请后，如果FDA认定新产品与参照设备“实质等同”（SE），则器械会被批准上市；如果申请被FDA认为是非实质等同（NSE），则企业可以补充数据或转其他途径申请（如De Novo或PMA）。

表13-4　510（k）申请种类

种类	适用情况	特点	举例
传统510(k)[traditional 510(k)]	大多数通过510(k)途径提交的申请属于此类	与已合法上市器械比较，通过性能测试、临床数据(如需要)等证明实质性等同；需提交详细的技术文件，包括器械描述、性能标准、生物相容性、灭菌验证(如适用)等	普通外科手术器械、部分影像设备等
简化510(k)[abbreviated 510(k)]	当FDA已发布针对该器械的特殊控制指南(Special Controls)或认可标准(如ASTM、ISO标准)时使用	申请人可引用FDA指南或共识标准，减少提交的数据量；需声明符合相关标准，并提供测试摘要；缩短审查时间，降低提交复杂度	部分体外诊断器械(IVD)、某些电子医疗器械
特殊510(k)[special 510(k)]	适用于制造商对自身已合法上市医疗器械的设计变更(如软件更新、材料变更等)	通过“设计控制”(21 CFR 820.30)程序证明变更不影响安全性和有效性。无须提交完整数据，重点说明变更部分的验证/验证结果。仅适用于同一制造商的器械改进，且不涉及新适应证或重大风险	器械软件升级、生产工艺调整

（3）上市前批准PMA制度　上市前批准（PMA）是美国针对高风险医疗器械安全有效性进行科学监管审查的过程，适用于大部分Ⅲ类和少部分Ⅱ类产品。这种审批制度要求申请者提交严格的科学证据（包括非临床试验数据和临床试验数据）证明器械的安全性和有效性。所提交的内容通常包括技术部分（器械描述、非临床研究数据、临床研究数据）、制造信息（生产工艺、质量控制和标签）、风险评估和病例报告表和统计分析。FDA在收到材料后，会在15天内审核材料确认提交是否完整，然后进入实质审查。实质审查的时间通常为6个月起，其间可能会因要求补充数据而延长，需要召开专家评审会议评审高风险产品。在审查完毕后，FDA可能根据申请给出三种不同的决定：批准（approval），允许上市，可能附带上市后研究（Post-Approval Study，PAS）要求；可批准（approvable with conditions），需满足额外条件（如修改标签）；不批准（not approvable），需补充数据或重新设计试验。

（4）其他医疗器械上市前监管制度　除了上述的510（k）上市通知制度和PMA上市前审批制度外，FDA还有De Novo分类请求和人道主义器械豁免（Humanitarian Device Exemption，HDE）医疗器械审批制度。HDE主要针对那些使用量较少的、用于治疗或诊断罕见疾病的医疗器械，以避免因商业回报低而放弃研发。它是美国FDA设立的一项特殊审批途径，旨在促进用于治疗或诊断罕见疾病或症状的医疗器械的开发和上市。HDE与上述几种审批制度的比较如表 13-5 所示。

除了以上一些上市前监管制度外，FDA 还有一些其他的特殊医疗器械上市前的审批制度：研究用器械豁免（IDE），适用于临床试验阶段的器械，允许在未获批前用于人体研究；紧急使用授权（Emergency Use Authorization，EUA），在公共卫生紧急情况（如新冠疫情）下临时授权未完全获批的器械；第三方审查（third-party review），部分低至中风险器械可由 FDA 认可的第三方机构审查，以加速 510（k）流程。

表 13-5 FDA 几种医疗器械上市前监管模式对比

种类	适用情况	核心要求	审查时长	举例
510(k)预市通知	中低风险器械[Ⅱ类器械为主，部分Ⅰ类器械需 510(k)]	证明新产品与已合法上市的"等同器械"具有实质性等同	通常 90 天左右，但可能因 FDA 反馈延长	血糖仪、血压计、部分外科手术器械
上市前批准(PMA)	高风险器械(Ⅲ类器械)，通常用于支持或维持生命，或具有重大风险	需提交严格的科学证据(包括临床试验数据)证明安全性和有效性	通常 6～12 个月或更长，需经过 FDA 专家小组审查	心脏起搏器、人工心脏瓣膜、植入式除颤器
De Novo 分类请求	新型中低风险器械(无合法等同器械)，但风险不足以要求 PMA	证明器械的安全性和有效性，但无须与已有器械对比。若获批，FDA 将为该器械建立新的分类(通常为Ⅱ类)，后续类似产品可走 510(k)	通常 6～12 个月	某些 AI 辅助诊断软件、新型数字疗法
人道主义器械豁免	用于治疗或诊断罕见疾病(每年影响≤8000 人)的器械。 适用于无法进行传统临床试验的极少数患者群体	证明器械的可能收益大于风险，且无已批准的替代疗法，无须进行大规模临床试验以达到 PMA 的有效性标准。禁止营利性销售(除非满足特定条件)	—	儿童罕见病治疗设备、罕见癫痫的神经刺激器、患者极少的癌症检测设备

（5）美国医疗器械上市后的监管　FDA 对医疗器械上市后的监管（Post-Market Surveillance，PMS）是一个动态、多层次的体系，旨在持续监控产品的安全性、有效性和性能，并及时采取风险控制措施。FDA 对医疗器械上市后的监管主要体现在以下方面：

销售后研究：针对高风险器械（如Ⅲ类或植入式器械），FDA 可能要求生产商进行售后研究（如长期疗效跟踪或特定人群监测），也就是 522 研究（Section 522 Postmarket Surveillance）；对于通过 PMA 途径获批的器械，也可能需要进行补充研究以验证其长期安全性。

不良事件监测与报告制度：MDR 法规（Medical Device Reporting），要求制造商、进口商、销售商和医疗机构必须按规定提交医疗器械不良事件报告，录入到 MUFDE 数据库（Manufacturer and User Facility Device Experience）。FDA 分析数据以识别潜在风险。

质量体系审查（QSR）：按照 21 CFR 820 部分，生产商必须遵守质量管理规范（QSR），FDA 通过突击检查审核生产设施，确保从设计到分销的全流程合规。

召回和纠正行动：若上市的医疗器械产品出现问题，FDA 会根据风险程度，要求企业分级召回医疗器械，若企业未主动召回，FDA 可依法强制要求召回。

可见，FDA 的上市后监管体系形成了监测（monitoring）→评估（evaluation）→干预（intervention）的完整闭环管理，保障公众用械安全。

13.3 欧洲医疗器械行业管理现状

欧洲也是全球医疗器械的大市场。特别是欧洲的政治经济一体化组织——欧盟（European Union)，是欧洲最大的经济体，现有 27 个成员国，包括德国、法国、意大利等国家。欧盟作为世界医疗器械大市场，其在医疗器械监管方面也积累了丰富的实践经验，值得我国学习和借鉴。

13.3.1　欧洲医疗器械行业现状

欧洲也是医疗器械的大市场。根据 MedTech Europe 发布的《MedTech Europe's Facts & Figures 2024》报告，2023 年欧洲的医疗器械市场约为 1600 亿欧元，产值占全球市场的 26.1%，为全球的医疗器械大市场。2023 年，欧洲地区的医疗支出平均约占国内生产总值（GDP）的 11%，其中约 7.9%用于医疗器械领域（IVD 占 0.7%），相当于 GDP 总量的不足 1%。各国医疗器械技术支出占医疗总支出的比例存在显著差异，波动范围约为 5%～12%。按人均计算，欧洲地区医疗技术支出约为 304 欧元/人。2023 年欧洲医疗器械市场各国占比为德国 26.5%、法国 14.3%、意大利 12.3%、英国 6.8%、西班牙 6.3%、新西兰 5.1%、瑞士 3.9%、比利时 3.2%、波兰 3.0%、奥地利 2.7%，其他国家占 16.2%。在 2013—2023 年的 10 年里，欧洲医疗器械市场平均每年增长 5.4%。年增长率在 2.4%（2017 年）和 9.3%（2015 年）之间变化，2023 年约为 2.4%。2023 年，欧洲地区的医疗器械进出口贸易额为 110 亿欧元。医疗器械主要出口地为美国（40.4%）、中国（11.0%）和日本（5.4%），其中新西兰、德国、爱尔兰、比利时和瑞士是医疗器械出口前五的国家。医疗器械主要进口地为美国（45.4%）、中国（14.6%）、墨西哥（8.8%）和日本（4.8%），新西兰、德国、比利时、瑞士、爱尔兰是医疗器械进口前五的国家。爱尔兰、德国、新西兰、瑞士和波兰是医疗器械出口额大于进口额的前五个国家。

《MedTech Europe's Facts & Figures 2024》报告指出，2023 年欧洲医疗器械技术产业直接雇佣了 88 万多人，就业岗位约占就业总量的 0.36%，相比之下，欧洲制药行业雇佣了约 90 万人。欧洲医疗器械行业劳动生产率突出——员工人均附加值估计可达 17.7 万欧元。这些指标充分表明，医疗技术行业在欧洲具有显著的经济与社会价值。其中德国、意大利和英国的医疗器械行业从业者最多。欧洲拥有超过 37000 家医疗技术企业，其中德国企业数量居首，随后是意大利、英国、波兰、瑞典和瑞士。中小企业约占医疗技术行业的 90%，且多数为员工不足 50 人的小微企业。欧洲的大型医疗器械公司如表 13-6 所示。

表 13-6　欧洲著名综合性医疗器械公司

公司名称	归属国	核心领域
西门子医疗(Siemens Healthineers)	德国	医学影像(MRI/CT)、实验室诊断、肿瘤放疗设备
飞利浦(Royal Philips)	荷兰	医学影像系统、患者监护设备、数字健康解决方案
罗氏诊断(Roche Diagnostics)	瑞士	体外诊断(IVD)、分子检测系统、组织诊断
费森尤斯(Fresenius)	德国	血液透析设备、输液系统、重症监护产品

13.3.2　欧盟医疗器械监管机构体系

由于欧盟是多个主权国家组成的经济一体化组织，不易进行成员国医疗器械市场的统一审批工作，因此欧盟医疗器械监管的特点主要体现在努力协调各成员国的医疗器械在上市标准和审批程序上的一致性。为此，欧盟通过统一立法，在统一法规的基础上，建立了复杂而严谨的医疗器械监管机构体系，各机构分工协作，保障公众的用械安全，同时也为企业提供了高效的市场准入通道。这些监管机构包括欧洲议会、欧盟委员会、成员国主管当局和公告机构等。

(1) 欧洲议会　欧洲议会是欧盟的核心机构之一，在医疗器械监管中发挥着重要作用。一方面，作为立法中枢，欧洲议会参与医疗器械行业新法规和指令的起草、修订和审定通过。另一方面，作为监督机构，欧洲议会监督欧盟委员会和欧洲药品管理局（EMA）的医疗器械相关法律执行情况。此外，欧洲议会还会同EMA等其他欧盟机构合作，共同应对医疗器械技术创新引发的监管难题，通过定期修订法律条文确保监管框架与产业变革同步发展。

(2) 欧盟委员会（European Commission）　欧盟委员会是欧盟医疗器械监管机构体系的核心之一，它在欧盟医疗器械监管中承担着全方位的监管职责。其主要职能包括：制定和修订相关法规，明确医疗器械产品定义、分类及全生命周期监管要求等；制定配套政策和指南，确保法规实施的统一性；通过决策机制协调各成员国执行统一的市场准入标准。在监管实施层面，委员会审核和监督第三方认证机构的合规性，确保制造商遵守最高安全标准，并协同欧洲药品管理局开展医疗器械（特别是药械组合产品）的监测评估。同时，委员会与欧洲议会保持立法协作，持续完善法规框架以适应技术进步。通过政策制定、跨机构协作和成员国监督三重机制，委员会确保欧盟医疗器械监管体系在保护公众健康与促进行业发展之间实现动态平衡。欧盟委员会下设公共卫生部（Public Health）分管欧盟的制药行业、疾病预防控制、医疗器械行业和公共卫生系统等。卫生部设有由欧盟各成员国的医疗器械行业专家所组成的医疗器械协调小组（Medical Device Coordination Group，MDCG），开展医疗器械管理的具体工作：协助医疗器械相关法规的执行；组织讨论行业核心问题，包括公告机构的监督和标准制定、市场合规性审查跨国协作、创新技术应用和临床试验研究等；履行公告机构资质申请的审核职责，就产品合格评定流程的实操问题与相关方展开磋商；主导欧盟医疗器械数据库（EUDAMED）的开发与运维事务。

(3) 公告机构　公告机构（notified bodies）是经欧盟成员国医疗器械主管部门（Competent Authority）依据法规认定的独立第三方技术评估机构，其在医疗器械的上市认证过程中发挥着重要作用。公告机构资质需由成员国主管当局审查，报欧盟委员会在官方公报公示后生效。欧盟委员会给公告机构一个固定的四位数代码，也就是NB号码，并将认证机构的授权范围在欧盟委员会的官方网站上发布。公告机构的核心工作职责包括：

符合性评估，审查医疗器械技术文档、实施产品性能测试及生产质量管理体系审核；

认证决策权，对符合欧盟法规的器械颁发CE证书，授权使用CE标志，允许产品上市；

持续监督：定期开展突击检查与上市后监管（PMS）数据审核。

企业须选择与其产品类别匹配的公告机构，且认证范围须覆盖目标器械的预期用途及风险等级。

(4) 成员国主管当局　欧盟各成员国都设有专门机构履行医疗器械全周期监管职能，负责监管医疗器械上市前的注册审批、上市后的市场监督和不良事件监测等工作，确保所辖地区所有的医疗器械都符合欧盟法规的要求。这些机构的具体名称和职责可能会因国家而异，如在德国是德国医药品和医疗器械局（BfArM），而在法国则是法国药品与健康产品安全局（ANSM）。

(5) 欧洲药品管理局　欧洲药品管理局（European Medicines Agency，EMA）是欧盟内的一个中央机构，总部位于荷兰阿姆斯特丹。虽然它主要负责欧盟地区的药品监管，但根据欧盟的《医疗器械法规》（MDR）规定，其委员会以其科学和技术专长，参与医疗器械领域（特别是在医疗器械和医药产品重叠的领域）的监管协调工作，在某些高风险医疗器械的监管和审批中发挥着重要作用。

可见，欧盟根据自身的特点，组建了一个多层级、多机构的复杂医疗器械监管框架，协调各成员国的医疗器械标准和规则，确保公众用械安全，促进医疗器械行业的良性发展。

13.3.3　欧盟医疗器械监管法规体系发展

欧盟为了适应其多个主权国家组成统一市场的需要，从 1988 年起就开始研究制定欧盟医疗器械管理法规[10]，历经数十年，欧盟的医疗器械监管法规逐步完善。

1990 年，欧盟颁布《有源植入式医疗器械指令》(AIMDD 90/385/EEC)，开启医疗器械市场的统一监管。根据这一指令，有源植入式高风险医疗器械（如心脏起搏器、除颤器等）必须自当年 6 月 20 日起完成 CE 认证程序，并获得 CE 标志。同时该指令还规定，自 1994 年 12 月 31 日起，任何未取得 CE 认证的有源植入式医疗器械将被禁止在欧盟成员国市场销售[10]。

1993 年，欧盟通过《医疗器械指令》(MDD 93/42/EEC)，建立了针对普通医疗器械的监管框架。该指令涵盖了几乎所有的医疗器械（有源植入物医疗器械和体外诊断器械除外），如手术器械及电子医疗设备等。根据该指令规定，相关产品需自颁布当年起实施 CE 认证程序，并明确要求自 1998 年 6 月 14 日起，所有未获得 CE 认证的医疗器械不得在欧盟境内销售。

1998 年补充《体外诊断医疗器械指令》(IVDD 98/79/EC)，初步形成三类指令并行的体系。这一指令针对体外诊断医疗器械，要求从 1998 年开始进行 CE 认证。

在指令颁布后，欧盟对这些指令先后进行了多次修订，以弥补管控不足，提高监管有效性，并于 2011 年建立欧洲医疗器械数据库（EUDAMED)，推动成员国数据共享。

随着医疗器械行业的发展和科技的进步，旧有的医疗器械监管指令不能适应新时代的要求，经过漫长的讨论和修改后，欧盟于 2017 年 5 月发布了《医疗器械法规》(MDR, EU 2017/745）和《体外诊断器械法规》(IVDR EU 2017/746)，废除了原有的三大指令，构建了覆盖医疗器械全生命周期的严格监管法规体系。MDR（2017/745）取代旧指令 MDD，于 2021 年 5 月全面实施。IVDR（2017/746）于 2022 年 5 月生效。新版医疗器械法规实现了监管体系的全面升级，将最新的前沿科技产物纳入监管，扩大了监管产品的范围。针对高风险医疗器械，法规制定了更为严苛的 CE 认证审核流程。通过建立统一的执行标准，有效提升了各成员国的监管协同效率。相较于旧版指令，新规在监管强度和信息透明度方面均有显著提升，大幅增强了产品的全生命周期可追溯性，提高了医疗器械的安全性和有效性。

13.3.4　欧盟医疗器械上市前后的监管

(1) 医疗器械分类　如第一章所述，欧盟在《医疗器械法规》(EU) 2017/745 中对医疗器械的定义做出了明确规定。欧盟对医疗器械的监管也是基于风险等级进行分级管理。根据《医疗器械法规》，医疗器械采用基于风险的分类体系分为 4 个类别，其等级与器械性能故障对患者健康造成的潜在风险相关联：

Ⅰ类：低风险器械，如普通口罩、体温计、简易绷带和伤口护理产品；

Ⅱa 类：中风险器械，如呼吸器具、注射器；

Ⅱb 类：中高风险器械，如麻醉机、输液泵、体外除颤器；

Ⅲ类：高风险器械，如心脏起搏器、人工关节。

所有医疗器械均归属于上述四类之一，其中Ⅲ类风险最高。

(2) 上市前监管　在医疗器械上市前，通过技术文件审查、质量管理体系认证及临床评估等核心环节保障产品安全性与有效性。

Ⅰ类（低风险），对于非无菌/非测量性的Ⅰ类器械，制造商依据欧盟法规附录编写详尽的技术文档，对产品符合性进行自主评估，签署《符合性声明》，在产品上标注 CE 标志即可获得市场准入资格。然而，针对无菌使用或带有测量功能的Ⅰ类医疗器械及其他风险等级较高的产品，则须由第三方认证机构完成合规性评估程序后方可进入欧盟市场。

Ⅱa 类（中风险），如血糖仪、手术手套等，必须通过第三方公告机构的评估，重点审核技术文件完整性和质量管理体系的运行有效性。临床评估通常可基于文献数据，临床试验非强制要求，但对于创新器械或文献支持有限的器械，临床试验则是必须的。通过审核后发放 CE 认证证书，该产品方可在欧盟地区销售和使用。

Ⅱb 类（中高风险），如呼吸机、输液泵等，监管更严格，必须经过第三方公告机构的评估，对质量管理体系进行全面考核，强化临床评估。制造商需要提供全面的临床数据（通常需要填补临床证据的空白，特别是对于创新或复杂的器械），如果是等效性证明必须详尽，详细记录设备在技术、临床和生物学方面的相似性。同时，制造商需提供详细的器械上市后监督计划和上市后临床跟踪计划。

Ⅲ类（高风险）：如心脏支架、植入关节，上市前管理最为严格，由第三方机构进行最高级别的审查，甚至可能需要进行专家小组咨询。在评估Ⅲ类医疗器械中，临床试验研究数据起着至关重要的作用。要求医疗器械必须严格遵守 MDR 的临床评价要求，通过系统的临床试验研究，提供大量证据，证实医疗器械的安全性和有效性。等效性证明会受到严格审查，除非有特定豁免，否则必须有合同协议来访问等效设备的临床数据。

(3) 上市后监管　为持续确保医疗器械的安全性和有效性，欧盟依据《医疗器械法规》建立了严格的医疗器械上市后监管（PMS）管理制度。制造商在上市前需为每款器械制定书面 PMS 计划，监管强度随风险递增。计划必须明确适用器械型号、观察周期（从首次上市起算）及执行团队职责，整合主动监测（如临床跟踪）与被动监测（如用户反馈、不良事件报告），分析临床性能趋势，识别未知风险及收益-风险比变化。上市后临床跟踪（Post Market Clinical Follow-up，PMCF）计划是 PMS 计划的核心，通过持续临床数据的收集研究来验证器械长期安全性。生产企业则是该阶段的主体，承担法律责任。

MDR 中明确规定，医疗器械制造商必须建立、维护和更新医疗器械上市后监测体系。对于Ⅰ类医疗器械，需编制上市后监测报告；而Ⅱa、Ⅱb 及Ⅲ类器械则须提交定期安全性更新报告（PSUR），内容需涵盖安全与临床性能评估、风险收益比分析、PMCF 研究结果以及产品销量和用户规模等关键信息。制造商应对医疗器械警戒数据进行系统性审查，上报严重不良事件及市场纠正行动，对非严重事件开展趋势分析，识别潜在风险并实施预防性管控措施[11]。

参考文献

[1] 王兰明，袁鹏．国际医疗器械监管法规协调的进展与趋势［J］．中国食品药品监管，2020（17）：1-13.

[2] 徐景和．坚持开放、合作、稳健、共赢积极推动全球医疗器械监管趋同、协调与信赖［J］．中国食品药品监管，2023（8）：4-11.

[3] 朱书敏，徐晓媛．美国医疗器械上市后监测体系运行经验及启示［J］．中国医疗器械杂志，2017，41（2）：123-126.

[4] 何秋洁．大健康新时代居家养老破局立势［M］．北京：中国经济出版社，2020：98.

[5] Gad S C, Spainhour C B, Serota D G. Contract Research and Development Organizations-Their History, Selection, and Utilization [M]. Cham: Springer, 2020: 91.
[6] 商惠，张世庆．浅谈美国医疗器械监管机构重组及启示 [J]. 中国医疗器械杂志，2020 (2)：154-157.
[7] 黄琬纯，杨静怡，梁毅．美国 FDA 医疗器械和放射健康中心机构重组基本情况及其启示 [J]. 中国食品药品监管，2020 (6)：42-49.
[8] 郭艳，庆凌，关怀．中美医疗器械上市后监管模式对比 [J]. 中国药业，2023，32 (6)：4-7.
[9] 张同成，郭新海．无菌医疗器械质量控制与评价 [M]．2 版．苏州：苏州大学出版社，2019：22-39.
[10] 陈以桢，高惠君．美国、欧盟医疗器械法规概况及与我国法规的对比 [J]. 中国医疗器械杂志，2008 (3)：218-226.
[11] 李尧，卞蓉蓉，焦灵利，等．基于美欧医疗器械上市后法规要求对我国建立医疗器械警戒制度的思考 [J]. 中国食品药品监管，2024 (2)：94-103.